L'Esclave des Caraïbes

UNITY HALL

L'Esclave
des Caraïbes

FRANCE LOISIRS
123, boulevard de Grenelle, Paris

Titre original : *Windsong*
Headline Book Publishing PLC, Londres
Traduit de l'anglais par Claude Lemoine

Édition du Club France Loisirs, Paris,
réalisée avec l'autorisation des Éditions Belfond.

ISBN : 2-7242-8292-2

Pour Judy Chilcote,
agent secret.

Première Partie

1

La petite silhouette, pieds nus, vêtue d'un pantalon déchiré d'étoffe grossière et d'une chemise sale à manches longues, n'était pas celle d'un garçon. S'il n'avait pas été contre les paris, Matthew Oliver aurait volontiers risqué une pièce d'or. Les chevilles enchaînées étaient trop fines, la taille un peu trop mince et, sous la chemise flottante, on devinait indiscutablement des formes rondes. Matthew était convaincu qu'il suffisait d'enlever le chapeau à large bord cachant à demi le visage pour faire tomber en cascade un flot de boucles. Des boucles noires ? Matthew caressa sa petite barbe en pointe l'air pensif. Non, plutôt des boucles auburn.

La jeune fille, car il en était maintenant persuadé, se tenait immobile entre les deux garçons auxquels elle était enchaînée par les mains et par les pieds. Le petit groupe se trouvait légèrement à l'écart de la cinquantaine d'hommes qui, également enchaînés, venaient de descendre de l'*Indeavour* pour être dirigés sur la place qui servait de marché aux esclaves dans cette ville poussée trop vite. Les compagnons de la jeune fille ressemblaient à un couple d'anges gardiens mal assortis. Le premier, une sorte de colosse, avait les pieds, la poitrine et la tête nus. Avec un œil professionnel, Matthew se dit que ce garçon de dix-sept ans environ se trouvait certainement, avant de quitter Bristol pour un voyage de dix semaines, dans une excellente condition physique. Maintenant les muscles de ses bras pendaient comme ceux d'une vieille femme et ses côtes tendaient la peau de sa cage thoracique. Évidemment, le capitaine West n'était pas renommé pour nourrir et traiter convenablement ses cargaisons.

Peut-être parce qu'il était très petit, l'autre garçon paraissait plus jeune. Il n'était guère plus grand que la fille, mais il y avait chez lui quelque chose de vif et de nerveux. Cachés par une mèche de cheveux d'un roux éclatant, ses yeux brun foncé faisaient en quelque sorte l'état des lieux. Ils embrassaient la place mal pavée, la foule qui les regardait et tout particulièrement l'estrade dressée sur l'un des côtés. C'était là en effet que le capitaine West mettrait en vente, pour le compte de sir William Stapleton, le gouverneur des îles Sous-le-Vent, les esclaves nouvellement débarqués.

« A ceux qui possèdent, il sera donné », marmonna entre ses dents Matthew, lorsque Nathaniel West, dont la marche chaloupée ressemblait à celles des vieux rafiots auxquels il parvenait tant bien que mal à faire traverser l'Atlantique, s'avança pour discuter avec ses marins de la part du butin qui leur serait allouée. Chacun des hommes enchaînés qui attendaient sous le doux soleil de ce matin de janvier dans l'île de St. Christopher rapporterait à sir William (un homme déjà diaboliquement riche) entre vingt et vingt-cinq souverains selon leur état de santé et leur taille. De cet argent, l'équipage aurait également sa part.

Deux inclinations profanes avaient amené Matthew Oliver, qui craignait Dieu, à quitter Windsong, sa plantation de canne à sucre située au pied des montagnes, pour se rendre à Old Road Town. La curiosité et l'envie. Une curiosité teintée de consternation, admettons-le, de voir ce genre d'esclave arriver sur l'île. C'était quelque chose d'inhabituel : ces hommes étaient à la fois blancs et anglais. Pour les autorités c'étaient des criminels, convaincus de sédition et condamnés à dix ans de travaux forcés au profit des planteurs des Antilles. On ajoutait, pour l'édification de tous, que ces traîtres avaient beaucoup de chance d'être encore vivants. Bon nombre de leurs camarades avaient été pendus.

Quant à l'envie que ressentait Matthew, elle concernait sir William Stapleton, gouverneur, depuis treize ans maintenant, des îles Sous-le-Vent, une position que Matthew convoitait. Il s'était installé dans l'île vingt-huit ans plus tôt, en 1657, alors qu'il était encore un jeune homme et, en tant qu'administrateur des colonies, avait été l'un des instruments de sa croissance. Pourtant il n'en avait retiré que fort peu de bénéfices pécuniaires. Le poste de gouverneur aurait dû, à son avis, lui être confié. Mais sir William Stapleton, fidèle partisan de Sa Majesté Jacques II, avait reçu les îles en récompense pour ses loyaux services. Et aujourd'hui, deux cents solides francs tenanciers anglais, avec en prime une fille dont il pourrait faire tout ce qu'il voulait. Stapleton garderait les hommes les plus solides pour ses propres plantations dans l'île voisine de Nevis et vendrait les autres.

Matthew détacha à regret ses yeux de la jeune fille habillée en homme — un spectacle qui l'excitait — et regarda autour de lui. Le ciel était d'un bleu éclatant, avec de petits nuages blancs poussés par des alizés qui agitaient nonchalamment les palmiers et l'eau violette et bleu-vert de la mer des Caraïbes. Un couple de pélicans bruns plongea d'une hauteur impressionnante à la recherche de leur petit déjeuner. Un peu plus loin, des montagnes coniques couvertes de forêts s'enfonçaient paresseusement dans le ciel bleu. « Mais l'homme est vil », se dit Matthew en regardant de nouveau la scène qui se déroulait devant lui.

Le marché aux esclaves était une véritable fourmilière : hommes enchaînés, esclaves accompagnant leurs riches maîtres ou leurs surveillants venus pour affaire ou par curiosité, marins à moitié ivres fêtant la fin du voyage, mulâtres et Blancs de la ville attirés là pour la même raison que Matthew. L'atmosphère était bizarrement tranquille. On n'entendait guère les braillements et les cris habituels. Le public se contenait à la vue des membres de sa propre race tombés dans un si triste état. Il sentait qu'il serait malséant de faire trop de tapage. Même ces Français hurleurs venus de Basse-Terre, la capitale de la partie de l'île qui leur appartenait, modéraient l'éclat de leurs voix et l'exubérance de leurs gestes. Mais rien ne pouvait supprimer l'odeur de poisson, de viande avariée, de crottin de cheval, d'algues pourries. Ces effluves paraissaient d'autant plus âcres qu'ils étaient mêlés aux doux parfums que les vents apportaient de la montagne. Mais plus forte que ces odeurs était la puanteur dégagée par les corps sales de cette cinquantaine d'hommes qui sans aucun doute souffraient de diarrhée. Cette odeur pestilentielle, aussi malsaine qu'une soupe rance, donnait la nausée. Pourtant il s'agissait d'hommes blancs désespérés, presque moribonds, enchaînés, épuisés par les horreurs du voyage et incertains de leur destinée.

Ce n'est pas bien de vendre des hommes, se dit Matthew qui

déplorait de ne pouvoir exploiter sans esclaves l'énorme plantation de sa femme. Mais ce sont des esclaves noirs, là réside la différence, se dit-il. On devrait interdire de vendre des hommes blancs.

Il n'avait aucunement l'intention d'acheter un seul de ces hommes, surtout pour ne pas remplir davantage les poches de sir William, mais ces trois jeunes gens et en particulier la jeune fille excitaient sa curiosité.

Il enfonça ses genoux dans les flancs de sa monture et l'engagea doucement dans la foule, essayant de retenir sa respiration pour échapper à l'odeur fétide dégagée par les prisonniers. Lorsqu'il fut à portée de voix du petit groupe, il se couvrit la bouche avec un mouchoir, arrêta son cheval et, calé sur sa selle, dévisagea les jeunes gens. Les deux garçons se serrèrent contre la fille. Le plus grand lança un regard furieux : le plus jeune — le plus petit en tout cas — sourit d'un air doucereux.

Matthew se pencha en avant et de sa cravache toucha légèrement la jeune fille à l'épaule.

« Dites-moi, mon enfant, pourquoi une jeune fille se déguise-t-elle en garçon ?

— Ce n'est pas une fille », grogna le colosse.

Matthew résista à la tentation de faire tomber le chapeau de la jeune fille du bout de sa cravache. Il se contenta de hausser les sourcils d'un air perplexe.

Le rouquin, sans aucun doute le plus vif et le plus intelligent, décida que le jeu avait assez duré. « Nous l'avons habillée avec mes vêtements pour sa sécurité, monsieur. Je veux dire à cause des marins durant le voyage », reconnut-il sans prendre garde à l'air renfrogné de son compagnon.

Matthew se mit à rire. « Autant envelopper un diamant dans de la gaze. »

Le colosse, malgré ses chaînes, leva un poing impressionnant et dit d'un air bourru : « En fin de compte cela s'est avéré bien plus efficace. »

Matthew n'en doutait pas. « Et pourquoi est-elle ici ? » demanda-t-il.

La fille leva la tête et le fixa de son extraordinaire regard vert. Elle avait des cernes de fatigue et ses joues rondes étaient souillées mais ses yeux candides étaient aussi clairs qu'une vitre fraîchement lavée, ils n'étaient pas encore atteints par les tristesses de la vie. Matthew éprouva une sensation extraordinaire, un mélange de désir et de pitié. La pitié eut

14

raison de son désir honteux et le laissa avec le besoin urgent d'accorder sa protection à cette jeune fille et de lui éviter la désagréable destinée qui l'attendait.

« On m'accuse de traîtrise, monsieur. »

Elle n'avait guère plus de quinze ans, il en était sûr. Son accent du Sud-Ouest de l'Angleterre lui rappela sa jeunesse.

« A juste titre ? »

Elle secoua la tête avec indignation. « Non, monsieur. Je n'ai rien fait qu'aider à broder un étendard. »

Broder un étendard ? Il ne comprenait pas mais ce n'était pas l'heure des explications.

« Et vos compagnons ?

— Je suis son frère, dit le colosse.

— Et nous sommes cousins, monsieur, dit le rouquin. Ben Clode pour vous servir. » Il esquissa une courbette qui fit sonner ses chaînes et plia le colosse en deux.

Matthew enleva le mouchoir de son visage et sourit. Les trois prisonniers le regardèrent, remplis d'espoir.

« Et quel est votre nom, mademoiselle ?

— Je suis Amelia Quick, dit la jeune fille en faisant une révérence acceptable avant de se redresser de toute sa hauteur. Et voici mon frère Zachary. »

Le colosse esquissa lui aussi une courbette. Matthew continuait à les observer en caressant sa barbe, ainsi qu'il le faisait toujours dans ses moments de perplexité. C'étaient des jeunes gens de bonne famille, il en était certain. Le nom de Quick remua un coin oublié de sa mémoire.

« Il y avait une famille Quick à Upottery. Quick Manor...

— Notre château, dit Zachary. Notre propriété. » Et il ajouta amèrement : « Jusqu'il y a trois mois. Maintenant c'est un des domaines du roi papiste. »

Ah ! Celui-ci prêchait effectivement la sédition, mais Matthew lui-même ne montrait guère d'enthousiasme à l'idée d'un roi papiste sur le trône d'Angleterre et encore moins de voir de braves gens du Sud-Ouest vendus comme esclaves à cause de leurs convictions. Néanmoins il porta son index à ses lèvres.

« Chut, avertit-il, ou vos ennuis s'aggraveront. »

La jeune fille posa ses yeux limpides sur lui et passa nerveusement sa petite langue rose sur sa lèvre inférieure douce et pleine. Le désir interdit fit de nouveau son apparition. Matthew était convaincu qu'elle espérait son aide mais était trop fière pour la lui demander.

Il prit donc sa décision. Il ne laisserait sûrement pas cette pauvre enfant abandonnée, tripotée et inspectée par les mains libidineuses des surveillants qui attendaient le début de la vente aux enchères. Sans un mot il fit faire demi-tour à sa jument et se dirigea vers le capitaine West. Lui et West étaient de vieux adversaires. La vie en mer du capitaine, le transport des esclaves avaient endurci l'homme, mais il y avait encore chez lui quelques traces d'humanité.

« Les trois jeunes... », commença Matthew.

West, son gros ventre en avant, leva les yeux vers lui. « Avec la fille ? »

Matthew acquiesça.

« Elle est intacte. J'y ai veillé. Encore gamine. » Sa voix était mielleuse.

Et tu espères donc un bon prix, pensa Matthew en disant : « Je les achète tous les trois. »

Une lueur vénale éclaira les yeux du capitaine. « Tous les trois ?

— Soixante-dix souverains », dit Matthew d'une voix ferme. Il s'attendait à ce que le capitaine s'exclame que ce n'était pas assez. « Plus vingt pour vous », ajouta-t-il en baissant la voix. « Une petite transaction privée et secrète entre vous et moi. »

Le capitaine accepta d'un signe de tête et une grimace cynique retroussa ses lèvres. « Vous avez vu les poings du garçon, monsieur ? » prévint-il.

Matthew comprit parfaitement où il voulait en venir. West croyait qu'il en voulait à la pucelle. Il pensa répondre à cette insinuation mais décida que c'était au-dessus de sa dignité. D'ailleurs il se rendit compte, avec le désarroi qui s'emparait toujours de lui dans ces cas-là, que c'était peut-être au fond la vérité.

« Détachez-les, dit-il froidement. Je ne vois pas où ils pourraient s'enfuir. Dites à Beauboy de les emmener à Windsong. Vous aurez l'argent à midi.

— D'accord, d'accord, monsieur. » Nathaniel West lissa son toupet d'un air moqueur et sourit d'un air entendu tandis que Matthew faisait faire demi-tour à son cheval. Dans son dos, il entendit les rires railleurs de l'équipage.

Amelia sentit un frisson de désespoir la parcourir en voyant l'homme faire demi-tour et s'en aller sans un mot. Elle s'était persuadée qu'il ferait quelque chose pour eux mais apparemment il se désintéressait de leur situation. Zach n'aurait pas dû parler du roi papiste. Peut-être que cet homme était catholique.

Elle le suivit des yeux tandis qu'il dirigeait son cheval en direction du capitaine bedonnant à qui apparemment il voulait parler. Le capitaine hocha la tête comme une marionnette et l'homme repartit, salué par les éclats de rire gras des marins attendant sur le quai.

« Que va-t-il nous arriver maintenant ? demanda-t-elle à ses compagnons.

— Nous allons être vendus comme autant de têtes de bétail, dit Ben. J'imagine qu'on nous fera monter sur cette estrade qui est là-bas, afin qu'on puisse juger de notre valeur. »

Amelia frissonna. « J'ai l'impression de me retrouver sur le banc des accusés.

— Courage, dit Ben. Ce n'est qu'une estrade. Il n'y a pas de juge Jeffreys et pas de potence à l'horizon. Dix ans de travaux forcés, voilà ce qui nous attend. Dix ans.

— Nous serons vieux lorsqu'on nous libérera, dit Zach d'une voix lugubre.

— Pas si vieux que ça. Et souviens-toi, nous sommes en vie, alors que beaucoup d'autres sont morts.

— Peut-être que la mort aurait été préférable à ce déshonneur.

— Non, dit fermement Amelia à son frère. La vie est préférable. Ne parle pas ainsi, Zach. »

Elle avait peur mais ne voulait pas le laisser paraître ; d'ailleurs, l'espoir reprenait un peu le dessus. Elle avait acquis la certitude que cet endroit ne pouvait être entièrement néfaste. Lorsqu'on les avait remontés sur le pont ce matin, l'île lui était apparue comme un paradis. Le soleil était chaud sans être brûlant, la mer magnifique, avec des vagues déferlant sur de grandes plages sombres qui lui semblaient mystérieuses comparées au sable doré du Devon qu'elle avait connu toute sa vie. Elle trouvait les grands arbres aux troncs lisses insolites, mais élégants ; quant aux champs émeraude qui s'étendaient jusqu'aux montagnes d'un vert plus profond, ils rafraîchissaient l'esprit et le corps de ceux qui avaient souffert de la faim, de la chaleur, de la peur et de l'humiliation pendant ces dix dernières semaines.

Cependant ici, sur la place du marché, elle avait de nouveau peur ; elle savait que les Noirs existaient mais elle n'en avait jamais vu. Leurs visages sombres aux grandes narines et aux

17

lèvres épaisses l'inquiétaient par leur étrangeté. Pourtant ces hommes étaient fort calmes. Elle ne pouvait rien présumer de leur passivité. C'était plutôt les Blancs qui semblaient cruels et brutaux. Ils marchaient parmi les prisonniers, les palpaient et les jaugeaient.

Un marin de forte stature, avec une barbe noire, se dirigeait maintenant vers eux, suivi d'une charrette en bois cahotante tirée par un cheval ensellé et fatigué. Un colosse noir tenait les rênes. Ben et Zach se serrèrent de nouveau contre Amelia pour la protéger.

« Desserre tes poings, mon garçon, dit le marin, en adressant un sourire sans dents à Zachary. On y va. »

On va où ? La peur de l'inconnu noua l'estomac vide d'Amelia.

« Où ? insista Ben.

— Tu verras bien. »

Le marin sortit une clé afin de les débarrasser de leurs chaînes. Ils restèrent là tous les trois ahuris, frottant leurs poignets à vif pour essayer de ramener la vie dans des mains et des pieds qui retrouvaient brusquement leur liberté de mouvements.

Le marin les fit monter dans la charrette et le visage du conducteur afficha une inquiétude comique. Ses yeux s'arrondirent tandis que ses pupilles décrivaient des cercles presque parfaits.

« Je ne les emmène pas comme ça. Ils peuvent s'échapper et je serai tenu pour responsable, protesta-t-il.

— Ce sont les ordres du capitaine, dit le marin. A moins que tu tiennes à recevoir quelques coups de fouet sur ta carcasse noire, tu ferais mieux d'obéir.

— Je préfère être fouetté que mort.

— On te tuera de toute façon si tu ne fais pas ce qu'on te dit, Beauboy, lança le marin d'un ton joyeux assez surprenant. De plus, où veux-tu qu'ils aillent ? Comment peuvent-ils s'échapper avec des chevilles dans cet état ? Quelle force leur reste-t-il dans les bras pour s'en prendre à un grand singe noir comme toi ? »

Il disait vrai. A l'époque où elle était libre, Amelia aurait pu escalader une montagne pendant le temps qu'il lui fallut pour monter dans la charrette. Ses chevilles et ses poignets saignaient, suppuraient, tremblaient comme si les os en avaient été arrachés.

En marmonnant le conducteur donna un bon coup de fouet à son cheval.

« N'oubliez pas que j'ai ça », dit-il en se tournant vers ses passagers et en agitant son fouet d'un air menaçant.

Amelia sentit à quel point il avait peur. Elle avait été réellement étonnée lorsque l'énorme bouche s'était ouverte pour parler anglais avec une voix curieusement haute pour un homme de cette taille. Mais qu'il puisse avoir peur d'eux lui semblait inconcevable.

« Je vous en prie, n'ayez pas peur de nous, monsieur, dit-elle lentement afin qu'il puisse la comprendre. Vous n'aurez pas besoin de votre fouet pour vous défendre. » Et elle posa sa main sur le bras nu de l'homme.

Il regarda cette main blanche qui se détachait sur sa peau noire, fixa la jeune fille et hocha la tête. Amelia se rendit compte qu'elle l'avait bouleversé mais ne comprit pas pourquoi. Elle retira sa main, ce qui parut soulager le colosse.

« Où nous emmenez-vous, monsieur ? » demanda-t-elle.

Cette question lui fit secouer la tête de nouveau. « A Windsong, dit-il d'un air aussi bougon que le permettait sa voix haut perchée.

— Windsong, répéta-t-elle. Est-ce loin ?

— Non. »

Apparemment il n'avait pas envie de parler et il leur tourna un dos large comme un chêne. Décidément, il voulait les ignorer.

« Nous avons dû être achetés, expliqua Ben. Par ce type peut-être, l'homme à cheval qui nous a parlé. Je l'ai vu discuter avec le capitaine. »

Amelia ferma les yeux et fit une courte prière pour que ce soit lui effectivement qui les ait achetés. Elle avait aimé le sourire de cet homme et le regard fatigué de ses yeux gris, ridés et cernés. Elle pensa qu'il était bon.

Ils cessèrent de parler tandis que la charrette cahotait avec fracas sur une piste ouverte tel un tunnel à travers une forêt de grandes pousses vert-jaune qui ondulaient sous le vent en bruissant et d'où s'échappaient par moments des grincements semblables à ceux d'une vieille porte dont les gonds manquent d'huile.

« S'il vous plaît, monsieur, demanda Amelia au conducteur, en lui tapotant gentiment l'épaule, qu'est-ce que c'est que ça? » Elle montrait la verdure qui les entourait.

Il parut surpris de sa question. « Vous ne savez pas ? » Elle

19

secoua la tête. « Eh ben alors ! dit-il devant tant d'ignorance. C'est des cannes à sucre.

— C'est trop joli.

— Joli ! » Il éclata de rire et se gratta la tête avec le bout de son fouet. « Vous allez en savoir bientôt suffisamment sur la canne à sucre. Elle n'est pas si jolie quand vous êtes au beau milieu en train de la couper.

— Est-ce que nous allons faire ça ? » demanda Ben.

Beauboy se retourna pour les observer attentivement. « Peut-être pas toi parce que tu es trop petit et trop chétif. Ni la demoiselle. La poussière des champs l'étoufferait en un rien de temps. Mais toi, dit-il en pointant un index noir sur Zach, un grand garçon comme toi, tu la couperas bientôt et tu verras. »

Ils regardèrent les étendues vertes avec des yeux neufs et plus personne ne dit mot.

Après les plantations de canne à sucre commença à se dessiner un paysage différent. D'énormes arbres aux feuilles épaisses et aux troncs lisses bordaient la piste. Des fleurs exotiques embellissaient le chemin. Amelia aperçut des oiseaux d'un jaune et d'un rouge éclatants, bien plus éclatants que les couleurs des oiseaux qu'elle connaissait dans le Devon. Ils filaient comme des flèches dans les feuillages. Puis le sentier s'élargit et des plantes d'une grande beauté apparurent dans des plates-bandes. Après un virage surgit la maison, au bout d'une longue allée bordée de palmiers d'une hauteur impressionnante. C'était un manoir de trois étages en pierre grise, de style Jacques Ier, aussi bien entretenu que n'importe quelle grande propriété en Angleterre. Toutefois, il paraissait quelque peu déplacé et austère dans cet environnement tropical. Les fenêtres aux stores tirés semblaient ignorer leur arrivée. Rien ne bougeait.

« Voilà Windsong, informa Beauboy maintenant qu'il se sentait en sécurité.

— Est-ce là que nous allons ? »

Beauboy se retourna et sa bouche se fendit d'un sourire. « C'est là que vous allez tous, dit-il en hochant lentement la tête, et c'est un endroit vraiment dur pour des gens comme vous.

— Pourquoi ? » demanda Amelia. Quoique la maison parût bizarrement anglaise, Amelia sentait d'instinct que c'était un lieu sinistre. Elle était certaine que des choses terribles pouvaient s'y passer.

Beauboy gloussa et répéta : « Vous le découvrirez vous-mêmes assez tôt, juste comme ce fut le cas pour chacun de nous. »

En rentrant à Windsong, Matthew Oliver pensait fiévreusement à ce qu'il dirait à sa femme. Ils n'avaient pas besoin de nouveaux esclaves et il se demandait où il pourrait bien loger ces trois jeunes gens. Il craignait qu'on ne soit obligé de les installer avec les Noirs. La seule solution était de persuader sa femme d'utiliser les mansardes. Malheureusement, elle avait toujours refusé de faire dormir des esclaves sous son toit, de peur d'être tuée dans son lit. Mais le fait que ces jeunes gens fussent blancs pouvait peut-être la faire changer d'avis. Il les avait achetés sans réfléchir, incapable de supporter l'idée des mauvais traitements que subirait sûrement la fille si elle était emmenée ailleurs. Et maintenant il lui fallait expliquer son geste. Matthew était enclin, et l'avait toujours été, à des actes généreux et impulsifs ; des initiatives qui plaisaient rarement à son épouse extrêmement autoritaire.

Élisabeth Oliver était née sur l'île et ne l'avait jamais quittée. C'était sa famille qui avait construit Windsong, grâce aux profits du tabac durant les premiers jours de la colonisation puis, lorsqu'on s'aperçut que cette plante ne pouvait rivaliser en qualité avec le tabac cultivé dans les colonies américaines, grâce aux revenus plus que confortables procurés par le sucre. Enfant unique elle avait hérité de la propriété. Quoiqu'il se méprisât pour sa conduite, Matthew l'avait épousée plus pour sa fortune que pour sa beauté. Elle avait un visage étroit avec un nez si pointu et des narines si petites qu'il était difficile d'imaginer comment elle respirait. Les comportements d'Élisabeth étaient aussi mesquins que ses traits et aussi pointus que ses os. Pourtant, elle s'habillait d'une façon extravagante qui contredisait ses principes. Elle pataugeait dans le pompeux et le décorum. Sa maison lui ressemblait. En privé, elle avait un penchant pour l'Église romaine mais, bien entendu, le reconnaître aurait été un suicide social dans une société où les catholiques, principalement irlandais, n'étaient guère mieux considérés que les Noirs.

Comme la plupart des Blancs de l'île, Élisabeth haïssait et craignait les esclaves. Elle haïssait aussi les Irlandais, séparant nettement, pour sa tranquillité d'esprit, leur nationalité de leur religion. Ses préjugés provoquaient quelques problèmes. Aux Antilles, la loi exigeait que les planteurs emploient un certain nombre de Blancs, afin que la proportion entre les Blancs et les Noirs de l'île reste constamment de un pour dix. La plupart des domestiques blancs étaient irlandais et Élisabeth refusait de les engager. Elle détestait d'ailleurs donner des gages, quelle que fût la modicité de la somme.

Son mariage avec Matthew n'en avait, depuis de nombreuses années, gardé que le nom. Deux enfants étaient nés — d'abord un fils, Justinian, qui allait, pensait Matthew, le consoler de l'échec de son mariage. Mais Justinian, à dix-huit ans, était devenu une sorte de dandy geignard ayant un goût prononcé pour la bière. Quant à Charlotte, bien que fort jolie, elle était dépourvue de tout autre charme et se trouvait totalement sous l'emprise de sa mère. Après la naissance de sa fille, Élisabeth avait fait deux fausses couches. Craignant pour sa vie, elle refusait désormais de coucher avec son époux. Celui-ci, à quarante-cinq ans, vivait dans une chasteté totale. Des années auparavant, il avait eu son lot de jolies esclaves qui ne pouvaient refuser de se plier à ses caprices les plus extravagants et les plus honteux. Puis, dégoûté de lui-même et par un effort considérable de volonté, il était parvenu à maîtriser ses besoins importuns. Maintenant il trouvait plus de réconfort dans sa Bible que dans les doux recoins féminins.

Il se dirigea vers l'arrière de la maison où il savait qu'Élisabeth serait assise dans la véranda ombragée accolée à la maison — une concession architecturale due au climat. Elle travaillerait sûrement à sa broderie. C'était quelqu'un qui avait des habitudes. Elle venait s'installer ici chaque matin devant le jardin luxuriant et, au loin, la chaîne encore inexplorée des montagnes aux sommets perdus dans les nuages.

« Où étiez-vous ? demanda-t-elle d'un air accusateur sans prononcer le moindre mot de bienvenue à la vue de son mari. Vous vous êtes levé tôt.

— Oui, ma chérie, dit-il, donnant son chapeau et sa cravache à la femme de chambre noire d'Élisabeth, qu'il congédia d'un geste. J'ai une surprise pour vous. » Matthew avait découvert depuis longtemps qu'il était préférable de l'apaiser plutôt que de la contredire.

« Une surprise ? »

Il s'assit dans le fauteuil à côté d'elle et allongea ses jambes bottées. « Je sais, ma chère, à quel point vous détestez avoir des esclaves autour de vous...

— C'est bien vrai, dit-elle vivement. Des êtres ingrats, faux et avides. Mais a-t-on un autre choix, dans cette île de malheur ?

— Que diriez-vous d'une femme de chambre blanche pour vous et Charlotte, et d'un valet blanc pour Justinian ? »

Elle fit la moue et fronça les sourcils. « Nous ne pouvons nous permettre de payer nos domestiques, cher mari, dit-elle sèchement. Sûrement pas avec les ventres affamés de plus d'une centaine d'esclaves à remplir.

— Nous n'aurons pas à débourser un sou.

— Je ne veux pas d'Irlandais dans cette maison.

— Pas des Irlandais. De bons Anglais du Sud-Ouest, des gens de ma région. Je les ai achetés ce matin à leur descente de l'*Indeavour*. Une fille qui n'a guère plus de quinze ans et que vous pourrez dresser à votre gré...

— De l'*Indeavour* ? Ne font-ils pas partie de ceux qui se sont soulevés contre le roi ? Des traîtres qu'on a offerts à sir William ?

— Ceux-ci sont bien trop jeunes pour avoir participé effectivement à quoi que ce soit d'important. Les deux braves garçons...

— Deux !

— L'un est un tel rustre, un tel lourdaud qu'il pourra travailler avec les esclaves sur la plantation. » Matthew voulait se débarrasser de Zachary afin d'éviter à Amelia de travailler dans les champs de canne à sucre, ce qui l'éloignerait de la maison. « Et l'autre, petit, à l'esprit vif, peut servir de domestique à Justinian. Ils sont à nous pour dix ans. Et pour une fois, nous aurons presque le quota de Blancs que réclame la loi. »

Élisabeth prit une inspiration qui lui fit frémir et pincer les narines et lui donna un air désapprobateur.

« De nouvelles bouches à nourrir. Et nous mettons ainsi du bel argent dans la poche de sir William. Ce n'est pas une chose à faire, dit-elle sur un ton de reproche. Combien les avez-vous payés ? »

La seule chose sur laquelle Matthew et sa femme étaient d'accord — elle brûlait d'envie d'être Lady Oliver — était que sir William avait usurpé la place qui en réalité aurait dû revenir à Matthew.

« Élisabeth, Élisabeth, on ne demande pas le prix d'un cadeau », dit-il d'une voix enjouée, mais il savait qu'elle le découvrirait de toute façon. Depuis qu'il avait démissionné de son poste d'administrateur des colonies, à l'arrivée de sir William aux Antilles, Matthew dépendait financièrement de la plantation, ce que ne manquait pas de lui rappeler sa femme. Elle surveillait chaque sou qui entrait ou sortait de Windsong. Elle s'asseyait à côté de Pottle, le vieux comptable, pour s'assurer qu'aucune pièce de monnaie, fût-elle minuscule, n'était détournée de sa bourse.

« Un cadeau de qui ? » Ses yeux bleu pâle, soupçonneux, étincelaient.

« De votre époux aimant. » Matthew se leva et s'inclina.

Elle renifla pour lui montrer qu'elle ne recevait aucun don qui ne vînt pas indirectement de ses propres deniers.

« Allez me chercher ces traîtres, ordonna-t-elle.

— Bien sûr, ma chère. Mais ce ne sont pas des traîtres, je vous assure.

— Dans ce cas, pourquoi sont-ils ici ? demanda-t-elle avec une logique irritante.

— Ils vous l'expliqueront.

— Je n'écoute pas les explications d'esclaves et de criminels », dit-elle d'un ton glacial.

Matthew pensa qu'il était préférable de ne pas répondre. Il s'inclina de nouveau, encore plus profondément, et lui baisa la main. Il s'en alla avec en tête l'image d'une fille au visage doux et innocent, et se répéta une fois de plus que, lorsqu'un homme se mariait pour de l'argent, il peinait souvent plus dur que les autres.

Comme la charrette roulait lourdement dans l'allée, Amelia aperçut, sur l'escalier du perron de pierres grises situé devant les grandes portes-fenêtres de la maison, l'homme qu'elle avait vu au marché des esclaves.

« C'est lui », murmura-t-elle.

Zach resta silencieux, mais Ben donna l'impression qu'il se serait volontiers frotté les mains si cela n'avait pas été si douloureux.

« Parfait, murmura-t-il à son tour.

— Je n'aime pas ça, bougonna Zach. Je n'aime pas ça du tout.

— Il va bien falloir le supporter », dit Amelia fermement. Elle aimait tendrement son frère — il était avec Ben tout ce qu'elle avait au monde — mais elle se rendait compte qu'il avait une nature soupçonneuse et pessimiste. Il avait toujours fait le désespoir de ses précepteurs. Peut-être parce qu'il manquait de culture, il lui arrivait d'être agressif au point de se livrer à des violences redoutables. Mais jamais contre elle, cependant.

Elle lui prit la main et essaya de le consoler en lui rappelant qu'ils étaient encore tous les trois ensemble. « Mais pour combien de temps ? » grogna-t-il.

Beauboy était sur le point de contourner la maison quand l'homme sur le perron lui commanda de se ranger devant lui.

En marmonnant entre ses dents, le Noir changea de direction et s'arrêta devant son maître. Celui-ci fit signe aux occupants de la charrette. « Je désire vous parler », dit-il.

Il descendit les marches pour gagner l'allée et les précéda jusqu'à un arbre, aux feuilles épaisses de plantes grasses, qui offrait un coin ombragé parfait dans la chaleur de midi. Inquiets, mal assurés sur leurs jambes, ils le suivirent.

Amelia trouvait que l'homme semblait mal à l'aise. Il avait perdu son air de calme réflexion avec lequel il les avait considérés sur la place du marché. Et parce qu'il était nu-tête, il paraissait maintenant plus vieux. Sa perruque blonde était trop jeune pour ses traits émaciés et pour les profondes rides entourant ses yeux que dissimulait auparavant le grand chapeau à plumes qui lui abritait le visage.

« Je suis Matthew Oliver et je ferai tout ce que je pourrai pour vous, commença-t-il sur un ton de conspirateur. Vous comprenez, je suis moi-même du Devon. Et je n'aime pas beaucoup voir des compatriotes aussi jeunes dans une situation aussi déplorable. C'est pourquoi je vous ai fait venir ici. Maintenant vous allez rencontrer ma femme, Mme Oliver. Attention, pas de remarques séditieuses devant elle, aucune parole désobligeante vis-à-vis du roi. Vous devez vous souvenir que vous allez être ses domestiques et qu'il faut vous conduire en conséquence. Sinon elle ne vous supportera pas chez elle. » Il passa rapidement un mouchoir sur son front. Il donnait un peu l'impression de plaider. « Soyez obéissants et respectueux. Acceptez et comprenez votre position.

— Quelle est notre position, monsieur ? demanda Amelia.

— Si ma femme est d'accord, tu seras sa servante et celle de notre fille.

— Et Ben, et mon frère ?

— C'est ma femme qui décidera. Maintenant suivez-moi. »

Amelia comprit qu'il avait peur de sa femme. Ils traversèrent rapidement la maison, de sorte qu'ils n'eurent guère le temps d'avoir autre chose qu'une impression de grande richesse. Amelia murmura à Zach, en signe d'avertissement : « Tu ferais mieux de faire ce qu'il dit.

— En effet, dit Ben en roulant les yeux, nous devons nous résigner. »

Zach se contenta de grogner.

Matthew les conduisit vers une grande terrasse à l'arrière de la maison avec un toit et un plancher en bois, qui s'ouvrait sur le jardin. Amelia n'avait jamais vu une construction pareille mais c'était un endroit frais et agréable. Au-delà du jardin couvert de fleurs, on apercevait plusieurs baraquements aux toits de chaume, faits de troncs d'arbres mal équarris qu'Amelia prit pour les écuries. Dans la partie abritée de la véranda était assise une femme maigre, portant une robe à grand col blanc d'un rouge criard. Ses cheveux ébouriffés sur son front étaient tirés sur les côtés et ramenés en arrière en chignon. Elle se tenait très droite et toute son attitude dénotait un caractère despotique. Pourtant ce n'était pas une véritable dame, Amelia en était sûre.

« Madame ma femme, dit Matthew Oliver, voici vos nouveaux domestiques. »

Elle les dévisagea, surtout Amelia, avec un regard soupçonneux.

« Avance, ma fille », ordonna-t-elle, avec un geste autoritaire de la main.

Amelia fit ce qu'on lui demandait et, cachant son indignation devant ce ton autoritaire, exécuta une profonde révérence.

« Enlève ton chapeau. »

Amelia obéit. Elle ne pouvait imaginer que la vue de ses cheveux coupés en garçon à la diable par Zach tandis qu'ils attendaient dans la prison de Taunton d'être déportés aux Antilles provoquerait chez Matthew un mouvement de pitié.

« Pourquoi es-tu habillée en homme ?

— Pour garder ma vertu pendant la traversée, dit Amelia en baissant les yeux. Je craignais la convoitise des marins. »

Amelia était née intelligente et débrouillarde, mais les derniers mois de sa vie avaient développé chez elle un sens aigu de la ruse lié à un fort instinct de survie. Elle se rendait compte que leur avenir immédiat était entre les mains de cette femme et qu'elle devait gagner ses faveurs pour éviter que leur sort ne s'aggrave encore. Au moins ce mari tyrannisé semblait être un allié ; malheureusement, supposait-elle, il ne devait pas avoir une grande autorité dans sa maison. Malgré son jeune âge, Amelia était parfaitement consciente de son pouvoir de séduction. Elle avait très vite repéré une certaine lueur dans le regard des hommes, qui signifiait, croyait-elle, qu'elle pouvait faire avec eux tout ce qu'elle désirait. Cette lueur elle l'avait retrouvée dans les yeux de maître Oliver. Elle était parfaitement consciente que, durant les dix semaines d'horreur sur l'*Indeavour*, ce n'était pas seulement les poings de Zach qui l'avaient préservée, mais son air de supplication innocente qui disait sans un mot : « Aidez-moi, aimez-moi. » Un air qui pouvait toucher la plupart des hommes mais qui avait beaucoup moins d'effet sur les femmes.

« Cette fille est vertueuse, dit vivement Matthew.

— Je veux bien le croire. Mais connaît-elle les devoirs d'une femme de chambre d'une personne de qualité ?

— Oh mais oui, votre seigneurie, mentit Amelia, pensant que donner un titre à cette femme ne pouvait sûrement pas lui faire du mal.

— Quel âge avez-vous ?

— Presque scize ans, votre seigneurie.

— Et chez qui avez-vous travaillé ? »

Amelia sentait que cette femme ne la croyait pas et que Zach, fier d'être le fils d'un gentleman, commençait à bouillir d'indignation. Aussi lui jeta-t-elle un regard de mise en garde.

« Pour la directrice d'une école de jeunes filles dans le Taunton, votre seigneurie, improvisa Amelia, les yeux fermement fixés au sol. Une Française, très pointilleuse et très exigeante. Ben Clode, mon cousin que voici, était le valet de son mari, et mon frère Zachary son palefrenier. »

Zach pouvait difficilement maîtriser sa colère devant cet abaissement de leur position sociale, mais Ben se cassa en deux et dit : « Votre serviteur, votre seigneurie.

— Nous n'avons pas besoin de palefrenier, dit la femme de Matthew à Zach, comme si elle le congédiait. Cependant je ne doute pas que notre surveillant saura vous utiliser dans nos plantations. Quant à vous, elle désignait Ben de l'index, vous serez le valet de mon fils, et vous, vous veillerez aux besoins de ma fille ainsi qu'aux miens.

— Ce serait un grand plaisir, votre seigneurie », dit Amelia en faisant de nouveau une révérence un peu moqueuse qui déclencha un regard sévère de sa nouvelle maîtresse.

Élisabeth se tourna vers son mari : « Demandez à Jake de les mettre avec les esclaves, lança-t-elle.

— Pas dans la maison ? » demanda Matthew d'une voix hésitante.

Elle le regarda comme s'il était devenu fou. « Dans la maison ! Sûrement pas. Avec les esclaves.

— Mais ma chérie...

— Ce sont des esclaves, n'est-ce pas ? Vous les avez payés avec du bon argent. Mettez-les à leur place. » Trois fois elle enfonça son menton pointu dans son cou pour montrer qu'elle savait ce qu'elle disait avant de crier d'une voix étonnamment forte : « Vérité, viens ici. »

Une jeune fille noire, la tête couverte d'un foulard de couleur vive, fit son apparition.

« Oui, madame ?

— Emmène ces nouveaux esclaves jusqu'à la cuisine et garde-les là jusqu'à l'arrivée de Jake. Et envoie quelqu'un le chercher.

— Bien, madame », dit la fille. Elle leur fit signe de la suivre et elle traversa la terrasse, ses fesses rondes se dandinant sous le tissu bon marché de sa longue jupe. Elle poussa une porte et les fit entrer dans une cuisine où il faisait désagréablement chaud à cause d'un énorme feu devant lequel tournait une broche. Amelia fut surprise de découvrir qu'en dehors du fait que ses occupants étaient noirs, cette pièce n'était guère différente d'une cuisine anglaise. Un garçon à la peau foncée assis sur un tabouret près de la fenêtre et une femme, colossale, dont la grosse poitrine tombait sur le ventre, une louche à la main, tournèrent la tête à leur arrivée.

« Qui sont-ils, Vérité ? demanda la femmme.

— La maîtresse dit que ce sont de nouveaux esclaves, maman », répondit laconiquement la jeune fille.

La femme parut étonnée. « Mais ils sont blancs.

— Elle a dit que c'étaient de nouveaux esclaves, répéta Vérité avec indifférence. Et toi Joshua, dit-elle au garçon, tu ferais mieux de filer. Le surveillant arrive.

— Je n'ai jamais vu d'esclaves blancs », dit la femme. Elle s'avança avec précaution comme pour les regarder de plus près et fixa le visage d'Amelia. Celle-ci, fascinée de voir pour la première fois de façon si proche quelqu'un de couleur, la dévisagea à son tour. Sa peau n'était pas réellement noire, elle ressemblait plus à de l'acajou piqueté. Près de ses grandes dents blanches ses lèvres violacées devenaient d'un rose profond. Son nez était large deux fois comme celui de Mme Oliver. Ses yeux brun foncé étaient ronds et étincelants. Ses épais cheveux noirs étaient entièrement tressés, une coiffure qui avait dû exiger un grand nombre d'heures de travail. Aux yeux d'Amelia, elle paraissait très vieille, triste, douloureuse. Mais quelque chose dans son visage fascinait la jeune fille.

« Pourquoi regardes-tu ainsi Bella, ma fille ? » demanda la femme.

Cette question prit Amelia au dépourvu. Elle ne s'était pas rendu compte de son insistance.

« Je n'ai jamais vu quelqu'un de noir d'aussi près, avant, bafouilla-t-elle, en dehors de Beauboy.

— Oh celui-là, dit Bella en reniflant. Les maîtres l'appellent Beauboy parce qu'il est si laid. Penses-tu que je suis laide ?

— Oh non », répondit Amelia. Ce n'était pas par politesse. Cette femme était différente mais certainement pas laide. Se rendant compte qu'Amelia avait parlé franchement, Bella fit un grand sourire qui dissipa la tristesse de son visage.

« Tous les Blancs pensent que je suis laide. » Elle mit ses mains sur ses larges hanches et inclina la tête sur le côté. « Quel âge as-tu ?

— Quinze ans. Presque seize. »

La femme hocha la tête. « A peu près mon âge lorsqu'on m'a amenée ici. Tu ne vas pas te plaire dans cette maison, petite Blanche. » Et Amelia remarqua une note de satisfaction à peine contenue dans la voix.

Bella se déplaça pour inspecter Ben et Zachary qui se mirent à s'agiter sous son regard inquisiteur. Vérité, aussi sombre et luisante que sa mère, observait la scène les bras croisés. Le garçon avait quitté son tabouret et se dirigeait vers la porte. Il se retourna et fixa Amelia comme s'il la reconnaissait et à l'étonnement de la jeune fille, elle discerna dans ses yeux l'éclat qu'elle connaissait si bien. Comment grand Dieu pouvait-elle le séduire, se demanda-t-elle, alors que sa peau à elle devait lui apparaître blafarde ? Fascinée, elle le dévisagea. Il était différent des deux femmes. La couleur plus claire de sa peau avait la nuance du chêne poli, son nez était moins large au niveau des narines, ses lèvres assez épaisses étaient plus rouges, et ses cheveux ébouriffés. Sa tête avait de belles proportions. L'Othello de Shakespeare devait ressembler à ce garçon, pensa-t-elle.

« Je m'en vais, maman », dit-il comme il se glissait dans l'entrebâillement de la porte. C'était un grand garçon, puissamment bâti, de dix-sept ans environ, pieds nus, habillé de vêtements rapiécés. Amelia le regarda s'éloigner, se demandant comment un frère et une sœur pouvaient être physiquement si différents.

Bella se remit à sa cuisine, tandis que Vérité suivait son frère. Nos trois jeunes gens, remplis d'inquiétude, attendaient en silence. Puis un Blanc, sans aucun doute le surveillant, entra dans la cuisine, suivi d'un Noir colossal. Amelia détesta le surveillant au premier coup d'œil. Il était grand avec de larges épaules supportant une petite tête aux traits vulgaires. Ses yeux bleu pâle luisaient derrière des cheveux blond fadasse. A la manière dont il tenait son fouet long et solide on sentait qu'il prenait plaisir à s'en servir. Il lui fallut peu de temps pour décider de leur sort. Zach serait envoyé dans les champs avec les Noirs et logé avec les esclaves des plantations. Amelia et Ben resteraient avec les esclaves de la maison dans ces baraquements de rondins que la jeune fille avait d'abord pris pour les écuries.

C'est étonnant à quel point il est possible de s'adapter rapidement, se disait Amelia après une quinzaine de jours passés à dormir sur la paille, couverte seulement d'un drap déchiré mis au rebut par la grande maison parce qu'il était irréparable. On lui avait donné les mêmes vêtements que ceux des autres esclaves : une jupe en toile grossière, un corsage et un foulard qu'elle avait choisi de porter en châle. Il n'y avait pas de meubles dans le logement des esclaves, simplement une cheminée dans laquelle on faisait cuire les légumes cultivés dans un petit bout de terrain près du baraquement. On mangeait dans de la vaisselle fêlée et ébréchée provenant de la grande maison. Bella et les autres esclaves domestiques dormaient au rez-de-chaussée. Amelia était avec les jeunes à l'étage auquel on accédait par une échelle et un trou dans le plafond. Il y avait là Ben, Vérité et Joshua et quelques enfants, qui malgré leurs tâches à remplir étaient les seuls à avoir un soupçon de liberté. Le travail d'Amelia n'était pas difficile mais extrêmement ennuyeux et désagréable. Elle devait être dans la maison dès l'aube pour préparer le petit déjeuner de sa maîtresse puis celui de sa fille Charlotte. Le reste de la journée, elle était à leur disposition et à leurs ordres, lavant, repassant, raccommodant leurs vêtements, frisant leurs cheveux, faisant chauffer l'eau avant de les aider à leur toilette, et leur apportant aussi les aliments et les boissons qu'elles réclamaient. Amelia vidait leurs pots de chambre. Elle devait nettoyer toutes les saletés intimes de leurs vies. Son travail s'achevait lorsque les deux femmes allaient au lit, peu après le coucher du soleil. Amelia s'efforçait d'être soumise, de cacher sa bonne éducation, ses origines nobles, mais tout cela finissait par transparaître si bien qu'Élisabeth ne l'aimait pas.

Les tâches d'Amelia avaient été précédemment confiées à Vérité qui se voyait maintenant condamnée à des travaux de ménage et de cuisine. Vérité l'appelait « la Blanche » avec mépris et refusait de lui parler. Il n'y avait donc personne à qui Amelia puisse demander conseil sur la façon d'effectuer son travail. En fait, bien qu'elle eût conscience du regard de Joshua constamment posé sur elle, aucun des esclaves ne lui parlait, ni à Ben d'ailleurs. Le travail de son cousin ressemblait beaucoup au sien, mais il servait aussi de palefrenier. Au bout de la première semaine, son moral parut s'effondrer ; il restait silencieux, semblait honteux de quelque chose qu'Amelia ne pouvait comprendre. Ils ne se parlaient que dans l'obscurité enfumée et fétide de leur baraquement, et fort rarement. L'un et l'autre cherchaient désespérément refuge dans le sommeil pour échapper à cette vie à laquelle ils n'avaient pas été préparés. Leur nourriture, composée principalement de légumes écrasés et de poissons inconnus aux goûts désagréables, était insuffisante. Et pendant tout ce temps Amelia s'inquiétait de Zachary. Ben et elle n'avaient pas le droit de s'approcher des baraquements des esclaves des plantations. On était en permanence privé de tout, de conversations, de livres, d'amour, d'amitié. La nuit Amelia était en proie au désespoir.

Elle détestait ses maîtresses et était incapable de cacher réellement ses sentiments. Il n'y avait guère de différence entre Élisabeth Oliver et sa fille. Charlotte avait un mois de moins qu'Amelia, elle semblait être une version plus jolie et plus molle de sa mère. Elle était extrêmement égoïste comme tous les enfants gâtés. Les deux femmes giflaient Amelia sans vergogne quand celle-ci avait le malheur de leur déplaire. Élisabeth était la plus méchante, toujour prête à lever la main. Elle proclamait d'un ton rageur que la maîtresse française d'Amelia devait avoir été stupide pour se satisfaire de ses services.

Les trois jeunes gens étaient arrivés dans l'île depuis vingt jours exactement quand Amelia cassa, en le laissant tomber,

31

le poudrier en verre d'Élisabeth Oliver, dont la poudre blanche se répandit partout dans la chambre à coucher. Sa maîtresse, folle de rage, sauta sur l'occasion, l'accusa de maladresse volontaire et la condamna à trois coups de fouet afin de lui apprendre à être plus soigneuse. Jake en ricanant la déshabilla lentement à l'endroit où les esclaves se rassemblaient après leur journée de travail et lui attacha les bras aux branches d'un arbre. Puis il la fouetta avec une efficacité redoutable. La douleur fut indescriptible mais la nudité encore pire. Pourtant Amelia, devant le public d'esclaves renfrognés, qu'on avait rassemblés là pour que la punition leur serve d'exemple, parvint à s'empêcher de crier. Ses ongles s'enfoncèrent dans ses poings serrés, son dos se mit à saigner ainsi que ses lèvres qu'elle mordait de toutes ses forces. Mais elle ne cria pas. En tout cas pas avant d'être rhabillée et reconduite dans la case.

« Si tu avais été noire tu aurais eu droit à dix coups », dit Bella avec compassion. Elle soigna les zébrures comme elle soignait les poignets et les chevilles d'Amelia qui se guérissaient lentement.

« Alors je suis contente de ne pas être noire, dit Amelia les dents serrées.

— Tu as bien raison, ma fille, dit Bella en colère. Mais peux-tu me dire comment ta maman blanche t'a laissée arriver jusqu'ici si loin de chez toi ?

— Je n'ai plus de maman, dit Amelia en grimaçant de douleur tandis que Bella lui tamponnait le dos. Elle est morte quand j'avais six ans. »

Les mains de Bella s'immobilisèrent. « Alors nous sommes deux orphelines, dit-elle tristement. Ma maman fut tuée lorsqu'on m'amena ici. Je suis contente qu'elle ne soit pas là. Mais elle me manque terriblement, encore maintenant et pourtant ça fait presque dix-huit ans. »

Elles étaient dans la pièce du bas du baraquement où une petite lumière filtrait sous la porte. Ben était déjà monté se coucher sur sa paillasse. Il était rentré ce soir-là l'air affligé, blanc comme un linge, refusant de parler. Amelia ne savait pas si c'était à cause du châtiment qu'elle avait subi ou s'il lui était arrivé quelque chose à lui : son optimisme commençait à faiblir. Cette vie ne peut continuer, se disait-elle. Dix ans. C'est impossible.

Joshua était assis près de la porte, tournant le dos à sa mère et à Amelia, comme s'il ne pouvait supporter cette vue.

« Maman, dit-il doucement, le maître arrive. »

Bella se raidit. « Qu'est-ce qu'il vient faire ? dit-elle. Il n'est pas venu ici depuis des années mais il veut quelque chose, c'est sûr. Et ce n'est pas après moi qu'il en aura cette fois. » Elle interpella vivement sa fille. « Vérité, tu files d'ici en vitesse. » Puis se tournant vers Amelia : « Peut-être c'est après toi qu'il en a, dit-elle d'un air méchant. Et ma petite, tu feras ce qu'il te demandera comme nous l'avons fait nous aussi. »

Amelia fixa la femme noire. « Que devrai-je faire ?

— Ouvrir tes jambes pour lui. Ça fait partie des tâches d'une esclave, ma fille. Partie de ton travail. C'était moi qu'il venait baiser ici quand j'avais à peu près ton âge. Maintenant c'est ton tour. »

La note de satisfaction, dans sa voix dépourvue de honte, piqua Amelia au vif.

Matthew était hors de lui. Il était rentré à Windsong après un rendez-vous dans l'après-midi avec le curé de St. Thomas de Middle Island et avait trouvé sa femme assise dans le salon, l'air suffisant et satisfait.

« Ah vous voilà, dit-elle. Une fois de plus vous vous arrangez pour ne pas être là quand j'ai besoin de vous.

— Excusez-moi, ma chère. Qu'aurais-je pu faire pour vous ?

— Cette gourde d'Amelia a cassé mon poudrier. Celui que nous avions fait venir spécialement d'Angleterre.

— Votre poudrier ? » Matthew ne se souvenait d'aucun poudrier.

« Oui. Elle l'a fait exprès. Il fallait la punir. Elle se donne des airs supérieurs — l'avez-vous remarqué ? En votre absence j'ai demandé à Jake de lui donner trois coups de fouet. »

Matthew sentit sa gorge se serrer et devint livide. Durant ces trois dernières semaines, il n'avait pensé à rien d'autre qu'à cette fille, à ses merveilleux yeux verts et à la manière dont il pourrait la protéger afin de gagner sa reconnaissance pour qu'elle se donne librement à lui. Il l'avait observée à la dérobée, tandis qu'elle exécutait ses tâches, brûlant d'envie de lui parler, de mieux la connaître. Et voilà, tout tombait à l'eau. Sa femme l'avait-elle remarqué ? Était-elle consciente de son obsession, et était-ce là les raisons d'une telle cruauté ?

« Trois coups de fouet ? dit Matthew d'une voix qui ressemblait à un croassement.

— Je sais que ce n'est pas suffisant mais j'ai voulu me montrer magnanime. J'ai ordonné que les domestiques assistent à la punition. Le spectacle peut aider à les rendre plus soigneux et moins gloutons. C'est aussi bien de faire d'une pierre deux coups. Et d'ailleurs, ajouta-t-elle avec insouciance, je n'ai jamais vraiment tenu à ce poudrier. »

Matthew l'aurait volontiers étranglée. Elle jubilait, triomphante dans sa robe jaune qui lui donnait un teint bilieux. Il l'avait toujours haïe, comprit-il. Mais c'était sa femme et sans elle il n'était rien.

« Êtes-vous satisfait ? » demanda-t-elle.

Il déglutit et, se détestant autant qu'il la haïssait, il répondit : « Je pense que votre décision était absolument nécessaire, ma chère. Je regrette simplement de ne pas avoir été là pour vous décharger de ce fardeau. »

Après le dîner, il s'excusa en prétextant qu'il voulait prendre l'air. Il demanda à sa femme si elle voulait l'accompagner faire un tour du jardin, en sachant qu'elle refuserait. Dans la cuisine vide, il alluma une lanterne et partit en direction des baraquements. Il s'arrêta devant le plus grand :

« Amelia ? » appela-t-il d'une voix hésitante.

Après un silence, une voix fatiguée répondit : « Je suis là. »

Matthew baissa la tête et entra dans la pièce qui sentait le rance. Il leva sa lanterne et regarda autour de lui, soulagé de voir qu'elle était seule.

« Où sont les autres ?

— Là-haut. »

Elle se redressa mais sa voix était pleine d'inquiétude.

Il resta un instant silencieux puis il dit : « Je dois te parler mais l'odeur ici est insupportable. Allons dehors.

— Comme vous voulez.

— Tu peux marcher ? » Il savait que son anxiété transparaissait dans ses paroles.

Elle lui jeta un regard de reproche et se leva. Il remarqua qu'elle restait voûtée pour ne pas tirer sur la peau déchirée de son dos. Elle le suivit jusqu'au jardin où il lui fit signe de s'asseoir près de lui sur un banc de bois sous un jasmin. L'odeur suave des fleurs blanches embaumait la nuit, et une petite brise agitait les branches des arbres.

« Est-ce que ça va ? » demanda-t-il à voix basse.

Il devina son petit signe de tête dans la pénombre.

« Ma femme m'a dit qu'elle s'était vue obligée de te faire fouetter. J'étais en ville. Je n'avais pas la moindre idée...

« — Le surveilllant m'a enlevé mes vêtements, le coupa-t-elle vivement, et a laissé tout le monde regarder. »

Il grimaça. Il respira une odeur de sang. « Je suis désolé.

— Vos regrets ne mettent un terme ni à ma souffrance ni à ma honte. »

Sans la regarder il lui dit : « Il m'est insupportable de savoir que tu as été déshabillée et fouettée devant les esclaves, malheureusement je ne peux pas faire grand-chose. Cette plantation est la propriété de ma femme.

— Je l'avais déjà compris, dit-elle avec un mépris ostensible.

— Mais ça aurait été bien pire sur une autre plantation.

— Que peut-il y avoir de pire ? » lança-t-elle d'une voix pleine de colère retenue. Il se rendait compte qu'elle n'aurait pas dû lui parler sur ce ton, comme si elle était son égale, mais il ne s'en souciait guère.

« Beaucoup de choses. » Il savait que l'horrible Jake l'aurait violée sans hésitation si elle avait été employée comme esclave sur la plantation, ou qu'il l'aurait laissée à la disposition des esclaves noirs, ravis de se venger sur elle des outrages que les Blancs faisaient subir depuis des années à leurs femmes. Matthew était pris de dégoût pour lui-même à la simple pensée de ces désirs à peu près oubliés qui l'avaient tourmenté durant sa jeunesse.

« Qu'attendez-vous de moi ? demanda-t-elle.

— Rien d'autre que de te parler.

— Ah, soupira-t-elle. Rien de plus ? »

Bien plus, pensa-t-il, mais il répéta : « Rien de plus. »

Ils restèrent silencieux puis il dit : « Je ne comprends toujours pas ce qui t'a amenée ici.

— La rébellion, naturellement, dit-elle. Mon école à Taunton avait brodé un étendard dans l'intention de l'offrir au duc de Monmouth lorsqu'il débarquerait pour se battre contre le roi. Les autorités déclarèrent que celles d'entre nous qui avaient travaillé à cet étendard étaient coupables de trahison. On nous a toutes mises en prison à Taunton. Certaines d'entre nous sont mortes de la variole, d'autres ont été condamnées à de lourdes amendes et cet argent a été remis aux dames d'honneur de la reine. Je n'avais pas les moyens de payer l'amende puisque mon père était mort — il avait été tué à Sedgemoor et ses propriétés confisquées. Le juge Jeffreys m'a condamnée à la déportation ainsi que Zach et Ben. Ils avaient accueilli des rebelles dans notre château. Ils ont eu de la chance de ne pas être pendus, noyés ou écartelés. Papa pensait que Monmouth avait droit au trône...

— C'est faux, coupa Matthew. En tant que fils illégitime du roi, Monmouth n'avait pas de droits divins sur le royaume.

— Papa disait que Monmouth était l'aîné des fils du roi et qu'il était protestant. Mais ça n'a plus d'importance maintenant, Monmouth est mort décapité dans la Tour de Londres, mon père enterré quelque part à Sedgemoor et Jacques II est assis en toute sécurité sur son trône.

— Je suis désolé pour votre père, dit-il.

— C'était un gentleman, dit Amelia avec violence. Je suis contente qu'il soit mort. Son cœur serait brisé de voir dans quelle situation Zach et moi nous nous trouvons. Femme de chambre de votre épouse ! Elle n'est même pas digne de cirer les bottes de chasse de mon père.

— Chut ! dit-il, simulant la colère et terrifié à l'idée que quelqu'un puisse l'entendre. Tu ne dois pas parler ainsi.

— Et pourquoi pas ? demanda-t-elle froidement. Allez-vous me faire déshabiller et fouetter de nouveau pour me punir de mon impertinence ?

— Jamais. Écoute-moi Amelia, sa voix était pressante, si tu arrives à gagner les bonnes grâces de ma femme et de ma fille en leur faisant sentir qu'elles sont des personnes importantes, en t'inclinant devant elles, en les flattant, ta vie sera bien plus facile. Si tu te montres habile avec elles tu pourras faire ce que tu voudras. Tu as reçu une bonne éducation...

— Oui, dit-elle fièrement, et l'absence de livres dans cette vie est peut-être la pire des privations.

— Je t'apporterai des livres mais tu ne dois pas laisser les esclaves les regarder. Ils n'ont pas le droit de lire.

— Vraiment, dit-elle d'un ton indigné. Et pourquoi ?

— Les Blancs ont peur que les esclaves se dressent un jour contre eux. Toute pratique religieuse leur est interdite car ils pourraient découvrir dans les Écritures que tous les hommes sont égaux. Par la terreur, les gens les maintiennent dans l'ignorance et la servitude.

— Des gens comme vous.

— Des gens comme moi, dit-il doucement, se souvenant avec honte de ses propres cruautés dans le passé. Je ne suis pas fier de ce qui se passe à Windsong. Mais ça fait partie d'un système et je suis l'un des rares à voir qu'il est mauvais. La plupart des gens ici considèrent les Noirs comme des animaux. »

Elle garda le silence un instant puis dit : « Je ne comprends pas comment les gens peuvent être aussi cruels. Les Noirs ne sont pas différents de nous. Je vis avec eux. Je sais qu'ils ont faim, qu'ils aiment et qu'ils ont peur. Ils saignent aussi, j'ai vu les cicatrices sur leurs dos, des cicatrices qui, je n'en doute pas, marqueront aussi le mien. Ils sont fiers et ils souffrent.

— Comme tu souffres, toi, dit-il en se tordant les mains. Amelia, je veux essayer de te protéger mais je te supplie d'être complaisante avec ma femme et ma fille. C'est le meilleur conseil que je puisse te donner pour t'éviter d'autres calamités. Je le sais car c'est la voie que j'ai dû suivre moi-même. » Il s'était approché pour la prendre par les épaules mais il perçut sa grimace lorsqu'il la tourna vers lui. Son désir de l'embrasser était irrésistible. Il savait que personne ne verrait le moindre inconvénient à ce qu'il la possède, mais le sursaut de douleur d'Amelia calma ses désirs.

« Je vais te laisser dormir », dit-il en s'efforçant de se détacher d'elle. Il se redressa maladroitement et, la tête agitée de pensées amères, s'enfonça dans l'ombre pour gagner son lit solitaire. Un million d'insectes bourdonnaient dans la nuit étoilée.

Amelia retourna dans son baraquement et se hissa avec peine jusqu'à l'étage. Elle devait s'arrêter à chaque barreau de l'échelle pour surmonter sa douleur. Elle ne savait pas si elle était déçue ou soulagée que Matthew Oliver se soit contenté de lui parler. Contrairement à beaucoup d'autres filles de son âge, elle n'avait aucune expérience des hommes mais la sexualité et ses conséquences n'étaient pas un mystère pour elle. Si Matthew l'avait prise, il aurait peut-être fait d'elle sa maîtresse et aurait amélioré son sort. Elle n'ignorait pas que les maîtresses à la cour de Londres avaient des situations privilégiées. Toutefois elle était suffisamment fine pour comprendre que Matthew craignait bien trop sa femme. C'était vraiment dommage qu'elle ne puisse l'épouser. Il était vieux mais gentil. De toute façon n'importe quoi serait préférable à la vie qu'elle menait en ce moment.

Elle pensa avec envie à ses camarades de classe là-bas en Angleterre qui étaient déjà mariées et vivaient en sécurité. Elle-même s'était fiancée avec un jeune noble, fils de comte. Elle devait l'épouser le jour de ses quatorze ans mais la noce était tombée à l'eau quand la famille du jeune homme avait appris que son père avait de dangereuses sympathies pour

Monmouth. Elle n'avait guère attaché d'importance à cette rupture. Elle n'éprouvait rien pour ce garçon et n'avait aucune envie de quitter sa propriété du Devon pour aller vivre à Londres ; néanmoins cette situation aurait été un million de fois préférable à son sort actuel. Elle soupira. Ça ne servait à rien de ruminer le passé.

La-haut dans l'obscurité régnait un silence un peu effrayant. On n'entendait aucun des bruits habituels de la nuit : grognements, ronflements, gémissements qui normalement remplissaient les ténèbres dans la case des esclaves. On ne percevait que le bourdonnement strident des insectes à l'extérieur. On aurait dit que la pièce elle-même retenait son souffle.

« Ça va, ma fille ? murmura Bella dans les ténèbres tandis qu'Amelia tâtonnait pour retrouver sa place.

— Oui », souffla-t-elle.

On entendit alors un bruissement comme si tout le monde s'était retenu de bouger jusqu'à présent.

« Qu'est-ce qu'il voulait ? » demanda Vérité.

Amelia hésita. Les voix de Vérité et de Bella paraissaient plus douces, plus amicales qu'auparavant. Si elle disait que Matthew ne l'avait pas touchée, n'avait rien fait d'autre que de lui suggérer le comportement à adopter avec sa femme et sa fille, les deux esclaves noires y verraient encore un exemple de la cruelle différence entre Blancs et Noirs.

« Je ne veux pas en parler », dit-elle.

Amelia entendit soupirer une femme puis Ben grogna, ou plutôt gémit.

« Maintenant tu es l'une de nous, ma fille, dit Bella doucement. Il n'y a plus aucune différence entre nous, tu es une véritable esclave. »

On entendit de nouveau un remuement. Les yeux d'Amelia commençaient à s'habituer à l'obscurité. Elle s'aperçut que Bella, Vérité et Joshua s'étaient assis, le dos appuyé au mur. Seul Ben n'avait pas bougé. Et les petits enfants se retournaient dans leur sommeil.

« Ce que je ne comprends pas, c'est pourquoi des Blancs comme vous sont ici », articula Bella dans le noir.

Amelia trouvait bien difficile d'expliquer la situation politique de l'Angleterre, ce pays si lointain, à des gens illettrés. « C'est une longue histoire, dit-elle.

— Nous aimons les histoires », dit Joshua.

Amelia resta silencieuse un instant, essayant de se souvenir des mots simples que sa mère employait longtemps auparavant pour lui raconter des histoires. « Je vais essayer de vous expliquer, dit-elle finalement, mais peut-être ne comprendrez-vous pas. » Elle entendit le reniflement exaspéré de Bella et, voyant qu'elle l'avait offensée, se mit à raconter : « Dans mon pays, en Angleterre, qui se trouve très loin, au-delà des mers, nous avions naguère un bon roi.

— Nous avions aussi des rois dans notre pays, coupa agressivement Bella, et il était aussi très loin au-delà des mers.

— Ce roi s'appelait Charles II et donna à son premier fils le titre de Monmouth, mais la mère du bébé n'était pas la reine.

— La reine, c'est sûr, a dû être folle, dit Bella l'air choqué. Dans mon pays, ce type aurait été obligé de quitter notre tribu. C'est une bien mauvaise chose d'avoir un bébé avec une autre femme que la sienne.

— La reine était effectivement très malheureuse, reconnut Amelia. Cette pauvre femme désirait être mère mais les nouveau-nés mouraient presque tout de suite.

— Comme c'est juste le cas pour les gens ordinaires, dit Bella. Ça m'est arrivé de si nombreuses fois que j'ai presque oublié le compte.

— Aussi lorsque le roi Charles mourut, il n'y a pas très longtemps, son frère Jacques devint notre roi, puisque Charles n'avait pas d'héritier légitime pour prendre sa place. Mais le peuple n'était pas content parce que... » Amelia hésita. Il était difficile d'expliquer des différences de religions à des gens à qui l'on interdisait toute pratique religieuse. Comment pouvait-elle expliquer le schisme entre catholiques et protestants ? Mais son auditoire avait sûrement ses propres dieux en Afrique. Sa maîtresse à l'école lui avait dit que tous les peuples primitifs avaient leurs dieux. « Le nouveau roi ne croyait pas au même dieu que le peuple de son pays, continua-t-elle. Aussi, lorsque le fils aîné de Charles revint d'au-delà des mers pour essayer de s'emparer du trône, beaucoup de gens combattirent à ses côtés. Mais il fut vaincu. » Amelia s'arrêta puis, baissant la voix, elle ajouta : « Et le roi ordonna que le duc de Monmouth soit décapité. Et que l'on place sa tête sur une pique devant l'une des maisons du roi afin que tous puissent la voir. »

Ce dénouement dramatique fut suivi d'un silence respectueux, chacun retenait son souffle.

« Est-ce que par hasard les dieux de l'autre roi n'auraient pas été plus grands et plus forts ? » suggéra finalement Bella.

Amelia ne pouvait être totalement d'accord avec cette conclusion. « Peut-être, dit-elle. Mais mon père était l'un de ceux qui moururent en combattant pour le fils du roi. Ben et mon frère et moi avons été envoyés ici en punition. Nous devons être esclaves comme vous pendant dix ans.

— Mais nous, fit remarquer Vérité, nous serons esclaves jusqu'à notre mort. »

Bella ne tint aucun compte de l'amère intervention de sa fille. Amelia sentait que l'énorme masse de la femme noire se balançait doucement d'avant en arrière. « C'est étrange, disait Bella comme en se parlant à elle-même. Il y avait une autre tribu avec des dieux différents et c'est à cause de ça que je suis ici maintenant, comme toi. Ils ont fait la guerre à notre tribu, ils ont tué notre roi et nous ont vendus à des hommes blancs pour qu'ils nous emmènent ici, moi, mon papa et ma maman. Mais mon papa est mort sur ce terrible bateau. Il a préféré se jeter dans la mer plutôt que de rester prisonnier. Ma maman est morte de la fièvre, de sorte qu'ils m'ont quittée tous les deux et m'ont laissée toute seule avec mes misères. C'est un marin qui m'a fait ce que le maître t'a fait ce soir. Ce marin m'a fait atrocement mal. Il m'emmenait sur le pont et me baisait jusqu'à ce que je tombe dans les pommes. Il continuait même si j'étais près de mourir. Il le faisait presque chaque soir, de sorte que je le haïssais au point de vouloir le tuer comme il me tuait moi. » Elle soupira et ajouta : « Mais il m'a donné Joshua, aussi j'imagine que ça en valait la peine. ».

Ainsi Joshua était à moitié blanc. Amelia se sentait terrassée par l'injustice du monde. « Nous sommes dans la même situation, dit-elle avec passion. Nous devons être amis et nous aider les uns les autres.

— Je ne sais pas comment c'est d'être ami avec des Blancs, dit Bella l'air perplexe. Je n'en ai jamais rencontré à qui j'aurais voulu du bien.

— Maman, elle a raison, dit Joshua. Elle n'est pas seulement blanche, elle est esclave comme nous. »

Bella réfléchit. « Qu'en penses-tu, Vérité ? »

Amelia sentit plutôt qu'elle ne vit le haussement d'épaules dans l'obscurité.

« C'est comme tu veux, maman, dit Vérité d'un ton indifférent. Mais c'est sûr qu'elle est une des nôtres, maintenant. »

2

Juin 1686

« Car où tu iras j'irai, où tu habiteras j'habiterai : ton peuple sera le mien, et ton Dieu mon Dieu : où tu mourras, je mourrai et là aussi je serai enterrée : le Seigneur l'a fait ainsi pour moi, et même plus, car seule la mort peut nous séparer toi et moi. »

Joshua lisait à haute voix, en suivant méthodiquement du doigt les mots sur la page de la Bible. Vérité écoutait attentivement. Quand son frère eut fini le passage, il lui passa le livre. C'était à son tour maintenant.

Matthew avait tenu sa parole. Il voyait Amelia en cachette, presque chaque jour, pour s'enquérir de sa santé. Il s'était arrangé pour lui donner une Bible, les œuvres complètes de Shakespeare et un mince recueil de poésie. Amelia les dissimulait sous sa paillasse et le dimanche, le seul jour où les esclaves avaient droit à un peu de temps libre, elle se mettait dans un coin pour lire.

C'était Joshua qui le premier avait montré de l'intérêt pour les livres. Elle avait tout d'abord essayé de lui lire Shakespeare mais elle s'était vite aperçue qu'il n'y comprenait pas grand-chose. Les histoires simples de l'Ancien Testament lui convenaient mieux et étaient plus faciles à expliquer. Puis, peu à peu, Vérité s'était mise à écouter elle aussi. Dès cet instant, il était logique de leur apprendre à lire.

C'était incroyablement simple, car ils étaient avides d'apprendre, même s'il fallait bien sûr leur expliquer un tas

41

de mots à cause de la pauvreté de leur vocabulaire. Amelia ramassa des bouts de chandelle dans la grande maison afin de pouvoir s'éclairer le soir dans la case. Elle trouva aussi des morceaux de papier, un peu d'encre, des plumes usagées, ce qui lui permit de leur apprendre à écrire leur nom. Elle prenait plaisir à défier le règlement des maîtres. Elle savait pourtant que si elle était surprise en train d'inculquer quelque savoir aux esclaves noirs, sa punition serait bien plus dure que trois coups de fouet. Bella, Vérité et Joshua le savaient aussi et les risques qu'elle prenait pour eux les aidèrent à balayer les restes de suspicion ou de ressentiment qu'ils pouvaient avoir à son égard.

Après six mois à Windsong la petite famille noire avait complètement accepté Amelia. Cette chaleur lui rendait la vie moins désagréable. Elle s'était efforcée de suivre le conseil de Matthew et avait rapidement découvert que ses compliments, aussi excessifs ou ridicules fussent-ils, étaient acceptés avec le plus grand sérieux par Élisabeth. Amelia était parvenue à dissimuler la bonne éducation qu'elle avait reçue. Elle était devenue aussi doucereuse que la plupart des esclaves noirs, comprenant qu'ils se conduisaient ainsi afin de rendre leurs vies moins difficiles. Avec eux, en sécurité dans la case, elle se moquait de leurs maîtres.

Élisabeth était maintenant satisfaite de son esclave blanche et faisait constamment remarquer que son changement d'attitude était dû aux quelques coups de fouet qu'elle avait reçus. Amelia se disait à contrecœur qu'il en était peut-être réellement ainsi.

Elle ne s'était préoccupée jusqu'ici que de sa survie personnelle, mais peu à peu, comme sa situation s'améliorait, elle commença à s'inquiéter pour Ben et Zach.

La conduite de Ben était étrange. Il ne lui parlait que rarement et semblait l'éviter, ce qui la peinait profondément. Amelia se sentait totalement coupée du jeune homme. Les tâches du garçon le tenaient éloigné de la maison bien plus que les siennes. Justinian, habillé de ses plus beaux vêtements, aimait aller dans les tavernes françaises de Basse-Terre où, selon les esclaves, il se livrait à la débauche. Ben l'accompagnait et lorsque son maître, qui supportait mal l'alcool, était ivre mort, c'était lui qui devait le hisser sur son cheval et le ramener à la maison. Souvent il rentrait après dix heures, lorsque les autres occupants du baraquement étaient profondément endormis. Ben paraissait souffrir en permanence. Amelia se rendait bien compte que quelque chose n'allait pas mais son cousin refusait de se confier à elle. Il ne voulait même plus lui parler. Elle ne comprenait pas pourquoi. De Zach, elle n'avait aucune nouvelle. Les esclaves des plantations n'avaient pas le droit de s'approcher de la maison. Comme tous les planteurs, les Oliver vivaient dans la terreur mal dissimulée de violences perpétrées par des esclaves, qui refoulaient leur ressentiment, leur haine et leur agressivité face à ces gens qui les considéraient comme leurs biens. Les esclaves n'avaient aucun droit. Ils étaient traités comme des criminels, des êtres toujours prêts à voler, à violer, à tuer. Ce dont ils ne se privaient d'ailleurs pas si on leur en donnait l'occasion. Élisabeth les considérait comme des animaux mais se plaignait lorsqu'ils mouraient. Comment osaient-ils se comporter ainsi alors qu'elle les avait achetés si cher ?

Mais vivre avec eux avait rendu Amelia proche de ces étrangers qui comme elle avaient été arrachés à leurs pays. Elle commençait à les comprendre, presque à les admirer. Ils étaient rusés, volaient quand ils pouvaient le faire sans être pris et dissimulaient soigneusement la haine terrible qu'ils portaient à leurs maîtres. Certains étaient devenus virtuoses dans l'art dangereux de l'insolence nigaude. Pourtant ils avaient un code moral très strict. La connaissance de leur langue maternelle s'estompait, cependant certains se souvenaient de la manière dont on vivait en Afrique. Amelia découvrit qu'ils venaient d'une société simple mais parfaitement structurée. Ils ne manquaient pas d'intelligence bien qu'on essayât de l'étouffer. La jeune fille admirait la souplesse avec laquelle ils s'étaient adaptés à leur situation. La plupart d'entre eux ressemblaient à l'osier. Ils se pliaient à la volonté des Blancs mais intérieurement conservaient une force aussi solide que celle d'un chêne. Ils parvenaient même à être heureux lorsqu'ils étaient ensemble. Amelia était fière qu'ils la considèrent maintenant comme une des leurs.

Elle n'ignorait pas que beaucoup d'entre eux n'y résistaient pas. « Les esclaves sur les plantations ont de la chance s'ils ne meurent pas après trois ans », lui dit Bella. L'appétit de l'Europe pour le sucre paraissait insatiable, ce qui créait une demande constante de main-d'œuvre dans les îles à sucre des Caraïbes. Des bateaux partant de Liverpool et de Bristol transitaient par l'Afrique pour faire le plein d'esclaves qui étaient vendus, quand ils survivaient à une traversée infernale. Les bateaux repartaient avec du sucre après qu'on eut nettoyé et désinfecté au vinaigre les cales.

Les riches planteurs étaient friands de produits de luxe et avaient organisé un commerce intense avec l'Europe. Si les esclaves n'avaient droit qu'à un vêtement par an, leurs maîtresses ne pensaient qu'à leurs garde-robes. Il y avait peu de chose à vrai dire, en dehors de la mode, qui pût les intéresser. Amelia vouait toujours la même antipathie à Élisabeth mais, peut-être parce qu'elles étaient du même âge, Charlotte et elle avaient établi une curieuse relation dans laquelle il semblait parfois que c'était Amelia la maîtresse et Charlotte la servante.

Charlotte souffrait de son manque d'instruction. Elle avait toujours désiré être envoyée en Angleterre mais sa mère s'y était opposée par souci d'économie. Elle voyait l'Angleterre comme une sorte de paradis. S'imaginant déjà à la cour, elle pensait qu'elle pourrait y faire un beau mariage, peut-être même obtenir un titre. C'était une jolie fille mais ses lèvres pleines laissaient voir en permanence une moue de mécontentement. Elle était versatile ; elle pouvait soupirer, être morose et l'instant d'après rire aux éclats et se sentir heureuse. Elle avait de nombreux prétendants, principalement des militaires cantonnés sur l'île, car les femmes blanches ne foisonnaient pas dans les Caraïbes. Toutefois aucun des hommes qui la courtisaient ne possédait une fortune égale à celle de sa famille, et sa mère et elle rêvaient d'un plus beau parti.

« Parle-moi de Londres », demandait-elle à Amelia tandis que celle-ci la coiffait.

Amelia, qui ne connaissait guère Londres, nourrissait les imaginations de Charlotte et lui assurait qu'elle aurait très certainement un grand succès à la cour.

Les dames de Londres ne sont en aucune manière aussi charmantes que vous, lui affirmait-elle. A vrai dire, pour ce qu'elle en savait, cela pouvait être vrai.

« J'aimerais tant être élégante, soupirait Charlotte. Regarde, tu n'es rien d'autre qu'une domestique, et tu parles français.

— Uniquement parce que ma maîtresse était française », lui dit Amelia pour la consoler. Elle n'ajouta pas que c'était une maîtresse totalement différente, une maîtresse qui avait exigé qu'on ne parle que cette langue en classe.

« Tu pourrais aller à Basse-Terre pour moi. Faire croire que tu es française, lui suggéra Charlotte. Il y a une couturière là-bas qui fait des robes absolument divines. Malheureusement, papa trouve que Basse-Terre n'est pas un endroit sûr pour les Anglais. Les Français n'envoient dans leurs possessions d'outre-mer que des colons papistes, c'est pourquoi les Irlandais se sont installés avec eux, et les Irlandais ne nous aiment guère. Pourtant, Basse-Terre est bien plus vivante qu'Old Road Town. Justinian y va tout le temps. C'est vraiment injuste qu'on m'interdise de m'y rendre. Mais tu pourrais y aller pour moi. Il y a là-bas un choix énorme de falbalas. Je me demande si papa accepterait de te donner un laissez-passer. »

Aucun esclave ne pouvait quitter son lieu de travail sans un laissez-passer. Amelia était sûre que Matthew Oliver ne lui refuserait pas cette autorisation si elle la lui demandait elle-même. Elle était consciente du regard rêveur qu'il posait sur elle tandis qu'elle se déplaçait dans la maison. Il trouvait toujours un prétexte pour l'arrêter et lui dire rapidement quelques phrases pleines d'intensité, tout en jetant des regards anxieux autour de lui pour s'assurer que personne ne le voyait.

Il lui donna le laissez-passer et les visites à Basse-Terre se firent régulières. La ville était située près d'une longue plage de sable noir d'origine volcanique. Les rues étroites, mal pavées, étaient bordées de belles maisons en pierre ou en brique, aux toits de chaume. Il y avait des tavernes pleines de marins ivres, des salons de thé, une modiste et mille boutiques où l'on vendait des articles provenant de France et de Hollande. Basse-Terre regorgeait de produits à usage domestique tels que bons vins et étoffes luxueuses. Amelia aimait à se dire que peut-être Londres n'avait rien de mieux à offrir. Elle quittait Windsong avec Beauboy dans la vieille voiture et, lorsqu'elle se trouvait dans les rues de la ville, loin de la plantation étouffante, elle avait enfin une impression de liberté. Elle achetait aussi rapidement que possible rubans, plumes, boutons, dentelles pour Charlotte, afin d'avoir du temps pour flâner et partir à la découverte.

Le temps libre était un luxe. Parfois elle s'asseyait au bord de la mer et admirait inlassablement les pélicans qui plongeaient pour pêcher leur repas et les sinistres aigles des mers aux ailes immenses. D'être assise ainsi sur la plage, sur des rives pourtant lointaines, lui rappelait son pays. De grandes goélettes et des bateaux de guerre venaient s'abriter dans la rade protégée par les collines. La plupart de ces bateaux apportaient de nouvelles cargaisons de marchandises ou d'esclaves. Amelia ne pouvait voir un bateau d'esclaves sans frissonner. Elle n'allait jamais au marché aux esclaves. En revanche elle aimait explorer les rues étroites de la ville, passer devant le bel hôtel de ville, la jolie église catholique et le collège de jésuites.

C'est dans le quartier pauvre de la ville irlandaise qu'elle fit connaissance de Molly McGuire. Amelia avait remarqué la taverne de Christophe Colomb, une maison bien entretenue, dans Connell Street et par curiosité y avait jeté un jour un coup d'œil. Une petite femme blanche, solide, d'âge moyen, se tenait derrière un long bar en bois. La salle était remplie de marins vacillants qui lui adressèrent immédiatement des gestes obscènes en lui criant d'entrer. Elle se dépêcha de s'échapper.

Un matin de juin où ses maîtresses se préparaient à passer la journée chez les Ramillies à Macabees, une plantation située un peu plus bas dans l'île, Amelia qui était dispensée de les accompagner décida d'aller à Basse-Terre sous prétexte de s'acquitter d'une course pour Charlotte. Après une visite chez la modiste, elle descendait Connell Street quand elle fut arrêtée par des cris aigus de femmes qui venaient de la taverne de Christophe Colomb. Curieuse elle poussa la porte. La femme blanche qu'elle avait aperçue derrière le bar frappait la tête d'un marin avec une chope d'étain cabossée. Le marin était ivre au point de tenir à peine debout. A cette heure matinale il n'y avait personne d'autre dans la taverne.

« Essaie de me toucher, essaie donc, espèce de porc, espèce d'assassin, criait la femme. Essaie donc de me voler, essaie donc, misérable voleur ! Tu te souviendras du jour où tu as rencontré Molly McGuire. »

Ivre ou non, le marin grand et barbu était un adversaire de taille pour la petite femme en furie. Il colla ses deux mains autour de son cou et peu à peu les cris de la femme cessèrent. L'homme tournait le dos à Amelia qui, du seuil, pouvait voir que le visage de la femme commençait à devenir écarlate, tandis que des râles se faisaient entendre. L'homme apparemment ricanait tout seul tandis qu'il soulevait son adversaire en l'étreignant davantage. Amelia comprit que si elle n'intervenait pas rapidement, la femme allait mourir. La seule arme en vue dans la pièce était un grand seau en bois plein d'eau sale posé sur le plancher. Elle s'en empara des deux mains et le vida sur le marin et sur sa victime. Puis tenant le seau par son anse en bois, elle l'envoya de toutes ses forces sur la nuque de l'agresseur.

Les cercles de fer qui maintenaient les lames de bois heurtèrent le crâne. L'homme lâcha la gorge de la femme, et lentement, silencieusement, comme un chêne abattu, tomba sur le sol en faisant trébucher Amelia.

« Sainte mère de Dieu ! grogna la femme en portant une main à son cou. D'où venez-vous ?

— Du dehors, répondit Amelia avec une logique parfaite tandis qu'elle se remettait tant bien que mal debout.

— Et juste au bon moment ! » dit Molly McGuire. Elle donna un bon coup de pied dans les côtes du marin évanoui, puis elle se pencha sur lui pour lui prendre son couteau à sa ceinture et, vacillante, elle se dirigea vers le bar. Elle s'empara d'une bouteille sur une étagère, prit un grand verre à vin et le remplit. Elle but une grande gorgée, toussa, puis tendit le verre à Amelia.

« Qu'est-ce que c'est ? demanda celle-ci.

— Du vieux cognac. »

Amelia secoua la tête en signe de refus. Elle se sentait étonnamment satisfaite. Cette violence justifiée semblait avoir libéré quelque chose en elle. Elle donna elle aussi un bon coup de pied dans les côtes du marin. Molly McGuire, appuyée au bar, reprenait son souffle, son cou portait distinctement l'empreinte rouge des doigts du marin. Ses cheveux grisonnants étaient coiffés d'une manière qui aurait mieux convenu à une femme plus jeune. Elle portait un tablier de toile grossière sur ce qui avait dû être une robe élégante, mais qui maintenant, de l'avis d'Amelia, était réservé pour les gros travaux. La femme avait un visage rond et ridé et des yeux d'un bleu éclatant qui observaient Amelia avec une franche curiosité.

« Pourquoi êtes-vous habillée comme une esclave ? demanda-t-elle finalement après avoir bu une autre gorgée de cognac.

— Parce que j'en suis une.

— Une esclave ?

— Pour dix ans. »

La femme hocha la tête avec un air entendu. « On m'a effectivement parlé d'une fille sur l'*Indeavour*. C'est vous ? » Amelia acquiesça. « Quel est votre nom ?

— Amelia Quick.

— Vous parlez comme une dame. Êtes-vous certaine de ne pas vouloir un peu de cognac ? »

Et elle, se disait Amelia, parle comme une Irlandaise. Elle refusa d'un signe de tête.

« Et vous, vous êtes Molly McGuire », dit-elle.

La femme éclata de rire, d'un rire surprenant, léger et presque enfantin. « Et comment se fait-il que vous connaissiez mon nom ?

— Vous lui avez crié qu'il se souviendrait du jour où il avait rencontré Molly McGuire.

— Vraiment ? Quand ce foutu voleur s'est glissé derrière moi, j'ai été si surprise que je ne me souviens plus de ce que j'ai dit ou fait. J'ai eu de la chance que vous passiez par là car il m'aurait expédiée dans l'autre monde — et sûrement pas au paradis étant donné ma bonne conduite. Apparemment je vous dois la vie et peut-être le salut de mon âme puisque vous m'avez donné l'occasion de me repentir de mes péchés. Je vous remercie de tout mon cœur. »

Amelia était gênée. Elle marmonna quelques mots de politesse et changea de sujet : « Est-ce votre taverne ?

— Oui. Et j'ai été moi-même une esclave, il y a bien longtemps maintenant. »

Amelia était surprise. « Vous avez été esclave ?

— Ça fait trente-cinq maintenant ; avec ma mère qui est morte depuis longtemps, Dieu ait son âme. J'étais encore une gamine comme vous. J'étais à Macabees.

— Je suis à Windsong.

— Alors vous avez de la chance. Macabees c'est l'enfer sur terre. »

Amelia ne put contenir sa curiosité. « Comment êtes-vous arrivée ici ?

— Ma mère et moi avions commis le terrible crime d'avoir faim, d'être sans travail et sans argent. Olivier Cromwell, que Dieu le punisse, nous a envoyées ici avec beaucoup d'autres de la sainte terre d'Irlande pour nous employer comme esclaves sur les plantations, exactement comme vous l'êtes maintenant. Mais c'est fini. Tout change. »

Amelia n'avait pas l'ambition de devenir propriétaire d'une taverne, mais la pensée qu'il était possible de s'en sortir après avoir été esclave la remplissait d'espoir.

« Combien de temps avez-vous été esclave ? demanda-t-elle.

— Presque douze ans.

— Et comment êtes-vous devenue propriétaire d'une auberge ? »

Molly McGuire croisa les bras sur son torse solide et fit la moue. « Un dur travail », dit-elle brièvement.

Amelia aurait voulu en savoir plus, mais quelque chose dans

l'attitude de la femme lui disait que d'autres questions ne seraient pas les bienvenues.

L'homme par terre commençait à remuer. Molly lui donna un autre coup de pied méprisant. « Je vais aller chercher les gendarmes, dit-elle, et vous feriez mieux de poursuivre votre route, Amelia Quick. Car s'il se réveille et fait la relation dans sa grosse caboche entre vous, le seau et sa douleur, ce sera à mon tour de vous tirer d'affaire. »

Molly et Amelia devinrent amies. La jeune fille passait la voir rapidement à la taverne lorsqu'elle venait à Basse-Terre. Ensemble elles évoquaient les horreurs de la traversée qui les avait conduites dans ce nouveau pays. Un cauchemar dont Amelia parlait souvent avec Bella. Les trois femmes avaient la même terrible expérience : la chaleur épouvantable, l'enfermement dans un réduit où même la station assise était impossible durant des jours et des nuits, au milieu d'odeurs pestilentielles. Bella et Amelia savaient aussi ce que c'était que d'être enchaîné par les mains et par les pieds (Molly avait échappé à ce traitement) et de rester couché dans ses excréments et ceux des autres pendant dix longues semaines. Dans une cale où on luttait, on espérait malgré la chaleur suffocante, on renonçait aussi et l'on mourait. Où la température était si élevée que les marins refusaient d'y descendre et où les rats affamés s'attaquaient à tout moment aux prisonniers. Amelia, Molly et Bella se souvenaient fort bien de ces épreuves, c'était un cauchemar qui ne pouvait se dissiper. Cette expérience partagée créait une fraternité qui transcendait la couleur de la peau et les croyances religieuses.

Le seizième anniversaire d'Amelia arriva sans qu'elle s'en aperçût. Elle ne s'en souvint que le lendemain. Mais maintenant elle n'était plus seule. Joshua la suivait comme une ombre. Il était devenu son ami en même temps que son élève. Lui et Vérité essayaient de copier la façon de parler d'Amelia, mais dans la case et devant leurs maîtres ils revenaient à leur langage habituel. Amelia les aimait tous les deux mais elle était plus heureuse avec le garçon. Elle le trouvait merveilleusement beau, et elle ne comprenait pas qu'il puisse apprécier sa peau blanche rougie par le soleil perpétuel, et constamment couverte des marques laissées par les piqûres d'insectes.

Joshua paraissait subtilement différent des autres Noirs

mais n'était nullement traité comme un paria parmi eux. Il y avait maintenant trop d'esclaves qui avaient du sang blanc dans les veines. Pourtant il n'était pas aussi proche de sa mère que l'était Vérité.

« On l'appelle Vérité parce qu'elle est vraiment à moi, avait expliqué Bella. On m'a amenée ici avec un homme de mon village que j'aimais et qui m'aimait. C'est ensemble que nous avons fait Vérité. Elle est noire comme moi et comme lui. Elle et Joshua sont les deux seuls bébés que j'ai jamais réussi à garder. Les autres sont tous morts. Même ceux du maître sont morts, mais cela lui était égal. Il était content et je l'étais aussi, parce que s'ils avaient vécu ça n'aurait fait que des esclaves de plus pour son horrible femme.

— Qu'est-il arrivé à votre compagnon ? demanda Amelia.

— Il est mort lui aussi. Il s'est mis à dépérir, se souvenant du pays où il était un homme libre. Seuls les costauds résistent ici, ma fille. D'ailleurs nous avons de la chance. Nous sommes domestiques ; les esclaves des plantations ne vivent pas longtemps. »

Amelia s'inquiétait de nouveau pour Zach.

D'abord elle se dit que Joshua remplaçait son frère dans sa vie. Elle l'aidait à travailler le bout de terre qu'il cultivait derrière la case, où il faisait pousser des légumes pour agrémenter leurs maigres repas. Il élevait aussi quelques poulets qui grattaient la terre fertile, et de temps à autre, lorsqu'une poule couvait et qu'il y avait des poussins on pouvait en tuer une autre pour la mettre au pot. Parfois, quand ses maîtresses faisaient la sieste, à cause de la chaleur de l'après-midi, Amelia venait l'aider dans le potager de la propriété et cela lui rappelait combien elle avait pris plaisir à travailler avec les jardiniers dans le manoir des Quick. Elle lui parlait alors de sa vie passée.

« Vous avez des esclaves en Angleterre ? lui demanda-t-il un jour qu'il sarclait des rangs de légumes.

— Mais non voyons ! s'exclama-t-elle. Nous avons des serviteurs. Des gens que nous payons pour travailler pour nous.

— Des Noirs ?

— Non, des Blancs.

— Des Blancs qui font les durs travaux ? Qui font autre chose que tenir les livres de comptes ?

— Oui. Il n'y a pas de Noirs dans mon pays. Pas d'esclaves. »

Il secoua la tête l'air incrédule. « Alors je ne comprends pas pourquoi nous sommes esclaves ici.

— Moi non plus », lui répondit-elle.

Ils travaillèrent un moment en silence.

Elle pensait à Zach lorsqu'elle reprit la parole. « Pourquoi t'autorise-t-on à rester ici ? » lui demanda-t-elle. Joshua était aussi grand et aussi fort que son frère. « Pourquoi ne t'envoie-t-on pas dans les champs ?

— Parce que mon père était blanc, dit-il avec brusquerie. Il y a des gens qui me haïssent à cause de cela.

— Je vois.

— C'était un Blanc aussi mauvais que les autres. »

Elle hésita une seconde. « Tous les Blancs ne sont pas mauvais, Joshua, dit-elle. Peut-être as-tu eu une grand-mère blanche ou des oncles qui étaient de bonnes personnes, et tu es de leur sang aussi.

— J'aimerais être blanc, dit-il l'air farouche. Si j'étais blanc je serais libre.

— Peut-être, dit-elle, ajoutant avec une maturité étonnante pour son âge : Il y a beaucoup de sortes d'esclavages, Joshua, même dans le monde des Blancs.

— Et si j'étais blanc ce serait différent entre toi et moi, poursuivit-il obstinément.

— Nous sommes ce que nous sommes », dit-elle, faisant semblant de ne pas voir cette lueur particulière dans les yeux de son compagnon qui remuait quelque chose en elle qu'elle n'avait jamais éprouvé auparavant. Elle se sentait intimidée, nerveuse, et en même temps calme et exaltée. « Nous sommes amis et il n'y a aucune différence entre nous. »

Il la regarda, et brusquement, apparut sur son visage un sourire d'une étonnante beauté. « Oh, il y a des différences entre nous », dit-il joyeusement en regardant avec insistance la poitrine d'Amelia qui gonflait la toile rustique de son corsage. Elle se sentit devenir écarlate.

Troublée, elle se pencha pour sarcler la terre fertile. « Seigneur, dit-elle, comme les mauvaises herbes poussent vite ! »

Cette petite scène changea les choses entre eux. L'insouciante amitié s'évanouit. Amelia percevait le garçon de façon différente, sa présence l'oppressait légèrement et provoquait chez elle des sensations étranges, des picotements, des bouffées de chaleur qu'elle ne pouvait ignorer. Et il y avait dans les yeux bruns du jeune homme, lorsqu'il la regardait, une

51

chaude et étrange intensité et Amelia prenait soin de se tenir loin de lui dans l'obscurité du baraquement.

La semaine suivante, dans la chaude humidité d'un dimanche de juillet, alors que les Oliver étaient à l'église, Amelia était assise à sa place habituelle, à l'ombre d'un grand arbre aux feuilles rouges, là où le parc devenait plus sauvage. Elle avait l'intention de lire *Othello* mais elle ne parvenait pas à fixer sa pensée. Elle avait pris la Bible qui lui servirait tout à l'heure, lorsque Joshua et Vérité viendraient prendre leur leçon secrète. Mais Joshua arriva seul.

Amelia vit immédiatement qu'il s'était arrosé d'eau fraîche sous la pompe de la cour. Sa chemise lui collait à la peau et ses cheveux étaient plaqués sur son crâne.

« Où est Vérité ? demanda-t-elle, relevant la tête.

— Elle ne vient pas. Pas tout de suite. Elle m'a demandé que tu laisses le livre caché sous des feuilles pour qu'elle puisse le lire seule, plus tard.

— Ah oui ? »

Joshua ne donna aucune explication. Il se pencha simplement pour prendre la main de la jeune fille afin de la relever doucement. « Viens », dit-il.

Elle ne protesta pas. La main du garçon était rugueuse dans la sienne, et elle pouvait sentir chacun des cals dus au travail qu'il effectuait dans le parc.

« Où allons-nous ? demanda-t-elle.

— Nous promener. »

Il était risqué de quitter la plantation ou de vagabonder là où ce n'était pas permis, mais le dimanche il y avait peu de surveillance. D'ailleurs le parc autour de la maison était immense. Il se terminait par un bois, presque sauvage, où elle n'avait jamais mis les pieds.

C'était là qu'il l'emmenait.

« Je vais te montrer quelque chose de joli. Joli comme toi. »

Elle était flattée mais un peu inquiète en entrant dans la forêt. Elle n'ignorait pas qu'il y avait des serpents. Joshua, un bâton à la main, frappait les épaisses broussailles pour les écarter et progressait avec assurance. Ils arrivèrent enfin à une sorte de piste qui s'élargissait au fur et à mesure qu'elle s'enfonçait plus profondément dans les bois. De grands papillons couleur rouille et de plus petits d'un jaune éclatant dansaient dans la lumière. Puis brusquement les arbres devinrent plus rares et apparut une clairière où l'herbe était aussi verte que celle du Devon. Là, un petit ruisseau clapotait avant de se jeter dans une grande retenue d'eau.

Joshua s'arrêta. « Regarde, dit-il. Voilà ma cachette. Personne ne la connaît. Je suis le seul à venir ici. J'ai caché la voie d'accès et ensuite j'ai ouvert un sentier. »

Amelia était ravie. L'air était frais et l'eau courante faisait un bruit agréable. Le ciel était bleu pâle et même les arbres paraissaient moins agressifs, plus amicaux.

« Oh Joshua, dit-elle, en battant des mains de ravissement. C'est exactement comme chez moi. Ça ressemble comme deux gouttes d'eau à l'Angleterre. »

Joshua était heureux de sa réaction. Ils restèrent là immobiles, se souriant avec un air légèrement embarrassé. Puis Amelia courut vers le petit lac et regarda l'eau. Elle était claire, miroitante. Quelques poissons ondulaient paresseusement à l'ombre au-dessus de petits cailloux. Au bord l'eau était peu profonde, mais le fond, recouvert de graviers, descendait ensuite en pente raide.

« Nous avons tellement de ruisseaux et de petits lacs comme celui-ci dans le Dartmoor, dit-elle tout excitée. Zach aimait y pêcher...

— A une certaine époque, j'ai pensé attraper les poissons pour les manger, mais je ne veux faire de mal à quiconque, dit-il. Je sentais — il faisait un effort pour exprimer sa pensée — que je devais laisser les choses telles quelles. Ou alors il risquerait d'arriver quelque chose de mauvais. »

Elle comprenait exactement ce qu'il voulait dire. La vie qu'il menait favorisait de façon irrationnelle toutes sortes de superstitions.

« Te baignes-tu ? demanda-t-elle.

— Oui, mais c'est trop profond pour toi. J'arrive à avoir la tête hors de l'eau mais toi tu serais recouverte.

— Mais je sais nager, dit-elle.

— Nager ?

— Je te montrerai. »

Après avoir prononcé cette dernière phrase, elle eut un instant d'hésitation. Devait-elle entrer dans l'eau avec ses vêtements ? Elle n'avait rien sous sa jupe ni sous son chemisier.

« Retourne-toi », lui ordonna-t-elle. Il obéit scrupuleusement. Elle se déshabilla rapidement et entra avec précaution dans l'eau. Elle aimait la sensation de fraîcheur sur ses jambes nues. Elle avança un peu, haletant à cause du froid jusqu'à ce que sa poitrine soit immergée. « Maintenant tu peux regarder, cria-t-elle, en se mettant sur le ventre pour cacher ses seins, et remuant doucement les bras pour se maintenir à la surface. Viens, c'est merveilleux. »

Ce fut à son tour d'hésiter.

« Je fermerai les yeux », promit-elle, mais en fait elle fit semblant, et le regarda enlever son pantalon et sa chemise. Il était parfaitement bâti et musclé, comme l'était Zach avec lequel elle nageait à l'époque où ils étaient encore des enfants innocents. La peau de Joshua était brune et luisante, elle attirait le soleil. Il ressemblait à un dieu antique, à un Pan à la peau brune et aux cheveux frisés et souples. Il courut vers l'eau et y entra avec force éclaboussures en riant aux éclats. Avançant en sautillant, il s'enfonça doucement jusqu'aux épaules.

« C'est fantastique, cria-t-il, comme un enfant.

— Merveilleux », approuva-t-elle.

Il s'arrêta près d'elle, et très lentement, comme s'il était poussé par une force irrésistible, il posa sa main sur l'épaule de la jeune fille et l'attira doucement vers lui. Amelia le laissa faire, puis Joshua libéra une de ses mains pour lui caresser le visage.

« Toi aussi tu es fantastique », dit-il doucement. Il la regarda attentivement et murmura : « Comme tu es jolie. Tes yeux sont comme des feuilles, des petites feuilles au printemps. »

Elle avait l'impression de ne plus rien peser, d'être en suspension. Elle sortit une main de l'eau pour caresser le visage de Joshua. Sa peau était étonnamment douce. Elle passa un doigt sur le bord de ses lèvres pleines, toucha ses cheveux qu'elle sentait résistants et élastiques.

« Tu es beau », dit-elle.

Il posa alors la main sur son épaule puis la fit descendre vers le buste d'Amelia qu'il prit par la taille et souleva afin que ses seins se retrouvent à la hauteur de son visage. Puis il rejeta la tête en arrière pour les regarder.

« Roses, dit-il comme si c'était comme quelque chose de merveilleux. Tout roses. »

Et sa bouche se referma sur le bout du sein qui s'était dressé. Ses lèvres douces et gourmandes s'ouvraient pour laisser ses dents blanches la mordiller.

La sensation de plaisir était presque insupportable. Instinctivement Amelia enferma la taille de son ami avec ses jambes, et se serra contre lui. Il la prit dans ses bras et tandis qu'elle le tenait embrassé, il sortit de l'eau. Elle laissa sa tête tomber sur son épaule.

Elle regarda son visage. Il y avait dans ses traits une expression de tendresse, une interrogation, une demande.

« Sais-tu comment t'y prendre ? murmura-t-elle.

— J'ai vu les autres le faire, dit-il en s'excusant comme s'il se confessait.

— Alors fais-le », dit-elle impatiemment.

Il l'étendit sur l'herbe tendre au bord du petit lac, et durant un instant elle aperçut sa virilité. Il fallait qu'elle le touche. Joshua s'arrêta de bouger pour la laisser faire, les yeux clos, gémissant légèrement. Lorsqu'elle le lâcha il se coucha sur elle et lui caressa doucement les paupières, les cheveux, tout en lui donnant de petits baisers sur le visage. Amelia se surprit à remuer sous lui. Elle avait envie d'autre chose que de baisers.

Incapable d'attendre plus longtemps, il la pénétra doucement. Elle sentit une douleur brève et aiguë puis elle fut remplie d'une joie immense, irrépressible.

Ensuite ils s'endormirent et il sembla à Amelia que c'était son premier sommeil bienfaisant depuis que les soldats du colonel Lamb étaient venus l'arrêter à son école. Joshua avait effacé les semaines misérables dans la prison de Taunton, le souvenir de ses terreurs sur le bateau, de sa frayeur en arrivant sur l'île, de sa peur de l'avenir. Elle n'avait aucune honte, les mauvais rêves se dissipaient. Elle l'entoura de ses bras, blottit sa tête contre son épaule et se rendormit.

Elle fut surprise de n'éprouver aucune honte. Une fille de sa classe et de son éducation ne pouvait se permettre d'avoir des rapports sexuels avant le mariage. C'était les filles de ferme ou de cuisine qui couchaient dans l'herbe avec leurs amoureux et en supportaient ensuite les conséquences. Le bébé arrivait et si la fille ne se mariait pas, il ne lui restait plus qu'à vivre avec sa honte. De toute façon, maintenant, elle n'était guère autre chose qu'une fille de cuisine ; d'ailleurs le mariage, la vie de famille étaient interdits aux esclaves. Mais elle aimait Joshua et ne pouvait réprimer le désir qui envahissait son corps lorsqu'il était près d'elle.

Ils s'aimaient. Ils se répétaient un passage du livre de Job qu'ils avaient appris par cœur : ils feraient partie du même peuple, auraient les mêmes dieux et resteraient toujours ensemble. Joshua n'avait ni l'amertume ni la violence de sa sœur. Il comprenait l'enseignement de Jésus-Christ sans aucune difficulté. Vérité appréciait mieux la loi du « dent pour dent » de l'Ancien Testament. Ni elle ni Amelia n'étaient disposées à tendre l'autre joue. Mais Joshua était gentil ; son bonheur était de cultiver son petit carré de terre et pour un esclave il était heureux. Il rêvait d'avoir un jardin à lui et Amelia se disait qu'un jour elle retournerait avec lui à Quick Manor, où ensemble ils remettraient la maison et le parc en état.

Amelia ne supportait plus d'être séparée de lui ni lui d'elle. Ils se tenaient encore loin l'un de l'autre dans la case, mais parfois, la nuit, quand tout le monde dormait, ils se glissaient le long de la fragile échelle, pour s'enfoncer dans la nuit douce et odorante, afin de faire l'amour sous les étoiles en écoutant le bruissement du vent.

Une nuit, comme ils rentraient dans la case, ils trouvèrent l'entrée bloquée par l'énorme silhouette de Bella.

« Qu'est-ce que vous fabriquez tous les deux ? dit-elle, parvenant à se montrer dure même en chuchotant. Que pensez-vous qu'il arrivera lorsque le maître découvrira ce que vous faites ? Tu es à lui maintenant, ma fille. Tu penses que j'ai envie que mon fils meure à cause de toi ?

— Ne t'inquiète pas, maman, lui répondit Joshua à voix basse. Le maître ne l'a pas touchée ce jour-là.

— Et alors qu'est-ce qu'il a fait ?

— Il voulait simplement me parler », dit Amelia.

Bella renifla. « Te parler ! C'est peut-être ce qu'il a fait mais ce n'est pas ce dont il avait envie.

— C'est vrai. »

Bella les examina les poings sur les hanches. « Peut-être est-ce vrai. Tu paraissais en bon état ce soir-là pour quelqu'un qui avait couché avec le maître. Je me suis dit que parce que tu étais blanche, il n'avait pas été trop violent. Avec les filles noires, c'est autre chose.

— Joshua et moi nous nous aimons, Bella.

— Il n'y a pas de place pour l'amour pour les gens comme toi dans ce monde, ma fille, répondit Bella en reniflant de nouveau. Tu es blanche et mon Joshua est noir. Qu'est-ce que les gens vont dire ? Les filles blanches n'aiment pas les jeunes gens noirs. N'ai-je pas raison ?

— Joshua est à moitié blanc, dit Amelia d'un air de défi.

— Pour le bien que ça lui fait, en dehors peut-être de lui éviter les champs de canne à sucre. Ils disent qu'il est noir, même s'il est à moitié aussi blanc qu'eux. Et que feras-tu si tu tombes enceinte ? »

Il y eut un long silence. Quelque part dans la nuit un oiseau poussa un cri strident. Amelia sursauta.

« Tu n'as pas pensé à ça, n'est-ce pas ? Eh bien moi, ma fille, je te dis que le maître deviendra réellement fou si tu es enceinte. Il a envie de toi. Aucun doute à ce sujet. Pourquoi penses-tu qu'il rôde toujours dans les parages ? Peut-être ne veut-il rien te faire mais c'est sûr qu'il n'aimera pas du tout l'idée que quelqu'un te l'ait fait avant lui. Tu ne peux pas être grosse, ma fille.

— Mais comment faire ? » demanda Amelia.

Bella réprima un sourire : « Arrêtez de le faire, c'est la seule manière que je connaisse, ma fille. »

Il y eut un silence et Amelia lança avec un air de défi, ses mains posées sur son ventre : « L'ennui, voyez-vous, c'est que je pense qu'il est déjà trop tard. »

Par moments, Matthew avait l'impression de devenir fou. Le désir obsédant qu'il avait pour Amelia était un ver qui lui rongeait l'âme, s'enfonçant de plus en plus profondément dans ses sens et dévorant ce qu'il y avait de bon en lui. Il pensait constamment à elle. La chair de la jeune fille excitait sa concupiscence. Ses grands yeux verts nourrissaient ses rêves lorsqu'il parvenait à dormir. Il n'arrivait pas à l'arracher de son esprit. La pureté des sentiments qu'il avait éprouvés pour elle ces sept derniers mois avait disparu. Maintenant il voulait tout simplement la posséder physiquement, qu'elle soit ou non consentante. Il était furieux contre lui-même de s'être mis dans cette situation, d'avoir succombé à la tentation de l'acquérir. Mais le fait qu'il l'ait achetée le confortait dans l'idée qu'elle était sienne, qu'il avait le droit de faire ce qu'il voulait d'elle.

Matthew était plus faible que méchant, et le bien combattait en lui le mal. Il mourait d'envie de se décharger de ce désir terrible qui le tourmentait. Mais sur qui ? Pour la première fois de sa vie, il commença à voir le bon côté du confessionnal. Il priait pour que ce désir non voulu, honteux, le laisse en paix. Mais cette paix ne venait pas et son désir augmentait.

Chaque nuit, il restait allongé dans sa chambre silencieuse, l'imaginant couchée près de lui, et cette pensée le rendait fou de désir. Il ne trouvait d'apaisement que dans des pratiques solitaires et inavouables qui lui semblaient un péché plus grave que de posséder une femme qu'il avait achetée et ne faisaient qu'augmenter son angoisse.

Il s'arrangeait pour voir Amelia chaque jour sans éveiller les soupçons de la jeune fille et de sa famille. Il prit l'habitude de rejoindre sa femme quand il savait qu'Amelia était en train de la coiffer. Il se montrait alors très cordial. « Est-ce que tu t'occupes bien de ta maîtresse ? » demandait-il l'air jovial à la jeune fille qui, avec une réserve affectée, le regardait de ses grands yeux verts et perçants. Puis elle faisait une révérence et murmurait qu'elle espérait qu'il en était ainsi.

Amelia avait suivi ses conseils, et il était consterné de voir qu'Élisabeth acceptait avec complaisance ses compliments outranciers. Ces jours-là Amelia gardait les yeux soigneusement baissés, dans une attitude humble, afin que personne ne puisse deviner ses véritables pensées. Mais quand elle dirigeait l'éclat vert de ses yeux sur lui, il pouvait y lire clairement mépris, colère et raillerie.

On était au mois d'août, un mois étouffant, malsain. Les alizés étaient plus faibles et plus chauds, l'air humide et irrespirable. Des pluies violentes et brutales s'abattaient qui faisaient plier les feuilles les plus épaisses et mouillaient jusqu'aux os ceux qui se trouvaient dehors. Puis le soleil brillait de nouveau avec un éclat trouble, de sorte que la poussière et la soif réapparaissaient comme s'il n'avait jamais plu. L'île scintillait, somnolait dans la chaleur desséchante. Les esclaves effectuaient leurs tâches comme des escargots et dans les champs le fouet des contremaîtres restait en repos. A Windsong, Élisabeth et Charlotte passaient de longs après-midi à dormir.

Matthew se disait que c'était cet été torride qui provoquait chez lui ce furieux désir. Que cette atmosphère le rendait malade. Pourtant il savait que le seul remède à sa maladie serait de s'enfoncer dans la chair douce et abandonnée d'Amelia.

Il était passé minuit et un orage grondait là-bas dans le sud. Matthew ne pouvait pas dormir. Il se leva, alluma une chandelle et se mit à marcher de long en large. Son désir était trop fort. Il tomba à genoux et pria Dieu de lui enlever ce fardeau. Peut-être Dieu lui offrait-il cette fille pour le consoler de toutes ses années de solitude, pour cette absence d'amour qu'il avait dû subir ? Peut-être était-ce Dieu lui-même qui l'avait poussé à se rendre au marché aux esclaves ce matin de janvier, afin qu'il puisse sauver cette jeune fille d'une destinée encore pire ? Peut-être qu'Amelia s'intéressait à lui. Il s'efforça de se persuader que l'éclat de ses yeux cachait dans ses profondeurs un désir semblable à celui qu'il éprouvait pour elle et qu'elle s'empresserait de lui ouvrir les bras et d'être sienne.

En grognant, il s'habilla. Il emporta sa chandelle allumée à la cuisine où il trouva une lanterne puis, traversant le jardin, il descendit vers la case des esclaves.

Il apercevait une vague lueur à travers la misérable petite fenêtre du premier étage du baraquement. Il n'aurait pas dû y avoir de lumière, c'était interdit chez les esclaves, mais Matthew avait autre chose en tête. Il poussa la porte du barquement et entra en soulevant sa lanterne. L'odeur nauséabonde de la pièce le figea sur place, il ne s'était jamais habitué à la puanteur des Caraïbes.

Bella, réveillée en sursaut, se redressa, son visage à la lueur de la lanterne paraissait surpris, effrayé même.

« Le maître est ici, cria-t-elle. Vous avez besoin de quelqu'un, maître ?

— Amelia, aboya-t-il.

— Amelia, cria Bella, veux-tu descendre, ma fille, le maître a besoin de toi. »

Matthew, tandis qu'il ressortait pour fuir cette odeur, entendit un remuement au-dessus de lui. Il attendit quelques secondes et Amelia apparut à la porte. Elle était complètement habillée. Elle lui fit une révérence. C'était ridicule dans l'obscurité, d'autant plus avec ce qu'il avait en tête.

« Ne fais pas ça ! » dit-il la gorge serrée. Elle se tenait debout, à la lumière de la lune, les mains croisées devant elle, la tête baissée.

« Que puis-je faire pour vous, monsieur ? demanda-t-elle à voix basse.

— Suis-moi, dit-il durement, et surtout ne fais pas de bruit. »

Windsong était plongée dans l'obscurité. La maison dormait. Il traversa la pelouse, Amelia sur ses talons, et gagna la véranda. Il y avait là un grand divan où sa femme dormait parfois l'après-midi. De façon confuse il sentait que l'acte devait avoir lieu à une place convenable qui lui permettrait de montrer l'affection et le désir qu'il éprouvait pour elle. Un endroit où elle pourrait peut-être répondre à sa passion.

Il avait éteint la lanterne de peur d'attirer l'attention. Une lune voilée éclairait la grande véranda, un rayon frappait les coussins du canapé. Il lui apparut, dans son état d'agitation, que c'était un heureux présage.

Amelia, debout devant lui, semblait attendre. Attendre quoi ? Elle devait avoir compris ce qu'il désirait.

« Déshabille-toi », dit-il dans un souffle.

Elle hésita.

« Allez », dit-il plus fort.

Elle ouvrit son corsage et le laissa glisser. Puis elle détacha la ceinture de sa jupe qui tomba par terre. Elle restait absolument immobile.

Il était furieux de ne pas avoir osé laisser la lanterne allumée. Il avait envie de voir son corps pour s'en souvenir au cours de ses longues nuits solitaires. Mais en ce moment, elle n'était rien d'autre qu'une vague silhouette dans l'obscurité. Il pouvait sentir son odeur, une odeur de sueur agréable. Peut-être avait-elle peur ? Toutefois il était heureux de ne pas voir ses yeux. S'il y avait vu une supplication, il n'aurait probablement pas eu le courage d'aller jusqu'au bout.

Lorsqu'il s'avança vers elle, elle ne broncha pas. Il pensa qu'elle avait peut-être envie de lui, et s'empara avidement de ses seins. Amelia restait toujours immobile et silencieuse. Il fit glisser ses mains sur son corps et sentit les cicatrices de son dos. Il se souvint qu'elle avait été fouettée nue et cette idée l'excita davantage. Il regrettait maintenant de ne pas avoir fait partie des spectateurs.

Il voulait qu'elle s'abandonne, qu'elle le désire autant qu'il la désirait. Il écrasa sa bouche sur ses lèvres. Mais elle demeura impassible, sa bouche se fermait à lui autant que le reste du corps. Brusquement, il poussa un cri de douleur, elle l'avait cruellement mordu, et il eut dans la bouche le goût de son propre sang.

« Petite garce », siffla-t-il en la giflant violemment. Ses envies de délicatesse s'étaient envolées. Il arracha ses vêtements d'une main tandis qu'il tenait les cheveux d'Amelia de l'autre. Puis il la traîna vers le divan. Elle se débattait en silence, les jambes étroitement serrées, ses mains griffant le dos de son agresseur. Il devint furieux. Il n'avait eu aucunement l'intention que ça se passe ainsi.

« Tu ne comprends pas, haleta-t-il. Je t'aime.

— Alors laissez-moi tranquille », siffla-t-elle à son tour.

Ce n'était plus maintenant qu'une lutte sinistre, une lutte que, néanmoins, il trouvait de plus en plus excitante. Des genoux il lui ouvrit brutalement les jambes. Il ne voulait plus perdre de temps et s'enfonça en elle. Elle resta de marbre, respirant à peine, comme si elle était à moitié évanouie, sans plus offrir aucune résistance. Il comprit qu'il pouvait faire maintenant tout ce dont il avait envie. Il se rappela alors ses excès des années auparavant avec les filles noires. Il n'avait jamais pu se livrer à ce genre de chose avec une Blanche. Maintenant il en profitait. Il la punissait pour ses airs moqueurs, pour son refus de l'aimer, pour les angoisses et les tourments que sa présence lui avait apportés, pour son ingratitude. Il la punissait pour toutes ses faiblesses à lui tandis qu'elle restait allongée sous lui en silence. Il abusa d'elle, jusqu'à ce qu'il soit complètement épuisé. Alors tandis qu'il restait allongé vaguement dolent, la honte commença à s'emparer de lui.

« Tu ne comprends pas, répéta-t-il, l'air pitoyable. Je t'aime. »

Elle ne répondit pas et comme il commençait à se soulever sur ses avant-bras, elle se tortilla pour se libérer. Elle se redressa, le regarda dans la pénombre et se pencha en avant. Il eut l'impression absolument folle qu'elle allait l'embrasser. Mais elle lui cracha au visage. Puis elle s'empara de ses vêtements et partit le laissant là, allongé, en train d'essuyer le crachat sur sa joue.

Amelia parvint à se tenir droite jusqu'à ce qu'elle soit hors de la vue de Matthew. Elle ne voulait pas qu'il sache à quel point il l'avait blessée, aussi bien physiquement que moralement. Mais dès qu'elle fut sûre qu'il ne pouvait plus la voir, elle tomba à genoux, et s'entourant de ses bras, éclata en sanglots. Chaque parcelle de son corps la faisait souffrir horriblement et l'humiliation, la sensation de déchéance la déchiraient tout autant. Elle pouvait à peine remuer. Au prix d'un effort surhumain, elle parvint à se traîner jusqu'au baraquement. Ses gémissements avaient alerté les autres qui se précipitèrent au-devant d'elle.

« Il te l'a fait cette fois, hein, ma fille ? » dit Bella en se penchant sur elle.

Joshua la prit dans ses bras. Elle sentait les larmes de son amant couler sur ses seins. Elle les trouvait chaudes et presque réconfortantes.

« Je vais aller le tuer, dit-il.

— Tu ne vas tuer personne, ou c'est toi qui seras tué, le

réprimanda Bella. Emmène simplement cette fille à l'intérieur que nous puissions nous occuper d'elle. »

Tandis que Joshua la portait dans la case, Vérité était déjà partie chercher de l'eau à la pompe, dans la vieille cuvette en porcelaine qui servait aussi bien pour la nourriture que pour la toilette.

« Laisse-la en bas, ordonna Bella. Inutile d'effrayer les petits. »

Joshua insista pour la laver lui-même. Ses mains étaient douces tandis qu'il l'essuyait pour effacer le sang et la douleur en lui murmurant des paroles affectueuses. Vérité et Bella s'affairaient pour qu'il ait toujours de l'eau propre à sa disposition. Vérité avait déchiré un vieux foulard pour en faire des tampons. Sachant que son amie aurait des ennuis lorsqu'on s'apercevrait de la disparition du morceau d'étoffe, Amelia essaya de protester. Mais le haussement d'épaules de Vérité dans la demi-obscurité était suffisamment éloquent. Elle s'en moquait.

Brusquement Joshua s'interrompit :

« Le bébé, maman ! Ne peut-il rien lui arriver ? »

Amelia instinctivement porta ses mains à son ventre. Elle n'avait pas osé poser la question car elle redoutait la réponse. Elle savait que son bébé lui causerait bien des problèmes, mais elle brûlait d'envie de l'avoir. Elle attendait sa naissance avec calme, se disant qu'il s'adapterait facilement à la vie de famille qu'elle avait trouvée dans la case. Elle aurait quelqu'un à chérir, quelqu'un qui serait aussi le symbole de son amour pour Joshua.

« S'il pouvait ne pas naître, ce serait la meilleure des choses, dit Bella durement.

— Maman ! » protesta Joshua.

Bella renifla comme elle le faisait toujours avant ses grandes déclarations.

« Tu te fourres la tête entre les jambes, Joshua, gronda-t-elle. Tu ne sais pas réfléchir. D'abord le maître va penser que l'enfant est le sien, n'est-ce pas ? Si nous avons de la chance, étant donné qu'elle est blanche et que toi tu l'es à moitié, peut-être qu'on pourra le tromper et le lui faire croire. Mais je n'ai jamais vu un bébé qui ne soit pas la vérité même. Et si ton bébé est noir, ma fille, ou même un tout petit peu noir, alors malheur à nous. »

Amelia regarda Bella, atterrée, et s'entoura de ses bras.

« Mais je ne veux pas qu'il pense que c'est son bébé, dit-elle furieuse. C'est notre bébé à Joshua et à moi. »

Bella soupira. « N'as-tu encore rien appris, ma fille ? Tu ne comprends donc pas que c'est bien pour un Blanc de baiser une fille noire et d'avoir des bébés qui en grandissant deviendront des esclaves. Parfois même ils sont si généreux qu'ils leur donnent la liberté, à ces bébés. Pas tout de suite ; lorsque le maître meurt c'est porté dans son testament. Mais ce n'est pas du tout la même chose lorsqu'un Noir baise avec une Blanche, comme le fait Joshua avec toi. Si le maître pense que ton bébé a pour papa un Noir, tu verras ce qui lui arrivera, quand il découvrira de qui il s'agit.

— Qu'est-ce qu'on lui fera ? demanda Amelia effrayée.

— On le raccourcira afin qu'il ne puisse plus jamais baiser avec une fille blanche. » Elle s'arrêta un instant puis ajouta : « Et ensuite on lui passera une corde au cou de manière à ce qu'il ne puisse plus jamais baiser personne. »

Amelia s'agrippa à la main de Joshua. « Mais j'aime Joshua, protesta-t-elle. Pourquoi ne pourrions-nous pas avoir un bébé ? Pourquoi ne pourrions-nous pas vivre ensemble ?

— Tu parles comme une enfant, les Blanches n'aiment pas les Noirs. C'est comme ça. Les filles blanches sont fouettées ou pire encore si elles s'accouplent avec des Noirs. Les Blancs n'aiment pas les filles noires. Simplement ils les baisent. »

Amelia était épouvantée. « Mais ce n'est pas juste, cria-t-elle.

— Les Blancs pensent que ça l'est, dit Bella sur un ton sans réplique. Ç'aurait pu être possible pour toi et Joshua, puisque tu es esclave, mais plus maintenant que le maître t'a baisée. S'il pense qu'un Noir est passé avant lui, il deviendra fou au point que personne dans les parages ne sera en sécurité. »

Les paroles de Bella faisaient très mal. De façon obscure, Amelia commençait à réaliser les barrières qui la séparaient de Joshua, barrières qu'elle n'avait pas même imaginées. Comprendre soudain que dans ce monde impitoyable Blancs et Noirs ne pourraient jamais être unis lui apparaissait comme la perte de son innocence.

« Qu'allons-nous faire ? » demanda-t-elle, terrorisée à l'avance par la réponse.

La voix de Bella était lasse. « Je vais te dire ce que nous allons faire et tu ne vas pas du tout aimer ça. On va essayer de garder ce bébé secret. Le maître ne doit rien savoir. Il pensera simplement que tu grossis. Et quand l'enfant naîtra, sa mère, ce ne sera pas toi, mais Vérité. De cette manière nous serons en sécurité. »

Vérité sursauta. « Maman !

— Mais il devinera. Bien sûr qu'il devinera. » Amelia était hors d'elle.

« Il n'aura aucune envie que ce soit son bébé. Il n'a aucune envie que toi tu aies un bébé. Et il croira ce que nous voulons qu'il croie.

— Mais si nous disons que c'est le bébé de Vérité, mon enfant sera toujours un esclave », protesta Amelia.

Dans la pénombre, Bella se leva, posa ses mains sur ses larges hanches et toisa Amelia. « Si nous n'agissons pas ainsi, siffla-t-elle, mon Joshua finira par se balancer au bout de la branche d'un arbre. C'est à toi de décider, ma fille, de ce que tu veux faire. C'est à toi de choisir. »

3

Zach avait un point de côté et il craignait que ses halète-ments ne réveillent quelqu'un dans la grande maison grise, dont la silhouette sinistre apparaissait dans l'obscurité. Plié en deux, les mains sur les hanches, il essayait de reprendre son souffle. Il avait parcouru en courant les cinq kilomètres qui séparaient les baraquements des esclaves de la grande maison sans s'arrêter, comme si le diable était à ses trousses. Ce qui se produirait probablement quand on découvrirait ce qu'il avait fait.

Le châtiment pour avoir frappé un surveillant, c'était la mutilation ou la mort par pendaison. Zach y avait déjà échappé en Angleterre, et il avait bien l'intention de s'en sortir une fois de plus. Mais avant de s'enfuir, il éprouvait le besoin d'échanger quelques mots avec les siens. Il avait besoin de voir Amelia et Ben car c'était peut-être pour la dernière fois.

Après ces neuf mois épouvantables de travaux forcés, la plantation lui était devenue familière. Il savait que les bara-quements couverts de chaume, qu'Amelia et lui avaient pris par erreur pour des écuries, étaient en fait réservés aux escla-ves. Sa sœur et son cousin se trouvaient dans l'un d'entre eux. S'il tentait de les approcher, est-ce que les esclaves noirs don-neraient l'alarme ? Il n'avait pas d'autre choix que de risquer le coup.

La nuit ne lui était pas favorable. Le ciel était rempli d'étoiles, et une grande lune ronde, striée de veinules bleues, éclairait le paysage comme une lanterne. Pieds nus, il traversa les jardins en essayant de se tenir hors de la lumière argentée et parvint devant les baraquements. Comme il tâtonnait pour trouver l'entrée de la clôture en bois, il entendit derrière lui un bruissement. Un bruit sans aucun doute provoqué par un être humain. Convaincu que les battements de son cœur avaient dénoncé sa présence, il se figea sur place, sa main serrant la machette du surveillant qu'il avait accrochée à sa ceinture.

« Qui est là ? » demanda une voix rauque et étouffée. Ce n'était pas un ton autoritaire. La personne qui se trouvait là n'avait pas plus le droit d'y être que lui.

Il ne savait que dire, aussi répéta-t-il stupidement en écho la question : « Qui est là ?

— Zach ? C'est toi Zach ? » Il reconnut la voix de sa sœur. Une silhouette fantomatique sortit de l'ombre du sous-bois, pour venir vers lui, c'était Amelia, vêtue de la tenue rudimentaire des esclaves. Elle se jeta à son cou. « Zach, je ne peux y croire ! Toi ici ! C'est merveilleux, mais tu ne devrais pas. C'est dangereux. »

Il la sentait légère, osseuse dans ses bras, mais aussi, d'une certaine façon, plus ronde. Son odeur était différente. C'était celle d'une femme. Il l'écarta de lui pour la regarder et murmura : « Est-ce que ça va ?

— Je survis, souffla-t-elle. Et toi ? »

Un homme grand et bien bâti sortit de l'obscurité et s'avança vers eux. Zach se raidit.

« Qui est-ce ? demanda-t-il.

— C'est Joshua. Il est mon... (elle hésita)... ami. Ne t'inquiète pas. »

Il vit que l'homme était noir. Que voulait-elle dire par son ami ? Qu'étaient-ils en train de faire à cette heure-là hors du baraquement, cachés dans les bois ? Avec un coup au cœur, il comprit soudain ce qu'ils faisaient et pourquoi l'odeur de sa sœur était différente. Il s'écarta.

« Où est Ben ? demanda-t-il d'un ton froid.

— Dans la case.

— Peux-tu aller le chercher ? Je veux lui parler.

— Parlons d'abord un peu ensemble.

— Je n'ai pas le temps. Je suis en fuite. »

Amelia porta la main à sa bouche. « Zach, qu'as-tu fait ?

— J'ai à moitié tué le surveillant.

66

— C'est bien ! dit-elle avec violence. Encore mieux si tu l'avais tué pour de bon.

— Ça ne fera pas beaucoup de différence s'ils me rattrapent. Va chercher Ben.

— Je m'en occupe, dit la grande ombre noire qui entra dans la case à pas de loup.

— Je me suis fait tellement de souci pour toi, dit Amelia. Et pour Ben. Il se passe quelque chose : il ne me parle plus ; il fait comme s'il me connaissait à peine.

— C'est peut-être à cause de ton ami », répondit-il méchamment.

Elle resta silencieuse et il comprit qu'elle avait deviné ce qu'il voulait dire. Il en avait toujours été ainsi entre eux. Les mots étaient rarement nécessaires.

« Les ennuis de Ben ont commencé avant, dit-elle tristement. C'est pourquoi j'étais si heureuse de l'amitié de Joshua. N'as-tu jamais souffert de la solitude, toi aussi, Zach ? »

En pensant à quel point il s'était senti seul, lui l'unique Blanc parmi des Noirs qui ne l'acceptaient pas, se moquaient de lui et s'efforçaient de rendre sa vie intolérable, il sentit sa gorge se serrer. Le seul visage blanc qu'il voyait était celui du surveillant et c'était la personne la plus méchante qu'il ait jamais rencontrée. Ce type le fouettait dans les champs de cannes à sucre, sans aucune raison, simplement pour assouvir son sadisme. Oui, il avait connu la solitude tout autant qu'elle, et il n'avait pas pris le risque de la voir pour la blesser. Il la reprit dans ses bras et ils restèrent un moment enlacés.

Deux garçons, un grand et un petit, sortirent furtivement du baraquement. Le plus petit sanglotait sans aucune honte et courut comme un fou embrasser Zach.

« Tu m'as tellement manqué, dit Ben d'une voix enrouée. Ça fait si longtemps, ça a été si terrible... »

Zach, craignant que les sanglots de Ben puissent couvrir les murmures du vent, lui prit le bras et l'attira sous les arbres.

« Je vais m'enfuir, Ben, dit-il à son cousin. J'ai des ennuis. Ils me pendront s'ils m'attrapent. Je voulais vous voir tous les deux avant de partir. Je te demande de veiller sur Amelia à ma place.

— Emmène-moi avec toi, Zach, pour l'amour du ciel, emmène-moi avec toi, dit Ben d'une voix presque hystérique.

— Non. Tu n'es pas assez costaud. Nous serions rattrapés l'un et l'autre. Et de plus quelqu'un doit s'occuper d'Amelia.

— Mais je ne peux rester ici. Il faut que je me sauve. Amelia a Joshua. Tu sais combien j'aime ta sœur, Zach. Je l'ai toujours aimée. Mais je ne serais plus capable de la toucher maintenant. Plus jamais.

— Je comprends.

— Non, tu ne comprends pas. Ce n'est pas à cause d'elle mais à cause de moi. Je suis anéanti, je suis dégoûtant. J'ai honte. » Il se remit à sangloter.

Zach ne reconnaissait pas dans ce personnage abattu, pleurnicheur, le Ben à l'optimisme et à la force de caractère inépuisables qui avait soutenu leur moral pendant le voyage. Amelia avait raison. Il y avait quelque chose qui n'allait vraiment pas.

Il posa légèrement sa main sur l'épaule de son cousin. « Qu'y a-t-il, Ben ? demanda-t-il.

— C'est Justinian. Mon maître. Seigneur, il est mon maître de toutes les manières. Il m'oblige... » Il s'arrêta et recula d'un pas. « Je ne peux pas en parler.

— Il t'oblige à quoi ?

— Bon, je vais te le dire, répondit Ben la gorge serrée. Il m'oblige à me déshabiller et il... Tu vois. Comme si j'étais une femme. Il me contraint à faire d'autres choses aussi. C'est toujours lorsqu'il est ivre. Je ne peux le supporter, Zach, ça me rend malade et honteux. Il menace de me faire fouetter à mort, si je ne le laisse pas faire. On a fouetté Amelia. J'ai vu son dos après. Elle a des cicatrices maintenant, de terribles cicatrices qui ne partiront jamais. Mais, lui, a laissé des cicatrices sur mon âme. Quelle sorte d'homme suis-je donc pour me laisser ainsi faire ? »

En entendant ce récit, une colère épouvantable s'empara de Zach. Une colère plus forte que celles qu'il avait jamais éprouvées pour lui, même durant les mois les plus terribles, passés à couper les cannes à sucre ou à travailler dans la chaleur torride de la cour de l'usine. Il avait reçu des coups de fouet sur les épaules et subi de constantes humiliations, mais il avait pu le supporter. Mais il ne pouvait supporter que sa sœur ait été fouettée et son cousin souillé. Leurs trois vies avaient été saccagées par l'avidité de ces planteurs qui ne pensaient qu'au sucre et à l'argent qu'il pouvait leur rapporter.

Zach resta immobile un instant, les poings serrés, respirant bruyamment. Puis il se dirigea vers la case, suivi par Ben toujours en larmes.

Le jeune Noir s'approcha et lui expliqua rapidement comment il pouvait gagner les montagnes, par un sentier caché dans la forêt qu'il était le seul à connaître. Il conseilla à Zach de partir tout de suite, sans plus perdre de temps.

Zach enregistra ces informations mais il avait une dernière chose à faire.

« Où dort ce Justinian ? » demanda-t-il.

Les yeux de Ben s'écarquillèrent de terreur. « Non Zach, non. Ils t'attraperont.

— Montre-moi où il dort. Mais sans faire de bruit. »

Le visage de Ben était pâle à la lueur de la lune. Zach se baissa, ramassa un peu de boue près de la pompe et s'en barbouilla le visage. Puis, se servant de la machette, il découpa une bande de tissu dans ce qui restait de sa chemise de toile. Ben hésita.

« Allez, montre-moi le chemin, dit Zach, en saisissant sans ménagement le bras de Ben. Montre-moi le chemin », répéta-t-il.

Sans un mot, Ben se mit en marche. Il conduisit Zach à la cuisine, là où ils avaient attendu de connaître leur sort neuf mois plus tôt. Ils suivirent un couloir, montèrent un escalier. La lune passant à travers une fenêtre à meneaux éclairait leur marche. Ils avançaient en silence, comme deux chats.

« C'est la dernière chambre dans ce couloir, souffla Ben.

— Maintenant tu me laisses », dit Zach. Ben restait immobile. Son cousin le poussa fermement. « Va-t'en », dit-il. Ben s'enfonça dans l'obscurité.

Zach immobile écoutait. La maison était silencieuse, rien ne bougeait. A pas de loup, il s'avança dans le grand couloir et doucement essaya d'ouvrir la porte de la chambre. Elle n'était pas fermée à clé. Il se glissa à l'intérieur, s'immobilisant d'abord pour s'habituer aux lieux. Il entendit des ronflements nasillards et aperçut au milieu de la pièce la forme imposante du lit à baldaquin aux rideaux tirés. Il avança en silence vers la tête du lit et avec d'infinies précautions entrouvrit les rideaux. Il faisait noir comme dans un four mais les ronflements de Justinian indiquaient où se trouvait son visage. Zach tenait la bande de tissu à la main et avant que Justinian puisse crier il le bâillonna.

Puis Zach ouvrit les rideaux pour faire entrer un peu de lumière et éclairer les yeux terrifiés du bourreau de Ben.

Il approcha la machette de la gorge de Justinian.

« Du calme ! » gronda-t-il. De l'autre main il écarta les draps, et d'un geste sec arracha la chemise de nuit que portait Justinian, dévoilant un grand corps blanc, très mince. Avec beaucoup de délicatesse, le pouce et l'index de Zach soulevèrent le pénis recroquevillé et mou de Justinian. Zach le tira un peu pour l'allonger, puis d'un coup de machette dont la lame luisait dans l'obscurité, il sépara avec précision le membre viril du corps. Justinian tressauta deux fois et le cri horrible qu'il poussa s'étouffa derrière son bâillon. Zach leva avec mépris le pénis sectionné pour le placer dans un rayon de lune puis le jeta sur l'oreiller de Justinian. Ensuite il essuya soigneusement la machette sur les draps propres en fil et après avoir salué d'un air moqueur le corps gémissant allongé sur le lit, il disparut aussi doucement qu'il était arrivé.

Ben attendait dans l'ombre devant la porte de la cuisine, sursautant au moindre bruit des animaux nocturnes. Il avait arrêté de sangloter mais il continuait de trembler de façon incontrôlable. Pourtant il se sentait un peu plus en sécurité. Tout au long de leur enfance, Zach n'avait pas cessé de le protéger de son immense force, si bien que ceux qui auraient aimé s'en prendre au petit Ben réfléchissaient à deux fois lorsqu'ils voyaient Zach à ses côtés. Il n'avait aucune idée de la manière dont Zach s'y prendrait mais il était sûr que les sévices que lui imposait Justinian étaient cette fois terminés.

Au bout de cinq minutes Zach réapparut, glissant silencieusement dans le clair de lune. Tout d'abord Ben ne le vit pas dans l'obscurité, à cause du visage recouvert de boue.

« Qu'as-tu fait ? » murmura Ben.

Zach ne prit pas la peine de lui répondre. « Demain matin, conduis-toi de la façon habituelle, dit-il dans l'oreille de Ben. Et occupe-toi d'Amelia. » Puis il disparut, courant d'un pas léger vers la case des esclaves où Joshua vint le rejoindre, pour l'accompagner et lui montrer le chemin dans la forêt qui devait lui permettre de s'échapper.

En rentrant au baraquement, Ben avait du mal à contrôler le tremblement de ses mains. Bella et Amelia étaient en bas, serrées autour d'un petit bout de chandelle qu'elles avaient allumé avec une pierre à briquet. Les autres esclaves et les enfants dormaient au-dessus.

« Pourquoi Zach est-il allé dans la grande maison ? demanda Amelia à Ben, pendant qu'il s'affalait dans un coin de la pièce. On aurait pu l'attraper.

— Il avait affaire avec Justinian.

— Mais il ne connaît pas Justinian, dit-elle l'air perplexe.

— Je ne peux rien t'expliquer », marmonna Ben.

Bella poussa un long soupir fatigué. « J'imagine que Justinian t'a fait ce qu'il a fait naguère à Joshua », dit-elle.

Ben resta silencieux, comprenant qu'il n'avait pas été la seule victime. Bella hochait sa grosse tête dans la lumière vacillante :

« Des saletés, poursuivit-elle impitoyablement. Des choses qu'un homme n'est supposé faire qu'à une femme. »

Ben vit Amelia porter sa main à sa bouche. Peut-être comprenait-elle enfin pourquoi il s'était tenu à l'écart.

« Ce Justinian n'est rien d'autre qu'une bête. En parlant ainsi d'ailleurs on insulte les animaux, dit Bella d'un ton sans réplique. J'espère que tu ne te tracasses pas pour ce qui t'est arrivé avec ce garçon, hein ? » Elle voulait l'obliger à lui répondre.

« J'avais honte. Je me disais que c'était ma faute, soupira-t-il.

— Ta faute ! fit-elle en émettant un interminable reniflement de mépris. Comment pourrait-ce être ta faute ? Tu penses que c'était la faute de Joshua lorsque ça lui est arrivé ? Ou celle d'Amelia quand le maître lui a fait ce qu'il lui a fait ? Ce n'est la faute d'aucun de nous. Nous sommes des esclaves. Nous subissons et il n'y a rien que nous puissions faire contre cela. Je te le dis, mon garçon, c'est une perte de temps de croire que c'est ta faute parce que ça ne l'est pas. » Elle resta silencieuse un instant. « Et que penses-tu qu'il soit arrivé à ce Justinian maintenant ? » On avait l'impression qu'elle aurait aimé qu'il lui fût arrivé quelque chose de terrible.

« Zach n'a rien voulu me dire », dit Ben avec plus d'assurance. Le jugement froid de Bella à propos de ses souffrances passées l'avait soulagé. « Il m'a simplement dit de me conduire comme d'habitude.

— Tu penses qu'il l'a tué ?

— C'est possible, dit Amelia d'une voix calme. Il m'a dit qu'il avait à moitié tué le surveillant. Il était dans une colère noire.

— Euh, fit Bella réfléchissant de nouveau. Écoute, mon garçon, si ce Justininan est mort quand tu le trouves demain matin, dis au maître que son fils est rentré la nuit d'avant avec un marin de Basse-Terre. C'est ce que tu as de mieux à faire. Nous ne voulons pas que quelqu'un de nous ait des ennuis, n'est-ce pas ? »

Ben réfléchissait. Il était soulagé du poids qu'il avait porté seul pendant si longtemps. Bella avait raison. Rien de tout cela n'avait été sa faute. Il était un homme normal, simple et honnête dont on avait abusé contre sa volonté. Comment aurait-il pu se mépriser pour cela ? De nature il était optimiste. Il sentait sa confiance en lui revenir doucement.

« Nous ne voulons pas qu'aucun d'entre nous ait des ennuis, n'est-ce pas ? répéta Bella.

— Non, bien sûr », dit Ben lentement. Mais il avait l'intention de se débrouiller tout seul. Les Noirs n'étaient pas de sa famille. Dans la mesure où Zach pouvait s'échapper et où Amelia et lui ne craignaient rien, il se souciait fort peu de qui se balancerait au bout d'une branche.

Joshua accompagna Zach en courant dans l'obscurité jusqu'à ce qu'ils aient dépassé la retenue d'eau et atteint l'endroit où le ruisseau descendait de la montagne. Là, essoufflé, haletant, il s'arrêta. Le clair de lune était suffisant pour qu'on puisse voir le visage de son compagnon.

« Cours dans le ruisseau, le plus longtemps que tu pourras, lui conseilla Joshua. Ils peuvent essayer de te suivre à la trace. » Il s'arrêta l'air troublé. « Je n'ai jamais été plus loin..., la forêt est épaisse... » Sa voix devint inaudible et Zach comprit qu'il s'inquiétait pour lui. « J'irais bien avec toi, dit-il, deux hommes en fuite valent mieux qu'un, mais il y a Amelia...

— Essaie de la protéger », dit Zach. Il sentit plus qu'il ne vit son sourire attristé et impuissant.

« Je vais essayer », dit Joshua. Et faisant demi-tour il se mit à courir en direction de Windsong.

La clairière parut vide, presque sinistre après son départ. Avec obstination, Zach commença à remonter le courant. L'eau était froide et de temps à autre des cailloux lui blessaient le pied, mais dans l'ensemble le lit du ruisseau était tapissé de gravillons qui rendaient la marche plus douce qu'il ne l'aurait espéré. Il essayait de se persuader qu'il n'y avait pas grande différence entre marcher ici ou dans l'Otter River dont les eaux peu profondes coulaient dans la vallée, en bas de Quick Manor. De grands arbres inconnus se refermaient de plus en plus sur lui au fur et à mesure de sa progression. Il se rendit compte, à cause de l'obscurité devant lui, que le ruisseau coulait maintenant dans une gorge bordée de rives escarpées. Craignant d'en rester prisonnier, il partit en direction de la forêt, essayant de poursuivre son ascension pour gagner la montagne.

Il marcha ainsi deux heures environ, sa respiration était sifflante, ses pieds douloureux et ensanglantés. Les longues lianes des plantes grimpantes ralentissaient sa marche et l'effrayaient lorsque, tels des doigts de fantômes, elles lui fouettaient le visage. Le sol sous ses pieds était spongieux et il s'en dégageait une odeur de végétaux pourris. L'air devint soudain plus humide et plus frais que celui de la plaine. Il avait l'impression de se frayer un passage au travers d'un nuage. L'atmosphère semblait avoir complètement changé, on n'entendait même plus le vent. Zach voulait être le plus loin possible avant le lever du jour, mais la fatigue commençait à l'accabler. Il avait besoin de dormir. Où ? Par terre, mais n'y avait-il pas de serpents ? Dans les arbres, curieusement danses et agressifs ? Aucune de ces solutions ne le tentait. Il n'avait aucune idée ni de l'endroit où il était ni de celui où il allait. La seule chose à faire était de continuer coûte que coûte, en tentant de rester debout jusqu'à ce qu'il y ait suffisamment de lumière pour trouver un abri.

Il se remit en marche sans conviction, ses pieds étaient lourds comme du plomb, ses poumons sur le point d'éclater, mais ses muscles douloureux obéissaient mécaniquement. Son sang battait dans sa tête, le rendant à demi sourd, pourtant il crut entendre un pas léger derrière lui. Il s'arrêta, la main sur la machette, essayant de rassembler ses forces avant de se retourner. Puis quelqu'un ou quelque chose le frappa durement sur la nuque. Il sentit durant un instant une douleur fulgurante et tomba inconscient sur le sol noir de la forêt.

Quand Ben alla réveiller son maître le lendemain matin, il avait retrouvé son calme, il était prêt à tout affronter. La certitude que Justinian ne pourrait jamais plus le toucher ainsi que sa conversation avec Bella lui avaient rendu son moral et sa fierté. Il avait bien dormi et n'avait aucune appréhension au sujet de ce qu'il risquait de découvrir derrière la porte de la chambre à coucher de Justinian. A vrai dire il était même plutôt curieux.

Le spectacle qui s'offrit à sa vue provoqua néanmoins un choc. Les rideaux du lit étaient tirés. Le bord du drap blanc était rougi d'un sang qui avait pris déjà une couleur de rouille, et au milieu du lit, nu comme un ver, bâillonné, les yeux clos, son maître était étendu dans une flaque de sang. Il était difficile de dire s'il était vivant ou mort.

Ben s'entendit pousser un cri qui ressemblait à un hurlement. Il fit demi-tour, s'engouffra en courant dans le grand couloir en appelant au secours, jusqu'à la porte de la chambre de Matthew Oliver.

Celui-ci sortit les yeux gonflés de sommeil, la tête dans un bonnet de nuit, serrant sa robe de chambre autour de lui.

« Que se passe-t-il ?

— C'est mon maître Justinian, croassa Ben. Quelque chose de terrible est arrivé. »

Sans un mot, Matthew se mit à courir dans le couloir pour gagner la chambre de son fils. Suivi par Ben, il entra précipitamment et s'arrêta net en laissant échapper un cri d'horreur étouffé.

« Enlève le bâillon », ordonna-t-il à Ben.

A contrecœur, pris de nausée, Ben s'avança vers le lit et souleva la tête de Justinian pour détacher le morceau de tissu. C'est alors qu'il découvrit le morceau de chair à côté de l'oreille de Justinian Tout d'abord il ne comprit pas ce que c'était puis, comme la réalité se faisait jour dans son esprit, il fut pris d'une envie terrible d'éclater de rire en comprenant pourquoi Justinian saignait tellement.

Brusquement, les paupières du blessé remuèrent, ses yeux étaient voilés mais néanmoins ouverts.

« Papa, dit Justinian d'une voix mourante.

— Je suis ici, mon fils, dit Matthew en prenant la main de Justinian dans la sienne. Ben, envoie Beauboy chercher le médecin immédiatement, et apporte de l'eau et des pansements. Nous devons arrêter l'écoulement du sang. Et dis à la maîtresse de venir. » Il avait déjà ramené les draps autour du corps inerte pour essayer d'arrêter l'hémorragie. Mais de l'avis de Ben et de sa brève expérience de la mort lors de la rébellion en Angleterre, il était déjà trop tard. Justinian allait mourir.

« Qui est le coupable, Justinian ? » demanda Matthew avec insistance comme Ben sortait de la chambre. Il entendit Justinian prononcer dans un souffle.

« Un Noir... C'était un Noir... »

Ce n'était pas un Noir. Et soudain Ben se souvint de la boue que Zach avait étalée sur son visage.

Ben réfléchit à toute vitesse tandis qu'il envoyait sa maîtresse, devenue hystérique, dans la chambre de son fils et qu'il réveillait un Beauboy grognon dans l'écurie. Si les Oliver décidaient que c'était un des esclaves noirs qui avait tué Justinian,

Joshua serait de toute évidence accusé. Et si Joshua se balançait au bout d'une corde à la place de Zach, ce serait la fin de sa relation avec Amelia.

Ben ignorait qu'Amelia était enceinte, mais il souffrait amèrement de l'affection que sa cousine témoignait au jeune Noir. Il voulait Amelia pour lui seul. Il n'avait pas menti à Zach en affirmant qu'il avait toujours aimé sa sœur. Il avait observé impuissant, écrasé par ses propres problèmes, le couple se former. Maintenant que sa confiance était revenue, sa culpabilité et sa honte apaisées, il prit sa décision. Il ferait en sorte que les soupçons se portent sur Joshua sans l'accuser directement. Et une fois l'amant d'Amelia mort, lui, Ben, serait là pour la consoler.

C'est juste avant midi qu'on ordonna aux domestiques de se rassembler dans la cour derrière la maison. La matinée avait été occupée par des allées et venues incessantes et les lamentations des femmes. Les esclaves s'en souciaient peu. Ils savaient que le fils du maître était mort ou mourant, mais ils ne se préoccupaient guère du sort de Justinian Oliver tant qu'il ne leur attirait pas d'ennuis. Maintenant ils se tenaient là, mal à l'aise, sous un soleil éblouissant. Amelia, Ben et huit Noirs, dont quatre femmes, accompagnés de quelques enfants qui jouaient sur le gazon jauni. Les adultes attendaient en silence. Puis Matthew arriva par la porte de la véranda. Sa femme était restée dans la maison, accablée de douleur. Quant à lui, il sentait son cœur peser dans sa poitrine.

Il était accompagné du chef de la police et du surveillant. Ce dernier portait un pansement grossier taché de sang et sa chemise était rougie comme le sont souvent celles des esclaves. Il était pâle, avec un air mal assuré, mais il tenait toujours son fouet à la main. Matthew voulait d'abord parler aux domestiques. Ensuite il irait avec Jake interroger les esclaves de la plantation à propos du Blanc qui s'était servi du propre fouet du surveillant pour le rouer de coups avant de s'enfuir. Si Jake n'avait pas été si résistant, il serait mort comme Justinian.

Matthew s'arrêta à quelques pas des esclaves. Il ne supportait pas l'odeur de ces gens qui le dévisageaient l'œil morne. Un des enfants commença à pleurer et sa mère le souleva de terre pour lui enfoncer la tête entre ses seins.

« J'ai deux choses à vous dire aujourd'hui, commença-t-il.

Tout d'abord nous avons un homme en fuite, l'esclave Zachary Quick. » Il vit qu'Amelia sursautait légèrement et s'emparait de la main de Ben. Faisait-elle semblant ou savait-elle déjà ? se demanda-t-il. Il ne l'avait pas approchée depuis la nuit où il l'avait prise si brutalement. Il s'était efforcé de l'éviter et le désir fou qui l'avait tourmenté s'était transformé en un terrible sentiment de culpabilité. Il redoutait de se retrouver face à face avec elle. Pourtant, il devait bien l'interroger.

« Ben, et Amelia, avez-vous vu Zachary Quick au cours de ces dernières heures ? »

Ce fut Ben qui répondit. « Non, monsieur, je n'ai pas vu mon cousin depuis le jour où l'on nous a amenés ici et il en est de même pour sa sœur.

— Tu connais la punition attachée au mensonge ?

— Oui, monsieur, mais il n'est pas venu ici.

— Amelia Quick, peux-tu me jurer de ne pas avoir vu ton frère ? »

Elle tourna ses yeux verts sur lui, ils étaient sans expression. Mais Matthew était convaincu que ce vide dissimulait son mépris.

« Je n'ai pas vu mon frère », dit-elle avec assurance.

Matthew acquiesça, ne tenant pas à poursuivre son enquête sur Zachary.

« L'autre affaire représente une immense douleur pour ma famille. Notre fils Justinian a été assassiné. Ses dernières paroles m'ont appris que le crime avait été perpétré par un esclave. Nous devons trouver l'homme ou la femme qui a commis cet épouvantable forfait. Ben Clode, tu es le dernier à l'avoir vu ?

— Oui, monsieur, ce matin dans son lit, baignant dans son sang. » Matthew crut détecter une note de satisfaction dans la voix. « Je l'ai entendu vous dire que c'était un Noir qui l'avait assailli.

— Et tu l'as vu hier soir ?

— Je l'ai mis au lit à dix heures, monsieur, il était en pleine forme, en parfaite santé.

— As-tu une idée de quelqu'un qui aurait pu l'assassiner ? »

Ben se tortilla sur place. « Peut-être un des esclaves qui lui en voulait, monsieur. Quelqu'un qu'il aurait blessé. »

Matthew n'était pas idiot. Il se rendit compte que Bella regardait Ben, l'air étonné, et qu'Amelia avait lâché la main de son cousin. Elle s'était redressée de toute sa hauteur, et paraissait furieuse. Brusquement elle prit la parole : « Mon cousin veut vous ménager, monsieur, dit-elle. Mais voici la vérité. Quand votre fils est rentré à Windsong hier soir, il avait bu beaucoup trop de bière à Basse-Terre. Il avait aussi ramené, pour passer la nuit avec lui, un marin français appartenant à l'un des bateaux de guerre ancrés dans la baie. Il avait l'habitude de satisfaire de cette manière les besoins que nous éprouvons tous. Mon cousin a le cœur sensible et il espérait que vous n'apprendriez jamais les goûts pervers de votre fils, mais si l'on veut attraper le coupable de ce crime épouvantable, il ne faut pas dissimuler la vérité. »

Matthew comprenait maintenant pourquoi son fils avait péri de façon si atroce. Il remarqua l'expression figée du chef de la police et le sourire narquois du surveillant. Bella s'était détendue mais Amelia était toujours sous le coup de la colère. Matthew aurait pu la frapper d'avoir osé parler ainsi de son fils devant tout le monde.

« Est-ce la vérité ? » demanda-t-il à Ben Clode.

Le regard qu'Amelia jeta à son cousin était net et déterminé. Ben répondit d'un air boudeur : « Oui, c'est vrai. »

Le chef de la police fronça les sourcils. « Mais il a dit à son père que c'était un esclave qui l'avait assailli. »

Ben acquiesça de la tête. « Oui, il a dit : "Noir... C'était un Noir." »

Amelia s'avança de quelques pas et Matthew retint sa respiration lorsqu'elle le regarda droit dans les yeux. Elle ne paraissait plus furieuse, il sentait même de la pitié chez elle, et malgré sa propre colère, il éprouvait une sorte de soulagement de constater qu'après tout ce qui était arrivé, elle pouvait encore éprouver de la pitié pour lui.

« Justinian a dit cela parce qu'il voulait vous épargner la vérité, dit-elle d'une voix douce. Il préférait vous faire croire qu'il s'agissait d'un meurtre perpétré par un de vos esclaves plutôt que de vous avouer ses honteux appétits. Vous savez bien que vos esclaves sont loyaux. Ils n'iraient pas tuer votre fils. »

Matthew commençait à douter d'elle. Ses allusions à de honteux appétits ne s'adressaient-elles pas à lui ? Quant à la loyauté des esclaves, il savait bien que c'était un leurre. Le fait que cela n'ait pas échappé à la jeune fille le mettait mal à l'aise.

Le chef de la police toussota. « Étant donné les circonstances du meurtre, commença-t-il embarrassé, le problème, monsieur, est que nous n'avons aucune autorité sur Basse-Terre.

Nos lois ne peuvent s'appliquer là-bas. Si le coupable est effectivement un marin français, il y a fort peu de chances que nous puissions l'arrêter. Mais il n'en est pas de même pour le fuyard. En interrogeant les esclaves des plantations, nous pourrons avancer assez rapidement dans cette affaire. »

Matthew sentit ses épaules se voûter mais il ne fit aucun effort pour se redresser. Il était désespéré. Que le tueur soit noir ou blanc, marin ou esclave, il aurait aimé que la punition suive le crime. De plus, il se disait qu'il était peut-être responsable. Justinian n'avait-il pas hérité de façon détournée de quelques-unes de ses perversions ? Pour la première fois, il se rendait compte qu'au fond de lui il avait toujours su la vérité sur ce fils ivrogne et efféminé. Mais comment expliquer à sa femme qu'on ne ferait rien pour retrouver l'homme qui avait tué leur enfant ? Quel mensonge allait-il être obligé d'inventer ? Sans parler des voisins ! Il était tout à fait possible que les gens aient toujours été au courant des penchants de son fils. Peut-être même connaissaient-ils les siens. Il avait une envie folle de désigner un esclave, n'importe lequel, d'en faire un bouc émissaire et de le pendre. Mais à quoi cela servirait-il ?

« Ah oui, le fuyard, dit-il d'un air morne. Vous vous occuperez de cela, voulez-vous, Jake ? » Et traînant les pieds, il rentra dans la maison pour retrouver sa femme en larmes.

Ce n'est qu'au point du jour, après une nuit sans sommeil, qu'il se souvint du chiffon qui avait bâillonné son fils. Il n'aurait pu le jurer mais il lui semblait qu'il s'agissait d'un tissu grossier et rayé semblable à celui que portent les esclaves à Windsong. Si c'était le cas, Amelia et Ben mentaient. Mais qui voulaient-ils protéger ? Zachary Quick ? Il fallait trouver ce bâillon, l'apporter au chef de la police afin d'orienter les recherches.

A l'aube, il descendit à la cuisine où Bella s'activait déjà.

« Qu'a-t-on fait des draps du lit de mon fils ? demanda-t-il.

— On les a lavés, maître. Vous voulez que je les apporte ?

— Et le bâillon qui lui fermait la bouche, où est-il ? »

Il était sûr qu'on ne l'avait pas jeté. Les esclaves ne jettent jamais rien.

« On l'a lavé aussi, maître.

— Apporte-le-moi. »

Bella traversa lourdement la cuisine et s'approcha d'un immense placard. Elle en sortit un morceau d'étoffe dont Matthew s'empara vivement. « Est-ce cela ?

— Oui, monsieur. »

C'était une bande blanche en fil.

« Ça vient de la chemise de monsieur Justinian, dit Bella. Je pensais demander à Vérité de la recoudre. Ça serait dommage de perdre une si bonne chemise. »

L'expression de cette femme était énigmatique, son visage noir impassible. Mais Matthew eut l'impression qu'elle ne pouvait dissimuler une sorte de satisfaction.

« N'en fais rien, dit-il à regret. Jette-le. »

La lumière était étrange, grise, sans éclat, totalement différente de celle de l'île qui, pendant neuf mois l'avait ébloui. Il faisait frais aussi et le bruit du vent avait disparu, quelque part derrière lui un feu était allumé. Il sentait l'odeur de la fumée de bois et apercevait quelques lueurs rougeâtres.

Prudemment il se souleva sur un coude et grimaça de douleur. Il porta la main à sa nuque et sentit du sang séché.

Comme il essayait doucement de se mettre sur son séant, une grosse voix lui lança : « Alors, on est réveillé ? Bon Dieu, tu as bien dormi. »

Zach tourna précautionneusement son corps en direction de la voix et plissa les yeux pour mieux voir. Derrière lui, près d'un petit feu à l'entrée de ce qui semblait être une grotte, un homme était assis.

Il n'était plus très jeune, il devait avoir autour de cinquante ans. Il avait une grande barbe et des yeux malins surmontés de sourcils broussailleux. Il portait une ample chemise, une culotte à l'ancienne mode et de lourdes bottes. Ses cheveux étaient aussi emmêlés que sa barbe. Il taillait un morceau de bois et l'acier de la lame étroite luisait à la lueur du feu.

Zach le dévisagea et lui demanda sur un ton agressif : « Est-ce toi qui m'as frappé ?

— Oui, répondit l'homme d'une voix paisible. Tu es apparu comme un fantôme au milieu des bois, ton visage barbouillé de noir, en tenue d'esclave. J'ai pensé que tu étais un fuyard. Tu as eu de la chance que je me sois rendu compte que tu étais blanc avant d'en finir et de te jeter dans le ravin. Je n'ai aucune envie de voir débarquer des meutes par ici. »

Zach eut froid dans le dos en entendant l'homme parler tranquillement de l'envoyer dans l'autre monde. Discrètement, il chercha sa machette mais elle n'était plus accrochée à sa ceinture.

« Peux-tu m'expliquer ce que tu fais dans cette forêt habillé de la sorte, dit l'homme. Tu m'intrigues.

— Je suis en fuite », dit Zach d'un air morne. Pourquoi ne pas dire la vérité puisque aucune autre explication ne lui venait à l'esprit.

« Condamné à l'esclavage ?

— Oui.

— Pourquoi es-tu ici ? Es-tu un criminel ?

— On dit que je suis un traître.

— Alors ça ! Je m'en fiche complètement. » L'homme fit un geste d'indifférence avec sa main gauche. « Ainsi ils déportent leurs condamnés maintenant ? D'où es-tu parti ?

— De Bristol.

— Je suis né à Bristol. Tu es du Wessex, n'est-ce pas ?

— Oui. Du Devon.

— Ça fait un bon bout de chemin pour venir ici.

— C'est bien vrai », dit Zach avec passion.

L'homme jeta un coup d'œil pensif à la lame acérée de son petit couteau. « Pourquoi t'es-tu sauvé ? »

Zach hésita. Que pouvait-il raconter à cet homme ? Mais peut-être était-il lui aussi un fuyard caché dans cette grotte en haut de la forêt. Zach ne pensait pas qu'il le ramènerait à Windsong. Il le tuerait plutôt.

« Il faisait nuit. J'étais sorti du baraquement pour respirer un peu d'air frais. Le surveillant s'est approché de moi, il m'a ordonné de rentrer et a commencé à me frapper. Je lui ai arraché son fouet et je l'ai roué de coups. Je l'ai laissé sans connaissance. Peut-être est-il mort ?

— Si on t'attrape, on te pend.

— Je le sais. Mais même si ça m'arrive, ça en valait la peine. »

L'homme parut réfléchir. « Où allais-tu ? demanda-t-il.

— Je ne sais pas. Droit devant moi. »

L'homme secoua la tête. « On doit toujours savoir où l'on va, sauf qu'ici il n'y a nulle part où aller. »

Zach resta silencieux. Il sentait que c'était un reproche. Puis l'homme demanda brusquement : « As-tu mangé ? »

Zach s'aperçut alors qu'il avait une faim dévorante. Il fit non de la tête.

L'homme se leva et se dirigea vers le fond de la grotte. Ses yeux s'étant maintenant habitués à l'obscurité, Zach vit quelques meubles rustiques posés sur un sol aplani recouvert de tapis. Il y avait aussi une grande paillasse qui devait servir de lit et des chandeliers en argent. Au mur était accrochée de guingois une peinture représentant un galion en pleine mer.

L'homme revint avec quelques fruits que Zach ne reconnut pas et un morceau de ce qui semblait être de la viande salée. Le tout disposé sur un plateau de bel étain.

« Mange », dit-il sans autre commentaire. Et il retourna s'asseoir près du feu pour continuer à tailler son morceau de bois.

Les fruits étaient frais et délicieux, la viande dure et trop salée. Ils gardèrent le silence jusqu'à ce que Zach ait fini de se restaurer.

Il essuya de la main le jus de fruit qui avait coulé sur son menton et demanda : « Vous vivez ici ?

— La plupart du temps.

— Vous ne vous sentez pas seul ?

— La solitude est préférable à la compagnie des hommes. Au moins des hommes de cette île », dit-il avec un geste de mépris. « Et quel est ton nom, mon garçon ?

— Zachary Quick.

— Zachary Quick ! Eh bien, tu as bien failli être couic, dit-il en se tapant les cuisses, tordu de rire par sa propre plaisanterie.

— Et le vôtre ? demanda Zach, essayant de rester poli, puisque sa vie apparemment dépendait de cet homme.

— Tom Fowler. Autrefois marin, longtemps corsaire, et présentement ermite.

— Corsaire ! dit Zach impressionné.

— Ça m'arrive encore lorsque je suis fatigué du silence et du brouillard d'ici. Mais les bons jours sont finis. Ils nous ont mis hors la loi. » Il paraissait scandalisé. « Après tout ce que nous avons fait pour donner ces îles à l'Angleterre. Après tous nos combats contre les Espagnols. Qui les a forcés à reconnaître les colonies anglaises et françaises dans ces mers ? Les corsaires. Et puis, lorsqu'ils n'ont plus eu besoin de nous, ils nous ont mis hors la loi. Brusquement nous n'étions plus rien, des vauriens, des voleurs, qui ne pensions qu'à remplir nos poches. » Il éclata d'un rire puissant qui résonna dans la grotte. « Ce qui était vrai, bien entendu. » Il se remit à rire puis continua sur un ton de confidence : « Il n'y a rien de plus hypocrite que les gouvernements lorsque ça les arrange. Les Anglais ont passé un traité avec les Espagnols qui reconnaissait les droits de la Couronne britannique sur ces îles. Alors on n'a plus voulu de nous dans les parages. Les rôdeurs des mers frappaient trop fort. Nous étions la terreur des vaisseaux espagnols. Rien ne nous résistait. Un pirate diabolique peut se changer en corsaire héroïque huit jours après selon la direction des vents du monde politique. Il n'y a jamais eu un pirate aussi méchant, aussi assoiffé de sang que Henry Morgan. Pourtant on l'a nommé chevalier et on en a fait le gouverneur de la Jamaïque. On se dit qu'un voleur en attrapera d'autres. Et voleurs nous l'étions.

« Je peux t'en parler, mon garçon, j'ai navigué avec Morgan. J'étais avec lui à Panama. Pendant un mois nous n'avons pas arrêté de piller, de détruire, d'incendier, d'honorer les femmes, qu'elles le veuillent ou non. Nous n'avons pas laissé grand-chose derrière nous, mais il n'y avait que peu à prendre. Les Espagnols avaient emporté leur trésor avant notre arrivée. Nous avons eu plus de chance à Cuba... »

Il s'arrêta, se rendant peut-être compte qu'il commençait à radoter un peu.

« Je parle trop mon garçon, quand j'en ai l'occasion. C'était une vie violente mais généreuse. Il y avait parmi les corsaires une véritable camaraderie que tu chercherais en vain dans cette île. Si nos hommes étaient mariés, ce qui arrivait parfois, on payait une pension aux femmes dont les maris tombaient au combat. » Il cracha bruyamment en dehors de la grotte. « Ici sur ces îles à sucre, c'est chacun pour soi et tant pis pour la race des hommes. Tu as dû t'en apercevoir, mon garçon. Dis-moi, serais-tu bouleversé si le surveillant venait à mourir ?

— Non, dit Zach. D'une certaine manière, je souhaite qu'il en soit ainsi. Et l'autre aussi.

— Eh ! Un autre ? Qui ça ?

— Le fils du planteur.

— Qu'est-ce qui lui est arrivé ? »

Zach expliqua en quelques mots ce qui s'était passé et le visage de Tom Fowler se tordit en une grimace outrée de douleur et de détresse.

« Bon, celui-là sera aussi bien mort, déclara-t-il. D'ailleurs ce n'est pas grand-chose de mourir. Lorsqu'on est en mer, on appelle ça le port dans la tempête. »

Zach ne comprenait pas très bien ce que Tom Fowler voulait dire par là, mais il se sentait soulagé d'avoir raconté ce qu'il avait fait. Il ajouta lentement : « Vous voyez, c'était la colère. Cette terrible colère que je porte en moi depuis qu'on nous a amenés ici. Ça me prend dans les tripes, ça me lancine.

La seule manière de m'en débarrasser c'est de me livrer à la violence. »

Fowler arrêta de tailler son bout de bois et regarda dans le vide.

« La colère, c'est un furoncle sur l'âme, dit-il. Il y a fort peu de gens sur ces îles qui n'en souffrent pas. Ces plantations reposent sur la crainte et l'assujettissement des autres. Pourtant, les Blancs savent qu'il leur faudra rendre compte de ce qu'ils ont fait. Ils sont effrayés et furieux contre eux-mêmes de leur propre peur. Les Noirs savent qu'un jour ils prendront leur revanche et sont furieux parce qu'ils sont obligés d'attendre. Personne n'est réellement heureux dans ces îles. La vie est trop incertaine. La crainte souffle dans les cœurs ainsi que les alizés.

« Je le sais, mon garçon, j'ai embarqué sur un trois-mâts à quatorze ans ; je voulais voir le monde. Je me suis retrouvé sur un bateau d'esclaves qui allait de l'Afrique aux Antilles. Au début, lorsqu'on faisait monter à bord ces prisonniers noirs, hommes, femmes et enfants, tous absolument nus, je respirais l'odeur de crainte, de terreur qu'ils dégageaient. Lors des premières traversées j'essayais d'adoucir un peu leur vie, mais l'âme humaine s'émousse. J'ai commencé à me persuader qu'ils n'étaient que des animaux, comme l'affirmait le reste de l'équipage, et je me suis mis, moi aussi, à baiser leurs femmes. Et lorsque certaines se jetaient par-dessus bord, on avait des ennuis avec le capitaine, car les esclaves, c'est de l'argent. Crois-moi, il a fallu fort peu de temps pour que le brave garçon de la campagne que j'étais se transforme en une sorte de bête, bien plus féroce que ce que nous disions des Noirs.

« Et puis, lors d'un voyage, je suis tombé malade. Malade à en mourir. La petite vérole. J'étais squelettique ; le capitaine m'a débarqué à St. Kitts avec les esclaves et s'est arrangé pour lever l'ancre à un moment où il était sûr que je n'étais pas à bord.

« Le capitaine Nathaniel West m'a abandonné ici pour mourir, sans argent et sans amis. Il ne voulait pas de marin malade à bord, un marin qui risquait de lui créer des ennuis. Je l'avais déjà vu se conduire ainsi mais je n'avais jamais pensé que la chose m'arriverait à moi.

« Et, bien sûr, je serais mort si je n'avais pas rencontré une Irlandaise à Basse-Terre. Elle m'a ramassé évanoui sur la route. Elle avait été envoyée ici par Cromwell et n'avait pas le moindre sou. Pourtant elle m'a pris avec elle et m'a soigné jusqu'à ce que je retrouve la santé. Je te le dis, j'étais écœuré des hommes, de leur cruauté envers leurs semblables. Bon, mais il fallait vivre. Aussi je suis devenu corsaire et je n'ai plus pensé aux sentiments humains, sauf pour moi-même et peut-être pour Molly McGuire. J'ai découvert que parcourir les mers était le seul moyen de survivre, mon garçon. Et ici dans la forêt, je me débarrasse des furoncles de mon âme. Mais encore maintenant je peux rejoindre des camarades pour me livrer à la flibuste si l'humeur m'en prend. Et alors j'ai de nouveaux furoncles à faire disparaître. J'ai un bateau caché à l'autre bout de l'île, qui me permet de me rendre dans l'île de la Tortue pour rejoindre mes camarades. »

Il se leva lourdement et Zach se rendit compte que c'était une sorte de géant, peut-être même plus grand que lui.

« Ils vont te poursuivre, mon garçon. Ton maître ne va pas apprécier ce que tu as fait à son fils. » Zach vit qu'il jouait avec son couteau. « Je n'ai aucune envie qu'ils viennent par là. Donc il me faut choisir. Ou je te tue et je te jette dans le ravin... » Il s'arrêta et Zach se raidit, se préparant à se battre. « Ou tu deviens pirate comme moi. » Il y eut un grand silence puis Fowler éclata de rire en pointant son index sur Zach. « La tête que tu te paies ! » dit-il.

Zach sourit faiblement, ne sachant pas encore quelles étaient les intentions de l'homme.

« Tu dois quitter cette île au plus vite si tu ne veux pas te balancer au bout d'une corde. J'ai envie de repartir en mer. Un homme qui n'hésite pas à tuer devrait faire un bon flibustier. Que décides-tu ?

— Va pour la flibuste », dit Zach.

4

« Mais tu grossis, Amelia. »

Charlotte, assise devant son miroir, regardait sa femme de chambre la coiffer. Elle affectionnait les boucles à l'ancienne mode. Elle ricana à plusieurs reprises. « On te nourrit trop bien. Maman va s'évanouir si elle le remarque. »

Il y a peu de chances qu'Élisabeth Oliver le remarque, se dit Amelia. Sa maîtresse ne la regardait jamais, elle se contentait de lui donner des ordres. Vu les circonstances, il valait mieux. Amelia craignait un peu que Matthew ne s'aperçoive de ses rondeurs mais elle le voyait rarement. Il continuait à l'éviter, et la perte de son fils semblait l'avoir rendu encore plus maigre, plus grisonnant et plus fantomatique que jamais. Il se déplaçait comme s'il n'avait aucune idée de l'endroit où il se trouvait. Mais Charlotte, maintenant seule héritière de Windsong et fort satisfaite de cette perspective, était plus observatrice.

« Pas du tout, répondit immédiatement Amelia car elle s'était préparée depuis un certain temps à cette remarque. C'est simplement que je porte une vieille tunique de Bella, bien trop grande pour moi.

— Effectivement », dit Charlotte, avant de se mettre à jacasser pour décrire son dernier soupirant, un jeune lieutenant de vaisseau, dont le bâtiment avait jeté l'ancre au large d'Old Town Road. L'île avait été maladroitement partagée entre Français et Anglais en 1624, lorsque Sir Thomas Warner s'était établi à St. Kitts. Elle avait la forme d'une massue et les Français en possédaient les deux extrémités. Le manche, peu fertile, ainsi que les immenses marécages situés au-delà de la capitale française étaient partagés entre les deux pays. Les Anglais possédaient le centre de l'île, c'est-à-dire la partie la plus fertile, et aussi la presque totalité des montagnes. Ils convoitaient le port naturel près duquel avait été construit Basse-Terre. Il y avait de perpétuelles échauffourées sanglantes entre les deux nations. Élisabeth Oliver, qui détestait l'idée d'être née dans les Caraïbes, ne se sentait jamais à l'aise ni en sécurité. Elle trouvait que c'était déjà suffisamment désagréable d'être entourée de Noirs et d'Irlandais, de souffrir de la chaleur, des ouragans et du vent perpétuel sans, en plus, devoir affronter les maraudes des Français.

« Maman a invité Edward à passer Noël avec nous, si son commandant le lui permet, dit Charlotte à Amelia. Il nous faut une nouvelle robe. Ne pourrais-tu aller à Basse-Terre et nous ramener des échantillons des nouveaux tissus ? » demanda-t-elle d'une voix adoucie.

Amelia avait soigneusement laissé entendre qu'elle détestait se rendre à Basse-Terre. Si Élisabeth Oliver avait pensé qu'elle pouvait prendre quelque sorte de plaisir à ces visites, elle les lui aurait interdites.

« On dit qu'il y a de l'agitation là-bas à cause des équipages de la marine française, dit-elle sur un ton maussade en fronçant les sourcils.

— Bah ! Qui pourrait faire attention à toi ? dit Charlotte. De toute façon, c'est un ordre de maman. »

Amelia n'avait pas été à Basse-Terre depuis le mois de novembre, quelques jours avant la mort de Justinian. Le lendemain matin, elle se mit en route aussitôt que possible, afin d'atteindre la taverne de Molly avant l'arrivée des clients qui faisaient toujours beaucoup de tapage. Hormis Bella et Joshua, Molly était la seule au courant de la grossesse d'Amelia. La jeune femme s'était confiée à son amie mais elle avait été déçue de voir que même Molly avait eu l'air choqué quand elle avait appris que le père était Joshua.

« Il faut t'en débarrasser », avait été sa première réaction.

Quand Amelia lui avait dit qu'elle était enceinte de quatre mois, Molly avait paru exaspérée.

« Tu aurais dû me le dire avant, la gronda-t-elle. Il faut que tu le gardes maintenant. Ton amie Bella a raison, vous devez faire croire qu'il s'agit du bébé de Vérité. Sainte mère de Dieu, à quoi pensais-tu en couchant avec un Noir ? Si tu avais des envies, pourquoi ne pas les calmer avec ton cousin Ben ?

— Je n'aime pas Ben », répondit Amelia avec fermeté.

Molly parut déconcertée. « Tu viens me dire que tu aimes ce garçon noir ? dit-elle en levant les yeux au ciel. Bon, je suppose que tout est possible. »

Amelia avait mis un certain temps à accepter la réaction de Molly, mais finalement elle en avait conclu que c'était une attitude fort commune aussi bien parmi les Noirs que parmi les Blancs. Elle se rendait compte que Bella n'était guère heureuse que son fils aime une fille blanche. Bien entendu, Bella ne le disait pas, mais elle avait la spécialité de faire connaître ses sentiments sans le recours de la parole.

Mais ni la femme noire ni la femme blanche ne l'avaient rejetée. Simplement elles ne comprenaient pas. Et maintenant qu'Amelia traversait Basse-Terre à la hâte, elle craignait que Molly puisse penser qu'elle ne lui avait plus rendu visite à cause de sa réaction.

Elle trouva son amie installée derrière le grand comptoir en bois dans une taverne vide. Elle astiquait les pots d'étain dans lesquels elle servait la bière et leva la tête en entendant arriver Amelia.

« Ah c'est toi, dit-elle en hochant la tête et il sembla à Amelia qu'elle était contente de la voir. Et où étais-tu passée durant tout ce temps ? »

Tout en s'installant sur un tabouret à trois pieds, elle répondit sans préambule : « Justinian a été tué. On est en deuil là-bas. Je n'ai été nulle part.

— Je sais », dit Molly. Les yeux pétillants, elle paraissait assez satisfaite de son effet. « Ton frère me l'a dit. »

Amelia bondit sur ses pieds. « Où est-il ? Est-il en sécurité ?

— Autant qu'on puisse l'être sur ces îles, répondit Molly. Il est devenu pirate.

— Pirate ! Mais comment ? »

Molly se pencha sur le grand comptoir, jeta un coup d'œil autour de la pièce vide, et baissant la voix comme si elle craignait d'être entendue, elle dit :

« Au cours de sa fuite, il a rencontré un de mes amis dans la montagne. L'homme qui m'a donné de l'argent pour acheter cette taverne.

— Pour acheter cette taverne ? » Amelia était abasourdie.

« Il s'appelle Tom Fowler. C'était il y a bien longtemps. Lorsqu'il était marin, un jour il est tombé si gravement malade que son capitaine, le même qui t'a amenée ici, l'a abandonné sur cette île pour le laisser mourir. Je l'ai soigné jusqu'à ce qu'il retrouve la santé. » Elle hésita un instant, fit la moue, fronça les sourcils comme si elle prenait une importante décision, et ajouta : « A cette époque je faisais la putain. C'était la seule manière de survivre. Tom, lorsqu'il fut de nouveau sur pieds, partit en mer avec des flibustiers et revint six mois plus tard avec énormément d'argent. C'est son butin qui lui a permis de m'acheter cette taverne. Il m'a donné ses premiers gains, le prix de sa vie, m'a-t-il dit.

— Et Zach est avec lui ?

— Oui.

— Mais les corsaires ont été mis hors la loi maintenant. De plus, c'est dangereux.

— La plupart des choses ici sont illégales, et la vie est dangereuse en soi, dit Molly d'un ton morne. Ce qu'ils font n'est pas plus dangereux que les beaux draps dans lesquels tu t'es fourrée. N'essaie pas de te persuader, ma petite chérie aux yeux verts, que ton vieux maître moralisateur ne se vengera pas de la manière la plus cruelle s'il découvre que tu es enceinte d'un Noir. »

Leurs situations respectives lui paraissaient incomparables. Elle écarta d'un signe de tête les avertissements de Molly et demanda : « Est-ce que Tom Fowler est un brave homme ? »

Molly hésita un instant. Elle posa ses coudes sur le comptoir et reposa son menton dans ses mains. Doucement, les yeux dans le vague, elle dit : « C'est un brave homme qui essaie d'être mauvais. Il considère sa bonté comme une faiblesse, mais grâce au ciel il ne parvient pas à l'étouffer. Quand ton frère est tombé sur la cachette de Tom, celui-ci, s'il avait été raisonnable, aurait dû le tuer. Au contraire, il l'a sauvé en lui faisant quitter l'île. » Sa voix devint plus dure. « Mais Tom est trop vieux maintenant pour être corsaire. Il aurait dû rester là-haut dans la montagne, en sécurité dans sa cachette, ne venant ici que la nuit, incognito, quand il a besoin de provisions, comme il le fait depuis des années. »

Amelia reconnut ce ton inquiet, protecteur. « Vous l'aimez », dit-elle en se rendant compte que ses mots ressemblaient à une accusation.

Molly esquissa un sourire timide et, durant un instant, Amelia put voir le reflet de la jolie fille qu'elle avait dû être autrefois.

« C'est vrai, dit-elle avec un soupir. Il est l'amour de ma vie, et je suis le sien, mais il n'admettra jamais une telle faiblesse. Il a amené ton frère ici pour le mettre à l'abri, et aussi pour me donner encore de l'argent avant de partir. Il est toujours extrêmement généreux avec ses gains mal acquis. J'économise, car j'ai un rêve dans ma vie, lorsque je serai vieille ou qu'il sera parti dans un autre monde, quel qu'il soit. Aller à Montserrat.

— Montserrat ?

— C'est une île pas très loin d'ici, la terre d'accueil des Irlandais. Ceux qui ont subi les persécutions de Cromwell, ces persécutions qui nous ont conduits ici dans les Antilles, se sont installés là-bas il y a longtemps. Aujourd'hui, les Irlandais de Virginie et des colonies américaines vont y vivre aussi quand leurs années d'esclavage sont finies. Ce n'est pas une malédiction d'être un bon croyant catholique à Montserrat. J'y serais allée depuis longtemps moi-même si je n'avais pas rencontré Tom Fowler, mais étant donné que cette île est son port d'attache, elle est aussi le mien. »

Amelia regarda Molly, déconcertée par la ferveur de sa voix. Il lui semblait bizarre qu'une femme de son âge puisse parler comme une jeune fille amoureuse. Est-ce que les personnes âgées éprouvent encore les angoisses et les plaisirs de la passion ? Amelia avait envie de savoir, mais judicieusement elle s'abstint. « Et vous pensez qu'il protégera Zach ?

— Ton frère est assez grand pour se protéger lui-même.

— Mon frère est de grande taille mais a une petite tête. Il n'est pas très réfléchi.

— Alors tu as de la chance, car Tom, lui, a une grosse tête. Peut-être pensera-t-il pour deux ou apprendra-t-il à ton frère à se servir de sa cervelle.

— Vous pensez qu'il reviendra sain et sauf ? »

Molly soupira. « Pendant plus de vingt ans, Tom est toujours revenu. Prions Dieu que ça continue. Mais, Amelia, tu dois comprendre que ton frère peut ne pas revenir. C'est un fugitif, si on le reprend il sera pendu. Tu dis qu'il ne pense pas très bien, mais je crois que cela il peut le comprendre. » Elle garda le silence un instant et soupira de nouveau : « Il m'a laissé un message pour toi.

— Quel message ? » demanda Amelia inquiète.

Molly hésita. « Il veut que tu saches qu'il t'aime, il te demande de ne jamais l'oublier, dit-elle lentement. Mais il m'a demandé aussi de te dire adieu. »

Un matin au commencement d'avril, une douleur assez semblable à celle qu'elle ressentait enfant lorsqu'elle avait mangé trop de pommes de maraude éveilla Amelia avant l'aube. Elle dormait depuis quelques semaines avec les autres esclaves à l'écart des enfants, au rez-de-chaussée du baraquement. Ses gémissements éveillèrent Bella.

« Ça va bientôt être le moment, déclara Bella après avoir posé sa grosse et lourde main sur le ventre d'Amelia. Mais il va te falloir passer cette journée, ma fille, sans que les Blancs se doutent de ce qui t'arrive. Reste là sans bouger, je reviens tout de suite. »

Elle sortit du baraquement, sans bruit en dépit de sa stature. Elle n'avait pas dit où elle allait. La douleur étant moins vive, Amelia fut surprise de découvrir qu'elle n'était pas inquiète et commença à sommeiller. Ces derniers mois avaient semblé curieusement agréables. Sentir qu'un bébé grandissait et gigotait à l'intérieur d'elle, savoir qu'une nouvelle vie se préparait représentait pour elle quelque chose d'éminemment important. Elle se rendait compte qu'il lui fallait mettre de côté jusqu'à la naissance le reste de son existence. Rien d'autre, pas même Joshua, ne comptait réellement en comparaison de cet événement. Elle penserait à ces autres problèmes après la naissance du bébé.

Elle avait pris de l'embonpoint mais pas de façon alarmante. Élisabeth et Charlotte semblaient avoir accepté ses rondeurs. D'ailleurs les vêtements informes et flottants qu'on donnait aux esclaves permettaient de cacher le gros ventre annonçant l'arrivée imminente du bébé. De temps en temps, elle rencontrait Matthew qui se contentait de lui jeter quelques coups d'œil furtifs. S'il avait deviné la vérité, il n'en laissa rien paraître.

Bella avait fait très attention à ce que mangeait Amelia, empêchant Joshua de lui donner un peu de la maigre portion qui lui était octroyée.

« Il ne faut pas que tu sois trop grosse, ma fille, disait-elle. Il ne faut pas qu'ils puissent soupçonner quoi que ce soit sur ce bébé. »

De temps en temps, Bella ramenait quelque potion au goût désagréable que lui donnait Bessie, une très vieille esclave qui se souvenait de certaines pratiques africaines. Cela, affirmait-elle, fera du bien au bébé.

« C'est mon petit-fils que tu portes là, grognait-elle. Maintenant tu avales d'un seul coup sans rouspéter. »

Pendant presque toute sa grossesse, Amelia avait été surveillée par Bessie qui, aidée de sa fille Minta, pratiquait la médecine. Elle était, pour les esclaves domestiques, aussi bien sorcière qu'infirmière et sage-femme. On avait un peu peur d'elle. On racontait qu'elle savait comment empoisonner les gens sans que personne ne puisse découvrir qui avait fait le coup. Mais Bessie savait aussi soigner. Elle guérissait la petite vérole avec une tisane faite avec les feuilles et l'écorce du goyavier. Une lotion à base d'écorce de gombo calmait les irritations de l'œil provoquées par la poussière des champs de canne à sucre. Une potion faite de mélasse et d'aloès soignait les furoncles et les éruptions cutanées. Quand les esclaves souhaitaient ne pas devenir enceintes, elle leur fournissait une préparation faite de patate douce qui empêchait les bébés d'arriver. Elle avait d'ailleurs grondé Amelia de n'être pas venue la voir plus tôt.

L'attente était presque terminée, et comme Amelia reposait dans la lumière gris perle qui précède l'aurore, Joshua s'approcha d'elle en rampant silencieusement pour lui prendre la main, faisant attention de ne pas réveiller les autres occupants du baraquement.

« Maman dit que c'est pour aujourd'hui, murmura-t-il.

— Je le sais, dit-elle tranquillement. Je me demande si ce sera un garçon ou une fille.

— Une fille, j'espère. Une fille comme toi. Comme ça elle n'aura pas besoin de travailler dans les champs. »

La pensée que son bébé doive être un esclave lui causait une souffrance bien pire que les contractions. « Ne parle pas de cela maintenant », soupira-t-elle. Elle garda le silence un instant tandis que de nouvelles douleurs la reprenaient. Puis elle s'assit sur son séant. « Pourvu qu'il n'arrive pas pendant que je suis chez les maîtres », dit-elle remplie de crainte. A peine avait-elle fini de parler que Bella revenait, portant une tasse fumante, accompagnée de Bessie et Minta.

« Bessie est venue pour t'aider, expliqua Bella. Elle sait absolument tout sur ces choses. Il n'y a pas une naissance dans les environs à laquelle elle n'ait participé. »

Bessie était si vieille que sa peau paraissait recouverte d'une fine couche de cendre, ses cheveux étaient ternes comme de l'étain mal entretenu, mais ses yeux noirs étaient toujours vifs. Elle s'accroupit sur ses jambes torses et osseuses, à côté de la paillasse d'Amelia, et d'une main maigre commença à palper le ventre proéminent. Elle fit signe à Minta d'agir de même. Tout le monde dans la case était maintenant réveillé mais personne n'osait parler avant Bessie. La femme noire attendit encore deux contractions, puis elle dit : « C'est pour ce soir, tu as de la chance. Tu seras tranquille durant la journée. »

Amelia entendit un murmure de soulagement général et Joshua lui pressa la main un peu plus fort.

« Bois ça, dit Bessie en prenant la tasse des mains de Bella. Tu auras bien moins mal ensuite. »

C'était de nouveau une décoction au goût épouvantable, mais Amelia la but sans rechigner ainsi qu'une autre que Bella lui fit avaler à midi. Quelle que soit la formule de ce breuvage, il eut pour résultat de l'étourdir un peu, de sorte qu'elle avait tendance à rire à tout propos. Charlotte la gronda à plusieurs reprises, trouvant qu'elle se conduisait de façon inconsidérée. Toutefois, en fin d'après-midi, les douleurs réapparurent avec plus de régularité et elle eut du mal à s'empêcher de crier.

Vérité la remplaça pour le ménage et au crépuscule, les hommes, y compris un Joshua inquiet, furent chassés du baraquement tandis que Bella et Bessie aidées de Minta préparaient l'accouchement.

Comme le moment décisif approchait, alors qu'Amelia sentait la sueur lui couler dans les yeux et que ses lèvres saignaient à force de les mordre pour s'empêcher de crier, les trois femmes la firent s'accroupir au-dessus d'une grande cuvette en porcelaine subtilisée à la maison. Elles avaient placé un tabouret à trois pieds derrière son dos, sur lequel elles l'aidaient à s'asseoir entre les contractions. Un des bouts de chandelle, que volait régulièrement Amelia, était la seule lumière du baraquement. Cette chandelle éclairait des visages noirs, en sueur, luisants, et des regards bienveillants. Les trois femmes chantaient à voix basse des mélopées étranges au rythme curieux en frappant légèrement des mains. Ces chants inconnus plongeaient Amelia dans une sorte de rêverie bizarre mais apaisante. Elle se sentait unie à ces femmes par un curieux rite féminin et cette intimité la réconfortait. Juste avant minuit, elle accoucha.

« C'est une fille », dit Bella.

Amelia suffoquait, elle avait mal, elle se sentait faible mais aussi triomphante.

« Je veux la voir », haleta-t-elle.

Sans un mot, Bella lui tendit le bébé, tout gluant, couvert de mucus. Minta approcha le bout de chandelle du visage de l'enfant. Amelia aperçut une touffe de cheveux noirs, des yeux étroitement fermés et un visage ressemblant à une fleur chiffonnée qui vient d'éclore. Le souffle du bébé faisait trembler ses lèvres fortement arquées et une minuscule bulle de salive brillait dans la lumière. Il sortait de son nez, petit comme celui d'Amelia, un petit sifflement. Mais de quelle couleur était sa peau ? C'était difficile à dire vu le manque de lumière. Mais pour Amelia dont le cœur débordait d'amour, la peau du bébé semblait blanche.

« Elle est blanche, dit-elle d'une voix émerveillée.

— Elle est café au lait, la contredit catégoriquement Bella. Dorée, si tu préfères, mais elle est café au lait. »

Mais la couleur de sa peau n'avait pas d'importance.

« Une fleur d'or, dit Amelia l'air rêveur. Ma petite fleur d'or. Je l'appellerai Tansie, le diminutif de Tanaisie.

— Hum ! » L'exclamation de dérision de Bella fit vaciller la flamme. « Tu peux l'appeler comme tu veux, ma fille, mais ce bébé n'est pas vraiment blanc. Ce serait dangereux pour Joshua qu'il soit le tien. A partir de maintenant, il ne t'appartient plus, il vaut mieux que tu le saches. Bessie et moi, nous avons pris des dispositions pour son allaitement. Nous connaissons deux femmes qui ont trop de lait. »

Elle se pencha en avant, prit l'enfant des bras d'Amelia, et le tendit à sa fille. Vérité accepta le bébé avec précaution et à la lueur de la chandelle Amelia aperçut une expression de désarroi sur le visage de la jeune fille.

Bella s'en aperçut aussi.

« Et tu ferais mieux de penser que cette fille est celle de ton frère, Vérité. Tu dois être sa tante et sa maman en même temps, sinon tu n'auras plus de frère non plus. »

Vérité regardait le petit corps nu qu'elle tenait dans ses bras. Comme s'il se rendait compte qu'il n'était pas le bienvenu, l'enfant poussa un gémissement semblable aux cris des oiseaux de mer.

A la hâte, Vérité rendit le bébé à Bella.

« Je ne sais ce que je peux en faire, maman, murmura-t-elle. Ce bébé est presque assez blanc pour être Blanc. Tu sais ce qu'ils diront ? Ils diront que j'ai couché avec un Blanc. »

Le ton révulsé de sa voix fit entrevoir à Amelia l'étendue des préjugés que cet enfant aurait à affronter aussi bien de la part des Noirs que de celle des Blancs.

Ce fut Ben qui informa le premier Matthew de la naissance du bébé de Vérité. Sa vie avait changé de fond en comble depuis la mort de Justinian. Quand Bella et Amelia avaient déjoué ses tentatives de faire endosser le meurtre à Joshua, il avait compris qu'il n'avait plus sa place dans la case des esclaves. Amelia ne lui parlait plus et son dédain le piquait au vif. C'est pour cette raison qu'il avait demandé la permission d'assister à l'enterrement de Justinian. Durant la cérémonie, il avait versé d'abondantes larmes de crocodile. Il s'empressait auprès d'Élisabeth Oliver, la flattant à chaque occasion, et tentait d'alléger la douleur de Matthew tout en s'arrangeant pour lui faire croire qu'il avait effectivement voulu lui épargner la vérité au sujet de la mort sordide de son fils. En quelques jours, il avait réussi à quitter la case des esclaves pour s'installer dans la grande maison. Il dormait dans une mansarde sur un vieux lit cassé. On lui avait donné un coffre pour ses affaires, et il y avait même un miroir fendu accroché au mur.

Les craintes de Ben n'étaient pas sans fondement. Les esclaves noirs n'oubliaient pas sa tentative de les impliquer dans le meurtre et aucun ne lui parlait plus. Bessie avait proféré de terribles menaces contre lui. Il n'aurait certes pas été en sécurité dans la case.

Il ne savait pas qu'Amelia était enceinte. Bella avait interdit qu'on le lui dise. « On ne peut pas avoir confiance en ce Ben », avait-elle dit et Amelia avait été obligée de le reconnaître à contrecœur.

Mais un matin, en entrant dans la cuisine pour prendre le petit déjeuner de son maître, il fut surpris de constater que Bella l'accueillait avec un grand sourire. Il fut immédiatement sur ses gardes.

« Tu connais la nouvelle ? » lui demanda-t-elle.

Il secoua la tête l'air méfiant, s'attendant à une mauvaise nouvelle pour lui.

« Je suis grand-mère. Ma petite Vérité a mis au monde une petite fille. »

Ben retourna cette information dans sa tête. Pourquoi Bella attachait-elle tellement d'importance à ce qu'il l'apprenne ? Il fit la moue, dévisagea la femme noire qui semblait irradier de bonheur. Il se détendit. Il fallait qu'elle partage cette nouvelle avec quelqu'un, même avec lui. « Mes félicitations », dit-il sur un ton pompeux. Il s'empara du plateau contenant le petit déjeuner et quitta la pièce.

Matthew, les yeux dans le vide, était assis dans l'immense lit à colonnes, attendant son petit déjeuner. Il ne montra aucune sorte d'intérêt lorsque les aliments furent placés devant lui. Ben s'agita un peu dans la chambre, et pour dire quelque chose annonça : « Bella vient de me dire qu'elle était grand-mère. »

— Ah oui ? » Matthew paraissait indifférent.

« Vérité a accouché d'une fille. »

Matthew repoussa la nourriture. « De qui ?

— Je ne sais pas, dit Ben. Je n'ai pas pensé à demander. »

Son maître examina la question puis dit : « Dommage que ce soit une fille. Il y a déjà beaucoup trop de femmes esclaves ici. C'est de la main-d'œuvre pour les champs qu'il nous faut. Néanmoins j'imagine que je dois aller jeter un coup d'œil à cet enfant puisque j'en suis responsable. »

Ah ! se dit Ben en retournant vers la cuisine pour chercher de l'eau chaude pour la toilette de Matthew. Il veut plus sûrement jeter un coup d'œil sur sa nouvelle propriété. Si son maître était responsable de cet enfant il était aussi plus riche d'une nouvelle esclave.

Ben pouvait avoir changé de camp mais il n'avait aucune illusion sur les motifs de l'ennemi. Un jour... Un jour..., pensait-il en portant le seau d'eau fumante à travers la maison tandis que la sueur coulait dans ses yeux. Et puis il se souvint qu'il lui faudrait encore subir pendant neuf ans ces humiliations quotidiennes avant que ce jour n'arrive.

Matthew se rendit à la cuisine avant son habituelle promenade à cheval dans Old Town Road. Bella tapait sur ses casseroles en chantonnant lorsqu'il entra sa cravache à la main.

« Bonjour, monsieur », dit-elle en faisant une sorte de révérence maladroite.

Cette femme devient plus grosse chaque fois que je la vois, se dit Matthew. Il se rendait compte qu'il n'y avait aucun moyen de l'empêcher de voler de la nourriture sans la mettre à la porte de la cuisine. Et bien entendu elle était bien trop bonne cuisinière pour qu'on agisse de la sorte. Mais son embonpoint l'irritait.

« Que viens-je d'entendre à propos de Vérité ? Est-ce vrai qu'elle ait mis au monde une fille ?

95

— Tout ce qu'il y a de plus vrai, monsieur. Le bébé est là devant vous. Je la surveille pendant que Vérité fait son travail. »

Bella désignait du doigt un vieux tonneau qui avait été coupé pour faire un berceau de fortune. Le petit lit installé par terre permettait à Bella de bercer l'enfant avec son pied.

Plus intéressé par la provenance du tonneau que par le bébé, Matthew s'approcha pour regarder. Comme il se penchait un petit visage blanc se tourna vers lui. Il se redressa vivement. Était-ce une Blanche ? Il s'approcha pour regarder de nouveau, conscient que Bella près de lui l'observait, immobile.

« Qui est le père de ce bébé ? demanda-t-il durement.

— Vérité ne me l'a pas dit, soupira Bella. Si vous me permettez de parler ainsi, elle a honte qu'il soit si blanc, monsieur. J'imagine comme Bessie que ce doit être Ben. De qui d'autre pourrait-il être l'enfant ? A moins... » Elle lui jeta un coup d'œil aigu.

Il se préparait à protester, à dire qu'il n'avait rien à voir avec ça, lorsqu'il se rendit compte que cette attitude manquerait de dignité. Il se redressa en se caressant la barbe pour se donner le temps de réfléchir.

« Ben, dit-il. Ah, je vois. »

Il se pencha de nouveau pour regarder l'enfant. Le blanc des yeux du bébé avait cette teinte légèrement jaune si révélatrice du métissage, autour des iris d'un bleu profond ; sa peau semblait olivâtre mais les traits étaient ceux d'une fille blanche et ses cheveux étaient apparemment lisses. Il bâilla et sa petite bouche s'ouvrit toute grande en laissant apparaître une langue et un palais roses. Puis l'enfant le regarda avec dans les yeux quelque chose qui rappela brusquement à Matthew le regard provocateur qu'Amelia avait si souvent posé sur lui depuis le soir où il l'avait violée. Il avait aussi une autre image d'elle, pour l'avoir observée tant de fois en secret. Elle s'avançait lourdement, dans le couloir conduisant à la chambre de sa femme, une main posée au bas de son dos. Matthew était certain que ce bébé n'était pas celui de Vérité qui était aussi noire que du charbon, mais celui d'Amelia. Mais était-ce lui le père ? Était-ce pour ça que Bella l'avait regardé si durement ? Il se sentit frissonner à cette pensée et fit un rapide calcul. C'était possible. Pourtant, il y avait chez cet enfant du sang de couleur, il l'aurait juré. Dans ce cas si c'était le bébé d'Amelia, qui donc était le père ? Bella derrière lui semblait retenir son souffle. Visiblement, elle était mal à l'aise. Peut-être était-elle effectivement grand-mère, mais sans doute pas à cause de Vérité. Peut-être était-ce à cause de Joshua ? Joshua s'accouplant avec Amelia. Il eut la nausée rien qu'à cette pensée.

Il reporta son attention sur le bébé. Parfois, à la naissance, les enfants ont le teint légèrement basané. Ça avait été le cas pour Justinian sans qu'il y ait aucun doute sur sa filiation. Ainsi, peut-être était-il le père, et peut-être ne l'était-il pas. Peut-être était-ce l'enfant de Vérité ? Il ne le saurait probablement jamais avec certitude et d'ailleurs il ne tenait pas vraiment à le savoir.

Sans un mot il quitta la cuisine. Une heure plus tard, il donnait l'ordre à Jake d'emmener au marché aux esclaves et de vendre Joshua, Vérité, Bessie, Minta et le bébé. Il se serait volontiers débarrassé de Bella également si Élisabeth n'avait pas protesté. Elle ne tenait pas à perdre une aussi bonne cuisinière, mais elle ajouta qu'elle était heureuse de voir partir Vérité, cette fille maussade et renfrognée. Ils auraient dû la vendre depuis longtemps.

Ce fut Benson, le surveillant de Macabees, la plus grosse plantation de l'île, qui acheta les quatre esclaves et le bébé. Il n'avait aucune envie du bébé, ni d'ailleurs de Bessie, mais Jake avait reçu l'ordre de les vendre ensemble afin de les éloigner le plus vite possible de Windsong. Ils n'étaient pas chers et l'affaire fut vite conclue.

Benson avait besoin d'un jeune jardinier solide et d'une femme pour s'occuper du linge de la famille Ramillies. Une épidémic de fièvre s'était déclarée dans les baraquements de la plantation, et les esclaves les plus faibles et les plus vieux étaient morts. Parmi eux se trouvaient le jardinier et la blanchisseuse. Il était plus simple d'acheter des esclaves qualifiés plutôt que d'essayer de former ceux qui étaient arrivés récemment d'Afrique.

Joshua était au désespoir tandis qu'on les conduisait à l'énorme maison abritée par les étonnantes falaises de Brimstone Hill qui dominaient la mer des Caraïbes. L'endroit se trouvait à une dizaine de kilomètres de Windsong. Bessie portait le bébé, serré contre ses seins maigres et décharnés. Vérité n'aurait pas à s'en occuper. Pourtant elle ne décolérait pas et ne cessait d'accabler Joshua de reproches :

« Si tu n'avais pas baisé cette fille blanche, rien de tout cela ne serait arrivé, lui lança-t-elle. Et si tu penses que je vais m'occuper de son moutard, tu te mets le doigt dans l'œil, mon cher frère. »

Bessie devait travailler avec Vérité dans la buanderie de Macabees. Elle était si vieille, si accoutumée à l'esclavage, qu'il lui importait peu de se trouver ici ou ailleurs. Elle avait été achetée et vendue tant de fois qu'elle s'adaptait rapidement aux endroits nouveaux. Dès leur arrivée à Macabees, ils furent conduits aux baraquements des esclaves où elle se mit à la recherche d'une femme capable de nourrir Tansie. Le bébé pleurnichait, émettant de temps en temps un cri aigu afin de faire savoir à son entourage qu'il avait faim. Ces plaintes renforçaient la peine de Joshua, désolé de son incapacité à se rendre utile.

« Nous avons de la chance, lui dit enfin Bessie, tandis que l'air absent il essayait maladroitement de calmer sa fille. Il y a une femme là-bas qui vient de perdre son bébé d'une forte fièvre. Elle a encore du lait. Elle m'a dit qu'elle voulait bien nourrir ta fille. » Elle gratta sa tête grise et laineuse. « Il y a néanmoins un petit problème. Je ne lui ai pas dit à quel point ton bébé était blanc. Je ne sais pas comment elle peut réagir. Ça serait mieux si c'était toi qui emmenais ta fille. »

Assis par terre contre un mur, le bébé sur ses genoux, Joshua n'arrêtait pas de penser à Amelia et à la manière dont ils avaient été séparés. Il était possible que Matthew Oliver ait deviné la vérité. Et c'était peut-être pour cette raison que Vérité et lui avaient été vendus. Mais qu'allait-on faire à Amelia ? Serait-elle en sécurité ou aurait-elle de nouveau à subir les brutalités du maître ? Il serra les poings, écœuré par son impuissance. Il n'y avait rien à faire. S'il se sauvait, Amelia ne pouvait même pas s'enfuir avec lui. Et d'ailleurs où aller ?

Il regarda le visage furieux de sa fille et, spontanément, se mit à la bercer pour la faire taire. L'enfant se calma et se tint tranquille en le regardant. Il avait l'impression de reconnaître Amelia dans ce petit visage.

« Où est cette fille ? demanda-t-il, content de pouvoir enfin se rendre utile.

— Dans la cuisine, dit Bessie. Elle s'appelle Ruby. »

Bessie, malgré ses jambes maigres et arquées, marchait rapidement. Elle lui fit traverser le parc avec une telle assurance qu'il aurait pu croire que la vieille femme avait déjà vécu ici. Joshua trouvait Windsong magnifique, mais cette maison-ci était un véritable château de trois étages. Ses murs étaient en brique rouge et non en pierre. Elle avait au moins deux fois la longueur de Windsong et se découpait contre le sommet de la montagne. On pénétrait dans la cuisine par une porte à double battant située sur le côté de la maison. Joshua respira une odeur de viande rôtie. L'intérieur de la pièce ressemblait à s'y méprendre à la cuisine de Windsong. Il s'attendait presque à voir surgir l'énorme silhouette de sa mère, une louche à la main, lui souhaitant la bienvenue.

Mais c'était une jeune femme qui se tenait près de la broche. Ses cheveux noirs étaient coupés court. Elle était grande, avec une jolie poitrine provocante. Son visage était un miroir de l'Afrique, des lèvres épaisses, un nez large, une peau aussi noire et luisante que celle de Vérité et de sa mère. Mais son expression était différente. Vérité, la plupart du temps, avait un air renfrogné, le visage de sa mère était presque toujours sérieux et celui de la plupart des femmes esclaves, quand elles étaient au repos, ne laissait apparaître qu'une grande dignité et une profonde tristesse. Bien qu'elle ne sourît pas, cette fille avait dans le visage une expression espiègle et heureuse comme si elle se moquait du monde. Le coin de ses lèvres se retroussait et ses yeux noirs avaient un éclat malicieux.

Tansie avait recommencé à crier.

La fille s'approcha. « Ce bébé meurt de faim », dit-elle péremptoire. Elle prit dans les bras de Joshua le petit paquet enveloppé de linges, ouvrit le devant de sa tunique et colla le visage du bébé contre ses gros seins noirs.

Aussitôt les cris cessèrent ; on n'entendait plus maintenant qu'un petit bruit de succion. « C'est beaucoup mieux pour elle et pour moi », dit la fille, l'air satisfait.

Joshua ne pouvait détacher les yeux de ces seins si fermes, dont la nudité était encadrée par le tissu grossier de la tunique. La poitrine d'Amelia était plus petite, plus rose, des seins faits pour l'amour et pour les caresses délicates. Ceux de Ruby donnaient l'impression de pouvoir nourrir le monde entier.

Ruby regardait maintenant l'enfant qu'elle tenait dans ses bras.

« Ce bébé, sans aucun doute, est blanc, dit-elle. Est-ce vraiment le tien ?

— Oui, c'est le mien, dit-il l'air embarrassé.

— Le bébé que j'ai perdu n'était pas non plus parfaitement noir, dit-elle. J'imagine que ça vient du fait que son père était Benson. » Elle partit d'un éclat de rire spontané. « Comment se fait-il que le tien soit aussi blanc ?

— Sa maman est blanche. »

Les yeux noirs de Ruby s'écarquillèrent. « Vraiment blanche ? »

Il acquiesça d'un signe de tête.

Elle émit un petit sifflement. « Mais pourquoi as-tu voulu baiser avec une fille blanche ? lui demanda-t-elle sur un ton de reproche. Mon vieux, tu as de la chance de ne pas avoir été accroché à la branche d'un arbre. C'est peut-être elle qu'on a pendue ?

— Non. » Il ne se sentait pas capable de donner des explications. Il changea de sujet : « Je suis désolé que ton bébé soit mort. »

Elle cessa de sourire. « Pas moi, dit-elle. Je n'ai pas envie de produire de nouveaux esclaves pour cette horrible plantation. Et d'ailleurs, comme je te l'ai dit, il n'était pas parfaitement noir. »

Quelque chose dans la voix de la jeune femme l'irrita et le poussa à dire : « Je ne suis pas non plus parfaitement noir.

— Je l'ai vu. C'est triste. C'est difficile de ne pas être d'un côté ou de l'autre. C'est préférable de savoir qui on est. Mais tu es très beau. »

Cette remarque élogieuse exprimée si directement le fit rougir. Au fond, elle avait raison : il n'avait jamais réellement su qui il était. Ruby regarda le bébé. « Cette pauvre petite ne saura jamais qui elle est. En tout cas elle est bien heureuse d'avaler mon lait noir. Mais ils sont tous comme ça, n'est-ce pas, quand ils sont petits ? »

Elle lui sourit :

« Laisse-moi ce bébé maintenant ; nous nous occuperons de tout avec Bessie, et retourne travailler sinon Benson te fera fouetter. C'est un porc. » Elle éclata de rire. « Et tu ne pourras pas t'en tirer avec lui de la manière dont je m'y prends. »

Joshua n'avait jamais vu de rubis mais Amelia les lui avait décrits lorsqu'ils avaient lu ensemble les Proverbes. Cette Ruby ressemblait à ce qu'il imaginait de la pierre précieuse. Elle émettait un éclat sombre avec un feu intérieur et secret. Une espèce de chaleur. Mais dans les Proverbes on demandait : « Qui peut trouver une femme vertueuse ? Car son prix est bien au-dessus des rubis. »

Ruby n'était pas vertueuse, sûrement pas puisqu'elle couchait avec le surveillant tout en le traitant de porc. Mais en la regardant donner le sein à son enfant, il se disait que sa valeur peut-être était bien plus grande que celle de n'importe quel rubis.

Il découvrit rapidement que la jeune femme était plus que légère. Elle avait apparemment décidé de le prendre pour amant. Pourtant, presque tous les soirs Benson l'envoyait chercher et elle se rendait chez lui de bon cœur. Joshua, encore obsédé par le souvenir de son amour pur et innocent pour Amelia, ne comprenait pas.

« Ça ne signifie rien, disait-elle, jetant sa tête en arrière pour montrer les boucles d'oreilles bon marché que Benson lui avait données. Mais crois-moi, ça rend la vie plus facile. »

Elle n'avait aucune honte à poursuivre Joshua. Quand il travaillait dans le potager, près de la cuisine, elle surgissait derrière lui, passait ses bras autour de sa taille, et agitait ses hanches contre lui. La chaleur de son corps enflammait Joshua. Il avait dix-sept ans et était incapable de calmer et de dissimuler son excitation. Elle se moquait de lui lorsqu'il se dégageait. Il était honteux et se sentait coupable de ce qu'une femme autre qu'Amelia lui fasse un tel effet.

« Je finirai par t'avoir, mon garçon », lui promit-elle.

Joshua était tenté mais la Bible aussi bien que sa mère lui avaient enseigné qu'un homme n'avait qu'une seule femme et pour lui cette femme était Amelia. Il continuait à rêver d'elle, il se souvenait de la manière douce et passionnée qu'elle avait de se donner à lui. Elle n'était ni hardie ni provocante, comme cette belle fille noire qui le harcelait et contre laquelle il lui était de plus en plus difficile de se défendre. Il redoutait ce qui pourrait lui arriver s'il cédait à Ruby mais craignait aussi que Benson ne découvre la raison de sa fidélité à Amelia. Joshua savait maintenant pourquoi Macabees avait la réputation d'être la plantation la plus dure de l'île. La loi de fer de Benson rendait celle de Jake à Windsong presque douce.

Joshua se mettait rarement en colère. C'était un garçon tranquille, introverti. Comme il était né en esclavage, il parvenait à s'adapter à sa situation. Sa mère appartenait à une tribu d'agriculteurs. Ce n'étaient pas des guerriers et ses dons pour la culture, hérités de sa race, avaient adouci sa condition d'esclave. Il aimait le travail de la terre et l'accomplissait consciencieusement. S'occuper du parc était de toute façon bien moins dur qu'être employé dans les champs de canne à sucre. Malgré l'ombre de ce père inconnu qui pesait sur lui, il essayait d'être quelqu'un de gentil. Il souffrait de savoir qu'il était le fruit du viol de sa mère, aussi était-il déterminé à être bon pour compenser la méchanceté de son père. Les paroles de la Bible qu'Amelia et lui avaient lues ensemble trouvaient un écho en lui. Sans le savoir, Joshua était devenu chrétien.

Ce fut à la fin du mois de mai que la situation changea radicalement. Ruby et lui étaient assis à l'extérieur pour prendre le frais, assez loin du baraquement. La jeune femme nourrissait Tansie qui tétait avec l'air satisfait. Grâce aux soins de Ruby, c'était un beau bébé rose et potelé et Joshua lui en était reconnaissant.

« Tu ne vas plus voir ta sœur très souvent », dit Ruby brusquement. Il y avait quelque chose de bizarre dans sa voix. Il était difficile de dire si c'était un petit air de triomphe ou si c'était un peu d'embarras.

Il avait remarqué que Vérité n'était pas venue au repas du soir que partageaient les esclaves. Brusquement, il se sentit inquiet.

« Est-ce que ça va pour elle ? demanda-t-il.

— Ça dépend ce que tu appelles aller, dit Ruby. Cette espèce de Benson a besoin de chair fraîche, et il a remarqué que ta sœur pouvait faire l'affaire. Elle a de la chance. Tout ira bien pour elle dans la mesure où elle se pliera à ses caprices. »

Joshua était terrifié. Il se souvenait du dégoût de sa sœur à l'idée que l'on puisse penser qu'elle ait couché avec un Blanc. Qu'allait-elle faire ? Vérité n'était pas comme lui. Elle n'était nullement résignée.

« Ils ont ramené une femme des champs pour la lessive, dit Ruby en faisant passer le bébé d'un sein à l'autre. Et Vérité s'est installée dans la maison de Benson pour devenir sa servante. Il n'a jamais fait cela pour moi. A vrai dire, il ne pouvait pas car Mme Ramillies n'aurait jamais supporté de changer de cuisinière.

— Que va-t-il lui arriver ? demanda Joshua.

— Il faudra qu'elle se laisse baiser quand il le désirera. Elle lui fera la cuisine, elle lavera et repassera son linge. Elle sera comme sa femme, jusqu'à ce qu'il se lasse d'elle. »

Joshua se prit la tête dans les mains, désespéré une fois de plus par son impuissance à protéger les siens.

« Ce n'est pas si terrible, dit-elle gentiment. Elle s'y habituera. Nous y passons toutes. Et ça a aussi ses avantages. Tu n'auras plus besoin d'avoir peur de baiser avec moi maintenant. »

Il releva vivement la tête. Elle était assise devant lui, les seins nus, le bébé à moitié endormi sur les genoux, ayant encore un peu de lait au coin de sa bouche.

« Ce n'est pas ça...

— Écoute-moi, dit-elle en l'interrompant. Tu ne reverras jamais la mère de ce bébé. C'est Ruby qui est sa maman maintenant. »

Ses mains aux longs doigts allèrent se placer sous sa lourde poitrine aux seins pleins de lait et elle les lui offrit.

« Tu es un homme assoiffé, dit-elle à voix basse. Ruby comprend ta soif. » Ses mains soulevèrent un peu plus haut ses seins luisants. Elle prit entre son pouce et son index un des bouts cuivrés qui se dressaient et le pressa doucement. Le beau rubis sombre se teinta de blanc. « Viens me boire, roucoula-t-elle. Viens me boire. »

Joshua contemplait les seins, hypnotisé. Il était un homme, un homme assoiffé et frustré dont la soif n'avait jamais été étanchée.

Il se jeta en avant sans rien de cette gentillesse qu'il avait montrée et partagée avec Amelia. Tout d'abord, il enleva d'un coup de langue le liquide blanc qui avait coulé du sein qu'elle avait pressé, puis sa bouche se referma et il se mit à boire. C'était tiède et le goût lui était inconnu. De boire ainsi lui donnait une impression de puissance, de force. Ruby posa le bébé dans l'herbe à côté d'eux, et ôta sa jupe, ne gardant sur elle que son corsage ouvert. Elle était toute ronde, toute douce, en dessous de lui. Il commença à lui caresser les seins tandis que sa bouche, sa langue et ses dents se frayaient un chemin, un peu plus bas, vers le ventre plat, vers les poils élastiques. Il se mit à boire à cette source aussi, un jus plus amer, plus acide que le lait, un jus secret et interdit mais chaud et bienvenu. Tandis qu'il léchait et mordillait les replis tabous, la main de la jeune femme le prit pour le guider à l'endroit où elle désirait qu'il se mît. Il sentit qu'elle l'enfonçait en elle et ils ne furent plus qu'une seule personne, réunis par le désir de la chair. Quand il s'affaissa sur elle, rassasié et épuisé, elle poussa un grand soupir de satisfaction.

« Je te l'avais bien dit, gloussa-t-elle gentiment. Je te l'avais dit que je t'aurais. »

Il aurait dû se sentir coupable mais ce n'était pas le cas. Il se sentait triomphant. Dans un éclair, il sut qu'il n'éprouverait jamais pour Ruby ce qu'il avait senti pour Amelia, mais il comprenait aussi qu'il ne serait plus jamais capable de résister à l'enlacement puissant des cuisses de Ruby, ni à cette manière qu'elle avait de le tenir tout au fond d'elle et de s'accorder à son rythme à lui avec un abandon presque sauvage.

« J'imagine, dit-elle, comme elle le repoussait doucement, j'imagine que nous pouvons avoir fait un autre bébé. Et celui-là, crois-moi, il vivra. »

5

Machinalement, négligemment, Amelia servait le thé à Élisabeth Oliver et à Charlotte dans leur petit boudoir de Windsong. Ces années passées à faire le même travail, chaque jour, avaient engendré chez elle un ennui qu'elle cachait sans même y penser derrière les manières allègres et flatteuses qui étaient de rigueur lorsqu'elle avait affaire aux deux femmes.

Depuis trois ans elle avait assisté à tous leurs bavardages. Elle était dans le secret des spéculations concernant l'avenir de Charlotte, du jugement qu'on portait sur ses prétendants et savait exactement pourquoi les idylles échouaient chaque fois. Amelia connaissait par cœur les récriminations d'Élisabeth sur la vie des Antilles : les difficultés pour gagner un peu d'argent, les dépenses nécessaires à la nourriture et l'habillement des esclaves. Elle était également au courant des sommes dérisoires qu'Élisabeth consacrait à ceux qui travaillaient pour elle. Pottle, le vieux comptable, dont le statut n'était guère plus élevé que celui d'un esclave, était devenu son ami. Il lui avait appris qu'Élisabeth était en réalité extrêmement riche. Son domaine de Windsong était l'un des plus importants de l'île, et le sucre atteignait des prix incroyablement élevés sur le marché européen. Élisabeth avait fort peu de raisons de se plaindre.

La plupart du temps, Amelia n'écoutait pas les bavardages de sa maîtresse. Elle s'était forgé un monde intérieur où elle s'imaginait en sécurité avec les gens qu'elle aimait, Joshua,

Tansie et Zach. Il ne se passait pas une journée sans qu'elle pense à eux, s'inquiète pour eux et prie pour eux. Être sans nouvelles d'eux était pour elle une torture permanente. Parfois elle avait l'impression de n'être qu'un immense vide, à cause de l'absence de Tansie. Elle ne savait même pas si son enfant était vivante ou morte. Quand Joshua et le bébé avaient été emmenés au marché des esclaves avec Vérité, Bella et elle avaient pleuré tout au long de la nuit, du crépuscule à l'aube, essayant de se consoler l'une l'autre. Mais Amelia se rendait compte que Bella rejetait sur elle la responsabilité de ce qui s'était passé. Si elle n'était pas venue à Windsong, rien de tout cela ne serait arrivé, alors que maintenant la famille de Bella était dispersée. Et elle-même devait supporter des souffrances journalières.

Amelia se sentait extrêmement seule. Ben avait pourtant bien fait une honnête tentative pour combler la brèche qui s'était ouverte entre eux. Il s'était excusé de sa duplicité et lui avait avoué franchement qu'il avait agi ainsi par pure jalousie, à cause de l'amour qu'il lui portait. Amelia avait été touchée et lui avait pardonné de tout cœur. Mais ce n'était pas un véritable compagnon. Il était devenu de plus en plus proche de Matthew Oliver et restait perpétuellement trois pas derrière lui. De plus, il ne venait plus jamais au baraquement des esclaves. Ce n'était qu'au cours de leurs tâches quotidiennes qu'ils pouvaient se rencontrer.

Amelia ne voyait plus que très rarement Molly McGuire, car Matthew avait interdit aux gens de sa maison de se rendre dans les territoires français de l'île. Jacques II s'était enfui d'Angleterre, puis d'Irlande et se trouvait maintenant en exil en France. Le nouveau couple royal, récemment couronné, Guillaume et Marie d'Orange, était protestant. Dès leur arrivée sur le trône d'Angleterre, ils s'étaient alliés à la Hollande pour faire la guerre contre les Français en Europe. Une situation politique qui mettait les Français et les Anglais de cette île, de vingt-cinq kilomètres de long, dans une situation inconfortable.

Au cours des dernières semaines, la rade de Basse-Terre s'était remplie de vaisseaux français, frégates et navires de guerre arrivés là grâce aux vents favorables de la fin du printemps. La vue de ces grands bateaux remplissait les Anglais d'inquiétude. Les Français n'avaient pas de forces permanentes dans les Caraïbes mais renouvelaient leur flotte chaque printemps. Cette année le nombre des vaisseaux avait doublé.

La flotte anglaise ne comprenait que deux frégates et deux bateaux de ligne qui n'étaient remplacés qu'au coup par coup lorsque c'était réellement nécessaire. Les bateaux de bois avaient une vie fort brève sous les Tropiques et, pour de simples réparations de routine, les bateaux anglais devaient retourner en Angleterre.

Même les esclaves se rendaient compte de l'inquiétude de leurs maîtres. Mais ils restaient indifférents à ce qui pouvait leur arriver. Que ce soient les Français ou les Anglais qui gouvernent l'île, leur statut resterait le même.

Amelia finissait de servir le thé, préparé dans une jolie théière en argent, lorsqu'on frappa discrètement à la porte du boudoir.

« Allez voir qui c'est », ordonna Élisabeth.

Amelia ouvrit la porte et se trouva face à face avec Matthew. Comme d'habitude les yeux de son maître évitèrent de la regarder en face. Il entra précipitamment dans la pièce, l'air de toute évidence énervé.

« Je crains que les nouvelles ne nous soient guère favorables, ma chère, commença-t-il. Il est possible qu'il devienne nécessaire de quitter l'île afin de vous mettre à l'abri. Apparemment c'est la guerre. »

Élisabeth reposa sa tasse. « Il y a de nouveaux bateaux français dans le port ?

— Non, mais une énorme flotte venant de la Guadeloupe et de la Martinique a été repérée. De plus les Irlandais de Montserrat sont avec eux. Nous n'avons pas l'avantage. Nos bateaux de la Barbade ne pourront arriver ici à temps pour nous défendre. »

Malgré tous ses défauts, Élisabeth était une femme intelligente, plus intelligente que son mari. Elle garda son calme. « Vous en êtes sûr ?

— J'en suis sûr. C'est Sir Christopher qui me l'a dit. »

Sir Christopher Codrington venait de remplacer Sir William Stapleton comme gouverneur des îles Sous-le-Vent. Matthew acceptait plus volontiers Codrington à la place qu'il désirait pour lui-même. Il avait en effet retrouvé sa position au conseil de St. Kitts, composé des dix plus riches planteurs de l'île. Il était donc de nouveau mêlé aux affaires officielles. Les deux hommes se respectaient et la vie de Matthew avait retrouvé un but.

« Vous savez bien que Sir Christopher croit que tout dépend de la maîtrise des mers, dit Matthew en marchant de long en large. Il dit que si c'était nous qui l'avions, nous serions en sécurité, aussi peu nombreux que nous soyons. Si c'est la France, nous ne pouvons lever suffisamment de troupes dans toutes nos îles pour réussir à en défendre simplement une seule.

— Papa, est-ce que nous serons tués ? demanda Charlotte apeurée.

— Du calme, ma fille, lui intima Élisabeth. Et nous n'avons plus actuellement la maîtrise des mers ?

— Non. Pas jusqu'à l'arrivée des renforts. » Matthew s'arrêta de marcher de long en large et se laissa tomber dans un fauteuil. « Tout est la faute des gouvernements qui font la guerre, là-bas en Europe. Si l'on nous permettait de commercer librement dans ces îles, nous n'aurions pas besoin de nous jeter à la gorge de nos voisins, ni eux à la nôtre. Nous ne sommes rien d'autre que des pions dans les jeux intéressés des gouvernements, des pions qui doivent les rendre riches — quel qu'en soit le prix pour nous ! Nos voisins français ont les mêmes problèmes. Nous sommes obligés, tout comme eux, de commercer avec nos gouvernements qui nous obligent à vendre bon marché nos produits et à acheter fort cher les leurs. Ces îles sont les plus prospères de leurs colonies et ils nous traitent comme des vaches à lait. Ils nous entraînent dans leurs guerres sans penser un seul instant à notre sécurité et à notre bien-être.

— Cela a toujours été ainsi, répliqua Élisabeth. Je l'ai dit un million de fois. Mais bien sûr, nous allons nous battre. Le roi lui-même a déclaré la guerre à la France.

— Nos troupes sont prêtes et les milices ont été rappelées. Sir Christopher va lever une armée. Je combattrai à ses côtés. Mais il est bien tard. Il est préférable pour vous de fuir.

— Fuir devant les Français ! dit Élisabeth d'une voix vibrante d'indignation.

— Il est préférable pour les femmes et les enfants de partir, de peur qu'on vous prenne en otages, dit-il. J'ai pris mes dispositions. Vous irez rejoindre les Jeffrey sur leur plantation de Nevis. Là vous serez en sécurité jusqu'à ce que cette affaire soit réglée d'une manière ou d'une autre. Beauboy vous emmènera sur le bateau. Vous devez vous préparer aussi rapidement que possible et vous mettre en route. Amelia, dit-il en se tournant vers elle, aidez vos maîtresses à se préparer. Vous partirez avec elles.

— Je ne veux pas partir, dit Élisabeth fermement. Je ne serai pas chassée de chez moi par les Français.

— Vous partirez et vous vous consacrerez au bien-être et à la sécurité de Charlotte. » Il était furieux. « J'ai perdu un fils, je ne veux pas perdre ma fille à cause de votre entêtement stupide. Plus un mot. Préparez-vous. »

Il quitta la pièce d'un pas décidé qui impressionna presque Amelia. Elle ne l'avait jamais vu résister à sa femme auparavant. On disait à St. Kitts que Sir Christopher Codrington estimait que les îles à sucre seraient mieux gouvernées par un planteur que par un administrateur nommé par la Couronne. Peut-être Matthew avait l'espoir de redevenir indépendant vis-à-vis de sa femme ? Tandis qu'elle s'affairait pour préparer le départ de ses maîtresses, Amelia se demandait si cette guerre ne pourrait pas, d'une manière ou d'une autre, lui permettre de retrouver sa liberté.

En tout cas ce fut le désir des dames Oliver d'emporter avec elles le maximum de ce qu'elles possédaient qui lui donna cette opportunité. Obéissant à leurs ordres, Amelia s'empressa d'empaqueter leurs vêtements, leurs bijoux, leurs objets préférés, une grande quantité de leur argenterie et même quelques meubles calés dans d'énormes caisses en bois. Quand tout fut chargé dans leur voiture et dans les deux charrettes qui devaient les suivre, il n'y avait plus de place pour Amelia.

« Tu devras rester ici, l'informa Élisabeth, et veiller sur la maison pendant notre absence. J'espère retrouver tout en ordre à mon retour. »

Cette fois Matthew renonça à discuter, ce qui inquiéta Amelia. Mais ses craintes étaient injustifiées. Matthew se consacrait à des travaux militaires. Il avait des entrevues incessantes avec Sir Christopher qu'il aidait à lever une armée. Il avait déjà engagé Ben. Malheureusement, il n'y avait que cinq cents Anglais contre deux mille Français. Amelia se retrouva à Windsong avec pour toute compagnie les domestiques noirs. Jake le surveillant, à qui on avait octroyé tous les pouvoirs, envoya Rufus, un de ses adjoints noirs, s'occuper de la maison. Ces esclaves noirs qui avaient accepté des responsabilités et qui avaient l'autorisation de se servir d'un fouet contre leurs frères étaient haïs, plus encore que les Blancs. Rufus, ce nègre gigantesque qui avait emmené Zach dans les champs de canne à sucre à leur arrivée trois ans plus tôt, semblait ne trop savoir que faire d'Amelia. Il résolut le problème en agissant comme si elle n'était pas là.

Comme elle se préparait machinalement à ranger la chambre de Charlotte et à faire son lit, Amelia comprit que c'était inutile. Avant longtemps, personne ne dormirait dans l'énorme lit à colonnes. Elle se surprit à rire et, avec une impression exquise de liberté, aussi momentanée qu'elle puisse être, elle se lança sur l'épais matelas de plumes en se promettant de dormir ici la nuit prochaine. Elle était étendue de tout son long, agitant ses orteils dans les draps de lin, lorsqu'elle entendit quelque chose qui ressemblait à un coup sourd. Elle se redressa et tendit l'oreille. De nouveaux grondements se firent entendre. La terre paraissait trembler. Elle sauta du lit et traversa la maison en courant pour se rendre à la cuisine.

« Qu'est-ce qui se passe ? Quel est ce bruit ? Est-ce que ça a commencé ? demanda-t-elle à Bella qui, figée sur place près de la broche, écoutait elle aussi.

— C'est le canon, les bateaux tirent sur nous, mais nous sommes trop loin de la mer pour qu'ils puissent nous atteindre, dit-elle sur le ton de quelqu'un qui en avait vu d'autres. Par contre, pour les gens d'Old Town Road, ce n'est pas la même chose.

— Mais que va-t-il arriver ? demanda Amelia.

— Les Français vont gagner au début, puis les Anglais prendront le dessus. C'est toujours comme ça, dit-elle en reniflant bruyamment. Ah, les Blancs !

— Peut-être les Anglais n'arriveront-ils pas à revenir, avança Amelia.

— C'est possible, répondit Bella en haussant les épaules. Aucune différence pour nous. »

Mais pour Amelia, les choses pouvaient être différentes. Elle partit à la recherche du vieux Pottle, le seul Blanc qui se trouvait encore dans la maison. Elle le découvrit dans son petit bureau d'économe, installé dans un coin du parc. Il était plongé dans ses grands livres, apparemment inconscient des coups sourds qui secouaient sans arrêt l'île.

« Monsieur Pottle... »

Le vieillard releva la tête, une tête chauve luisante dans la lumière de la bougie qui éclairait ses registres. Il lui fit un léger signe de tête et lui sourit dès qu'il l'aperçut.

« Et que puis-je faire pour vous, mon enfant ? demanda-t-il.

— Tout le monde est parti, monsieur Pottle, vous ne saviez pas ? Il ne reste plus ici que vous, moi, les esclaves, et Rufus pour nous surveiller. Le maître est parti se battre en emmenant Ben. C'est Jake le responsable, mais en ce moment il est dans les champs de canne à sucre. »

Pottle reposa sa plume d'oie et s'étira. « Ce n'est pas très sage à mon avis, dit-il de sa voix aiguë et flûtée qui avait conservé des intonations londoniennes. Mais je suppose qu'ils ont eu peur pour leur peau. » Il inclina la tête pour écouter. « Les canons se déchaînent, remarqua-t-il, mais nous sommes hors de portée.

— Bella dit que les Français commencent par gagner et qu'ensuite nous reprendrons l'île, dit Amelia.

— Exact. La dernière fois — il y a de cela vingt ans — les Français ont gagné et ils ont chassé la plupart des planteurs anglais. Mais ceux-ci sont tous revenus, finalement.

— Mais si les Français gagnent cette fois, le maître dit que nous n'avons pas les moyens de nous défendre; que pensez-vous qui arrivera?

— Mon enfant je ne suis pas soldat mais comptable. Ce que je peux dire, c'est qu'ils chasseront de nouveau les planteurs.

— Ainsi les maîtresses ne reviendront pas et le maître devra partir.

— Probablement, si les Français gagnent. »

Amelia inspira profondément. « Alors je vais me sauver. »

Pottle parut effrayé. « Vous feriez mieux de rester où vous êtes. Ici, on est à l'abri des combats. Au moins pour le moment.

— Non, je vais aller à Basse-Terre. J'ai une amie là-bas. Je parle français. Je peux me fondre dans la ville.

— Plus probablement vous serez tuée, la prévint Pottle. La flotte anglaise détruira Basse-Terre. » Puis il ajouta durement: « C'est toujours ce qu'ils font.

— La mort ne peut pas être plus terrible que cette vie, dit Amelia, se rendant compte du côté mélodramatique de sa phrase, bien qu'elle fût sincère.

— Oh mais si, dit Pottle en lui souriant avec indulgence. Il y a fort peu de choses pires que la mort, mon enfant. C'est quelque chose de vraiment définitif. Sauvez-vous si vous y tenez, mais pas maintenant. Attendez que cessent les coups de canon. Vous avez le temps, les Oliver ne rentreront pas tant qu'il y aura le moindre danger. Ils peuvent même ne jamais revenir du tout. Partez quand ça sera moins dangereux. »

Amelia réfléchit, le vieillard avait raison.

« D'accord, dit-elle, et elle ajouta avec un large sourire: Mais en attendant je dormirai dans le lit de Mlle Charlotte. »

111

Le vieil homme émit un petit rire. « Pourquoi pas, dit-il. Pourquoi pas. »

Débarrassée de ses obligations, Amelia grimpait chaque jour dans les collines derrière la maison, d'où elle pouvait voir la mer et regarder les batailles des grands vaisseaux aux ailes blanches. Certains, touchés par l'ennemi, ressemblaient à des oiseaux blessés, d'autres étaient en feu. Les hommes, aussi petits que des marionnettes, s'accrochaient au gréement ou se battaient corps à corps sur les ponts. Le vent apportait les détonations des mousquets. Ignorante des effets de la poudre, Amelia trouvait que le petit nuage de fumée des canons et l'éclair suivi d'un bruit sourd avaient une curieuse beauté. Basse-Terre et Old Town Road brûlaient. La fumée s'effilochait contre le bleu du ciel, poussée en direction de la mer par les alizés. Puis elle se perdait parmi les petits nuages blancs. D'autres endroits de l'île brûlaient aussi, mais Amelia ne connaissait pas suffisamment la géographie de la région pour pouvoir situer exactement les incendies. Elle ne se serait guère souciée d'ailleurs que l'île soit entièrement rasée s'il n'y avait eu Joshua et Tansie. Peut-être l'une de ces plantations qui brûlaient était-elle précisément celle où ils se trouvaient ?

Les jours passèrent et un soir d'été le vieux Pottle vint à sa rencontre alors qu'elle revenait de la clairière où elle avait fait l'amour avec Joshua pour la première fois. Elle y allait presque tous les après-midi pour y somnoler à l'ombre, bercée par ses souvenirs.

Le vieillard était énervé. « Vous n'avez plus de temps à perdre, dit-il. Le maître est revenu avec votre cousin et ils vous cherchent. Mme Élisabeth vous réclame ; apparemment, la femme de chambre des Jeffrey ne la satisfait pas. On va envoyer un bateau pour vous demain et Beauboy vous conduira là-bas. Le maître était furieux de ne pas vous trouver aujourd'hui. Il voulait vous emmener dans sa fuite. Les Français occupent Old Town Road et une colonne de leurs soldats marche sur nous pour prendre la plantation. Le maître va faire voile avec Sir Christopher pour gagner Nevis où ils vont essayer de regrouper leurs forces. On dit que nous n'avons plus de munitions pour combattre.

— Les Anglais ont perdu ?

— Pour le moment. Mais ça peut changer.

— Qu'allez-vous faire ? demanda-t-elle inquiète. Serez-vous en sécurité ?

— Je suis un vieil homme, mon enfant. Je ne suis pas en

danger. Je continuerai mon travail. Les Français ne me feront pas de mal.

— Ils peuvent brûler la maison.

— Plus vraisemblablement ils s'installeront dedans. En revanche, vous ne seriez pas à l'abri des pressantes attentions des soldats. Allez retrouver votre amie à Basse-Terre. »

Elle le regarda l'air sceptique, se demandant s'il lui disait la vérité. Amelia s'était attachée à M. Pottle et n'aurait pas voulu qu'il lui arrivât quelque chose.

« Voulez-vous venir avec moi ?

— Non. Je vous répète que je suis en sécurité ici.

— Si vous en êtes sûr... »

Quelques jours plus tôt, elle avait empaqueté des vêtements en prévision des événements — c'était pour la plupart de vieux habits de Charlotte. Elle attendit le crépuscule puis, son balluchon à la main, elle traversa à pied la propriété jusqu'à la piste qui conduisait à Basse-Terre. Elle avait pensé à « emprunter » un cheval, mais y avait finalement renoncé. Si elle se faisait prendre, les vieux vêtements de Charlotte ne seraient pas une charge trop grave, mais le cheval serait considéré comme un vol.

Il faisait noir lorsqu'elle arriva chez Molly McGuire après s'être faufilée dans la ville en se cachant dans les encoignures des portes dès qu'elle entendait approcher les patrouilles de soldats français. Son cœur cognait dans sa poitrine et elle était à bout de souffle lorsqu'elle poussa la porte de la taverne. Les hommes chantaient, tapaient leurs pots d'étain sur les tables. Amelia hésitait à entrer devant le rugissement d'ivrognes qui salua son arrivée. D'innombrables bougies éclairaient les visages suants des soldats et des marins rassemblés dans la grande pièce nue. Un marin en uniforme bleu s'approcha d'elle en titubant et la saisit brutalement par le bras.

« *Regardez* !* cria-t-il à l'adresse de tous ceux qui se trouvaient au bar.

— *Ne me touchez pas* », dit Amelia l'air farouche en essayant de se dégager. Mais Molly avait déjà quitté précipitamment son bar pour se diriger vers elle.

« *Ça suffit ! Ça suffit !* hurla-t-elle sous le nez du marin en lui tirant l'oreille. *C'est une de mes amies. Lâchez-la immédiatement.* »

Molly faisait régner l'ordre dans son bar comme un adju-

---

* En français dans le texte.

dant-chef. Le marin lâcha piteusement le bras d'Amelia. Molly aida la jeune fille à traverser la salle et la fit entrer dans son domaine privé à l'arrière de la taverne.

« Attends là », dit-elle avant de disparaître.

La salle de séjour de Molly était aussi nue que le bar. Elle n'était meublée que d'un canapé, une table, une chaise en bois et une cheminée dans laquelle il n'y avait pas de feu, ce qui était normal étant donné la chaleur des nuits d'été aux Caraïbes. Amelia se débarrassa de son balluchon, s'assit devant la table et essaya de se calmer. Maintenant qu'elle était loin de Windsong, des doutes commençaient à l'assaillir. Et si jamais les Français perdaient la bataille ? Et si elle était prise ? Cette fois, Matthew ne ferait rien pour la sauver et la punition pour les fuyards était la peine de mort. Maintenant qu'elle s'était enfuie, qu'allait-elle faire ? Elle se dit qu'elle aurait dû réfléchir à tout ça avant de prendre sa décision. Maintenant, la seule chose à faire était d'attendre et de voir ce qui arriverait. Avec l'optimisme de la jeunesse, Amelia se persuada que tout finirait par s'arranger.

La pièce était plongée dans la pénombre. Dans son appartement, Molly économisait les bougies, si bien qu'Amelia ne vit pas s'ouvrir la porte qui conduisait à la cuisine. Quand elle leva la tête elle aperçut la silhouette d'un colosse sur le seuil, le visage caché dans l'ombre. Effrayée, elle se leva d'un bond et recula pour gagner la porte qui conduisait à la taverne, en laissant échapper un cri étranglé.

« Du calme ! dit une voix familière. C'est moi, Zach. »

Elle reconnut alors son frère. Lorsqu'elle l'avait vu pour la dernière fois, il y avait maintenant plus de trois ans, c'était un adolescent costaud, mais aujourd'hui c'était un homme particulièrement robuste. Ses épaules bouchaient l'embrasure de la porte et il devait baisser la tête pour ne pas se cogner. Il émanait de sa personne quelque chose de fort, d'autoritaire, de presque menaçant. Elle ne se précipita pas vers lui, mais resta sur place une main appuyée sur la table.

« Zach ? Est-ce vraiment toi ? »

En deux enjambées il fut près d'elle, la souleva de terre et la serra contre lui. Elle lui rendit passionnément son étreinte.

Dans la pénombre elle sentait sa barbe et se rendait compte que ses vêtements étaient de bonne toile et de bonne laine. Quant à ses chaussures, elles étaient faites dans le meilleur cuir.

« Tu ne devrais pas être ici, Zach. Ce n'est pas un endroit sûr. »

Il émit un petit rire. « Aucun de nous n'est en sécurité à Basse-Terre, dit-il, en s'asseyant sur le bord de la table qui grinça sous son poids. Les Irlandais se sont mis du côté des Français. Et les Français recherchent les Anglais. Ils feraient de nos boyaux des jarretières s'ils nous découvraient.

— Mais Molly...

— Molly me cache, et maintenant elle va te cacher aussi. Allez, viens. »

Il lui prit la main, l'aida à se lever et l'entraîna vers la porte par laquelle il était entré. Au-delà dans la pénombre, Amelia aperçut un escalier.

« Ça conduit à la mansarde où je me cache, dit-il. Nous ferions mieux d'y retourner, au cas où un de ces butors ferait irruption dans la salle de séjour de Molly. »

Le repaire de Zach n'avait pas plus de lumière que de mobilier.

« Je crains qu'on ne puisse s'asseoir que par terre, dit-il comme ils s'installaient côte à côte dans l'obscurité sur le plancher, mais au moins nous pouvons parler tranquillement.

— Tu vas donc me dire pourquoi tu es revenu. » C'était si bon de le revoir, si agréable d'avoir de nouveau un contact chaleureux avec quelqu'un qu'Amelia se blottit contre lui comme lorsqu'elle était petite.

« Pour la bonne raison, dit-il, que je l'ai promis à Tom Fowler. C'est la dernière promesse que j'ai pu lui faire. Il avait besoin de moi pour que Molly ait suffisamment d'argent pour vivre tranquillement le reste de ses jours.

— Il est mort ? » demanda Amelia bouleversée, se souvenant de sa conversation avec Molly. « Molly doit être dans tous ses états.

— Bien sûr. Mais elle s'y attendait depuis des années. Comme pirate, Tom était béni des dieux. Il a reçu la charge qui m'était destinée. A bout portant. L'homme ne m'aurait certainement pas manqué si Tom n'avait pas bondi pour se placer entre nous et recevoir le coup de feu à ma place. Mais je n'en ai pas parlé à Molly. Elle ne me pardonnerait jamais. Elle pourrait ne pas... » Il hésitait.

« Te cacher ? lui demanda Amelia.

— Oui, me cacher, reconnut-il à mi-voix.

— Il a voulu te sauver la vie ?

— Je le crois. Nous étions très liés. Il disait que j'étais le

115

fils qu'il n'avait jamais eu. Il voulait me faire promettre d'utiliser l'argent que je gagnais dans la flibuste pour me construire une vie honorable. Et j'espère que c'est ce qui se passera. Le bruit court que ceux d'entre nous qui ont été déportés ici seront bientôt amnistiés.

— Amnistiés ! Nous pourrons retourner chez nous ? » Amelia se pencha pour essayer de voir son visage dans l'obscurité, elle craignait qu'il ne soit en train de se moquer d'elle.

« Peut-être. Si, bien entendu, ça vaut la peine de rentrer chez nous.

— Mais pourquoi serions-nous pardonnés ?

— Guillaume III passe son temps à défaire toutes les mailles catholiques qu'a tissées Jacques II. Et tu seras heureuse d'apprendre que le juge Jeffreys est en disgrâce et qu'on l'a mis dans la Tour pour le protéger de la populace. Nous ne sommes plus considérés comme des traîtres. »

Amelia le regarda d'un air sceptique. « Nous sommes si loin de chez nous que je n'arrive pas à croire qu'on puisse se souvenir de notre existence, encore moins nous pardonner. De plus les planteurs ont payé pour nous acheter. Comment pourra-t-on leur rendre leur argent ?

— J'ai de l'argent, suffisamment pour que nous puissions rentrer tous les trois en Angleterre.

— Chez nous. » Amelia eut brusquement une image particulièrement vivante d'Upottery : l'église grise dans la vallée tranquille, le petit ruisseau dans lequel les garçons pêchaient la truite, les paysages vert profond de l'Angleterre, avec les chênes et les ormes familiers, si différents de ces arbres arrogants des pays tropicaux. « Ce serait bien de rentrer chez nous, dans la mesure... » Elle hésita. Elle voulait dire : dans la mesure où Tansie et Joshua pourraient venir avec elle, mais les trois années passées à St. Kitts lui avaient appris à se résigner.

Zach ne remarqua pas son hésitation. « En tout cas, je ne peux rester ici, dans cette mansarde, comme un rat pris au piège, dit-il. Je vais rejoindre les Anglais et me battre pour regagner cette fichue île. Je n'ai aucun amour des Français et ça m'amuserait assez de recevoir ma grâce à cause des services rendus à l'Angleterre, avant même que le Parlement ne décide de nous réhabiliter.

— Et si tu meurs dans les combats ? lui dit Amelia, remplie de crainte.

— Eh bien, je mourrai, dit-il en haussant les épaules. Après trois ans avec les corsaires, j'ai pris l'habitude de me battre. Tuer et être tué, c'est devenu pour moi une manière de vivre.

— Tu as tué des gens ?

— Beaucoup, dit-il en haussant de nouveau les épaules. Tuer m'a aidé à survivre, Amelia. Tu ne peux pas comprendre, mais la colère en moi était si grande que c'était la seule façon de l'apaiser. » Il s'arrêta un instant avant de poursuivre : « Molly m'a dit que Justinian était mort.

— Oui.

— Parfait. Il a été le premier que j'ai aidé à trouver son chemin dans l'autre monde. Il y en a eu beaucoup d'autres depuis. »

Amelia réfléchit à ce qu'il venait de dire. Elle n'était pas horrifiée. Elle aussi aurait pu tuer — quand elle avait été fouettée, quand elle avait été violée et quand on lui avait pris Tansie et Joshua. Elle comprenait la colère de son frère.

« C'est une vie agréable que celle de boucanier, dit-il presque pour lui-même. Aucune femme ne peut comprendre l'excitation que représente une proie que l'on prend en chasse, ou que l'on coince dans une zone de calme plat qui lui interdit toute fuite. Des bateaux pleins de trésors, souvent remplis d'or. Oh, Amelia, mon cœur battait la chamade la première fois que nous avons abordé un navire espagnol. Ils se sont battus comme des héros, ces Espagnols, mais ils n'étaient pas à la hauteur des Anglais. Certains furent tués, d'autres enchaînés ou jetés par-dessus bord. Ensuite nous avons pris leur cargaison et les avons laissés dériver. Les pirates se conduisent en frères. C'était part égale pour tous chaque fois, sauf pour le commandant mais c'est normal. Nous n'avions jamais de revers. La flotte espagnole nous craignait mais c'est un bateau anglais qui, finalement, nous a vaincus. Ils nous ont abordés une nuit au large de Hispaniola alors que nous étions en train de cuver notre rhum. Mes camarades qui survécurent furent faits prisonniers. Sans aucun doute, en ce moment, ils se balancent à quelque gibet, dans un port des Tropiques. J'ai eu de la chance. Tom a reçu le coup qui m'était destiné et j'ai sauté par-dessus bord en l'entraînant avec moi. Je l'ai aidé à surnager dans l'obscurité jusqu'à ce que le bateau coule, puis j'ai réussi à le hisser dans une chaloupe qui s'était détachée. Nous avons pu nous échapper à cause de la confusion qui régnait partout, mais Tom est mort dans mes bras. » Zach enfonça sa tête dans ses mains. « Tout cela n'aurait servi à rien s'il ne m'avait pas dit qu'il avait caché une fortune dans

117

la grotte où je l'ai rencontré pour la première fois. Il m'a fait promettre sur ta vie de partager cet argent avec Molly. Il m'a dit qu'il aurait préféré tout donner à Molly, mais que c'était une promesse impossible à exiger d'aucun homme. »

Amelia prit la main de son frère dans les siennes et ils restèrent silencieux pendant un moment.

« Comment as-tu fait pour revenir ici ? demanda-t-elle.

— En douceur, dit-il. En passant d'une île à l'autre. J'avais le bateau et Tom m'avait appris à toujours garder un peu d'or avec moi, au cas où. J'ai pris aussi ce qu'il avait sur lui, si bien que j'en avais largement assez pour arriver jusqu'ici. A temps bien sûr pour faire la guerre, dit-il en riant. Je ne serai plus jamais boucanier. Je suis suffisamment riche pour mener une existence respectable. Mais j'ai des démangeaisons qui me poussent à me battre une fois de plus — contre les Français. Ma colère n'est pas totalement calmée. J'en tuerai quelques-uns.

— Sois prudent », dit-elle, quoique en vérité elle n'éprouvait guère de crainte pour ce frère méconnaissable.

Il ne prêta aucune attention à son conseil. « Et toi ?

— Je me suis enfuie. Les Oliver sont partis pour Nevis.

— Alors pourquoi t'enfuir ?

— Pour être libre. »

Il garda le silence un instant puis demanda : « Ça a été très dur ? »

Elle acquiesça de la tête. « J'ai appris à le supporter », dit-elle puis elle s'arrêta. Elle avait décidé de lui apprendre ce qui était arrivé, mais elle ne savait pas très bien comment il allait réagir. « Ils m'ont enlevé mon bébé.

— Ton bébé !

— Ils l'ont vendu. »

Il poussa un soupir résigné. « Est-ce que le père est ce Noir qui m'a conduit dans la forêt cette nuit-là ?

— Joshua. Oui. C'est lui, le père.

— Et ils ont vendu ton bébé ? » Sa voix était neutre. Elle n'avait aucune idée de ce qu'il pouvait penser.

« Je l'ai appelée Tansie parce qu'elle ressemblait à une petite fleur jaune, la tanaisie. Personne, en dehors des esclaves, ne sait que c'est ma fille. Tu vois, le maître m'a violée — elle sentit le bras de son frère se raidir autour de sa taille — et Bella espérait qu'il pourrait penser que c'était son enfant. Mais le bébé n'était pas assez blanc pour cela. » Elle lui raconta pourquoi Bella avait voulu qu'on dise que le bébé était celui de Vérité. « Mais rien de tout cela n'avait plus d'importance puisque les Oliver ont vendu Joshua, Vérité et mon bébé. Il n'y avait plus rien que Bella et moi puissions faire. » Ses yeux étaient remplis de larmes. « Je pense à Tansie chaque jour, et me demande où elle est et si elle est en sécurité. Que puis-je faire, Zach ? »

Le bras musclé de son frère la serra plus fort.

« Aller la chercher, dit-il. C'est ce que nous allons faire. »

Zach resta encore quelques jours à la taverne, attendant que la lune décroisse. Puis, par une nuit noire, il disparut, promettant de revenir lorsque les Anglais auraient repris l'île.

« Ce qui ne tardera pas, dit-il avec confiance. Les Français n'ont jamais été et ne seront jamais à la hauteur des Anglais. »

Molly fut soulagée de le voir partir ; Zach parlait mal le français et devait rester caché en permanence. Amelia avait moins de problèmes pour paraître en public. Elle aidait Molly dans la taverne, se faisant passer pour une jeune fille silencieuse et réservée, un rôle auquel elle s'était habituée. Mais parce qu'elle ne pouvait être ouvertement elle-même, elle ne se sentait guère plus libre qu'à Windsong.

Les combats s'arrêtèrent. Les Français n'occupèrent pas la totalité de l'île, mais Basse-Terre fourmillait de soldats et de marins français. La taverne de Molly était ouverte jour et nuit et les affaires marchaient fort bien, quoique la ville eût été gravement endommagée par les canonnades au cours des quatorze jours de bataille. Molly gérait sa taverne avec son habileté et son autorité coutumières, mais de façon automatique comme si rien de tout ça n'importait. Elle cachait à tous qu'elle pleurait la mort d'un être aimé et passait le peu de temps libre qu'elle avait à l'église où elle essayait de trouver du réconfort auprès d'un père jésuite. Elle avait vieilli en quelques jours et semblait glacée à l'intérieur. Amelia essayait de la consoler, mais il n'y avait apparemment aucun moyen de briser la carapace de fer que cette femme avait placée sur ses propres sentiments. Elle était aussi gentille que d'habitude mais extrêmement distraite. Amelia sentait aussi que sa présence, en ce moment, n'était pas réellement bienvenue. Elle était un problème de plus ajouté à ceux au milieu desquels se débattait Molly.

L'été devenait insupportablement chaud et humide, et l'île sombra dans un calme étrange, comme si les rudes combats et les incendies des semaines passées avaient épuisé la force même des éléments. Les vents étaient tombés, laissant les feuilles des arbres immobiles et silencieuses. Les palmiers paraissaient artificiels comme s'ils avaient été découpés dans de minces feuilles de cuivre. La mer, qui roulait paresseusement contre le sable noir des plages de Basse-Terre, ressemblait à du métal fondu. La chaleur était étouffante et le tonnerre grondait près des sommets de la montagne, cachés par de lourds nuages plombés. Les hommes dans la taverne devenaient brusquement violents. Il semblait à Amelia que même les chevaux étaient nerveux et les chiens errants agressifs. Elle éprouvait un inexplicable pressentiment, comme si quelque chose de très important était sur le point d'arriver.

Lors d'un après-midi particulièrement étouffant, Amelia s'aperçut qu'elle ne pouvait plus supporter d'être à l'intérieur de la taverne. Elle avait l'impression que les murs se refermaient sur elle, et le tapage des hommes qui fêtaient la fin de la guerre lui était devenu insupportable. Laissant Jamie, un mulâtre employé par Molly qui avait retrouvé la liberté, se débrouiller seul, elle prit un grand chapeau dans la garde-robe de son hôtesse et se glissa dehors. Sans les alizés il ne faisait guère plus frais qu'à l'intérieur, de sorte qu'elle se dirigea vers la plage, espérant trouver là-bas ne serait-ce qu'un petit souffle d'air.

En descendant le chemin qui conduisait dans Shore Road, elle eut brusquement la sensation que le ciel avait levé l'ancre et qu'il se posait sur sa tête. Puis elle entendit un long et sourd grondement et la masse inerte de la mer qui s'étendait devant elle se dressa en une vague immense à la crête blanche qui se jeta en avant pour recouvrir la plage, la route et atteindre les maisons du bord de mer. Ensuite les flots mugissants refluèrent avec une égale violence. Amelia vit l'eau se retirer, comme dans la Bible, découvrant une énorme étendue de sable aussi gluant que de la mélasse. Puis avec un terrible bruit de succion, la masse grise et menaçante de la mer parut s'enfoncer dans un énorme trou situé à cinq cents mètres environ du rivage. L'eau disparut quelques secondes avant de rejaillir brutalement des profondeurs et de déferler de nouveau avec une violence incalculable qui envoya les vagues s'abattre jusqu'aux ruelles assez éloignées de la plage.

Au même moment, les bâtiments des alentours commencèrent à craquer, à trembler, tandis que le sol s'agitait de façon désordonnée et folle sous les pieds d'Amelia. La force des secousses la jeta par terre où elle resta étendue, impuissante, assourdie par le fracas provoqué par l'effondrement des murs, ainsi que des grondements continus, sourds et furieux. Puis sans avoir le temps de réaliser ce qui lui arrivait, Amelia, trempée jusqu'aux os, se retrouva couchée dans une flaque d'eau. Le chapeau de Molly flottait sur des eaux bizarrement tranquilles. Seuls des cris humains transperçaient un silence de mort.

Avec précaution, elle se releva. Elle était couverte de boue et ses pieds s'enfonçaient dans le sable noir qui semblait vouloir la retenir. Elle fut heureuse de constater qu'elle n'était pas blessée, hormis quelques égratignures aux bras et aux jambes. En tremblant, elle regarda autour d'elle, rendant grâces à Dieu de ne pas avoir été aspirée dans l'énorme puits qui s'était ouvert dans la mer. Lorsqu'elle se retourna pour regarder la ville, elle resta bouche bée. D'où elle se tenait, on aurait dit qu'il n'y avait pratiquement aucune construction encore debout. Le clocher de l'église avait disparu, comme la lourde masse du collège des jésuites. Les cris continuaient de plus belle. Amelia se mit à courir, sautant au-dessus des grandes fissures ouvertes dans la chaussée. Elle désirait retrouver au plus vite l'abri de la taverne et priait pour que Molly soit saine et sauve.

Ce court trajet se révéla assez difficile. Dans Lisle Street, une crevasse de six mètres de large coupait la route et les maisons avaient disparu dans les mystérieuses profondeurs. Amelia frissonna en pensant à leurs occupants.

La plupart des boutiques prospères et des entrepôts étaient détruits. Les gens fouillaient avec leurs mains nues dans les décombres, et Amelia entendait les cris étouffés de ceux qui étaient enterrés vivants. En revanche autour de certains bâtiments démolis, il régnait un silence inquiétant. Il lui semblait impossible que Molly ait échappé au désastre, pourtant à son grand soulagement la taverne était toujours debout. Une partie de la façade avait disparu, avalée par une crevasse nettement plus étroite que celles qu'elle venait de franchir. Cependant le reste de la bâtisse avait résisté, la salle donnait maintenant directement sur la rue, et une odeur de rhum et de vin remplissait l'air : des tonneaux et des bouteilles avaient été éventrés.

L'endroit semblait désert bien que la partie du bar encore en place fût curieusement en bon état. Mais où était donc Molly ? Amelia se fraya un chemin avec précaution dans l'appartement privé en passant par une porte sortie de ses gonds qui donnait l'impression d'être ivre. Le lourd mobilier semblait avoir été projeté en l'air par un géant. Mais Molly était là, assise sur un coffre, livide et tremblante. En voyant Amelia, elle poussa un cri et se redressa en faisant le signe de croix.

Amelia prit son amie dans ses bras et la serra contre elle. « Grâce au ciel vous n'avez rien », dit-elle. Mais Molly ne s'abandonna pas à son étreinte.

« J'étais dans la cave, dit-elle d'un air morne. J'avais besoin de rhum. Quand je suis revenue... » Elle avala sa salive. « Tous ces braves garçons disparus... Jamie aussi. Mais toi au moins tu es sauve, grâce au ciel. C'est déjà quelque chose. Mais tu es trempée, ajouta-t-elle, comme si elle venait seulement de s'en apercevoir.

— La mer a failli m'emporter, expliqua Amelia, se rendant compte qu'à cause du choc éprouvé, sa voix tremblait. Vous n'êtes pas blessée ? Que s'est-il passé ? Était-ce un tremblement de terre ?

— Oui. Une secousse terrible. Tu veux savoir comment je vais ? Aussi bien que possible mais j'en ai par-dessus la tête. » Elle semblait au bord d'une crise de nerfs. « La mort de Tom. La guerre. Les tremblements de terre. Ma taverne anéantie. J'imagine que la prochaine calamité sur cette île sera la peste. Je m'en vais. J'ai préparé mes bagages et depuis des semaines, je suis prête à partir. Depuis le jour où Zach m'a appris la mort de Tom. Il y a un marin qui veut m'emmener. Mais j'hésitais. Grand Dieu, je me demande bien pourquoi. J'aurais dû partir sur-le-champ. Maintenant c'est décidé. Au revoir St. Kitts. Plus rien ne me retient ici. » De grandes larmes silencieuses s'écoulèrent de ses yeux bleus et Amelia sentait aussi qu'elle était sur le point de pleurer. Elle ne supportait pas l'idée de la voir partir. Molly était le seul soutien dans sa vie. Sa seule amie.

« Vous allez à Montserrat ? demanda-t-elle tristement.

— Oui et je t'emmène avec moi si tu veux venir. »

Amelia s'assit lourdement sur le coffre. « Mais je ne suis pas catholique », dit-elle.

Molly haussa les épaules. « Aucune importance. »

L'offre était tentante. Amelia resta un moment silencieuse puis elle dit lentement : « C'est impossible. Zach et Ben sont ici. Mais surtout, Tansie est elle aussi ici, je ne sais où. Et Joshua. Je dois les retrouver. »

Molly recouvrait son calme. Elle hocha la tête énergiquement. « Tu ferais mieux d'oublier ce Noir et ce bébé.

— Oh, Molly, ce n'est pas possible. »

Molly soupira. « Évidemment que tu ne peux pas. »

Il y eut un long silence tandis qu'elles regardaient les dégâts autour d'elle.

« Qu'allez-vous faire de la taverne ? » demanda Amelia.

Molly leva ses mains en l'air et dit : « Elle est à toi. Ce qu'il en reste.

— A moi ?

— J'ai écrit un papier qui le confirme. Je pensais bien que tu ne partirais pas avec moi. Tu peux en faire ce que tu veux. Je ne veux plus en entendre parler. Regarde-moi ça — elle fit un geste qui englobait le monde extérieur —, ils viendront bientôt ici pour piller, sans aucun doute. Et depuis la mort de Tom... »

Elle reposa sa tête sur le bord de la table renversée et se mit à sangloter éperdument. Amelia la prit par les épaules et la tint serrée contre elle sans parler. Il n'y avait rien à dire.

Elles passèrent le reste de la journée dans la pièce. Molly ne voulait pas qu'Amelia sorte dans la ville en ruine. Les gens sous les décombres et les survivants n'arrêtaient pas de crier. Un rideau de poussière restait suspendu en l'air comme un linceul. De temps en temps, de nouvelles secousses parcouraient la ville.

« Nous devons nous barricader de notre mieux, dit Molly. La populace va se mettre en chasse et les premiers endroits ou ira cette racaille seront les tavernes. Prions Dieu qu'ils puissent croire qu'il n'y a plus rien à piller ici. »

Elles trouvèrent un certain réconfort en essayant de remettre un peu d'ordre, même si rien ne garantissait que les murs encore debout n'allaient pas s'effondrer. Elles traînèrent les caisses de bouteilles et les tonneaux dans la cave, et entassèrent les meubles devant la porte. A la nuit, comme le sol tremblait encore par moments, elles se glissèrent apeurées dans l'unique grand lit. Dehors, la ville ne dormait pas. Toute la nuit on creusa, tandis que se faisaient entendre d'innombrables gémissements, recouverts de temps à autre par l'effondrement d'un bâtiment. Chaque secousse faisait sursauter les deux femmes, elles s'agrippaient l'une à l'autre, craignant que ne s'écroulent les murs de la taverne.

Aux premières lueurs de l'aube, Molly sortit pour aller voir si le marin et le bateau avaient échappé à la catastrophe. La

123

ville meurtrie s'était apaisée au fur et à mesure que la lumière revenait. Peut-être les gens n'avaient-ils plus suffisamment de force pour crier, gémir ou hurler ? Un vent puissant s'était levé, comme si la nature, après s'être montrée redoutable, faisait maintenant preuve de compassion. Un soleil pâle, humide, éclairait l'effroyable spectacle.

Molly revint une heure plus tard. Amelia la découvrit debout dans la rue, en train de regarder les ruines de ce qui avait été à la fois sa maison et son gagne-pain. La crevasse devant le bâtiment s'était légèrement agrandie et on aurait dit que la taverne se penchait en arrière pour échapper au gouffre.

« C'est affreux, dit Molly, toute la ville est dans le même état. Les entrepôts ont déjà été pillés ; ce sera bientôt notre tour. » Elle soupira. « Je m'en vais et ce serait beaucoup mieux si tu venais avec moi car il n'y a plus rien à faire ici. Le bateau nous attend. »

Molly avait raison mais Amelia persistait dans sa décision.

« Alors tu ferais mieux de retourner à Windsong, lui conseilla Molly. Tu serais plus en sécurité là-bas. »

Amelia ne se rendit à aucun de ces conseils. Elle ne voulait pas quitter l'île où se trouvaient les siens, mais Windsong ne pouvait en aucun cas être son refuge. Elle n'avait aucune illusion sur l'accueil que lui réserveraient Rufus et Jake. Le seul bénéfice qu'elle pouvait tirer du tremblement de terre, c'était que si les gens de Windsong n'étaient pas morts, ils pouvaient penser que, elle, l'était.

« J'ai survécu jusqu'ici, dit-elle avec insouciance, et j'ai bien l'intention de continuer. » Elle n'ajouta pas qu'elle n'avait aucune idée sur la manière de s'y prendre.

6

Louis Rosier s'était lui aussi levé tôt, le lendemain matin du pire des tremblements de terre, le plus violent de mémoire d'homme aux Caraïbes. Sa plantation — qu'on appelait Lointaine parce qu'elle était fort éloignée de son pays natal en France, et de plus très retirée dans l'île — n'avait subi que fort peu de dommages. Son surveillant lui avait dit que la plupart des autres plantations avaient été fortement touchées, leurs sucreries englouties et les baraquements des esclaves détruits. Quant aux magnifiques demeures des planteurs, elles avaient subi des dégâts très importants. Comme si les choses n'allaient pas déjà suffisamment mal avec la guerre !

La demeure de Louis, qui n'était pas particulièrement somptueuse, était bâtie dans la plaine de Capisterre, la partie française située tout au bout de l'île. Là, l'intensité du tremblement de terre avait été nettement plus faible. Néanmoins les murs de ses écuries s'étaient écroulés et les esclaves avaient passé la moitié de la nuit à regrouper les chevaux effrayés. Heureusement sa maison et sa sucrerie étaient intactes.

Louis vivait seul à Lointaine au pied du mont Misery. A vingt-huit ans, c'était un homme grand, élégant, mince, au visage aigu. Ses yeux à l'éclat sombre, et sa chevelure noire où apparaissaient déjà quelques cheveux gris indiquaient clairement les déceptions que la vie lui avait apportées. Aujourd'hui, pourtant, en regardant les champs de canne à sucre intacts qui entouraient sa maison, il se dit qu'il avait eu de la chance, et qu'il était temps en effet qu'il en ait. Les

Anglais l'avaient laissé tranquille pendant les combats, peut-être parce que ses terres étaient trop retirées. De plus, à son grand soulagement, étant donné qu'il n'était pas taillé en soldat, ses compatriotes n'étaient pas venus le chercher pour l'enrôler et il n'avait de son côté nullement cherché à s'engager. Il n'y avait aucune animosité entre lui et ses voisins anglais, et il ne souhaitait pas se battre contre eux. De la bataille il n'avait connu que les incendies à l'horizon éclairant le ciel nocturne, le bruit sourd des canonnades et le crépitement des armes à feu. Depuis quelques jours maintenant les incendies avaient cessé et les explosions étaient plus rares. Son surveillant, La Bac, était certain que les Français avaient gagné.

Louis n'avait pas quitté la plantation depuis des semaines et la violence du tremblement de terre avait augmenté sa nervosité. Dans l'après-midi, il se rendit à cheval à la petite jetée de la pointe des Sables où il mouillait son bateau. Il se proposait de faire voile le long de la côte atlantique, pour contourner le bout de l'île, dépasser Nevis et se rendre à Basse-Terre. Il voulait constater l'étendue des dégâts. Les gens qui comme lui vivaient dans des endroits retirés utilisaient des bateaux pour se rendre d'un bout de l'île à l'autre. Dès qu'on quittait Old Road Town et Basse-Terre, les routes étaient inexistantes et les plantations, situées pour la plupart en bord de mer, n'étaient accessibles que par la côte. C'était donc par la mer qu'on se ravitaillait et c'était elle qui était la principale voie de communication dans l'île et d'une île à l'autre.

Louis remarqua immédiatement que la vie n'était pas redevenue normale. De grands bateaux, en trop grand nombre, français en général, croisaient devant la côte de la mer des Caraïbes. Aucun d'entre eux ne s'intéressa à lui lorsqu'il gagna les eaux plus agitées de la côte atlantique bordée de plages blanches et désertes. Même si les Français étaient victorieux ce n'aurait été guère prudent d'emprunter la voie plus courte des Caraïbes : il lui aurait fallu passer devant Brimstone Hill et la capitale anglaise, Old Town Road.

Dès que Basse-Terre fut en vue, Louis se rendit compte que la ville avait terriblement souffert. Les points de repère que constituaient le collège des jésuites et l'église avaient disparu, le front de mer était bouleversé et, malgré un vent assez clément, un nuage de poussière s'étendait encore au-dessus de la ville.

Il s'approcha le plus près possible de la plage et deux mulâtres, rendus à la liberté, qui gagnaient leur vie en tirant les bateaux hors de l'eau pataugèrent dans la mer pour le traîner sur le sable. Il leur jeta une pièce de monnaie et sauta du bateau. Le sable avait une consistance visqueuse inhabituelle. Il frotta ses bottes pour se débarrasser de cette matière gluante et noire et se mit en marche en direction de la ville.

L'étendue des dégâts le terrifia. Il ne pouvait croire qu'il restât si peu de chose de Basse-Terre. L'homme certes se conduit de façon épouvantable avec ses semblables, mais parvient-il à surpasser la nature en colère ? se demandait-il devant une crevasse, large de trois mètres, qui avait été autrefois Lisle Street et où les maisons et leurs habitants avaient disparu à jamais. Il frissonna et poursuivit sa route.

Au coin de Lisle Street se trouvait la taverne de Christophe Colomb. Ce n'était pas un endroit qui éveillait chez Louis de bons souvenirs. A une époque malheureuse de sa vie, il y avait passé trop de temps et bu plus que de raison sous ce toit de chaume. Aujourd'hui, la façade de la taverne n'existait plus et seule la moitié du bar était encore en place. Devant, sur une chaise en bois, était assise une jeune fille qu'il n'avait jamais vue auparavant. Elle portait une robe bleu et blanc qui avait dû coûter fort cher autrefois, mais qui maintenant était souillée de boue. Elle était seule et pleurait.

Contournant l'énorme crevasse, Louis entra dans la taverne en ruine et s'inclina devant la jeune fille avant de la regarder plus attentivement. Sous son abondante chevelure auburn, elle dissimulait des traits remarquablement réguliers. Elle devait avoir dix-huit ans à peine, et il la trouva d'une étonnante beauté. Lorsqu'elle leva ses yeux verts pleins de larmes vers lui, il vit qu'ils étaient aussi clairs et lumineux que la peau des raisins éclairés par le soleil de la Loire, son pays natal. « Aidez-moi, semblait-elle supplier. Aidez-moi. » Mais en voyant un homme devant elle, la jeune fille se ressaisit et essaya de cacher ses larmes sans parvenir à réprimer un petit reniflement enfantin.

Louis s'inclina et dit : « Mademoiselle ? » donnant à ce simple mot une accentuation interrogative. La jeune fille se leva et lui fit une révérence. « Monsieur », répondit-elle.

Elle avait une voix chantante, agréable, mais parlait avec un léger accent étranger. Elle n'était sûrement pas française.

« Vous êtes seule ici ?

— Je suis seule.

— Pourquoi restez-vous assise ici, dehors ?

— On se sent plus en sécurité à l'extérieur. »

Louis restait debout, la main sur le pommeau de son épée, se demandant ce qu'il pouvait dire et faire. Elle était à la fois incroyablement séduisante et totalement désarmée. Louis sentait pourtant qu'elle était courageuse. Elle pouvait certes pleurer, mais, à son avis, elle regardait les choses en face.

« Puis-je vous aider de quelque manière ? »

Elle se mit à rire, découvrant des dents blanches et régulières. Louis remarqua aussi comme sa lèvre inférieure était charnue et appétissante.

« Monsieur, si vous pouviez faire en sorte que je me sente à l'abri dans cette maison... »

Louis fronça les sourcils. « A l'abri de la chute d'un mur ?

— De la chute d'un mur, des hommes, de... De tant de choses.

— Vous n'êtes pas française, dit-il brusquement.

— Je suis anglaise, lança-t-elle, avec une sorte d'orgueil.

— Alors ce n'est pas très sage de rester à Basse-Terre.

— Je ne sais où aller.

— Vous voulez dire que vous vivez ici ? demanda-t-il en désignant le bâtiment en ruine.

— Cette maison m'appartient.

— Allons donc, dit-il agacé. Elle appartient à Molly McGuire. Elle a toujours appartenu à Molly McGuire.

— Molly est partie aujourd'hui pour Montserrat et elle m'a donné la taverne.

— A vous ! dit-il dans un éclat de rire. Mademoiselle, vous n'êtes sûrement pas faite pour être aubergiste.

— Et pourquoi pas ? » Elle mit ses mains sur ses hanches, dans un geste provocant qui fit ressortir sa poitrine. « Si Molly pouvait le faire, pourquoi pas moi ?

— Molly est plus âgée, plus solide. Pas aussi belle. Une femme rude. Vous êtes une dame, répondit-il avec conviction tout en étant conscient de se mêler de ce qui ne le regardait pas. Il ne manquera pas de vous arriver quelque chose avec les hommes qui viennent boire ici. Un homme ivre ressemble à un animal. C'est absurde d'y avoir simplement pensé. Comment votre famille vous permet-elle d'agir ainsi ? Vous devriez être chez vous. »

La jeune fille baissait la tête, elle avait laissé retomber ses mains qu'elle tenait croisées devant elle. Il n'y avait plus chez elle aucune provocation.

« Je n'ai pas de chez-moi », dit-elle doucement.

128

Il était déconcerté. Il n'arrivait pas à comprendre ce qu'une Anglaise pouvait bien faire à Basse-Terre, qui plus est seule, dans la taverne de Molly McGuire.

« Mais qui êtes-vous donc ? demanda-t-il.

— Mlle Amelia Quick du Devon, Angleterre. »

Il s'inclina. « Et je suis Louis Rosier, d'Orléans, France et aussi de Lointaine à St. Kitts.

— De Lointaine ? demanda-t-elle.

— Lointaine est la France, voyez-vous.

— Je vois. » Il y eut un silence embarrassé tandis qu'ils se jetaient des regards furtifs. Elle le séduisait vraiment beaucoup.

« Voulez-vous vous asseoir, monsieur ? » demanda-t-elle, assez timidement. Il eut l'impression qu'elle n'avait pas envie qu'il parte. « Je peux aller chercher une autre chaise dans la pièce à côté.

— Ne vous donnez pas cette peine, dit-il avançant un peu pour s'appuyer contre le bar. Mais dites-moi, si vous le voulez bien, par quel mystère êtes-vous ici ? »

Elle soupira, le regarda de nouveau de ses grands yeux incroyables, puis les baissa pour contempler ses mains croisées.

« Je suis en fuite, monsieur.

— En fuite ? » dit-il en sursautant. Cette fille paraissait aussi blanche que lui. Comment pouvait-elle être en fuite ?

« Je me suis enfuie de Windsong où l'on m'a envoyée en tant que prisonnière après le soulèvement de Monmouth en Angleterre. On a décidé là-bas que j'étais un traître. »

Cela éveilla les souvenirs de Louis.

« J'ai entendu parler d'hommes envoyés ici et achetés par des planteurs anglais — il y a quatre ans n'est-ce pas ? Mais une jeune fille ?

— J'étais la seule. Je suis restée quatre ans en esclavage et j'ai profité de la confusion qui régnait durant la guerre pour venir ici, retrouver Molly qui était mon amie, mais maintenant elle est partie. »

Il caressa son menton d'un air pensif, hésitant à aller jusqu'au bout de son idée.

« Vous devriez retourner à Windsong », finit-il par déclarer.

La jeune fille eut un demi-sourire. « Pour être fouettée, ou pire encore. Non, monsieur. Je veux tenter ma chance ici. »

La pensée qu'il pourrait arriver quelque chose à cette jeune fille décida Louis. Il ne fallait pas la laisser ici. C'était étonnant qu'elle ait survécu si longtemps dans cet endroit en ruine. Il savait qu'aussitôt que la ville retrouverait son souffle et que les marins et les soldats partiraient à la recherche de rhum, elle serait écrasée.

« Mademoiselle Quick, dit-il d'un ton pressant, vous ne pouvez rester ici, vous ne passeriez pas la nuit sans subir de graves torts.

— Où me suggérez-vous d'aller ? »

Il y avait dans le ton de sa voix un léger sarcasme. « Sur ma plantation. A Lointaine, répondit-il, c'est un endroit très retiré de l'île et là-bas personne ne pourra vous faire du mal. »

Ses grands yeux verts inquiets se posèrent sur lui.

« Mademoiselle, je suis un gentleman, dit-il doucement. Vous n'aurez rien à craindre de moi.

— Eh bien, je vous remercie, mais je ne puis abandonner cet endroit. » Elle avait quitté sa chaise et marchait de long en large dans la pièce, sa jupe sale se balançant gracieusement autour de ses chevilles. « Je ne peux pas laisser mes réserves sans surveillance, et c'est tout ce que je possède au monde. » Louis commençait à s'impatienter. « Qu'est-ce qui est le plus important, vos réserves ou votre sécurité ? Ne comprenez-vous donc pas que vos réserves seront pillées de toute façon ? Que c'est impossible pour vous de les garder tant que ce bâtiment n'est pas réparé ? Vous serez incapable de tenir tête aux hommes qui viendront dans cette taverne.

— Molly savait les mener.

— Vous n'êtes pas Molly.

— Je dois essayer », dit-elle avec entêtement.

Il aurait pu la persuader par la force mais il dit : « Alors il nous faudra emmener votre stock pour le mettre en sécurité chez moi. »

Elle battit des mains. « Est-ce possible, monsieur ?

— C'est possible », dit-il d'un air las.

Ce furent les deux mulâtres de la plage qui emportèrent les tonneaux et les bouteilles jusqu'au bateau. Ils le chargèrent jusqu'à ce qu'il s'enfonce dangereusement dans l'eau. Louis fut obligé de louer un autre bateau. Tout cela prit beaucoup de temps et le crépuscule commençait à tomber lorsqu'ils purent enfin lever l'ancre.

Amelia, qui n'avait guère parlé pendant le déménagement, était maintenant tranquillement assise dans le bateau. Le disque rouge du soleil couchant rehaussait la teinte de son épaisse et superbe chevelure.

130

« Que va dire votre femme ? demanda-t-elle soudain inquiète.

— Je ne suis pas marié. » Ce n'était pas un sujet sur lequel il voulait s'étendre.

« Ah. » Elle resta silencieuse en gardant les mains croisées puis elle dit doucement : « Je suis heureuse d'être avec vous. J'avais peur de passer la nuit seule. Pourtant ce n'est pas dans ma nature d'être peureuse. » Elle leva la tête et lui lança un long regard. « Comment pourrai-je jamais vous remercier, monsieur », dit-elle. Ses yeux étaient humides et une petite dent blanche appuyait sur sa lèvre inférieure comme si elle essayait de retenir des larmes.

Il sentit monter en lui un désir presque insupportable. Il savait fort bien comment elle pouvait le remercier, mais il se souvint qu'il était un gentleman. Gardant cette pensée bien en vue dans son esprit, il reporta son attention sur les voiles.

La nuit était tombée lorsqu'ils parvinrent à Lointaine. Le Français porta Amelia sur la plage, faisant bien attention à ne pas mouiller la robe de la jeune fille. Elle se laissa aller dans les bras de Louis ; pour la première fois depuis son arrivée dans l'île, elle se sentait en sécurité.

Le sable noir de la plage avait des reflets argentés à la lumière d'une lune pourtant assez pâle. Tandis qu'il pataugeait dans l'eau, d'éphémères losanges phosphorescents trouaient l'obscurité. Il faisait chaud, une nuit propice à l'amour. Amelia se sentit déçue quand Louis la déposa par terre à côté du cheval. Ensuite il l'aida à monter, puis s'installa devant elle. Elle passa ses bras autour de sa taille, et épuisée laissa sa tête tomber sur le dos du jeune homme. Bien qu'il fût assez frêle, elle sentait la vigueur de sa musculature et trouvait cela plutôt rassurant.

Le cheval avançait dans l'obscurité sur le sentier étroit qui s'enfonçait parmi des champs de canne à sucre frémissants. Amelia était soulagée de voir que dans ce bout de l'île tout était tranquille, comme si aucune des horreurs qui avaient affligé Basse-Terre n'était arrivée ici. Les seuls bruits de la nuit étaient le murmure du vent et le souffle puissant du cheval qui peinait sous sa double charge.

En arrivant à Lointaine, Amelia ne discerna que la vague forme d'une grande maison basse au milieu des arbres. Des lanternes étaient allumées de chaque côté d'une porte à double battant. Des lueurs de chandelle scintillaient de façon accueillante derrière les fenêtres fermées. Louis descendit de sa monture et la reprit dans ses bras avant de la poser gentiment par terre. Avant même qu'il n'ait le temps de frapper à la porte, un vieil homme noir portant une chemise blanche à longues manches, une jaquette, une culotte noires et de longs bas blancs vint leur ouvrir. Une femme blanche avec une coiffe et un tablier le suivait.

« Nous étions inquiets, dit-elle sur un ton de reproche alors que Louis pénétrait dans un grand hall aux murs recouverts de boiseries. Nous... » Elle s'arrêta net en apercevant la jeune fille qui se tenait derrière son maître.

Louis se retourna, prit la main d'Amelia et la fit entrer dans le hall. « Voici mon intendante, madame Volnay, dit-il. Madame, Mlle Quick sera notre hôte. Voudriez-vous s'il vous plaît préparer une chambre pour elle. »

Mme Volnay leva les sourcils, fit la moue mais disparut sans commentaires afin d'exécuter ce qu'on lui commandait. Était-elle hostile ? se demandait Amelia. Puis se souvenant de sa tenue plus que chiffonnée, elle se dit que Mme Volnay devait être plutôt surprise par son allure.

La chambre dans laquelle celle-ci la conduisit quelques minutes plus tard était immense. Le lit à colonnes était tendu de draperies de soie et des portraits d'hommes à l'air sévère et de femmes élégantes tapissaient les murs. Les grandes fenêtres étaient ouvertes sur la nuit et Amelia entendait la multitude de bruits provenant des insectes et des animaux de nuit. Quand Mme Volnay fut partie, Amelia s'assit devant la coiffeuse et jeta un coup d'œil autour de la pièce, dégustant un luxe qu'elle n'avait pas connu depuis près de quatre ans. Elle savait bien sûr qu'elle n'était pas réellement en sécurité, qu'elle était toujours une esclave en fuite et pouvait être reprise à n'importe quel moment. Mais elle pensait aussi que ce Français à l'air solennel, entré de manière si inattendue dans sa vie, ferait de son mieux pour la protéger. Elle se retourna pour se regarder dans la glace. A la lumière jaune des bougies, elle vit que son visage s'était affiné depuis qu'elle avait quitté le Devon. Ses yeux apparaissaient démesurés au-dessus de ses pommettes saillantes. Comme elle avait perdu ses joues, sa bouche semblait mieux dessinée, plus gonflée que dans son souvenir. Elle se sourit et son image lui rendit son sourire. Elle sourirait à ce jeune homme et tout irait bien.

Elle fut bouleversée lorsqu'une femme de chambre blanche

lui apporta de l'eau chaude, et plus encore quand cette même personne la servit au dîner. Cette Française était la première domestique blanche qu'elle voyait aux Antilles. Louis l'appelait Béatrice et Amelia la trouvait quelque peu revêche.

Ils prirent leur repas dans une grande salle à manger, éclairée par des candélabres, et elle lui raconta un peu de son histoire, comment elle s'était retrouvée à St. Kitts. Il l'écouta sans faire le moindre commentaire, ses yeux sombres la regardant avec intensité. Mais c'était sa vie à Upottery qui l'intéressa le plus.

« Avez-vous le mal du pays ? » lui demanda-t-il.

Elle réfléchit et revit brusquement le petit village en hiver, quand un vent glacé soufflait de la mer. L'unique chemin se transformait alors en une gadoue rougeâtre et parfois même la neige rendait impossible le passage des chevaux de labour et des charrettes. Elle pensa alors que si elle avait beaucoup souffert depuis son arrivée dans l'île elle n'avait jamais, à aucun moment, souffert du froid.

« C'est étrange, dit-elle. Je l'ai eu terriblement au début, mais avec le temps, j'en souffre de moins en moins. C'est seulement ceux que j'aime qui me manquent.

— Et qui sont-ils ? » Il tenait les yeux fixés sur son assiette en argent et sur sa nourriture mais il y avait quelque chose de tendu dans sa question.

« Mon père, mais comme je vous l'ai dit il est mort. Mon frère est parti se battre aux côtés de Sir Christopher tout comme mon cousin Ben.

— Vous vous sentez seule ?

— Bien souvent. » Elle n'alla pas plus loin. Ces années dans les Caraïbes lui avaient appris, malgré sa répugnance, qu'il valait mieux passer sous silence son amour pour un esclave noir et l'enfant qu'elle avait eu de lui.

« La France me manque tout le temps. » On aurait dit qu'il se parlait à lui-même. « Je ne me soucie aucunement de cet endroit. Aucunement.

— Il a pourtant une sorte de beauté, avança-t-elle prudemment.

— Une beauté violente, indomptée, dangereuse. On dit avec raison que la vie ici est pénible, rude et courte.

— C'est vrai. » Ils mangèrent en silence puis elle demanda : « Qu'est-ce qui vous a amené ici ? »

Il essuya soigneusement ses lèvres avec une serviette de lin d'un blanc immaculé.

133

« Lointaine appartenait à mon oncle, dit-il. C'est son œuvre. Il ne s'est jamais marié. Ses esclaves devaient lui suffire. Il a tenu fort longtemps ici, vingt-cinq ans. Mais il y a trois ans le climat a eu raison de sa santé. La fièvre l'a emporté et j'ai hérité de la plantation. J'étais marié depuis un an et ma femme et moi habitions Orléans. Nous étions heureux et sans être riches nous avions suffisamment d'argent pour vivre confortablement. Je n'étais guère décidé à quitter la France mais Yvonne, ma femme, fut séduite à l'idée d'une nouvelle vie à l'étranger. Et c'est vrai que si nous étions restés en France nous n'aurions jamais été aussi riches qu'ici. Mais... » Il hésita et regarda fixement devant lui ; il paraissait brusquement plus âgé. « Ma femme est morte en couches, il y a un an maintenant. L'enfant est mort aussi. Je suis persuadé que cela ne serait pas arrivé si nous n'étions jamais partis. Maintenant je déteste cet endroit.

— Ne pouvez-vous rentrer chez vous ? » demanda Amelia.

Il eut un petit rire triste. « Chaque jour de mon existence je rêve du doux pays de Loire, du plaisir de vivre dans une ville prospère mais à vrai dire il n'y a guère de raisons pour moi de retourner là-bas. Je suis semblable aux autres planteurs. C'est l'argent et la vie facile qui me gardent ici, quoique si vos compatriotes s'emparent un jour de la totalité de l'île, tout cela sera sûrement perdu. Pourquoi je reste, je ne sais pas. Il est vrai que cette partie de l'île est plus saine que les marécages de Basse-Terre, mais néanmoins je redoute le climat et les fièvres qu'on attrape si facilement ici. Je méprise l'esclavage mais j'en profite, de sorte que je me méprise moi-même. »

Amelia écoutait calmement, comprenant que cet homme était resté silencieux trop longtemps et qu'il avait besoin de se confier. Elle-même avait parlé à Bella et à Molly de ses épreuves. Était-il possible qu'il soit seul ? Il parlait si vite qu'elle avait du mal à comprendre son français et il gardait ses yeux en permanence fixés sur elle, comme s'il ne supportait pas de regarder ailleurs.

« Mais vous avez une intendante et une femme de chambre blanches, dit-elle.

— Et une cuisinière, Marie, et un valet, Pierre. En fait le seul Noir dans cette maison est le vieux Joseph qui a ouvert la porte cette nuit. Je ne peux concevoir que des gens me servent sans recevoir de gages. Joseph reste ici avec moi parce qu'il a servi mon oncle durant un grand nombre d'années. Il est libre mais il a choisi de rester.

— Et les esclaves dans les champs ? »

Il fit un geste d'impatience. « Ce sont des esclaves. »

Il se leva brusquement et jeta sa serviette. « Je vais me coucher maintenant. Béatrice vous conduira dans votre chambre. Je vous souhaite une bonne nuit. »

Amelia le regarda franchir la porte, admirant ses boucles qui tombaient sur ses épaules. Il ne portait pas de perruque car ses cheveux étaient aussi fournis et brillants que ceux d'une fille. Elle termina distraitement son assiette. Elle savait fort bien pourquoi il était parti ainsi sans cérémonie. Il avait envie de faire l'amour avec elle. Elle en était sûre. Et elle se dit, tandis qu'elle se levait de table, que ce n'était pas une éventualité bien terrible. Surtout si cela pouvait lui donner la sécurité.

S'adapter à ce qui avait été autrefois une vie normale n'était pas si simple. Être servie au lieu de servir les autres se révéla une curieuse expérience. Durant toute son enfance, Amelia avait été entourée de serviteurs, mais aujourd'hui c'était différent et elle se demandait si Béatrice et les autres jeunes Françaises qui travaillaient dans la maison éprouvaient la même amertume qu'elle avait elle-même ressentie lorsqu'elle travaillait à Windsong.

Au moins les domestiques à Lointaine n'étaient pas des esclaves. Amelia était certaine que Louis leur payait des gages convenables. Mais quand Béatrice emmenait son linge sale pour le laver, vidait l'eau de son bain et son vase de nuit, elle se souvenait du dégoût qu'elle avait éprouvé en exécutant ces corvées pour les autres. Elle essayait dans la mesure du possible de le faire elle-même car elle avait honte que quelqu'un l'accomplisse à sa place.

Elle voyait très peu Louis. Apparemment, il passait le plus clair de son temps dans les champs. Il partait le matin botté, vêtu d'une redingote couleur tabac, ses cheveux tirés en arrière. Généralement il ne revenait pas avant le crépuscule si bien que la soirée devint vite le moment le plus intéressant de la journée d'Amelia. En effet, ils dînaient toujours ensemble.

Le troisième jour du séjour d'Amelia à Lointaine, Louis remarqua qu'elle portait toujours la même robe bleu et blanc.

Elle avait certes essayé de la rendre présentable mais son petit bain d'eau de mer ne l'avait guère arrangée.

« N'avez-vous pas d'autre vêtement ? demanda-t-il brusquement.

— Je les ai laissés à Basse-Terre. »

Il parut réfléchir. Puis il dit à voix basse, comme s'il devait arracher les mots de sa gorge : « Je demanderai à Béatrice de vous conduire dans la garde-robe de ma femme. Prenez ce que vous voulez. Vous êtes à peu près de la même taille. Ça devrait vous aller.

— Ne le regretterez-vous pas ?

— Non », dit-il avec brusquerie.

Le lendemain soir, elle vint dîner habillée d'une robe de soie verte. La jupe de dessus était de la couleur d'une prairie anglaise, celle de dessous à rayures vertes et blanches. Amelia avait trouvé également un fichu de dentelle pour couvrir ses épaules et le renflement de ses seins au niveau du décolleté.

Louis, visiblement bouleversé, la regarda entrer dans la pièce.

« Je suis désolée, dit-elle gentiment. Ce n'est pas facile pour vous de me voir dans les vêtements de votre femme.

— C'est vrai, je n'avais pas pensé recevoir un tel choc. Vous portez une robe qu'Yvonne s'était fait faire à Paris avant que nous venions ici. C'était celle que nous préférions l'un et l'autre. Pendant un instant lorsque vous êtes entrée...

— Vous avez pensé qu'elle était de retour ?

— Le temps d'un éclair. Ses cheveux étaient châtains, châtain foncé, et sa peau un peu moins claire que la vôtre. Ses yeux étaient noirs.

— Et vous l'aimiez beaucoup.

— Je l'aimais et elle me manque, dit-il douloureusement. Il m'est encore impossible de parler d'elle sans chagrin. »

Elle aurait aimé lui prendre la main, mais la table était trop grande et son hôte bien trop loin pour qu'elle puisse l'atteindre. Elle demanda donc doucement : « Vous préférez peut-être que je ne porte plus ses vêtements ? »

Il fit non de la tête. « Au contraire. Ils vous vont très bien et de plus vous pouvez peut-être m'exorciser. »

C'était le premier compliment qu'il lui adressait. Amelia sentit le rouge lui monter aux joues. Elle n'avait pas réussi jusqu'ici à savoir si oui ou non il l'appréciait. Il était d'une extrême courtoisie mais sans plus. Elle en revanche l'aimait beaucoup et, couchée dans son grand lit à colonnes, chaque nuit elle pensait à lui et espérait qu'il viendrait la rejoindre afin qu'elle puisse assouvir les sensations que cette perspective soulevait en elle. Faire l'amour dans un lit serait agréable, se dit-elle. Elle se demandait aussi à quel point ce serait différent de ce qu'elle avait connu avec Joshua. Est-ce que les Blancs sont différents ou est-ce que tous les hommes sont pareils ? Et puis elle était furieuse contre elle de ces pensées qui lui paraissaient déloyales vis-à-vis de Joshua.

Peu habituée à ne rien faire, Amelia trouvait les journées bien longues à Lointaine. Les domestiques refusaient son aide et elle comprit finalement qu'ils se sentaient gênés. Elle devait rester à sa place. Elle demanda alors à Louis la permission de monter à cheval dans la plantation. Il lui répondit d'un air bourru qu'il y avait une petite jument grise dans l'écurie qu'il serait heureux de lui offrir, mais qu'il ne voulait pas qu'elle s'approche des baraquements des esclaves ni de la sucrerie. Elle trouva une tapisserie que la femme de Louis n'avait pas terminée et elle passa les après-midi à travailler dans la grande véranda en bois construite sur les blocs de lave taillée qui servaient de fondations à la maison. L'endroit était agréablement frais. Mais Amelia se rendait compte qu'elle ne faisait qu'attendre l'arrivée du crépuscule et le retour de Louis.

Elle aurait voulu le faire rire, le rendre heureux. Il était trop tendu. Ses émotions étaient aussi contenues qu'un vin pétillant dans sa bouteille. Et surtout elle aurait aimé qu'il se conduise un peu moins en gentleman.

Après presque six semaines passées à la plantation, elle se trouvait dans un curieux état d'esprit, submergée par un désir qu'elle comprenait mal. Elle n'avait pas oublié Joshua, mais pour le moment, il était supplanté. Elle désirait Louis. Elle n'était pas sûre que ce qu'elle éprouvait pour lui soit de l'amour — c'était difficile d'aimer quelqu'un d'aussi distant — mais elle avait besoin de lui. Il y avait de la gratitude dans ce qu'elle éprouvait à son égard. En la trouvant dans la taverne en ruine et en l'emmenant chez lui, il lui avait rendu la vie. Il était temps, décida-t-elle, qu'elle prenne les choses en main.

Louis, ce soir-là, était encore plus silencieux que d'habitude. Elle bavardait comme toujours, posant des questions, essayant de le faire parler. Il répondait par monosyllabes, mais ses yeux sombres ne quittaient que rarement le visage de la jeune femme. Ses longues mains blanches caressaient son verre de vin, et Amelia ne pouvait s'empêcher d'imaginer que c'était son corps à elle qu'il caressait ainsi. Ce geste de la main et son regard vitreux suffisaient à éveiller un désir violent chez Amelia. Mais lui, la désirait-il ? Sûrement, mais pourquoi alors gardait-il cette réserve ?

Comme de coutume, il lui souhaita bonne nuit et quitta la table avant elle. Elle se leva, lui fit une révérence puis se rendit dans sa chambre. La plupart des affaires de l'ancienne épouse avaient été apportées ici. Elle ouvrit sa penderie et fouilla parmi les vêtements. Elle trouva une chemise de nuit très décolletée en dentelle blanche avec un déshabillé assorti. Elle se dévêtit, se parfuma à l'eau de rose, puis enfila la chemise de nuit. Yvonne était légèrement plus grande qu'elle, si bien qu'Amelia fut obligée de remonter le vêtement sur les épaules afin que le décolleté ne descende pas trop bas. Le déshabillé heureusement était moins échancré.

Elle se regarda dans la glace, se demandant si elle aurait l'audace d'exécuter ce qu'elle avait projeté. Puis faisant une moue légère, elle secoua la tête d'un air résolu en direction de son image avant de sortir de sa chambre.

Elle renonça à frapper à la porte de Louis. Elle appuya simplement sur la poignée et entra. Il était assis dans son lit et lisait à la lueur d'un flambeau. Quand il l'aperçut le livre lui échappa brusquement.

« Mais... », commença-t-il, le visage blanc. Puis il s'exclama : « Seigneur ! Seigneur ! »

Elle s'avança vers lui en silence, ne sachant trop que faire maintenant.

« Pourquoi vous êtes-vous habillée ainsi ? lui cria-t-il sèchement. Partez ! Allez-vous-en ! Enlevez-moi ça ! »

— Si vous le désirez », murmura-t-elle en laissant le déshabillé tomber de ses épaules. La chemise de nuit n'eut besoin que d'un léger balancement de ses hanches pour glisser elle aussi sur le sol et former autour de ses pieds un cercle de dentelles. Amelia était maintenant complètement nue et toute rose à la lueur du flambeau.

« Que faites-vous ? » dit-il en se cachant le visage dans ses mains, et durant un instant Amelia craignit de s'être trompée. Il ne la désirait pas. « Ventrebleu ! Que faites-vous donc ? »

Piquée au vif, elle s'approcha de lui.

« Monsieur, dit-elle en colère, je suis une femme qui vient vous réconforter et vous aimer pour vous remercier de toutes les gentillesses que vous avez eues pour moi. Allez-vous me rejeter ? »

Il enleva ses mains de son visage et la regarda. « Vous n'avez nul besoin de me remercier de cette manière, dit-il l'air légèrement troublé.

— Mais je le veux, dit-elle avec une simplicité confondante. J'ai envie de vous. »

Il poussa un grognement et puis lentement, très lentement, il lui ouvrit les bras. Elle s'avança en hésitant vers lui. Il inclina la tête et elle comprit qu'il l'invitait à se blottir contre lui.

Sans un mot, il la tint étroitement serrée, puis baissant la tête vers elle il embrassa longuement sa bouche; un baiser brûlant et profond auquel elle répondit docilement. Amelia était heureuse de cette intimité qu'elle n'avait jamais connue. Pendant un long moment, ils s'agrippèrent l'un à l'autre tels des naufragés, puis Louis commença à caresser légèrement le bout de ses seins. Amelia le serra plus fort et il augmenta la pression de ses doigts jusqu'à provoquer une douleur exquise. Il abandonna sa bouche pour les petites pointes rouge sang et les mordilla, faisant naître en elle un plaisir presque insupportable. Il glissa enfin sa jambe entre les siennes. Elle gémissait, son corps arc-bouté tandis qu'il lui cajolait toujours les seins. « Prends-moi, dit-elle d'une voix rauque. C'est bon. Comme c'est bon. »

Il ne répondit pas. Il respirait bruyamment en continuant à la caresser. Il remua d'abord lentement, comme pour apprécier les profondeurs qu'il découvrait, et puis de plus en plus vite jusqu'à ce qu'elle aussi se mette à haleter, à s'accrocher, à supplier.

Bientôt de grandes ondes commencèrent à monter des profondeurs du corps de la jeune femme. Louis s'abandonna au rythme de ces ondes puissantes qui allaient en augmentant jusqu'à ce qu'ils jouissent ensemble. Ils restèrent le souffle court, agrippés l'un à l'autre avant qu'il ne se dégage.

Ils demeurèrent allongés côte à côte sans se toucher, leurs yeux fixant le haut du lit à baldaquin, comme intimidés par ce qui venait de se passer.

« Tu es venue me retrouver parce que tu me désirais vraiment ? » finit-il par demander.

Elle roula sur le côté pour poser sa tête sur son épaule. « Oui. Et j'ai craint pendant un instant que tu me renvoie

Comment aurais-je pu alors me retrouver face à face avec toi à l'heure du dîner ? »

Il la serra contre lui. « Te renvoyer ? Chaque nuit depuis que tu es arrivée ici, je reste allongé dans ce lit, pensant à toi, imaginant la douceur de ton corps. Un mois, dit-il d'un air piteux, un vrai mois d'enfer.

— C'était la même chose pour moi, dit-elle ensommeillée.

— T'ai-je rendue heureuse ?

— C'était merveilleux. Je n'avais jamais connu ça. »

Il s'immobilisa. « Il y en a eu un autre ? »

Qu'allait-elle lui répondre ?

« Le maître de Windsong m'a violée », dit-elle prudemment. Elle sentit immédiatement la colère, la douleur s'emparer de son amant. Il lui promit de la venger et n'en demanda pas plus. Quant à elle, elle ne chercha pas à se confier davantage.

« En ce qui me concerne, mon père m'a présenté à sa maîtresse quand j'avais quinze ans. C'est devenue la mienne aussi. Tu sais, c'est une habitude française. Mais une fois marié, j'ai juré à ma femme fidélité jusqu'à la mort, et j'ai tenu parole. J'aimais Yvonne, Amelia, tu dois le comprendre. Mon cœur s'est gelé quand elle est morte. Je pensais que je ne désirerais plus jamais une autre femme... jusqu'à ce que je te rencontre. Je l'aimerai toujours mais tu as chassé la douleur, tu m'as fait fondre. Penses-tu que nous nous aimerons, un Français et une Anglaise ? Parviendrons-nous à nous rendre heureux ?

— Peut-être, dit-elle. Peut-être. »

Même si la fièvre était tombée et le feu calmé, elle savait qu'elle ne résisterait jamais à cet homme. La seule pensée de ce qu'il lui avait fait la faisait encore frissonner d'excitation. Elle le désirerait encore et encore. C'était un homme qui comprenait le corps d'une femme.

Mais l'amour ? En pensant à l'amour, Amelia eut l'image du visage de Joshua. Louis avait balayé ses souvenirs charnels avec Joshua, mais il n'avait pas balayé le souvenir de l'amour qu'elle lui portait toujours. Louis c'était le plaisir, Joshua l'amour. C'était ainsi, elle avait été infidèle à l'homme qu'elle aimait. Comme Louis satisfait s'était endormi, elle resta éveillée, cherchant à étouffer son sentiment de culpabilité. Pourquoi, si Louis lui demandait de l'épouser, elle r.

Amelia, enceinte de six semaines, se maria en décembre dans l'intimité de l'église de Basse-Terre, étant donné qu'elle ne pouvait se rendre dans un temple protestant de l'île. Louis fut à la fois transporté et effrayé quand elle lui apprit qu'elle était enceinte. Il voulut qu'ils se marient immédiatement. Il lui acheta une nouvelle robe et lui donna une bague avec un diamant qui avait appartenu, dit-il, à sa mère. Amelia ne put s'empêcher de se demander si le bijou avait été porté par Yvonne.

Elle était heureuse. Elle espérait que ce bébé apaiserait les regrets qu'elle avait à propos de Tansie. De plus elle avait découvert que ses sentiments à l'égard de Louis n'étaient pas dépourvus d'amour. Elle l'aimait pour sa bonté, parce qu'il se souciait d'elle et que son affection était sincère. Elle savait maintenant que son mari pouvait rire, être gai. Son allure solennelle s'évanouissait quand il était avec elle. Elle n'avait pas oublié Joshua et ne l'oublierait jamais, mais elle était parvenue à le mettre dans un coin de son cœur et s'efforçait de rendre son mari heureux.

Louis ne s'opposa pas à son désir de reconstruire la taverne.

« Simplement pour que les choses existent de nouveau, expliqua-t-elle. Ce n'est pas que je veuille la faire marcher ou l'habiter, mais je le dois à Molly. Et puis ce sera un endroit où Zach pourra aller, quand il reviendra de la guerre. »

Louis accepta sans difficulté. Elle se disait que même si elle avait demandé la lune, il aurait essayé de la lui offrir.

7

Après quelques couchers de soleil rouge sang, 1689 fit place à 1690 tandis que sir Christopher Codrington, avec une force de trois mille hommes, reprenait St. Kitts. Cette fois, Lointaine ne fut pas épargnée. Les soldats anglais appuyés par la milice descendirent de Brimstone Hill en suivant la côte jusqu'à Capisterre. Ils mirent le feu à la maison et tuèrent à bout portant Louis Rosier qui avait eu la témérité de vouloir défendre sa femme, sa maison et ses serviteurs. Puis les soldats quittèrent les lieux.

La Bac, le surveillant, arriva de la sucrerie avec les esclaves noirs. Ils luttèrent avec les domestiques blancs et Amelia contre les flammes en puisant de l'eau dans les énormes citernes que Louis avait toujours exigé qu'on remplisse. L'incendie était considérable, Amelia craignait qu'on n'arrive jamais à l'éteindre et que son enfant souffre des efforts qu'elle était obligée d'accomplir.

A la fin de la journée, seuls les fondations en pierre et un bout de la maison restaient encore debout ; le toit avait complètement disparu. La salle à manger était intacte mais la chambre d'Amelia au-dessus était ouverte sur le ciel. Les cuisines et les logements des domestiques étaient anéantis, une partie du salon était encore utilisable, il y restait quelques meubles noircis. La Bac ramena les esclaves vers leurs baraquements, abandonnant Amelia. Celle-ci, debout dans l'air enfumé, regardait les ruines de ce qui avait été pour un laps de temps si court sa maison. Ses domestiques restaient silen-

142

cieux derrière elle et on n'entendait plus que le chuintement des braises.

Le corps de Louis était couché dans l'allée à peu de distance de la porte d'entrée, là où il était tombé. Il serrait encore un pistolet dans sa main. Sa vieille redingote était souillée d'énormes taches de sang couleur rouille. On n'avait guère eu le temps de s'occuper de son corps dans la tentative désespérée de sauver la maison. Amelia se dirigea lentement vers son mari mort, s'assit par terre près de lui, et posa sur ses genoux sa tête aux boucles sombres. Elle se surprit à le bercer comme si cela pouvait l'aider de quelque manière. Puis elle se mit à pleurer. Des larmes silencieuses qui tombaient sur le visage du mort, mais ne pouvaient le réveiller. Rien ne pourrait jamais le réveiller.

Joseph était debout près d'elle. Il s'accroupit pour être à sa hauteur et la regarda dans les yeux.

« Oh Joseph, il est mort. Ils l'ont tué, murmura-t-elle.

— Je le sais. » Les yeux du vieillard étaient brouillés par les larmes. « Tous nos cœurs vont se briser. C'était un homme bon, le maître. »

Joseph était sincère. Aucun Noir, aucun homme, aucune femme à Windsong n'aurait pu dire la même chose à la mort de Matthew Oliver. Amelia étouffée par les sanglots mit ses bras autour de Joseph et pleura sur son épaule.

Il se dégagea gentiment. « Allez, venez, madame Amelia, dit-il. Nous devons ramener le maître à la maison. »

Ils portèrent le corps à l'intérieur et le placèrent sur un grand divan. La Bac, qui n'avait jamais été heureux de voir son maître épouser une Anglaise, revint des champs et demanda s'il pouvait se rendre utile. Mme Volnay et la cuisinière, en larmes, se tenaient l'une à côté de l'autre, les mains croisées devant elles, attendant les ordres. Béatrice et les autres femmes de chambre sanglotaient.

Amelia n'avait qu'une envie, grimper tant bien que mal dans son lit et dormir pour échapper aux horreurs et à la douleur de cette journée. Mais son lit était noirci par la fumée et la suie, quant à ses domestiques ils n'avaient plus de lits du tout et il n'y avait plus de toit pour personne. Elle jeta un coup d'œil autour de cette pièce autrefois si élégante et regarda les nuages qui passaient au-dessus de sa tête. Lorsqu'elle se retourna, elle découvrit une demi-douzaine de paires d'yeux éplorés qui l'observaient. Ces gens attendaient d'elle qu'elle prenne la direction des opérations, mais Amelia ne s'en sentait pas la force. Les coups du sort sur cette île cruelle étaient trop forts et se succédaient trop rapidement.

« Qu'allons-nous faire, madame ? Nous ne pouvons rester ici », demanda Béatrice d'une voix chevrotante et effrayée. Ce fut cette peur dans la voix de sa femme de chambre qui fit comprendre à Amelia que, comme elle, ces gens étaient loin de chez eux, qu'ils n'avaient pas de famille, que la mort de leur maître les laissait sans aucune ressource. Elle au moins aurait probablement de l'argent et de plus elle possédait une taverne.

La taverne ! Elle sentit venir un regain d'optimisme. Elle pouvait aller à la taverne. Là-bas, ils auraient au moins un toit. Mais il lui faudrait être prudente car les Anglais avaient repris la ville.

« Non, nous ne pouvons rester ici, dit-elle. La Bac, est-ce que vos baraquements sont sûrs ? »

Il hocha la tête affirmativement.

« Alors, vous resterez à Lointaine. Abandonnez les champs et employez les esclaves à la reconstruction de la maison.

— Mais c'est le moment de couper la canne, protesta-t-il. Nous avons de la chance que les Anglais n'y aient pas mis le feu.

— Probablement parce qu'ils reviendront pour achever leur besogne, dit Amelia d'un air las. Peut-on attendre pour couper la récolte ? » La Bac réfléchit un moment.

« Peut-être une semaine. »

C'était un homme grand, mince, avec une petite moustache noire. Ses yeux évitaient ceux d'Amelia, mais Louis avait toujours dit qu'on pouvait lui faire confiance. Maintenant il allait falloir le mettre de son côté. Amelia ne doutait pas d'y parvenir.

« Monsieur La Bac, nous ne nous connaissons que fort peu l'un l'autre, mais mon mari vous tenait en haute estime, commença-t-elle, posant intentionnellement ses grands yeux verts sur lui. Il vous considérait comme un honnête homme qui le servait fort bien. Ce n'est pas ma faute si je suis anglaise pas plus que ce n'est la vôtre d'être français, mais ici, à Lointaine, nous formons une famille. La nationalité est sans importance. J'aimerais pouvoir compter sur vous, exactement de la même manière que mon mari. »

La Bac s'inclina, le visage impassible, mais Amelia comprit qu'il l'aiderait. Il semblait s'être adouci, son visage était moins fermé.

« Il me semble qu'il est préférable que nous quittions le

domaine pour Basse-Terre. Je possède là-bas une maison qui pourra nous abriter. Je vous confie la direction de Lointaine pour le moment. Occupez vos gens comme bon vous semblera. Tous n'ont peut-être pas besoin d'être employés pour la récolte. Les femmes pourraient venir remettre en ordre ce qui n'a pas été détruit. Le plus important, bien sûr, est de construire rapidement un toit provisoire. De mon côté, j'essaierai de trouver des ouvriers à Basse-Terre.

— Et si les Anglais reviennent ?

— C'est possible, mais j'en doute. De toute façon, je pense que nous devons agir comme s'ils ne devaient pas revenir. Et avant toute chose, il faut enterrer votre maître. »

L'oncle de Louis et Yvonne reposaient près d'une petite chapelle derrière la maison. Amelia ne savait trop que faire sans l'assistance d'un prêtre, mais n'ignorait pas que dans ce climat, il fallait rapidement enterrer les morts. On pouvait bien sûr emmener le corps à Basse-Terre où sans aucun doute de nombreuses victimes de l'offensive anglaise attendaient d'être inhumées.

Amelia décida d'ensevelir son mari à côté de sa femme, une décision qui fut accueillie avec plaisir par les domestiques. Elle ne connaissait que peu de chose d'un service funèbre, et il n'y avait ni Bible ni livre de prières dans la maison. D'ailleurs Louis était catholique. Il lui apparut préférable de laisser Joseph et La Bac prendre les choses en main. Elle réciterait sur la tombe le *Notre Père* et le Psaume XXIII.

« Passerais-je un ravin de ténèbres, même si je marche dans un ravin d'ombre et de mort, je ne crains aucun mal car tu es avec moi, ton bâton, ton appui, voilà qui me rassure... » Sa voix montait vers la fournaise du ciel dans ce petit cimetière étranger avec la maison en ruine derrière elle. Elle dit le *Notre Père* en français comme on le lui avait appris il y avait bien longtemps à Taunton, et les serviteurs rassemblés autour de la tombe le récitèrent avec elle. On ne pouvait ici jeter une rose rouge sur son corps, mais Amelia cueillit une fleur rouge d'hibiscus dans le jardin, regrettant qu'il n'y ait rien de moins exotique, de plus européen, pour un homme qui avait eu la nostalgie de son pays, chaque jour de sa courte vie dans cette île perdue.

Puis l'on fit les préparatifs du départ.

Avec l'aide de La Bac et de Joseph, ils portèrent les provisions et le linge dans les deux bateaux que Louis gardait près de la plage. La Bac emmena avec lui deux de ses esclaves les plus fidèles pour tenir la barre durant le trajet. Ils partirent juste avant l'aube, le moment le plus sûr pour faire voile. Mme Volnay, Béatrice, Marie, et Marianne, la fille de cuisine, s'installèrent dans le plus grand bateau, se serrant l'une contre l'autre pour se réconforter. Amelia décida de voyager avec Joseph et Pierre dans l'autre bateau, au milieu des provisions, parmi lesquelles il y avait le stock de rhum, de bière et de vin, qu'elle avait emporté à Lointaine quand elle y était venue pour la première fois. Elle ne savait trop ce qu'elle en ferait, mais elle voulait garder la possibilité de rouvrir la taverne.

Basse-Terre lui apparut fort peu différent de ce qu'elle en avait vu la dernière fois, hormis quelques soldats anglais ivres qui déambulaient l'air important dans les rues, et quelques bâtiments que l'on commençait à reconstruire.

« Oh, madame, murmura la fille de cuisine, comme ils quittaient la plage, lourdement chargés, pour gagner les rues de la ville, serons-nous tués comme ils ont tué le maître ?

— Bien sûr que non, répondit Amelia avec une conviction feinte, se souvenant de la légèreté avec laquelle les soldats anglais avaient tué Louis. Les Anglais ne s'en prennent pas aux femmes. »

Mme Volnay parut sceptique.

« Mais laissez-moi leur parler, ajouta Amelia. Il est peut-être préférable qu'ils ne nous entendent pas parler français. »

Lorsqu'ils arrivèrent à la taverne, la porte était ouverte et, durant un bref instant, Amelia sentit son cœur se serrer à la pensée que la guerre lui avait arraché ce lieu. Cette guerre lui avait pris trop de choses : son mari, sa maison, sa sécurité et son bien-être. Cette taverne, on ne la lui volerait pas. Elle respira profondément, se redressa de toute sa hauteur, se disant que si Molly pouvait se conduire en maître, elle le pouvait aussi.

« Attendez ici », ordonna-t-elle à sa petite bande avant d'entrer dans la taverne. On ne voyait pas grand-chose dans la pièce, mais elle distingua vaguement une petite silhouette debout derrière le grand comptoir.

« Que se passe-t-il ici ? demanda-t-elle sur un ton agressif. Cet endroit m'appartient. Donnez-moi des explications. »

Elle entendit un rire léger, un rire délicieux, un rire qu'elle reconnaissait.

« Amelia, ma douce cousine, où étais-tu ? demanda Ben en

sautant par-dessus le bar pour se précipiter vers elle. Quelle joie de te voir saine et sauve. Zach et moi, on croyait que tu étais morte. »

Il la serrait contre lui, lui embrassant les joues, aussi rieur et exubérant qu'autrefois avant Windsong. « Où étais-tu ? demanda-t-il. Je suis le plus heureux des hommes de te revoir. Attends, je vais allumer des chandelles pour pouvoir t'admirer tout mon soûl. »

Amelia sentit que ses jambes tremblaient sous elle et elle ferma les yeux. L'intensité du soulagement qu'elle éprouvait à la vue de son cousin était presque douloureuse. Elle se rendait compte à quel point sa famille lui avait manqué. Mais que faisait Ben ici ? Pourquoi n'était-il pas à Windsong ?

Il s'affairait autour des chandelles lorsque Amelia se souvint que les domestiques de Lointaine attendaient dehors.

« Ben, dit-elle. Une seconde. Je reviens tout de suite. »

Elle se précipita dehors. Mme Volnay avait mis son bras autour des épaules de Marianne qui paraissait terrifiée. Le visage de Béatrice était impassible, et Marie s'accrochait à la main de Pierre. Joseph n'était pas avec eux, il était resté derrière sur la plage, pour surveiller le déchargement du stock d'Amelia et pour aider les esclaves à l'apporter dans la taverne. Tous la regardaient d'un air interrogateur.

« Tout va bien, dit-elle sur un ton rassurant. Venez. »

On y voyait un peu plus clair maintenant, grâce aux bougies, et Ben parut surpris en apercevant la petite troupe qui franchissait le seuil.

« Ce sont des Français, dit doucement Amelia à Ben. Faut-il les cacher ? »

Il paraissait ahuri. « Des amis ?

— Des domestiques qui sont aussi des amis, dit-elle.

— Je doute qu'on leur fasse du mal, mais emmène-les dans la mansarde, puis nous parlerons », suggéra-t-il.

Amelia conduisit sa petite troupe dans la pièce où elle était restée assise avec Zach, il y avait des siècles maintenant, et leur promit de revenir bientôt. Puis elle retourna auprès de Ben.

Il était assis devant une table, ses cheveux roux brillant autour de sa tête. Il souriait d'un air heureux.

« Je t'offrirais du vin s'il y en avait dans cette taverne », dit-il.

Amelia rejeta la tête en arrière et éclata de rire. « Tu sais que c'est ma taverne ? »

Il parut surpris. « Ta taverne ?

— Molly McGuire est partie après le tremblement de terre et me l'a donnée. J'ai un papier qui le prouve et dans un moment tu auras tout le vin que tu désires.

— D'où ? Du ciel, peut-être ? Ta taverne ? » Ben était ahuri.

« Va voir dehors », dit-elle, espérant que Joseph serait arrivé.

Ben se dirigea en sautillant vers la porte et Amelia s'émerveilla de constater que son cousin était redevenu celui de son enfance, un lutin plein de lumière et de vie.

Joseph remontait la rue en poussant une charrette chargée de tonneaux et de bouteilles.

« C'est pour ici ? demanda Ben perplexe.

— Oui. C'est mon stock. »

Il passa la main à travers ses boucles pour se gratter le crâne. « Je ne comprends pas.

— C'est une longue histoire. Dis-moi d'abord ce que tu fais dans ma taverne. Pourquoi n'es-tu pas à Windsong ? »

Ben bondit sur ses pieds, fit quelques cabrioles autour de la pièce d'un air vainqueur. « Tu ne sais pas ? dit-il. Tu ne sais pas que nous sommes libres ?

— Libres ?

— Le Parlement a abrogé en janvier la loi qui nous concernait. En février, on nous a pardonné et libérés. » Il se frappa les cuisses en riant. « Oh, tu aurais dû voir la colère de ces planteurs. Ils avaient payé avec du bon argent pour nous avoir, et voilà qu'on leur enlevait leur livre de chair. Seulement quatre ans de travail au lieu de dix. Mais ils ont dû nous laisser partir. Basse-Terre est remplie d'hommes libres. Mais sans le sou. C'est là le problème. Que vont-ils faire ? Comment peuvent-ils rentrer chez eux ? »

Éberluée par cette nouvelle Amelia dut s'asseoir pour reprendre ses esprits. Ben indiqua à Joseph l'endroit où il fallait ranger les tonneaux. Puis il se rassit et dit d'un air penaud : « Je sais que c'est ta taverne, Amelia, mais c'est un travail d'homme. Je vais t'expliquer pourquoi je suis ici. Quand Zach et moi avons obtenu notre liberté, les Oliver voulaient que nous restions chez eux, mais je n'en avais vraiment aucune envie. Après des années à faire des courbettes ou à me quereller avec eux, j'en avais plus qu'assez. Bien que Zach soit riche maintenant, il est toujours dans l'armée de Sir Christopher, et comme moi il ne saura pas où aller lorsque les combats seront finis. Zach m'a parlé de Molly McGuire, c'est pourquoi je suis venu ici en espérant la trouver. L'endroit était vide et je l'ai occupé. Je pensais que Molly se cachait des Anglais et allait revenir. Je comptais bien remettre la taverne en état dès que j'aurais quelque chose à vendre.

— Eh bien, maintenant tu as quelque chose à vendre, dit Amelia.

— Effectivement, j'ai quelque chose à vendre, dit-il en hochant la tête comme s'il ne parvenait pas à y croire. Mais, dis-moi, Amelia, où étais-tu ? Et surtout n'omets aucun détail. »

Trois semaines encore passèrent avant que Zach revienne des combats. Les Anglais avaient pris possession des terres françaises, même les plus retirées de l'île et en étaient maintenant les maîtres absolus. Joseph, qui faisait la navette entre Basse-Terre et Lointaine, rapporta que les soldats anglais n'étaient pas retournés dans la propriété. La Bac faisait tout son possible pour à la fois couper la canne à sucre et reconstruire la maison. Il accordait bien entendu la priorité aux champs car c'étaient eux qui donneraient les moyens de reconstruire la maison. Les dommages que celle-ci avait subis étaient plus importants qu'on ne l'avait pensé au début et il faudrait des mois avant qu'elle soit de nouveau habitable.

Amelia reprit sa vie dans la cohue de la taverne. Ben l'avait rouverte et démontrait qu'il possédait les qualités nécessaires pour être un bon aubergiste. Marie s'occupait de la cuisine où elle préparait des plats pour les clients, et tout le monde se mettait à la tâche pour faire marcher l'affaire. Personne ne posait de question sur leur nationalité. Basse-Terre avait été française et les vainqueurs ne s'étaient jamais inquiétés de savoir si les domestiques d'Amelia habitaient là auparavant. En fait, un jeune soldat anglais faisait la cour à Marianne, au grand dam de Mme Volnay. Pour celle-ci les Anglais ressemblaient étrangement à la vision qu'avait Élisabeth Oliver des Français.

Le seul problème arrivait à la tombée de la nuit, lorsqu'il fallait coucher tout ce monde dans un si petit espace. Mais Zach trouva la solution en achetant la maison voisine et en s'y installant avec Amelia et Ben, laissant la taverne aux domestiques.

Peu à peu, la vie sur l'île reprit son cours normal. Les Français dont la propriété n'avait pas été réquisitionnée retournèrent à leur plantation et à leurs affaires, et une paix précaire s'installa. Amelia se sentait curieusement paisible. La liberté pourtant lui paraissait étrange. Elle n'avait pas l'habitude de marcher sans permission dans les rues de la ville, d'aller et venir à son gré. Elle se demandait parfois ce que devenaient Charlotte et sa mère, et qui était maintenant la cible de leur langue de vipère. Elle pensait tout le temps à Joshua avec qui elle faisait l'amour en rêve. Elle s'éveillait folle de désirs insatisfaits, se sentant coupable de rêver de Joshua et non de Louis. Elle en était arrivée à croire que l'enfant qu'elle portait était celui de Joshua. Elle s'inquiétait moins maintenant à propos de Tansie. Bizarrement, l'enfant dont elle était enceinte s'était amalgamé à Tansie et Amelia sentait que l'un et l'autre seraient sains et saufs grâce à ses soins.

Sa grossesse, ajoutée à la terrible fatigue due aux années passées à St. Kitts et à l'extrême chaleur de cet été, la mettait dans un état de passivité, physique et mental. Ben et Zach dirigeaient la taverne, même si ce dernier souhaitait retourner en Angleterre, après la naissance du bébé d'Amelia. Il voulait d'ailleurs emmener avec lui la mère et l'enfant. Amelia quant à elle avait repoussé toute décision jusqu'à la naissance de l'enfant. Elle avait dit à Zach qu'il pouvait vivre avec elle à Lointaine et gérer la propriété s'il en avait envie, mais son frère ne voulait plus entendre parler de l'île. Il désirait retourner dans le Devon, acheter Quick Manor et y mener la vie d'un gentleman anglais. Pendant ce temps, la taverne leur apportait des bénéfices substantiels, même si Zach se plaignait de l'obligation de donner des gages aux domestiques.

« Nous devrions acheter des esclaves, dit-il. On paie une seule fois et ils travaillent pour la vie. »

Cette réflexion attrista Amelia. Elle refusait de renvoyer les serviteurs de Louis, car elle se souvenait de la répugnance de son mari pour le travail non payé et ne voulait en aucune façon employer des esclaves dans la taverne. Elle se disputa avec Zach, mais elle avait toujours été la plus forte, et sa volonté finalement prévalut. Pour le reste, elle lui laissait faire ce qu'il souhaitait.

Juin disparut dans un flamboiement de chaleur menaçante. Juillet fut étouffant. Amelia passait ses journées assise sur la plage, à faire des ricochets et à regarder les plongeons des pélicans. Le Devon devenait de plus en plus lointain dans sa mémoire et elle commençait à sentir de l'affection pour cette île bien souvent hostile, mais toujours belle. Grâce à la liberté, elle la voyait différemment et peu à peu la considérait comme son pays.

Au fur et à mesure que son terme approchait, elle pensait à Bella et à Bessie, ces deux femmes qui l'avaient tant aidée lors de son premier accouchement. Elle les voulait de nouveau près d'elle et la pensée lui vint, puisqu'elle était maintenant libre et avait de l'argent, qu'elle pourrait racheter Bella à Matthew Oliver pour lui donner la liberté.

Elle en parla à Zach et à Ben, un soir après le dîner dans le petit salon de la maison. « Et quand nous retournerons en Angleterre, que ferons-nous de Bella ? objecta Zach.

— Je ne veux pas retourner là-bas », dit-elle, surprise elle-même de la fermeté de sa voix.

Zach se leva et la regarda de haut en bas.

« Tu ne peux rester ici, dit-il catégoriquement. Que feras-tu ?

— Je m'occuperai de Lointaine. J'essaierai de retrouver Tansie. J'ai bien l'intention d'entreprendre des recherches dès que j'aurai accouché.

— Amelia, tu dois oublier Tansie, gronda-t-il. Elle est noire.

— C'est ma fille, dit Amelia calmement. Quelle importance peut donc avoir la couleur de sa peau ? »

Il marchait nerveusement de long en large. « Ben vient avec moi. Tu seras seule ici. »

Ben regardait dans la rue par la petite fenêtre.

« Eh bien, pour tout dire, Zach, je pensais rester moi aussi, dit-il sur un ton d'excuse. Je me demandais si Amelia accepterait de me vendre la taverne ; il se trouve que j'aime cette vie. »

Zach les regarda l'un après l'autre, totalement déconcerté. « Mais je veux rentrer chez moi.

— Pourquoi ? demanda Ben.

— Parce que c'est chez moi.

— Ce n'est pas sûr. Suppose que Quick Manor ait été vendu. Que feras-tu alors ? Beaucoup de choses ont changé en cinq ans.

— C'est absurde ! »

Ben haussa les épaules. « Tu fais ce que tu veux, Zach, mais Amelia et moi nous restons ici. » Il jeta à sa cousine un coup d'œil de conspirateur qui rappela à Amelia le jour où il lui avait avoué qu'il l'aimait. Elle resta de glace.

« Vous êtes fous tous les deux, lança Zach en se dirigeant vers la porte.

— Zach, cria Amelia. Viendras-tu avec moi chez les Oliver ? Je t'en prie. »

Il se retourna et soupira. « Si tu le désires », dit-il.

Ils s'y rendirent tous les trois le lendemain matin. Amelia portait une de ses plus belles robes et elle s'était mis une mouche en haut de la joue pour faire ressortir l'éclat de ses yeux. Ils arrivèrent conduits par Joseph, dans le joli équipage que Zach avait acheté quelques semaines auparavant. Ils suivirent en silence la longue allée bordée de palmiers majestueux, se souvenant de la première fois qu'ils avaient vu cette maison, fort heureux que les circonstances aient tourné si favorablement pour eux.

Un des domestiques noirs ouvrit la porte et resta bouche bée en les apercevant.

« Ben et Amelia, dit-il, les yeux grands comme des soucoupes devant leur élégance. Mais où étiez-vous passée, Amelia ? Le maître était fou de rage lorsque vous avez disparu.

— Nous sommes libres, Daniel, dit Amelia. Le maître peut enrager autant qu'il veut. Nous sommes libres.

— Vous avez bien de la chance », soupira Daniel.

Ils se dirigèrent vers la véranda, au fond de la maison, où se tenaient les trois Oliver. Charlotte et Élisabeth les regardèrent avec autant de surprise que leur domestique. Matthew Oliver devint cramoisi et bondit sur ses pieds.

« Pardonnez-nous d'arriver ainsi à l'improviste, dit Amelia l'air suave, tendant une main gantée. Mais nous étions impatients de vous voir. Vous vous souvenez de Ben, naturellement, et de mon frère Zachary. Zachary n'est pas resté très longtemps avec vous, mais je suis sûre que vous ne l'avez pas oublié. »

Elle jouissait de l'expression indignée qui envahit le visage d'Élisabeth et de la gêne de Matthew. Charlotte essayait de dissimuler un sourire.

« Oh, c'est agréable de te voir, Amelia, dit la jeune fille en jetant un regard inquiet vers sa mère. Je n'ai trouvé personne d'autre qui me coiffe aussi bien que toi. »

Zachary avança de quelques pas. Il portait un justaucorps bordeaux assorti à sa culotte très ajustée, un gilet en brocart, et des bas de soie rouge. Ses chaussures à hauts talons le faisaient paraître encore plus grand qu'il n'était en réalité. Pour couronner le tout, il portait un jabot de dentelle et une grande perruque couleur d'or. Il avait son tricorne sous le bras, le poids et la taille de sa perruque rendant son couvre-chef importable.

Charlotte, médusée, le dévisageait tandis qu'il s'avançait vers elle. Amelia remarqua que les joues de la jeune fille rosissaient au moment où Zachary lui baisa la main.

« Ma sœur m'a souvent parlé de vous », murmura-t-il, et il ajouta en prenant la main d'Élisabeth : « Une mère et une fille aussi belles l'une que l'autre. »

Amelia était aussi surprise que Charlotte. Où donc son frère si maladroit avait-il acquis ses bonnes manières ? Charlotte visiblement était sous le charme. Elle ne pouvait détacher son regard de Zachary. Amelia devait reconnaître qu'il avait fière allure.

« Ben, je suis content de vous voir. » Matthew venait de s'apercevoir que son ancien valet était habillé presque aussi superbement que Zachary. « Vous nous avez beaucoup manqué.

— Il en fut de même pour moi », dit Ben en s'inclinant gravement.

Il y a quelque chose d'absurde dans ce rassemblement, se disait Amelia. Elle et les deux garçons paraissaient bien plus à l'aise, bien mieux élevés que ces gens dont ils avaient été les esclaves.

« Je vous en prie, asseyez-vous, dit Matthew en désignant d'un vague geste de la main le long canapé sur lequel il avait autrefois violé Amelia. Que pouvons-nous faire pour vous ?

— Je me souviens de ce canapé », dit doucement Amelia tandis qu'elle s'asseyait, regardant droit dans les yeux Matthew qui se mit à rougir. Puis elle sourit de toutes ses dents aux Oliver. « Ce que vous pouvez faire pour nous est très simple. Nous sommes venus acheter Bella. »

Élisabeth se raidit. « Bella n'est pas à vendre », dit-elle fermement.

Amelia posa ses yeux limpides sur Matthew et de sa main caressa doucement la tapisserie qui recouvrait le canapé dans un geste qui sembla hypnotiser son ancien maître.

« Je suis sûre que vous trouverez dans votre cœur les moyens de la laisser partir, dit-elle avec un petit rire cristallin. Nous avons partagé tant de secrets, Bella et moi, tant de choses, vous n'ignorez pas que les domestiques sont au courant de tout. Et aujourd'hui que j'ai ma propre demeure, j'éprouve le besoin de la sentir près de moi.

153

— Votre demeure ? dit Élisabeth en pinçant les narines. Où donc ?

— A Capisterre, la plantation Lointaine. Je n'y vis plus pour le moment, parce que les soldats anglais l'ont incendiée, ne laissant que des ruines. Et hélas, ils ont tué mon mari, alors qu'il essayait de nous défendre. Vous voyez devant vous une veuve qui attend... » Elle s'arrêta un petit instant... « son premier bébé.

— Tu as épousé un Français ? dit Élisabeth scandalisée.

— Je suis Mme Rosier, lui apprit Amelia.

— Alors Bella n'est certainement pas à vendre. »

Matthew s'éclaircit la voix. « Peut-être, ma chérie, devrions-nous demander à Mme Rosier ce qu'elle offre, dit-il à sa femme. Bella devient vieille et un jour...

— Vous devrez subvenir à ses besoins si jamais sa santé faiblit, dit Amelia achevant sa phrase pour lui. Et cela peut représenter une dépense non négligeable. Je pensais à, disons, cinquante guinées, ce qui est, j'en suis sûre et vous en conviendrez, une offre généreuse étant donné... » C'était à son tour de s'interrompre et de jeter un coup d'œil de défi à Matthew.

« Cinquante guinées. » Élisabeth prit un ton pensif mais ses yeux étincelaient.

« Vous pourrez acheter au moins trois jeunes et solides esclaves pour ce prix. De nouvelles esclaves pour vous et votre maison. » Elle accentua le mot « nouvelles ». Des gouttes de sueur perlaient au front de Matthew. Elle savait qu'il craignait ce qu'elle pouvait ajouter.

« Oh maman, pourquoi ne la laissez-vous pas partir ? dit Charlotte timidement, les yeux toujours tournés vers Zachary. Vous savez bien qu'elle n'arrête pas de voler dans les plats. Vous vous en plaignez sans cesse. Et je suis sûre qu'Amelia et son frère accepteront de nous donner de ses nouvelles.

— Certainement, dit Zachary en se cassant en deux. Ce serait un grand plaisir et une agréable occasion de nous retrouver en votre compagnie. » Charlotte rougit de nouveau, regarda sa mère nerveusement, puis baissa les yeux modestement, tandis qu'Élisabeth agitait son éventail avec une énergie démesurée.

« Cinquante guinées, dites-vous ? » Elle reposa bruyamment son éventail. « Eh bien, parfait.

— Vous êtes trop gentille, madame Oliver, dit Amelia d'une voix suave. Peut-être allons-nous l'emmener maintenant avec nous ? »

Élisabeth poussa un gros soupir. « C'est en vérité un grand sacrifice. Elle a fait partie de notre famille pendant tant d'années. Mais si vous avez l'argent sur vous... Eh bien d'accord, vous pouvez l'emmener maintenant.

— Nous avons l'argent », dit Amelia en faisant un petit signe à Ben qui s'avança pour tendre à Élisabeth une bourse en peau de chamois remplie de pièces sonnantes.

Élisabeth l'ouvrit avidement, fit tomber les pièces sur ses genoux et se mit à les compter, ce qui demanda pas mal de temps.

« Le compte y est.

— Parfait, dit Amelia en faisant bruire ses jupes, et en jetant un sourire à la ronde. Maintenant nous allons chercher Bella. » Elle leva sa main. « Non, je vous en prie, ne vous dérangez pas. Nous la trouverons facilement. Comme vous le savez, nous sommes des habitués. »

Bella était dans la cuisine en train de sortir les cendres de la cheminée. Comme elle se retournait pour voir qui entrait dans la pièce, son visage d'ébène poli prit des reflets rouges à la lueur du feu. Elle se redressa, posa ses grandes mains rougies sur ses larges hanches et dévisagea les visiteurs.

« Seigneur, dit-elle, c'est vous. J'étais sûre qu'ils finiraient par vous rattraper. »

Sa voix était agressive, son visage hostile. Amelia se sentit un peu coupable en se souvenant qu'elle était partie de Windsong sans lui dire au revoir. S'était-elle sentie abandonnée ? Amelia résista à l'envie de présenter des excuses.

« Non, Bella, dit-elle. Tout est changé. Nous sommes libres.

— Oh! dit Bella en retournant à son feu. Vous avez de la chance.

— Et nous sommes venus te chercher pour te faire partir d'ici. »

Bella se tourna de nouveau vers eux, avec un visage si pincé et soupçonneux qu'il semblait s'être rétréci. « Pour aller où ?

— Sur ma plantation.

— Ta plantation ? s'exclama Bella sans chercher à dissimuler son incrédulité.

— On l'appelle Lointaine. C'est à Capisterre. Nous allons là-bas.

— Serais-tu en train de me dire que je vais devenir une de tes esclaves ? »

155

Amelia commençait à se sentir agacée. « Tu ne seras pas mon esclave, ni l'esclave de personne. Je vais te donner ta liberté.

— Ah ! Me donner ma liberté, hein ? Et qu'est-ce que j'en ferai donc de cette liberté ? Où trouverai-je de quoi manger ?

— Tu seras payée pour t'occuper de moi et de mon bébé, dit Amelia avec irritation. Je te trouve bien impossible, Bella. Veux-tu rester ici à Windsong ? Si c'est ce que tu désires, je vais de ce pas demander à Mme Oliver de me rendre mes cinquante guinées. »

Bella roula des yeux. « Aurais-tu payé cinquante guinées à la maîtresse pour moi ?

— C'est ce qu'Amelia est en train de te dire, Bella », lança Zach.

La grosse femme noire ne lui prêta aucune attention. Mais ses manières avaient changé. Sa voix s'était adoucie. « De quel bébé parles-tu donc ? De Tansie ?

— Non, d'un autre bébé, dit Amelia en posant sa main sur son ventre. Le bébé de mon mari qui a été tué par les soldats anglais. Oh, c'est une longue histoire, Bella. Mais je vais retrouver Tansie, Joshua et Vérité.

— Et qu'en feras-tu lorsque tu les auras retrouvés ?

— Je les emmènerai à Lointaine afin que nous soyons réunis. »

Bella poussa un gros soupir. « Tu n'as toujours pas grandi, ma fille. Tu ne comprends toujours rien à rien.

— Bella, dit Amelia les dents serrées. Veux-tu ou non venir avec nous ? »

Bella s'immobilisa pour réfléchir puis fit un geste affirmatif de sa grosse tête. « Peut-être que je vais aller chercher mes affaires », dit-elle.

Elle sortit en marchant lourdement pour se rendre dans la case des esclaves. Amelia, toujours furieuse, se tourna vers Zach et Ben.

« Elle est impossible ! » dit-elle.

Ben éclata de rire. « Voilà ce que ça te rapporte de vouloir faire la généreuse », dit-il.

Amelia ouvrit la bouche pour répliquer mais s'aperçut que Zach souriait également d'un air ironique. Elle capitula.

« Je ne pense pas qu'on puisse la changer maintenant », dit-elle faiblement.

Comme ils attendaient, ils entendirent un bruit de pas léger se dirigeant vers la cuisine et Charlotte apparut dans l'encadrement de la porte, rougissante, l'air excité.

« Amelia, dit-elle bien que ses yeux fussent fixés sur ceux de Zach, je suis heureuse que tu sois encore ici. Maman aimerait savoir si vous accepteriez de prendre une tasse de thé avec nous un jour de la semaine prochaine. Je t'en prie, dis oui. On s'ennuie tellement ici et — elle hésita un instant — tu m'as manqué quand tu es partie. »

Amelia cligna des yeux. Elle se préparait à refuser lorsque Zach dit : « Nous en serions ravis. Est-ce que mardi vous conviendrait ? »

Charlotte battit des mains. « Mardi ce serait parfait, soufflat-elle. A trois heures environ. Un véritable plaisir... » Puis elle sortit précipitamment de la cuisine comme si elle craignait que Zach puisse changer d'avis.

« Zach ! » s'exclama Amelia.

Son frère s'étira et leva une main pour toucher le plafond. « C'est bien elle l'héritière ? demanda-t-il.

— Qui pourrait le savoir mieux que toi ? dit Amelia de mauvaise humeur.

— Elle n'a pas d'autre frère ?

— Pas d'autre frère », dit Ben sur un ton de pince-sans-rire.

C'est à ce moment que Bella réapparut sur le pas de porte, un petit balluchon à la main.

« Me v'là », dit-elle.

8

A la fin de l'été 1690, Lointaine était de nouveau partiellement habitable. Même s'il y avait encore beaucoup à faire, Amelia décida d'y retourner. Elle emmena Zach avec elle, laissant la taverne aux soins de Ben. Marie et la fille de cuisine désiraient rester à Basse-Terre. Marianne était amoureuse de son soldat anglais et ne désirait pas être séparée de lui. Quant à Marie, elle avait découvert qu'elle prenait plaisir à faire la cuisine pour les habitués de la taverne. Amelia se demandait si elle n'avait pas des vues sur Ben. Dans ce cas, Ben aurait pu plus mal tomber.

A Lointaine, c'est Bella qui prit possession de la cuisine et, à la surprise de tous, elle commença à maigrir. Quand Amelia lui fit part de son inquiétude au sujet de sa santé, Bella éclata d'un rire tonitruant.

« Je vais bien, dit-elle. Mais je ne me sens plus obligée de voler de la nourriture à chaque instant. »

Zach prit en main la plantation. Dans les derniers mois de sa grossesse, Amelia était devenue très forte, bien plus qu'elle ne l'avait été pour Tansie. Elle dormait durant les grandes chaleurs de la journée et avait pris l'habitude de se promener dans la nuit. Elle ne montrait guère d'intérêt pour quoi que ce fût. Zach n'en était pas fâché. C'était l'occasion pour lui d'apprendre à diriger une plantation. Il connaissait évidemment de première main la façon de cultiver et de traiter la canne à sucre, mais il ignorait tout des questions administratives. La Bac, curieusement, se montra très obligeant. Il ne paraissait pas contrarié par l'arrivée de Zach et avoua qu'il trouvait plus simple de recevoir des ordres d'un homme que d'une femme. Zach rencontra l'économe et se plongea dans les registres de la plantation avant de faire de fréquents voyages à Basse-Terre pour s'entretenir avec les marchands et les capitaines de navires qui vendaient et transportaient le sucre de l'île. La récolte de printemps à Lointaine fut bonne, et Amelia se déclara satisfaite des bénéfices. Mais Zach était certain qu'il aurait pu tirer un meilleur prix que La Bac. Il surveillait les entrepôts à Basse-Terre où l'on gardait les barriques de mélasse. Il se rendait compte qu'ils ne seraient bientôt plus suffisants pour contenir ce que produisait la plantation.

Quand Zach allait à Basse-Terre, il s'arrangeait toujours pour rendre visite aux Oliver en faisant étalage de sa richesse. Il se présentait à Windsong avec de petits cadeaux pour les deux femmes, vêtu des vêtements les plus coûteux. Sa prestance ne pouvait qu'attirer l'attention. Même si ses bonnes manières ne venaient que par à-coups, il apprenait maintenant à bien se conduire dans le monde. Évidemment, il ne faisait jamais allusion à l'époque où il était boucanier et jamais Matthew Oliver ne lui demanda où il avait passé les années qui avaient suivi sa fuite de Windsong.

Amelia ne se mêlait de rien. Elle ne lui demandait même pas pourquoi il prenait un tel intérêt à la plantation, étant donné qu'il avait clairement exprimé son intention de retourner en Angleterre. Mais Zach n'était plus si sûr maintenant de rentrer chez lui. Il avait un plan.

William Louis Rosier naquit un jour étouffant du mois d'août 1690, avec l'aide de Bella et d'une esclave noire venue des champs de canne. Mme Volnay ne cacha pas sa désapprobation : les bébés devaient naître dans un lit et non à l'aide d'un tabouret à trois pieds et d'une bassine.

Après la naissance du bébé, Amelia sortit enfin de sa léthargie mais elle ne s'intéressa pas plus à la plantation pour autant. Elle s'occupait uniquement du petit Will et continuait à laisser à Zach la gestion de la propriété. Celui-ci, qui connaissait bien le caractère énergique de sa sœur, se rendait compte que cette situation ne pouvait pas durer indéfiniment. Mais il mit à profit cette période pour consolider son expérience. Il avait des vues sur une plantation bien plus grande que Lointaine, et il voulait être prêt si l'occasion se présentait.

Il avait la certitude que Charlotte Oliver était amoureuse de lui. Elle continuait de rougir quand elle le voyait, bavardait à perdre haleine ou bien restait totalement silencieuse en sa compagnie. Sa mère accueillait chaleureusement le jeune homme lorsqu'il leur rendait visite et elle faisait en sorte que les deux jeunes gens soient laissés seuls pendant quelques instants. Matthew Oliver montrait moins d'enthousiasme pour ces visites. Zach se doutait que le maître de Windsong se posait des questions sur l'origine de sa fortune. Peut-être même devinait-il la vérité ? Mais tant de flibustiers étaient devenus des membres utiles et respectés de la communauté qu'il n'osait guère poser trop de questions. D'ailleurs, Zach était persuadé que Matthew était malade. Sa peau jaune était parcheminée, et il paraissait pitoyablement maigre et fragile sous la grande perruque blonde qu'il portait parfois. La plupart du temps, il restait assis avec un bonnet qui cachait sa tête rasée comme s'il ne pouvait plus supporter le poids de boucles.

Peu de gens sur cette île étaient aussi riches que les Oliver, néanmoins Charlotte n'avait pas encore trouvé de mari. Elle aurait bientôt vingt et un ans et n'avait pas de prétendant. Zach n'avait rien contre cette jeune fille. En fait, il en était arrivé à l'aimer beaucoup. Le culte qu'elle lui vouait le flattait, elle était assez jolie, et certainement suffisamment sotte pour qu'on puisse la diriger facilement. Il ne doutait pas un instant que c'était sa redoutable mère qui avait gaspillé les chances de sa fille au long des années. Les soldats, les pasteurs, les précepteurs qui avaient traversé la vie de la jeune fille avaient sans aucun doute été jugés insuffisants par maman. Bien qu'Élisabeth l'ignorât, lui aussi était loin d'être aussi riche que les Oliver, mais sa sœur était propriétaire d'une plantation. La réunion des deux domaines pouvait être une carotte utile à agiter.

Zach avait décidé d'épouser Charlotte. Il était sûr qu'elle voudrait de lui, mais il ne savait pas trop comment s'y prendre pour la courtiser. Sa vie de boucanier ne lui avait pas appris la conduite à tenir avec des jeunes femmes respectables et bien élevées.

Un soir, dans la salle à manger de Lointaine, alors qu'il était seul avec Amelia, il mit le sujet sur le tapis.

« Que dirais-tu si j'épousais Charlotte ? » demanda-t-il sans préambule.

Amelia reposa son couteau et sa fourchette et le dévisagea abasourdie. « Ce n'est vraiment pas possible !

— Et pourquoi pas ?

— Elle est si... » Amelia ne trouvait pas ses mots. « L'aimes-tu ?

— Elle est assez agréable.

— Avec toi, peut-être.

— C'est ce qui compte. Dans la mesure où je la trouve agréable et qu'elle est agréable avec moi...

— Mais pourquoi ? Pour la plantation ? » Le jour se faisait dans l'esprit d'Amelia et effaçait son expression étonnée. « Naturellement, c'est pourquoi tu as demandé si elle avait un frère l'autre jour.

— Évidemment !

— Mais je pensais que tu voulais rentrer en Angleterre.

— J'ai changé d'avis... si j'arrive à faire en sorte qu'elle m'épouse. »

Amelia éclata soudain de rire. « Je suppose qu'il y a là une certaine ironie. Leur ancien esclave, qui a tué leur fils, épouse leur fille.

— Nous ne parlerons jamais de cela, dit Zachary mal à l'aise. Mais dis-moi, comment dois-je m'y prendre ?

— Pardon ? »

Il avait un air gêné. « Tu sais, la cour. Les baisers... Comment embrasse-t-on ? Jusqu'où peut-on aller ? »

A nouveau, Amelia ne put dissimuler son étonnement. « Tu ne sais pas ?

— Je crois que ce n'est pas la même chose ici que ça l'était pour les boucaniers. Pour eux, Tom avait une expression. Il disait qu'ils frappaient toujours avant d'entrer. Il n'était pas question de tendres baisers.

— Es-tu en train de me dire que tu as commis des viols ? » demanda Amelia d'une voix horrifiée.

Il la regarda perplexe. « Eh bien, oui.

— Zach, c'est répugnant !

— Pourquoi ? » Il était blessé par le mépris qu'il devinait dans sa voix. « C'était comme ça. Il n'était pas question de faire la cour.

— Ça me laisse sans voix. Qu'aurait dit notre père...

— Et qu'aurait dit notre père à ton sujet pour ce que tu as fait », lui lança-t-il. Cette réflexion lui a cloué le bec, pensa-t-il, comme sa sœur devenait écarlate. « Maintenant, dis-moi, puis-je l'embrasser ?

— Si elle te laisse faire, répondit Amelia d'une voix glaciale.

— Et jusqu'où puis-je aller ?

— Aussi loin qu'elle te laissera faire.

— Tu veux dire qu'il faut que je m'arrête quand elle me dit d'arrêter ?

— Exactement, dit Amelia en se levant. Je vais me coucher maintenant, Zach. J'espère que tu réussiras dans toutes tes manigances. Mais je suis inquiète pour Charlotte. Je l'estime peu, mais pourtant elle méritait mieux que ça. »

Il était de nouveau blessé par ses paroles. Elle était toujours parvenue à le blesser. Elle était plus vive, plus intelligente. Il fallait qu'elle ait une bonne opinion de lui. C'était important. Et il avait besoin de se confier.

« Amelia, attends, dit-il en bondissant sur ses pieds. Tu ne comprends pas. Quand des hommes sont ensemble comme nous l'étions sur ce bateau, il n'est pas question d'être faible. Déjà les champs de canne à sucre m'avaient endurci mais c'était encore différent avec les pirates. Là tout homme devait être aussi fort que son voisin. Je ne pouvais être différent. S'ils violaient, je violais. S'ils tuaient, je tuais. Il y a des choses qui me hantent encore, Amelia. Un jour nous avons fait rôtir une femme sur son propre foyer parce qu'elle ne voulait pas nous dire où elle avait caché son trésor. J'entends encore ses cris. Ce que tu appelles viol me semble de peu d'importance en comparaison. C'étaient des choses que nous faisions tous — ensemble. Seuls nous n'en aurions jamais eu le courage. C'est difficile de t'expliquer mais à cette époque toutes ces cruautés, c'était une mise à l'épreuve, un examen de passage pour voir si je valais la peine de faire partie de leur confrérie. J'ai peut-être un peu honte maintenant pour les choses horribles que j'ai faites, mais aucun regret. J'ai fait ce que mes camarades attendaient de moi et je trouvais que c'était mieux d'être l'agresseur que la victime. Dans cette confrérie, nous n'étions jamais les victimes. Sur l'*Indeavour* et à Windsong, nous étions les victimes. Ça ne m'arrivera plus jamais, ni à toi, ni à Ben tant que je pourrai vous protéger. Quant à Charlotte, j'ai l'intention d'être un bon mari et si je t'ai demandé conseil, c'est simplement parce que je ne veux pas l'effrayer comme j'en ai effrayé tant d'autres auparavant. »

Amelia écoutait le visage impassible. Puis elle commença de parler d'une voix qui lui parut fort triste. « Ce que veulent les femmes plus que tout, c'est d'être aimées, de sentir qu'elles sont aimées, dit-elle. Mais seras-tu capable de lui offrir ça, Zach ? »

Elle se retourna et quitta la pièce, fermant la porte doucement derrière elle et le laissant perplexe et seul.

Il décida d'aller chez les Oliver le lendemain même. Maintenant qu'il avait fait part à Amelia de ses intentions, il devait mettre son projet à exécution. Il revêtit un nouveau pourpoint en brocart d'un bleu éclatant qui s'accordait parfaitement avec le bleu plus sourd de sa cape. Il enfila des bas blancs sous sa culotte bleu marine. Pour parachever l'ensemble, il posa sur sa tête sa perruque dorée. Le miroir de sa chambre à coucher lui renvoya l'image d'un jeune homme fort beau et fort riche.

Ce fut Charlotte qui vint à sa rencontre à Windsong. Elle paraissait agitée.

« Oh, monsieur, commença-t-elle, maman n'est pas bien et ne peut nous servir de chaperon. Je crains que votre visite ne doive être abrégée. Mais prendrons-nous néanmoins le thé ? »

Maman n'était pas bien. Excellent.

« Votre pauvre mère ! dit-il avec sollicitude. Rien de grave, j'espère.

— Non, un simple rhume de cerveau, mais elle se sent misérable et déprimée.

— Et c'est vous qui la soignez ?

— J'essaie de faire de mon mieux.

— Vous devez être fatiguée. Un peu d'air vous ferait du bien. Pensez-vous que madame votre mère serait contre une petite promenade dans le jardin ? »

Charlotte battit des mains, inclina la tête sur une de ses épaules et réfléchit un instant. Les boucles qui encadraient son visage frémissaient à chaque mouvement de sa tête.

« Je suis sûre qu'une promenade dans le jardin ne peut manquer à la bienséance, dit-elle. Toutefois je demanderai la permission à maman. » Elle hésita un instant puis ajouta : « En vérité un peu d'air frais me ferait grand bien.

— Alors venez », lui dit-il en lui offrant le bras.

Tout d'abord elle bavarda, montrant les fleurs, les arbustes tandis qu'ils traversaient le parc et dépassaient la case des esclaves. Il l'entraînait doucement vers le bois, ce même bois par lequel il s'était enfui, des années auparavant.

Elle ne protestait pas ; au contraire il lui semblait qu'elle s'appuyait plus lourdement sur son bras au fur et à mesure qu'ils s'éloignaient. Le petit passage dans la broussaille qui conduisait au petit lac où Joshua l'avait retrouvé cette nuit-là était toujours ouvert.

163

« Voulez-vous voir où ça conduit ? » demanda-t-il en prenant sa main dans la sienne.

Elle ne fit aucune difficulté mais resta silencieuse. Elle respirait plus bruyamment et sa main devenait moite dans la sienne. Était-elle effrayée ou excitée ?

Bientôt ils entendirent un clapotis et la retenue d'eau apparut devant eux, claire et scintillante. Il se souvint de cette nuit où il avait couru vers ce même ruisseau, dans une obscurité hostile, pour se mettre en sécurité. Cette nuit-là l'eau courante lui avait remis en mémoire une autre rivière, dans laquelle il avait pêché des truites, enfant.

« Ah, dit-il, cet endroit me rappelle le Devon.

— C'est tellement joli, malheureusement je n'ai jamais vu le Devon, souffla-t-elle. J'ignorais l'existence de cet endroit. Mais nous sommes loin de la maison. Nous devrions retourner. Papa... »

Elle se tourna vers lui. Le haut de sa tête arrivait juste à la hauteur du menton de Zach, et sa bouche, enfantine et gonflée, tremblait légèrement. Ses yeux fuyaient son regard. Il remarqua la manière dont ses seins se soulevaient sous le décolleté profond de sa robe, et se sentit étonnamment excité.

Il effleura sa joue et trouva sa peau extrêmement douce.

« Je pense que peut-être... », commença-t-elle.

Il ne l'écouta pas et la souleva gentiment du sol de façon à ce que son visage soit à la hauteur du sien. Puis il l'embrassa en plein sur les lèvres. C'était agréable de la tenir contre lui mais le baiser n'était pas vraiment satisfaisant. Il la reposa par terre, puis se pencha pour trouver sa bouche. De cette façon, il pouvait la tenir de plus près, se sentir encore plus proche d'elle.

Il n'avait aucune idée de la manière dont elle réagirait. Il ne pensait certes pas qu'elle se débattrait, lui donnerait des coups de pied comme les autres femmes l'avaient fait, mais il n'avait pas prévu qu'elle s'évanouirait. Il crut durant un instant qu'elle lui rendait ses baisers, puis soudainement, se rendit compte qu'il ne tenait plus dans ses bras qu'un poids mort et sa propre excitation disparut. Il la regarda un instant l'air perplexe puis la souleva pour la porter. Il restait là debout dans la clairière, ne sachant que faire. Elle battait des paupières et il la dévisagea un peu inquiet.

« Oh ! Oh ! Qu'avez-vous fait ? » murmura-t-elle.

Il était bien trop déconcerté pour s'embarrasser de mondanités, et d'ailleurs il n'avait aucune idée de ce qu'il fallait dire dans une telle situation.

« Je n'ai fait que vous embrasser, dit-il rempli d'indignation.

— Oh ! s'exclama-t-elle, se voilant la face des deux mains. Que dira maman ? »

Il restait immobile, continuant bêtement à la porter. Elle retira les mains de son visage pour le regarder. Prudemment, il se pencha de nouveau pour l'embrasser, certain cette fois qu'elle répondait à ses baisers.

« Oh, je vous en prie. Je vous en prie, cessez, soupira-t-elle quand il dégagea sa bouche de la sienne. Si l'on nous voyait, eh bien il vous faudrait m'épouser.

— Mais c'est bien mon intention, dit-il avec humeur.

— Vous voulez m'épouser ? » Les yeux bleus de la jeune fille s'agrandirent démesurément. Toujours dans ses bras, elle leva la tête et le dévisagea d'un air presque soupçonneux.

Zach avait perdu tout contrôle de la situation. Il sentait même monter en lui un peu de colère.

« Pourquoi donc pensez-vous que je n'ai pas cessé de vous rendre visite durant toutes ces semaines ? Pourquoi pensez-vous que je vous embrasserais si je n'avais pas de sérieuses intentions ? Mais voulez-vous de moi ? demanda-t-il de but en blanc. C'est ce que je veux savoir.

— Vous pensez réellement ce que vous dites ?

— Évidemment ! » gronda-t-il agacé. Et sans cérémonie il lui lâcha les jambes afin que ses pieds retrouvent le sol. Elle atterrit assez brusquement et dut s'agripper à lui pour ne pas tomber.

« Oh, quelle passion ! » cria-t-elle en se jetant contre lui et se haussant sur la pointe des pieds pour l'embrasser. Il la serra dans ses bras, se demandant s'il devait aller plus loin où s'arrêter. Puis il se souvint de ce que lui avait dit Amelia.

« Je vous aime », dit-il. Son ton ne lui parut guère convaincant, mais l'effet de ces trois mots sur Charlotte fut remarquable. Tout d'abord, elle rougit, puis devint livide, et vacilla comme si elle allait s'évanouir de nouveau.

« Et je vous aime aussi, dit-elle, d'une voix si basse qu'il l'entendit à peine. Je vous ai aimé et j'ai rêvé de vous depuis le jour où vous êtes venu avec Amelia pour acheter Bella. » Elle hésita. « Allez-vous parler à mon père ? » interrogea-t-elle presque timidement.

Durant un instant, il se demanda pourquoi elle voulait qu'il parle à son père, puis il se souvint.

« Je lui demanderai votre main, lui assura-t-il, aujourd'hui même.

— Oh, Zach ! » dit-elle. Elle semblait sur le point de défaillir et il lui prit rapidement le bras. « Franchement je crois que j'ai perdu la tête aussi bien que mon cœur. »

Zach alors se rendit compte avec effroi qu'il était sur le point, lui, de perdre sa liberté.

Lorsqu'il revint à Lointaine pour le dîner, Amelia lui trouva l'air triomphant.

« J'imagine qu'elle a accepté », dit-elle, comme ils se mettaient à table.

Il parut surpris. « Comment le sais-tu ?

— Tu as un air satisfait qui ne trompe pas. »

Il se renversa dans sa chaise en éclatant de rire. « C'était la chose la plus facile qui soit, dit-il, sauf que lorsque je l'ai embrassée elle s'est évanouie.

— Comme toute jeune fille convenable doit le faire. » Amelia se rendait compte que sa voix était désagréable, mais elle n'y pouvait rien.

Il parut étonné de nouveau. Il était facile d'étonner Zach.

« Tu veux dire qu'elle ne s'est pas vraiment évanouie ?

— Effectivement. Je veux dire qu'elle ne s'est pas vraiment évanouie.

— Mais elle m'a dit qu'elle m'aimait, dit-il impatiemment.

— Ça, je suis sûre que c'est la vérité.

— Ses parents sont ravis.

— Ça ne m'étonne pas. Ils devaient commencer à penser qu'ils l'auraient éternellement sur le dos.

— C'était une chance que sa mère soit malade. Nous sommes restés seuls.

— Malade bien à propos ! » commenta Amelia.

Zach garda le silence. Puis il dit : « Je l'aime réellement beaucoup, tu sais, Amelia. Elle n'est... » Il hésita un moment, puis ajouta d'un air piteux... « pas si mauvaise. »

Amelia fut immédiatement prise de remords. « Je suis désolée, Zach. Je suis sincèrement heureuse pour toi. Quand allez-vous vous marier ?

— Bientôt. Quand les choses seront arrangées, dit-il, en prenant sa fourchette et en commençant à s'intéresser au contenu de son assiette.

— Quelle sorte de choses ? » demanda Amelia.

Il remua, mal à l'aise sur sa chaise. « Des questions financières.

— Mme Oliver a toujours souhaité un beau parti pour Charlotte. Es-tu réellement aussi riche que ça, Zach ? »

Il reposa son couteau et sa fourchette. « Pas mal riche, dit-il sur la défensive, mais tu sais comment sont les planteurs. Il n'y a que les propriétés qui les intéressent.

— Tu n'as aucune propriété, dit-elle sans comprendre pourquoi il paraissait si embarrassé.

— Mais toi tu en as une, marmonna-t-il.

— Tu veux dire Lointaine ?

— Oui. » Il évitait ses yeux. Il rougissait comme un petit garçon pris en faute. C'est alors qu'elle commença à saisir ce qu'il avait fait.

« Tu n'as pas prétendu que Lointaine t'appartenait ? demanda-t-elle sèchement.

— Oh non, répliqua-t-il immédiatement. Ils savent que c'est à toi, mais ils pensent que c'est... un bien de famille. »

Amelia posa son couvert. « Zach, que leur as-tu dit exactement ? »

Il faisait tous ses efforts pour paraître calme. « Qu'il y avait peut-être une possibilité pour que Lointaine et Windsong deviennent un seul domaine. Ce n'est pas irréalisable, n'est-ce pas ? demanda-t-il ardemment. Tu ne t'y intéresses guère et je m'y intéresse fort. Ce serait agréable de n'en avoir qu'un à diriger. Ça réduirait les dépenses et ça serait la plus belle plantation de l'île, plus grande même que Macabees. »

Amelia sentait monter la colère. « Me suggères-tu que ma plantation devienne une partie de celle des Oliver ?

— Pas exactement, dit-il sur la défensive.

— Il faudrait passer sur mon corps, Zach.

— Ça ne pourrait se faire qu'à la mort de Matthew Oliver.

— Ça ne se fera jamais », dit-elle en tapant du poing sur la table. Il sursauta et elle aperçut, à la lueur des chandelles, de petites gouttes de sueur qui luisaient sur le front de son frère.

« Écoute-moi, ma petite sœur, dit-il. Ce que ça veut dire précisément, c'est qu'en fin de compte, Windsong deviendrait une partie de Lointaine.

— Impossible ! dit-elle sur un ton cassant. Les deux plantations sont bien trop éloignées l'une de l'autre. Et d'ailleurs celle-ci appartient à mon fils. Je ne veux absolument plus parler de ça. »

Elle s'attaqua à sa nourriture avec des gestes nerveux et

Zach se tut, l'oreille basse. Amelia se rendait compte que son cerveau était en ébullition, mais pourtant il ne dit rien. En tout cas, elle n'allait pas l'aider aujourd'hui. Elle était furieuse.

Néanmoins on entreprit les préparatifs de mariage. La noce aurait lieu en mai, quatre mois plus tard, avant que le temps ne devienne trop chaud et trop lourd. Amelia devinait que Zach n'avait rien fait pour revenir sur les promesses qu'il avait faites aux Oliver. Mais c'était à lui de leur dire que Lointaine ne deviendrait jamais une partie de Windsong. Cette vague menace qui pesait sur l'héritage de son fils la tira momentanément de sa longue torpeur. Il est grand temps de m'occuper de ma propriété, décida-t-elle. Mais malgré tout, les problèmes de la plantation ne l'intéressaient guère. C'était bien plus passionnant de s'occuper du bébé, de le regarder grandir. C'était un enfant avec un heureux caractère qui souriait quand il la voyait et soulevait son petit poing potelé pour dire au revoir. Il était, de l'avis d'Amelia, probablement un des bébés les plus intelligents et les plus avancés qui soient jamais nés.

Environ un mois avant le mariage, elle descendit à la cuisine pour parler avec Bella. Elle provoquait ces petites conversations au moins une fois par semaine, emmenant William avec elle dans l'espoir que Bella finirait par s'attacher au bébé. Mais Bella, entêtée, agissait comme si le petit garçon n'était pas présent.

Pour le moment, elle pétrissait de la pâte pour le pain du soir. Elle leva les yeux d'un air agressif au moment où Amelia, le bébé dans ses bras, franchissait la porte.

« Il a une dent de plus, dit-elle joyeusement. C'est la septième.

— Il en est ainsi pour la plupart des bébés, bougonna Bella, tapant sur la pâte comme si elle voulait la punir.

— Qu'y a-t-il, Bella ? demanda Amelia. Pourquoi manques-tu tellement de gentillesse avec William ? »

Bella mit ses mains sur ses hanches, dans une attitude hostile bien connue. « Je n'ai rien contre William, déclara-t-elle. Il n'y est pour rien. Je me demande simplement quand vous allez vous décider à faire quelque chose pour Tansie. Vous vous souvenez de Tansie ? C'est votre fille. Elle aura quatre ans en avril et nous ne l'avons pour ainsi dire pas vue depuis sa naissance. Et maintenant que vous avez William, vous ne vous souciez plus d'elle, ni de Joshua, ni de Vérité, ni de toute ma famille qu'on a vendue. Vous m'avez fait venir ici en me racontant des mensonges. De gros mensonges. Vous m'avez dit que vous retrouveriez Tansie et Vérité et Joshua, et que nous serions de nouveau réunis. Je suis ici maintenant depuis presque neuf mois et qu'avez-vous fait ? Rien du tout. Où est ma famille ? Toute ma famille. C'est ce que je voudrais savoir. »

Amelia, consternée, la regardait. « Mais Bella...

— Je suppose que maintenant que vous avez un bébé blanc, vous n'avez plus envie de ma petite fleur jaune. C'est comme ça, n'est-ce pas ? Elle serait un embarras pour vous, dans votre nouveau rôle de maîtresse de cette grande plantation. Peut-être qu'elle est trop noire ? »

Amelia regarda le gros bébé à la peau blanche qu'elle tenait dans ses bras, et essaya de se souvenir de Tansie lorsqu'elle l'avait vue pour la dernière fois. L'image n'était pas nette. William avait oblitéré l'autre enfant. Mais cet effort de mémoire remua en elle les vieux sentiments, l'ancienne sensation de perte. Elle était honteuse. Comment pouvait-elle avoir oublié l'enfant de Joshua avec une telle facilité quand un autre avait pris sa place ? Et Joshua, et Vérité ? Elle s'était laissé hypnotiser. Elle n'avait pas réfléchi. Elle avait négligé ses responsabilités.

« Bella, dit-elle, tu as raison. »

Elle tourna les talons et sortit de la cuisine. Il n'y avait rien d'autre à dire à Bella. Maintenant il fallait agir. Et vite.

Le lendemain matin, après avoir confié William à la garde de Mme Volnay et s'être habillée en tenue de cheval, Amelia s'assit le buste droit sur le canapé dans l'entrée de sa maison pour attendre Zach. Elle essayait de contenir son impatience. Zach détestait se lever tôt, et il n'apparut que tardivement, la regardant de ses yeux endormis en descendant l'escalier.

« Où te prépares-tu à partir ? » demanda-t-il.

Elle ne répondit pas tout de suite à sa question. « Vas-tu à Windsong ce matin ?

— Je n'en avais pas l'intention.

— Je tiens, moi, à y aller. »

Il la regarda l'air surpris. « Et pour quoi faire ? Je pensais que tu détestais cet endroit.

— C'est vrai, mais je veux parler au vieux Pottle. Je ne comprends pas pourquoi je n'y ai pas pensé plus tôt.

— Pensé à quoi ?

169

— Grâce à ses registres, le vieux Pottle sait à qui Matthew Oliver a vendu Tansie et Joshua. »

Zach commençait à s'inquiéter. « Pourquoi veux-tu savoir ça ?

— Parce que, dit-elle sèchement, ma fille aura quatre ans dans quelques jours et je veux la retrouver. Tu m'as promis de la ramener ici et j'ai promis à Bella que nous nous retrouverions tous ensemble. C'est le moment de tenir nos promesses.

— Minute, dit-il énervé. Tu n'as pas l'intention de faire revenir Joshua ici ?

— Mais si.

— Tu ne peux pas. Tu ferais mieux d'oublier tout ça. De les laisser où ils sont. Ces histoires appartiennent au passé. C'est derrière nous. » C'était presque une prière. Amelia le regarda et fit la moue.

« Tu as peur que les gens devinent.

— Amelia, nous avons de l'argent, nous pouvons fréquenter la haute société si nous le voulons, et je le veux. Pourquoi compromettre cela pour quelque chose qui est arrivé il y a si longtemps ? Si les gens savent ce qui s'est passé entre toi et Joshua...

— Il n'y a aucune raison pour qu'ils puissent le savoir. Mais je veux tenir ma promesse, dit-elle avec entêtement.

— Tu es folle, lui lança-t-il brutalement.

— N'empêche, je veux aller à Windsong. »

Il la regarda d'un air résigné.

« Très bien, dit-il, puis il hésita comme s'il avait quelque chose de plus à dire. Si Matthew Oliver devait faire allusion à Lointaine... », commença-t-il, mais son visage se ferma et il n'alla pas plus loin.

Ils chevauchèrent le long de la plage en silence, lui devant sur l'étalon noir qu'il avait choisi dans les écuries de Lointaine, tandis qu'elle le suivait sur la jument que Louis lui avait donnée. Elle réfléchissait aux paroles de Zach. Ces six années passées dans les Caraïbes lui avaient appris à faire des concessions. Elle n'ignorait pas que Zach avait raison. Ce serait une catastrophe si la communauté blanche apprenait qu'elle et Joshua avaient été amants. Pourtant, il devait bien y avoir un moyen de rassembler la famille de Bella sans causer de tort à qui que ce soit. Rien n'était impossible, se disait-elle, tandis que son cheval trottait dans le sable noir et humide. Des giclées d'eau fraîche et salée jaillissaient sous elle. Elle trouverait bien une solution.

Charlotte l'accueillit avec effusion quand ils arrivèrent à Windsong.

« Ma future grande sœur, s'écria-t-elle. Pourquoi ne viens-tu jamais nous voir ? C'est dommage d'avoir choisi un jour où papa n'est pas bien. Il a la fièvre et sera vraiment déçu de t'avoir manquée.

— Pas une mauvaise fièvre ? » dit Amelia s'efforçant de se montrer compatissante.

Le visage de Charlotte s'assombrit. « Il n'est pas bien du tout. Maman a fait venir le médecin d'Old Town Road. Ces derniers mois, mon pauvre papa est sujet à de fortes fièvres. Le médecin rend responsable le climat, et il n'y a rien qu'on puisse faire contre ça, dit-elle en soupirant. Mais viens dire bonjour à maman. »

Élisabeth était assise dans son fauteuil habituel dans la véranda, et son expression, lorsqu'elle aperçut Amelia, était un mélange de dégoût et de vif intérêt.

D'un geste de la main elle lui désigna un siège. « Et qu'est-ce qui t'amène ici ? demanda-t-elle. C'est un honneur assez peu fréquent.

— J'ai eu l'envie de voir Windsong de nouveau, et de rendre visite à mes vieux amis, murmura Amelia.

— Parce que nos propriétés vont fusionner ? » demanda Élisabeth. C'était une question directe posée avec le coutumier manque de finesse d'Élisabeth. Zach, qui s'était posté derrière la chaise de Charlotte pour poser une de ses mains sur son épaule, se raidit.

« Non, non, dit Amelia en laissant échapper un petit rire cristallin. C'était simplement la nostalgie qui m'a amenée ici.

— Mais nos propriétés vont être réunies ? insista Élisabeth, les ailes du nez frémissantes.

— Madame, dit Zach en levant la main. Ces questions d'affaires...

— ... doivent être mises au clair, coupa Élisabeth.

— Mais pas maintenant, roucoula Amelia. C'est une telle joie de vous revoir, madame Oliver. Je n'ai pas réellement compris, jusqu'à ce que je ne sois plus sous votre tendre protection, combien je vous étais redevable à vous et à votre charmante fille. Vous étiez la mère et la sœur que je n'ai jamais eues. Si bonnes, si gentilles, si généreuses pour quelqu'un qui se trouvait dans une si triste situation. Croyez-moi, ne doutez

171

jamais que de quelque manière je vous rendrai tout ce que je vous dois. Jusqu'à la plus petite parcelle. » Elle s'arrêta et sourit devant l'air satisfait d'Élisabeth et se demanda jusqu'où il fallait aller pour que cette femme se rende compte qu'on se moquait d'elle. « Et dites-moi, est-ce que ce cher M. Pottle travaille encore aussi activement pour vous ? Ah, comme il vous a toujours tenue en haute estime. Je le déclare tout net, vous étiez son guide. Et est-ce que Jake est toujours le surveillant consciencieux que j'ai connu ?

— Peu de choses ont changé, dit Élisabeth d'un air suffisant, c'est vrai d'ailleurs que nous sommes aimés de ceux qui nous servent.

— Et à juste titre, affirma catégoriquement Amelia, avant de baisser la voix pour faire sa demande. Ce serait un très grand plaisir pour moi de revoir M. Pottle. Me permettez-vous d'aller lui dire bonjour ? Je me souviens comme il a été gentil avec moi lors de l'arrivée des Français. Essayant de calmer ma peur, me suppliant de rester à l'abri à Windsong. Pourtant, comme vous le savez, je me suis enfuie, craignant pour ma vie. Me permettez-vous d'aller le saluer ?

— Si tu y tiens, dit Élisabeth, qui aurait préféré revenir à la question précédente.

— Toujours aussi aimable, murmura Amelia. J'y vais de ce pas. »

Avant qu'Élisabeth puisse parler, Amelia était debout et passait la porte de la véranda. Il était clair que Zach avait rusé. Élisabeth Oliver avait de toute évidence des espoirs au sujet de la fusion de Lointaine et de Windsong. Mais c'était le problème de Zach.

Pottle fut ravi de la voir et ne posa aucune question embarrassante quand elle s'inquiéta de savoir où se trouvait la famille de Bella. Il dit simplement : « Vous tenez à réunir la famille ? »

Amelia acquiesça.

« Et comment va Bella ? demanda-t-il.

— Plus mince depuis qu'elle n'est plus obligée de voler dans les plats. »

Pottle rejeta la tête en arrière et se mit à rire. Puis il plongea dans ses registres.

« La famille de Bella a été vendue aux Ramillies, propriétaires de Macabees, lui dit-il. Ce n'est pas un endroit très réjouissant. J'espère qu'ils sont sains et saufs.

— Pensez-vous qu'ils me les revendront ?

— Si vous offrez suffffisamment, dit Pottle d'un ton sec. A Macabees, on n'est pas sentimental. Mais n'y allez pas vous-même. Envoyez un émissaire. Vincent Ramillies est — il tous-sota — célibataire et ce n'est pas quelqu'un qui ferait affaire avec une femme. Ses parents sont morts il y a longtemps, son frère et sa belle-sœur ont été emportés par la fièvre l'an der-nier. Son frère a laissé un enfant, une fille, qui n'avait à l'épo-que que quelques mois. Apparemment, un jour, cette propriété lui reviendra puisque les préférences de M. Ramillies... l'empê-cheront, si je peux dire, de nous donner un héritier. »

Amelia se pencha pour embrasser les joues ridées. « Je sui-vrai votre conseil et merci beaucoup, monsieur Pottle », dit-elle. Il était écarlate lorsqu'elle quitta la pièce.

Après avoir dit au revoir aux Oliver, ils chevauchèrent vers Lointaine en silence. Zach fulminait d'inquiétude, tandis qu'elle-même pensait à la suite des événements.

Il laissa échapper sa colère lorsqu'ils furent de retour à la plantation. Se débarrassant de son manteau, il cria: « Tu n'aurais jamais dû te rendre là-bas. Maintenant elle soupçonne que les propriétés ne seront pas réunies.

— Et tu as éludé la question, dit Amelia froidement.

— Que pouvais-je faire d'autre ? Après ton refus... »

Elle leva une main pour le faire taire. « Je peux avoir changé d'avis... »

Il eut l'air intéressé.

« Mais uniquement si l'on signe un contrat qui partage Loin-taine en trois, un tiers pour toi, un tiers pour William et un tiers pour moi.

— Ah ! dit-il.

— Et à condition que William et n'importe quel autre enfant que je puisse avoir partage Windsong en égale propor-tion avec tes propres héritiers.

— Ah, fit-il de nouveau mais cette fois sur un ton plus bas.

— Ce n'est que justice, dit-elle, et il acquiesça à regret.

— Je suis surpris que tu n'aies pas pensé à Tansie.

— J'y arrive, dit-elle d'une voix calme. Pottle m'a dit que Tansie et toute la famille de Bella se trouvent à Macabees. Avant que je me décide, je veux que tu ailles rendre visite à Vincent Ramillies et que tu le persuades de te vendre — elle compta sur ses doigts — Tansie, Joshua, Vérité, Bessie et Minta. Je les veux tous les cinq.

— Et sous quel prétexte ? »

Elle haussa les épaules. « Pottle affirme que si tu offres suffisamment d'argent, il te les vendra. Tu n'as qu'à lui dire que ta sœur, qui est sentimentale, veut réunir la famille de sa cuisinière. Dis que Tansie est ta fille. Ce n'est pas une honte pour un homme blanc d'avoir un enfant d'une esclave. Débrouille-toi mais ramène-les. »

Lorsque Zach réfléchissait, c'était aussi visible que le mouvement d'une horloge et en ce moment il pensait de toutes ses forces. Finalement il reconnut : « Je n'ai pas beaucoup de choix, n'est-ce pas ? Je crains...

— Que quelqu'un devine que Tansie est ma fille et celle de Joshua ? »

Il acquiesça.

« Cela n'arrivera pas, dit-elle. J'ai mûri maintenant. Je connais les règles. Ça ne signifie pas que je les aime ni même que je les approuve mais j'ai bien été obligée de les admettre. »

Zach s'avança vers la fenêtre comme s'il craignait de regarder sa sœur. « Tu l'aimes ?

— Joshua ? Oui, je l'aime. »

Il se retourna pour la dévisager. « Alors c'est dangereux...

— Non, coupa-t-elle. Je te l'ai dit. Je connais la situation maintenant.

— J'aimerais savoir ce que c'est que l'amour, murmura-t-il. Tu as de la chance. »

Elle se mit à rire. « Peut-être est-ce toi qui as de la chance, lui dit-elle. L'amour ce n'est pas si facile. »

Ils restèrent un long moment à se regarder dans les yeux puis Zach s'avança vers elle et la prit dans ses bras.

« Je sais que je t'aime, dit-il en enfonçant sa tête dans les cheveux de sa sœur. Ne t'inquiète pas. Je les ramènerai. »

Il lui fallut trois jours avant de se décider à aller à Macabees. Il avait besoin de temps pour penser à ce qu'il allait faire et dire. Finalement il parvint à se convaincre que sa meilleure chance serait d'improviser une fois là-bas. Macabees n'était pas très loin de Lointaine. C'était en fait la plantation la plus proche, au pied de Brimstone Hill, la montagne située dans la partie ouest de l'île.

La nervosité de Zach augmenta lorsqu'il emprunta la grande allée qui conduisait à la maison de la plantation. Depuis la mort de sa famille, Vincent Ramillies s'était retranché dans la solitude. On ne le voyait jamais dans le monde et l'on ne connaissait que peu de chose sur l'homme et son domaine. En dehors du fait que les esclaves menaçaient leurs enfants indisciplinés de les punir en les envoyant à Macabees.

Le valet noir qui ouvrit la grande porte d'entrée en bois du manoir élisabéthain parut surpris de voir un visiteur. Il introduisit Zach dans un hall de la taille d'une petite salle de danse et dit qu'il allait informer son maître de sa présence. Cinq minutes plus tard, alors qu'il marchait de long en large dans la salle dallée, Zach le vit réapparaître.

« Mon maître va vous recevoir, monsieur », dit-il.

Il précéda son visiteur jusqu'à une grande pièce voûtée à l'arrière de la maison. Une bûche de la taille d'un arbre brûlait dans la cheminée, et la chaleur était suffocante. Un homme était assis près du feu dans une robe de chambre ouatinée de couleur bordeaux. Ses cheveux roux aux boucles abondantes encadraient un long visage étroit, d'une blancheur cadavérique. Apparemment l'homme était poudré. Il présentait, se dit Zach, une ressemblance frappante avec la reine Élisabeth. Avec en plus quelque chose de cruel. A côté de lui se tenait un Noir très beau, élégamment vêtu d'un habit de brocart, un grand turban enroulé autour de la tête. La main droite de Ramillies reposait sur la cuisse du garçon.

L'homme leva une main gauche languide pour faire signe à Zach de s'approcher. Puis d'une voix haut perchée et affectée, il dit au jeune Noir : « Eh bien en voilà un d'une bonne taille, n'est-ce pas, Néron ? »

Néron ricana. « En vérité d'une bonne taille, monsieur.

— Et que puis-je faire pour vous ? » demanda Ramillies en battant des paupières.

Zach s'inclina. « Zachary Quick, monsieur, de la plantation de Lointaine, dit-il. Ai-je le plaisir de m'adresser au maître de Macabees ?

— Effectivement.

— Nous sommes, vous le savez, monsieur, voisins. »

Vincent Ramillies prit un mouchoir en dentelle dans sa manche et y plongea le nez pour renifler. « Curieux, fit-il.

— Je suis venu vous demander de bien vouloir me vendre quelques esclaves en particulier », commença-t-il.

Ramillies lui jeta un coup d'œil perçant. « Lesquels en particulier ?

— Une famille. Le frère, la sœur et la petite fille que votre surveillant a achetés à Windsong il y a quatre ans.

— Et comment voulez-vous que je me souvienne d'une famille qui a été achetée il y a quatre ans ?

175

— Bien sûr, monsieur, dit Zach, sentant des gouttes de sueur perler à son front. Mais votre surveillant...

— Oh oui. Il n'oublie jamais rien. Un brave garçon, Benson. » Puis il dit sèchement : « Pourquoi voulez-vous ces esclaves ?

— Ma sœur, monsieur, est un peu sentimentale. Cette femme était sa nourrice. Les deux enfants ont grandi ensemble.

— Et la gamine c'est votre fille sans doute, monsieur, dit Ramillies en gloussant. Oh oui. Je sais comment vous êtes, vous, les planteurs. Je me moque éperdument de vous les vendre ou non. » Il se tourna vers le jeune Noir. « Allons-nous les lui vendre, Néron ?

— Ça dépend, monsieur.

— Ça dépend de quoi ?

— De ce qu'il veut payer. »

Ramillies tapota légèrement la cuisse du garçon. « Oh, dit-il, tu es un bon jeune homme. Franchement. Avec un instinct très sûr. Et vous, monsieur, vous êtes ce qu'on appelle un bel homme. » Il se passa la langue sur les lèvres. « Accepteriez-vous de prendre un verre de bordeaux avec nous, pour régler cette affaire ?

— Rien ne me ferait plus plaisir, dit Zach avec chaleur, mais souhaitant intérieurement être loin. Mais le temps passe. J'ai rendez-vous à Basse-Terre dans une heure à peine. Toutefois, si je pouvais revenir pour profiter de votre hospitalité à quelque occasion...

— Oh mais oui, bien volontiers. » Ramillies le regardait de haut en bas. « Oh oui en vérité, vous serez vraiment le bienvenu. Maintenant, Néron va vous emmener voir Benson, mon surveillant. Néron, dis à Benson que je ne m'en séparerai pas pour moins de quarante souverains par tête, mais pour ce prix, cet élégant gentleman peut acheter autant d'esclaves qu'il le désire. »

C'était exorbitant, mais Zach se força à s'incliner et à remercier. Il entendit Ramillies éclater de rire alors qu'il quittait la pièce. Puis le rire cessa et la voix haut perchée résonna à nouveau. « Disons quarante-cinq, Néron, disons quarante-cinq. »

Zach frissonna en se retrouvant dans la fraîcheur du hall. Néron gambadait devant lui comme un petit singe de cirque. Le valet leur ouvrit la porte, le visage vide d'expression. L'endroit était sourdement maléfique. Zach éprouvait la désagréable impression, même au soleil en traversant les champs de canne, que cette propriété baignait dans une atmosphère cruelle et perverse. Et le premier coup d'œil qu'il posa sur Benson, un homme bovin, aux yeux rapprochés, n'effaça aucunement cette sensation.

Le surveillant n'était guère heureux de la demande de Zach. Ses yeux délavés se rétrécirent encore.

« Le maître doit être devenu fou de vouloir se séparer de ceux-là, dit-il. La petite fille est presque blanche. Je la surveille. Et les autres sont des domestiques. Bien stylés.

— Il y a intérêt qu'il en soit ainsi, fit remarquer Zach, pour quarante souverains par tête.

— Ça fait les affaires du maître. Mais ce n'est pas lui qui va en former de nouveaux, grommela Benson. Bon. Vous feriez mieux de venir les voir. »

Ils retournèrent en silence vers la maison, Néron toujours sautillant devant eux. En marchant, Zach se mit à réfléchir ; pensées laborieuses et troubles. Il devait être fou, disait-il, tandis qu'il contournait la maison pour atteindre la cuisine. Il allait payer de l'or sonnant et trébuchant pour un homme qui pouvait gâcher la vie d'Amelia et la sienne. Non seulement Joshua avait été l'amant d'Amelia, mais il savait aussi qui était le meurtrier de Justinian. C'est lui qui l'avait aidé à se mettre à l'abri après le meurtre. Et Ben lui avait confié qu'il avait essayé de lui faire endosser le crime après qu'on eut retrouvé le corps. Joshua n'aurait certainement aucun sentiment amical pour les hommes de la famille Quick et les tiendrait l'un et l'autre à sa merci.

Zach prit une décision rapide. Joshua devait rester où il était. Il se dit aussi que c'était une folie de mêler Bessie et Minta à leurs vies. Les deux femmes avaient assisté à la naissance de Tansie. Il était préférable qu'elles restent à Macabees hors de la vue et de la pensée de tous.

Benson les fit entrer dans la cuisine où deux femmes debout leur tournaient le dos. La plus petite leur jeta un coup d'œil de la table où elle épluchait des légumes. Son visage noir était maussade, ses yeux méfiants. L'autre s'écarta de la cheminée. Elle était visiblement différente. Sa peau était noire, mais paraissait polie comme de l'ébène. Ses yeux étaient gais, et il y avait quelque chose de moqueur dans toute sa personne tandis qu'elle les dévisageait. Elle ne se conduisait pas comme une esclave. Elle se tenait fièrement, la poitrine en avant, sa grande bouche rouge retroussée dans un sourire qui découvrait de belles et fortes dents blanches. Zach resta bouche bée en la voyant. Elle avait la présence et la force de la foudre. Elle était provocante et Zach sentait qu'il n'aurait pas à lui demander la permission, car elle faisait partie de celles qui disent toujours oui. Il la voulait pour lui.

« Et que venez-vous faire dans ma cuisine, à cette heure de la journée, monsieur Benson ? demanda-t-elle, aguichant dangereusement le surveillant.

— Attention à toi, gronda Benson, mais Zach sentit que le cœur n'y était pas. Je ne suis pas ici pour toi. Je suis là pour Vérité.

— Que voulez-vous de moi ? demanda la fille noire à l'air maussade.

— Cet homme veut t'acheter.

— Moi ? dit-elle en se déplaçant pour mettre la table entre eux. Pourquoi me veut-il ?

— C'est ta mère Bella qui te veut. Et Amelia. Je suis venu te chercher », dit Zach.

Immobile, elle le regardait. « Vous êtes le frère d'Amelia ?

— Exact. »

La fille parut inquiète. « Mais... », commença-t-elle. Benson gronda pour la faire taire.

« Vous voulez son frère aussi ? demanda-t-il.

— Non, répondit Zach rapidement. Je veux seulement l'enfant, Tansie. Et je veux cette fille, là.

— Ruby ? demanda Benson l'air renfrogné. Elle ne fait pas partie de la famille.

— Ruby, dit Zach catégoriquement, je la veux. »

Les yeux de Ruby devinrent de grands cercles blancs. « Et que devient mon bébé ? dit-elle.

— Elle vient d'avoir un gosse, un garçon en plus de la fille qu'elle a déjà. Il est noir comme le péché. Ça vous coûtera le même prix pour les gosses que pour les autres.

— Je ne veux pas du garçon. Je ne veux que la fille qui s'appelle Tansie. » Zach ne pouvait se détacher de Ruby qui le regardait de ses yeux noirs, étincelants de colère. Il commença à chercher dans sa poche avec précaution l'or qu'il avait apporté avec lui. « Je les emmènerai maintenant si vous pouvez me prêter une charrette pour les conduire dans ma propriété.

— Et quelle est votre propriété ? » demanda Benson comme s'il doutait que Zach puisse avoir une propriété.

Zach aurait aimé lui dire que ça ne le regardait pas, mais

conscient du regard de Ruby, il dit : « Lointaine », content que ce nom français donne de l'importance à la plantation.

« Je croyais que ce domaine appartenait à une femme.

— Je suis son frère. » Zach n'aimait pas les manœuvres d'intimidation de Benson. Il se redressa de toute sa hauteur et toisa le surveillant. « Pouvez-vous me prêter une charrette ? »

Se plaignant de ne pas savoir qui s'occuperait de la cuisine ce soir, Benson envoya Néron chercher une voiture à l'écurie. Puis il compta attentivement l'argent que lui remit Zach. Il s'y reprit à deux fois pour finalement reconnaître que la somme était exacte.

« Je vous souhaite d'en profiter », dit-il en sortant d'un pas lourd de la cuisine.

« Pourquoi n'avez-vous pas acheté Joshua ? demanda Vérité aussitôt que le surveillant fut parti.

— Oui, pourquoi vous n'avez pas acheté Joshua et pourquoi vous n'avez pas non plus acheté mon bébé ? » siffla Ruby. Elle ne paraissait plus du tout provocante. Elle était furieuse, debout les bras pliés sur sa poitrine, découvrant ses dents blanches tandis que ses yeux étincelaient comme ceux d'un animal acculé. Il y avait deux taches rouges apparentes sur ses pommettes. Zach ne répondit pas.

« Allez prendre vos affaires et la petite Tansie. Nous devons partir d'ici », ordonna-t-il en leur tournant le dos. Il entendit alors un long gémissement, presque un hurlement d'angoisse. C'était Ruby. La plainte de ce corps lui donna l'envie de le faire gémir et crier pour une raison totalement différente. Il sentit qu'il était excité. Mais il écarta cette pensée. Il avait besoin de réfléchir. Il fallait qu'il pense au mensonge qu'il dirait à Amelia lorsqu'il rentrerait à Lointaine avec cette femme noire pour lui, et pas de Joshua pour elle.

Joshua sarclait entre les rangs de patates douces dans le potager de Macabees quand il entendit Ruby qui l'appelait. Elle descendait en courant l'allée dallée, remontant ses jupes, de sorte qu'on pouvait voir ses jambes fines. Contrairement à l'habitude, elle ne souriait pas et paraissait même affolée.

Joshua laissa tomber sa binette et courut vers elle. Arrivée près de lui, elle se jeta dans ses bras en sanglotant.

« Que se passe-t-il ? lui demanda-t-il en la serrant plus étroitement. Qu'est-il arrivé ?

179

« — On m'a vendue, parvint-elle à articuler. Et Tansie. Ce grand type, Zach, dont tu m'as parlé, est venu nous chercher. »

Bouleversé, il l'écarta de lui gentiment. « Je ne comprends pas, dit-il. Zach ? Le frère d'Amelia ? Il est venu vous acheter, toi et Tansie ? Pourquoi ?

— Il voulait d'abord Vérité et Tansie. Je pense qu'il avait l'intention de t'acheter toi aussi, mais il a changé d'avis et m'a prise à la place. Benson lui a parlé de Samuel, mais il lui a dit qu'il n'en voulait pas. Il a dit à Vérité que sa mère et Amelia voulaient l'avoir près d'elle. »

Joshua commençait à comprendre. « Mais pas moi ? demanda-t-il. On ne veut pas de moi ?

— Je ne sais pas, dit Ruby en se tordant les mains. Benson semblait penser qu'il te voulait aussi au début, mais le grand type a changé d'avis. Oh Josh, qu'allons-nous faire ? »

Il resta silencieux la tête penchée, se disant qu'Amelia devait être saine et sauve, et qu'elle n'avait pas oublié Tansie. Mais il devait aussi accepter la cruelle vérité qu'elle ne voulait pas de lui. Est-ce parce qu'elle était mariée à un Blanc ? Ou encore plus simplement parce qu'elle l'avait oublié ? Peut-être préférait-elle ne pas se souvenir de lui, ayant honte de ce qui était arrivé entre eux ? Durant ces années de séparation, peut-être avait-elle appris à penser comme les autres Blancs ?

« Où vont-ils vous emmener ? demanda-t-il d'une voix rauque.

— Je ne sais pas. Dans un endroit qui s'appelle quelque chose comme Loin, Au Loin, un endroit dont je n'ai jamais entendu parler. Le grand type a dit que c'était la propriété de sa sœur. »

Joshua restait silencieux, essayant de comprendre comment Amelia était parvenue à posséder une plantation. Elle devait s'être mariée. Mais comment avait-elle pu devenir libre ? Son mari devait l'avoir achetée aux Oliver. Il se sentit rempli d'espoir. Elle ne devait pas aimer cet homme. Elle ne l'avait épousé que pour retrouver sa liberté.

« Je ne veux pas être seule sans toi, dit Ruby en larmes. Et que va devenir Samuel ? Et toi, que vas-tu devenir sans nous ? J'ai compris pourquoi ce grand type veut m'acheter. J'ai vu l'étincelle dans ses yeux. Oh Josh, j'étais si heureuse avec toi. Je ne veux plus baiser avec les Blancs. »

Joshua se disait que Ruby avait raison. Zach la voulait pour lui, juste comme lui l'avait voulue la première fois qu'il l'avait vue. Ruby était désirable. Et excitante. Il n'avait jamais oublié

Amelia — comment l'aurait-il pu avec Tansie à ses côtés la lui rappelant chaque jour ? Mais Ruby et lui avaient été bien ensemble. Depuis qu'ils étaient amants, elle était fidèle, toujours extrêmement passionnée, parfois trop même. Et elle avait tenu sa promesse que leur bébé ne mourrait pas. Leur fils Samuel venait d'avoir trois ans, et était aussi sain qu'on pouvait l'être en menant la dure vie de Macabees. Joshua, Ruby et Vérité s'étaient bien souvent privés de nourriture pour l'enfant. Le cœur de Ruby était suffisamment grand pour aimer à la fois Tansie et Samuel, bien que, comme le remarquait Joshua, elle se sacrifiait plus facilement pour son fils que pour Tansie.

Être séparé de sa famille et rester ici à subir la vie désespérante de Macabees représentaient un coup mortel pour Joshua. Il aimait ses enfants et la pensée de l'éclatement de sa petite famille, dont il avait jusqu'ici maintenu la cohérence dans un monde hostile, le remplissait d'une douleur insupportable et d'une sorte d'hébétude qu'il n'avait jamais connues auparavant. En plus de la souffrance, il y avait chez lui la colère impuissante d'un homme incapable de protéger sa propre famille. Si Vérité, Ruby et Tansie avaient été vendues, il n'y avait rien à faire. Si Amelia ne l'aimait plus, il devait l'accepter aussi. Mais qu'on lui enlève sa fille était le pire de tout.

« Occupe-toi de Samuel. Protège-le », disait Ruby dont les joues ruisselaient de larmes. Ses mains se tordaient et la douleur la rendait laide. Joshua ne l'avait jamais vue laide auparavant.

« Écoute-moi, dit-il violemment. Je te retrouverai. Je viendrai à toi. Nous serons de nouveau ensemble. Je te le promets.

— Oh Josh, dit-elle tristement, comment pourrais-tu faire ça ? »

Il la prit dans ses bras et ils se serrèrent l'un contre l'autre.

« Je trouverai un moyen, dit-il d'une voix rauque. Un moyen. Ne t'inquiète pas. N'importe quel moyen. »

Elle le regarda et parvint à sourire.

« Peut-être bien. Et je sais que Samuel est en sécurité avec toi. » Elle se dressa pour l'embrasser avec passion. « Je t'aime, Josh, et je ne t'oublierai jamais. Quoi qu'il arrive. Peu importe le nombre d'hommes blancs qui me baiseront, c'est toi que j'aimerai toujours. Je jure, je jure de ne jamais coucher avec un autre Noir qu'avec toi. Jamais, dit-elle en soupirant. Je dois partir maintenant. Je dois aller chercher Tansie et rassembler nos affaires. C'est mieux que tu ne viennes pas avec moi. »

Elle l'embrassa de nouveau, se dégagea et partit en courant vers la case des esclaves. Il la regarda s'éloigner, désespéré par son impuissance. Il devait bien y avoir quelque chose à faire. Mais la dure réalité lui disait que non. Machinalement, il ramassa sa binette et recommença à travailler la terre. Ce n'est que quelques minutes plus tard qu'il se rendit compte qu'il pleurait.

Amelia était assise à l'ombre d'un tamarinier d'où elle pouvait voir le bout de l'allée qui conduisait chez elle. Le vieux Joseph avait apporté le berceau de William et l'avait posé par terre à côté d'elle. Et tandis qu'elle attendait, elle le balançait doucement de son pied. A midi, Bella vint la rejoindre. Les deux femmes étaient remplies d'appréhension, désirant que quelque chose se passe, que quelqu'un arrive.

Il était plus de midi quand elles virent la poussière d'un cheval et d'une voiture troubler l'air jusque-là limpide. Puis la charrette apparut avec fracas. Zach chevauchait à côté et on apercevait deux silhouettes à l'intérieur. Deux femmes. « Où est Tansie ? dit Amelia comme pour elle-même.

— Chut ! dit Bella. Elle est bien trop petite pour qu'on la voie. »

Mais Joshua, lui, n'était pas si petit. Où donc était-il ? Mort ? Son cœur se serra et elle se surprit à prier pour qu'il soit vivant. Elle se leva, les mains appuyées contre la poitrine, attendant, presque incapable de respirer à cause de son inquiétude.

Comme la charrette approchait, un petit enfant, qui semblait être blanc, descendit en sautant de l'arrière.

« Veux-tu revenir ici », cria une femme. C'était une voix qu'elle ne connaissait pas.

Bella se précipitait déjà vers la charrette, aussi vite que le permettaient ses mauvaises jambes. Amelia aperçut alors Vérité, une Vérité plus vieille, plus mince, qui descendit en hâte pour courir vers sa mère. Zach, lâchant les rênes, se dirigea vers l'enfant qui regardait autour d'elle, la souleva de terre et marcha en direction d'Amelia qui était restée figée sur place.

« Voilà Tansie », dit-il.

Lentement Amelia tendit les bras. L'enfant la regardait de

182

ses grands yeux sombres aux longs cils. Elle avait un petit visage pointu avec une bouche bien pleine, rouge sombre, un nez étroit et des joues rondes émergeant d'un nuage de cheveux bruns et bouclés qui tombaient fort bas dans son dos. Sa peau ? Ni noire ni brune, mais pas blanche non plus. Peut-être jaune, comme avait dit Bella, il y a si longtemps. Dorée.

Amelia sourit au moment où elle sentit que des larmes roulaient sur son visage. C'était sa fille, son extraordinairement belle petite fille, sa fille qu'elle avait perdue et retrouvée. A sa très grande joie, Tansie lui sourit aussi, un peu timidement, mais indubitablement.

« Oh ma belle petite, roucoula Amelia en serrant l'enfant dans ses bras. Oh mon merveilleux enfant ! »

Sa fille n'était qu'un tas d'os dans ses bras. Elle portait des vêtements qui sentaient mauvais, plutôt des loques d'ailleurs ; des morceaux de vieille toile roulés autour de son corps.

Amelia sentait que Vérité et Bella la regardaient. Les deux femmes avaient croisé les bras, épaules contre épaules, comme si elles étaient en train de la juger. Elles la fixaient en silence, tandis que la deuxième femme descendait de la charrette et s'avançait vers Amelia.

« C'est mon bébé, dit la femme sur un ton agressif. Et l'homme que voilà m'a obligée à laisser mon petit garçon derrière moi. »

Amelia recula de quelques pas, surprise par l'énergie que dégageait la femme noire. Elle devait bien avoir une dizaine de centimètres et quelques kilos de plus qu'elle. Son hostilité était presque palpable. Retrouvant son calme, Amelia se dressa de toute sa hauteur et demanda froidement : « Zach, qui est cette esclave ? »

Son frère était mal à l'aise.

« C'est Ruby, dit-il sur la défensive. Elle prétend être la mère de Tansie.

— Si je ne suis pas sa maman, je ne sais pas qui peut l'être, dit la femme à Amelia entre ses dents. C'est mon lait qui a gardé cette enfant en vie. Où était la maman qui l'avait portée quand elle avait besoin d'être nourrie, hein ? Sûrement en train de se cacher derrière sa peau blanche. Effrayée sans doute d'avoir un bébé noir. Apeurée qu'on puisse dire qu'elle avait baisé avec un Noir. »

Le mépris qu'il y avait dans cette voix remplit Amelia de colère. Elle savait à quel point c'était injuste. Elle étreignit Tansie si fort que la petite fille se mit à gigoter pour protester.

« Que sais-tu de tout cela ? dit-elle en faisant un effort pour ne pas crier. Comment peux-tu seulement comprendre ? Comment penses-tu que je me sente d'avoir perdu...

— Bon Dieu, calmez-vous toutes les deux », hurla Zach. Il posa sa lourde main sur la mince épaule de Ruby et l'obligea à se retourner. « Si tu ne respectes pas qui tu dois, je te renvoie immédiatement à Macabees. Et je ne veux plus jamais entendre la moindre parole au sujet de l'origine de ce bébé, ou je te fais fouetter jusqu'à ce que tu t'évanouisses. » Il se tourna vers Amelia et lui enleva Tansie des bras.

« Cette petite fille n'est rien d'autre qu'une esclave. Vérité, viens ici. »

Vérité s'avança lentement, sans aucune expression sur son visage, vers le petit groupe maintenant réduit au silence. Elle était plus vieille, sa peau autrefois lustrée paraissait couverte d'une couche de poussière grise. Elle était plus maigre aussi. En la voyant, Amelia se calma. Elle s'avança vers la jeune femme noire et lui passa spontanément les bras autour du cou. Comme Tansie, elle n'avait que la peau et les os sous la toile grossière de sa jupe et de son corsage.

« Vérité, c'est bon de te revoir, dit Amelia. Mais où est Joshua ?

— A Macabees. »

Amelia se retourna pour jeter un regard désespéré à Zach. « Pourquoi ?

— Parce que cette ordure efféminée voulait le garder, tout simplement. » Zach avait crié et Amelia savait qu'il criait toujours lorsqu'il mentait.

Ruby dirigea sur lui un index accusateur. « Quand Benson lui a demandé s'il voulait Joshua, il a dit non, dit-elle d'un air farouche. Il a voulu laisser mon homme derrière moi.

— Ton homme ! s'exclama Amelia.

— Mon homme. Le père de mes deux enfants. Mon homme », dit Ruby, en la fixant insolemment. Elle plaqua ses mains sur ses hanches, bomba le torse, défiant Amelia de la contredire.

« Seigneur ! » grogna Zach.

Bella s'approcha. Elle les écarta tous pour se placer au beau milieu.

« Maintenant vous allez m'écouter, dit-elle d'un air menaçant. Il est temps d'arrêter de penser comme vous le faites et de dire ce que vous dites. Toi — elle pointa un doigt boudiné en direction de Ruby —, cet enfant n'est pas le tien. Sûrement pas. Cette petite fille, en réalité, ne va jamais appartenir à qui que ce soit. Cet enfant s'appartient à elle et tout ce que nous pouvons faire, c'est de l'aider de notre mieux. Quant à toi, je te le dis, tu oublies ta position. Je ne sais pas pourquoi tu es ici. Quant à celui-ci, dit-elle en montrant Zach avec son pouce, peut-être a-t-il quelque chose en tête te concernant, mais ce n'est pas une raison pour être insolente avec madame Amelia. C'est la maîtresse de cette maison, et toi, ne l'oublie pas, tu n'es rien d'autre qu'une esclave ; fais attention à ce que tu dis et reste à ta place. »

Ruby se retourna vers elle, furieuse. « Et qu'est-ce que tu es, toi, en dehors d'une esclave ? Tu n'as pas le droit de me parler ainsi...

— Je ne suis pas une esclave, rétorqua Bella. Je suis la cuisinière. J'ai des gages. Je suis libre. Je vais te le dire, tu as de la chance d'être ici. Vous, les jeunes, peu importe que vous soyez blancs ou noirs, vous ne comprenez rien à rien. J'aime mon fils plus que tout au monde, en dehors peut-être de ma fille Vérité qui est ici, mais je vous le dis, je suis contente qu'il ne soit pas là. Cet endroit n'est pas bon pour lui pour des raisons qui ne te regardent pas, et tu ne serais pas bien pour lui non plus, avec ton insolence et ton culot. Je te connais, ma fille. Je connais les filles comme toi. N'importe qui fait ton affaire. Eh bien ! mon fils n'est pas comme ça. Il n'est pas n'importe qui. Mon fils est un vrai homme et je te le dis, ça sera bien mieux si tu laisses sa grand-mère, ici présente, élever cet enfant. »

Elle se tourna vers Amelia.

« C'est comme ça que ça sera, Amelia, dit-elle d'une voix étonnamment gentille. Cette petite fille sera élevée par sa grand-mère, c'est-à-dire par moi. »

« Je veux qu'elle travaille dans les champs. Je ne la veux pas dans ma maison. » Amelia marchait de long en large dans son salon. Elle était furieuse et la colère avait amené du rouge à ses joues, ses yeux étaient vert foncé et ses cheveux en bataille. « Comment as-tu osé ? Comment as-tu osé l'amener ici et laisser Joshua et les autres derrière ? Jamais, jamais je ne te laisserai posséder une parcelle de Lointaine. Comment as-tu pu faire une telle chose ? Comment as-tu pu m'humilier ainsi ? Devant Bella, devant Vérité, devant...

— Tous ces gens étaient déjà au courant », dit Zach en hésitant, tellement accablé par la colère de sa sœur qu'il semblait avoir rapetissé. Amelia se retourna brusquement sur lui.

« Ne me donne pas des excuses stupides, Zach. A voir cette... » Amelia ne trouvait pas le mot. « ... Ici, sur ma propre plantation, soutenant qu'elle est la mère de Tansie, me lançant à la figure que Joshua est son homme. C'est insupportable. »

De toute évidence, Zach aurait bien aimé lui aussi se mettre en colère, mais il n'était pas en situation de se le permettre.

« Comment pouvais-je savoir ? demanda-t-il. Je t'ai déjà dit comment tout s'est fait de façon bizarre. Qu'il y avait ce type grotesque qui n'arrêtait pas de me regarder avec concupiscence. Comment aurais-je pu garder la tête froide ?

— De toute façon, ça t'arrive rarement, lui lança Amelia méchamment.

— Comment pouvais-je savoir qu'elle avait un petit garçon de Joshua et qu'elle avait élevé Tansie ? Ce n'est pas ma faute, Amelia, tu dois arrêter de me rendre responsable.

— Pourquoi as-tu amené cette femme ici, Zachary ? » Elle s'était immobilisée, les bras croisés. « Dis-moi un peu, pourquoi l'as-tu amenée ici ? »

La question était trop directe pour que Zach puisse inventer un mensonge.

« J'avais envie d'elle, dit-il simplement.

— Mais tu es sur le point de te marier.

— Et alors ? Ce n'est pas la même chose. Je la désire. »

Amelia le regarda avec un dégoût évident. « Ah les hommes ! » dit-elle.

« C'est tout à fait autre chose pour les hommes, dit-il avec entêtement.

— Dieu seul sait pourquoi, dit-elle en soupirant et en se laissant tomber dans un grand fauteuil près de la cheminée éteinte. On n'a pas voulu te laisser emmener Bessie, Minta et Joshua ? »

Maintenant qu'il pouvait reprendre le fil de son petit laïus préparé d'avance, Zach se sentait plus à l'aise. Visiblement, il reprenait le dessus.

« Non. Vincent Ramillies m'a dit que Joshua avait trop de valeur pour qu'il puisse s'en séparer.

— Et qu'en est-il pour Bessie et Minta ?

— Je ne sais pas. Il n'a donné aucune raison. »

Elle le regarda avec insistance pour bien lui montrer qu'elle

186

ne le croyait pas. « Il faut que tu retournes là-bas et que tu les ramènes. Persuade-le. Offre-lui davantage. »

Zach sentit la sueur perler à son front. « Non. Non. Tu ne comprends pas. Cet endroit est maléfique, horrible. Cet homme est un vrai diable. Rien au monde ne pourrait me forcer à y remettre les pieds. »

Cette fois il disait la vérité, et Amelia en était convaincue. Elle soupira. « Et que fait Joshua là-bas ?

— Du jardinage, j'imagine. Mais je ne pense pas que ce soit la raison pour laquelle ce type tenait à lui.

— Alors pourquoi, Zach ? dit-elle d'une voix lasse.

— Je ne sais pas. Peut-être quelque chose... Eh bien Vincent Ramillies n'est pas marié. Peut-être quelque chose dans le genre de Justinian.

— Absurde ! s'exclama-t-elle en se levant. Tu mens. J'ai toujours su quand tu mentais. Tu ne les as pas amenés ici parce que ça t'arrangeait. Bessie et Minta, parce qu'elles savent la vérité à propos de Tansie ; Joshua, parce qu'il sait la vérité à propos de Justinian. Aurais-tu peur que Joshua te trahisse ? Comment serait-ce possible ? Un esclave. Et maintenant tu as créé cette situation terrible en amenant cette femme ici. » Elle fit un geste pour le renvoyer et Zach se dirigea vers la porte. « Va te marier et emmène cette femme à Windsong et fais ce que tu veux avec elle. Baise-la jusqu'à n'en plus pouvoir, je m'en moque éperdument. Mais surtout que je ne la voie plus. »

Il hésitait devant la porte. Il respira profondément pour se donner du courage : « Je peux avoir le papier préparé pour les Oliver ? demanda-t-il timidement.

— Fiche le camp », cria Amelia, cherchant quelque chose à lui jeter à la figure, tandis que son géant de frère à la cervelle d'oiseau disparaissait.

Elle se rassit au moment où claquait la lourde porte. Elle fixa ses genoux en essayant de retrouver son calme. Un peu moins agitée, elle finit par se dire que si les choses ne s'étaient pas passées comme elle l'avait espéré, au moins elle avait Tansie. Et Bella, et Vérité. On avait un peu avancé. Mais Joshua ? Oh si seulement Joshua était ici. Comment avait-il pu la trahir avec cette putain noire ? Bien sûr, elle avait fait la même chose avec Louis, se souvint-elle. Il est difficile de résister au péché de chair, mais elle n'avait jamais péché contre lui dans son cœur. En était-il de même pour lui ?

La lumière commençait à baisser quand elle se leva. Se forçant à se tenir droite, elle se dirigea d'un pas volontaire vers la nursery pour voir si William dormait paisiblement. Elle sourit en se penchant sur le berceau parce qu'il marmonnait dans son sommeil. La vue de son fils la réconforta. Sa colère retomba et elle se dirigea vers la cuisine. De loin elle entendait la voix de Bella, et au rythme des phrases elle savait que sa cuisinière était heureuse. Dès qu'elle eut poussé la porte, elle l'aperçut assise dans un grand fauteuil en bois, tenant Tansie sur ses genoux. Vérité était juchée sur la grande table. Ruby n'était pas là. La scène était si intime, si pleine de chaleur, qu'Amelia se sentit une intruse et elle se surprit à demander la permission d'entrer.

« C'est votre cuisine, dit Bella avec un rire perçant. On essaie de refaire connaissance. Moi et ma petite-fille, et ma fille aussi. »

Amelia soupira et s'assit près de la cheminée, tendant les mains vers la source de chaleur. Elle avait curieusement froid.

« Ce dont vous avez besoin, c'est un bon verre de vin, lui dit Bella.

— Pourquoi ne prendrions-nous pas tous un verre de vin ? proposa Amelia d'un air las. Nous devons fêter ça. »

Bella se souleva avec difficulté et déposa Tansie sur les genoux d'Amelia.

« Gardez-la un instant, dit-elle en se dirigeant vers le tonneau, et en sortant quelques verres du buffet. Mais pas trop longtemps. Il va falloir que vous me la rendiez. Il va falloir oublier qu'elle vous appartient. Tout ce qui s'est passé cet après-midi n'était pas bon. Car Ruby va peut-être commencer à penser que Tansie est votre fille, et cela c'est très mauvais.

— Ruby le sait, dit Vérité brusquement. Joshua n'arrêtait pas de lui dire qu'il aimait Amelia par-dessus tout. Cela lui faisait mal. C'est pourquoi elle s'est montrée si agressive aujourd'hui. Elle se sentait blessée. Ruby est une brave fille. Elle est bonne et gentille et elle a sauvé la vie de Tansie. Cet enfant était au bord de la mort quand Ruby s'est occupée d'elle.

— C'est possible, dit Bella, mais cette Noire n'a pas le droit de se montrer insolente avec madame Amelia. Il va falloir garder votre calme, madame Amelia, et décider de ce que nous allons faire de cette petite fille que vous avez sur les genoux. »

L'humeur d'Amelia s'était améliorée en entendant les paroles de Vérité. C'était elle que Joshua préférait. Elle regarda la fille qu'ils avaient faite ensemble. Les yeux de l'enfant étaient à demi fermés, et son petit pouce doré était glissé entre ses lèvres qui formaient un cercle parfait. Amelia sentit pour elle un amour si fort qu'il lui sembla que c'était quelque chose de physique.

« La prendras-tu avec toi, Bella ? Dans ta chambre ? demanda-t-elle. Je ne veux pas imposer ça à Vérité. Je me souviens de ce qu'elle a ressenti lorsqu'elle a vu à quel point cette enfant était blanche.

— Oh ! s'écria Vérité d'une voix forte. J'en ai un comme ça moi aussi maintenant.

— Qu'est-ce que tu dis ? demanda Bella.

— J'en ai moi aussi. Presque blanc. Un garçon.

— Mais où est-il ? demanda Amelia. Pourquoi ne l'as-tu pas emmené avec toi ?

— Parce que je n'en veux pas, dit Vérité avec un sanglot étouffé. Je hais ce bébé comme je hais son père. Je ne veux plus jamais les voir ni l'un ni l'autre. »

La grande carcasse de Bella se dressa, en colère. « Qu'est-ce que j'entends ? Ma propre fille qui dit qu'elle hait son enfant ?

— Oui, maman, c'est comme ça, répliqua Vérité en se levant pour affronter sa mère. Je hais tout ce qui le concerne. Il est né parce que son père m'a violée.

— Le père de Joshua m'a violée aussi, mais je ne hais pas mon garçon. Ce n'est pas sa faute.

— Les péchés des pères..., dit Vérité avec obstination.

— Je ne comprends pas.

— Demande à Amelia. C'est elle qui me l'a appris. Les péchés des pères retomberont sur les enfants.

— Je ne comprends pas », répéta Bella avec entêtement.

Amelia caressait les boucles folles de Tansie. « Je ne veux pas que quelque chose comme ça arrive un jour à ma petite fille, dit-elle. Nous te mettrons à l'abri ! »

Bella parut sceptique. « On peut essayer, dit-elle.

— Essayer ne servira à rien, dit Vérité avec passion. A rien lorsqu'on est une femme. Regardez-moi, je ne suis pas une beauté et cependant Benson me désirait. Je n'y comprenais rien et je n'y comprends toujours rien. Il était bien avec Ruby qui s'en moquait éperdument de baiser avec lui toutes les nuits. Tu as raison, maman, en ce qui la concerne. Elle se sert des hommes comme eux se sont servis des trois femmes que nous sommes. Baiser ne signifie rien pour Ruby. Elle baise avec n'importe qui si cela arrange ses affaires.

— Il y a un mot pour désigner les femmes comme elle », dit

189

Amelia d'un air sombre. Mais Vérité ne tint aucun compte de l'interruption. Elle n'était plus là. Elle était partie dans un monde où les autres ne pouvaient la suivre. Ses yeux fixaient le vide. Les poings serrés, elle continuait simplement de parler d'un ton neutre, monotone, qui donnait aux horreurs qu'elle racontait une férocité encore plus grande.

« Benson a fini par se lasser d'elle et a commencé à s'intéresser à moi. A la chair fraîche, comme disait Ruby. De la chair fraîche à baiser et il m'a fait sortir de la case des esclaves pour m'installer chez lui. Il n'avait jamais fait ça pour Ruby parce qu'elle était cuisinière. Il m'a dit que tout ce que j'aurais à faire c'était de m'occuper de lui. Le maître ne savait même pas que j'étais là dans la plantation, aussi, si je n'obéissais pas à Benson, je pouvais disparaître en un clin d'œil et sans que personne s'en rende compte. Je devais lui faire la cuisine et le ménage, faire absolument tout. Il m'a adressé un curieux sourire en me disant ça. Je savais ce qu'il sous-entendait et j'avais peur.

— Tu vivais chez lui ? demanda Bella étonnée. Ça par exemple !

— Je ne voulais pas vivre chez lui. Je savais ce qui m'attendait. La première nuit, il est rentré très tôt. Je lui ai préparé son repas, il l'a mangé, puis il a grogné et il m'a dit de débarrasser. J'ai fait la vaisselle, le plus lentement que je pouvais — pour rester dans la cuisine. Mais il est venu me retrouver. Il était nu comme un ver, et ce type blanc et poilu était horrible. On aurait dit qu'il avait une sorte de matraque devant lui. J'ai fermé les yeux pour ne pas voir ça. Cette vision me rendait malade. Puis il m'a ordonné d'aller dans sa chambre. Maman, j'avais si peur que mes genoux s'entrechoquaient et mes mains tremblaient violemment.

« Je lui ai tourné le dos et me suis mise à astiquer de toutes mes forces une poêle. "Je n'irai pas dans votre chambre, lui ai-je dit. Ma place est à la cuisine." Il a essayé de m'attraper, mais je me suis mise à courir autour de la table, de sorte qu'il ne pouvait m'atteindre. Ça n'a servi à rien. Il m'a coincée contre un mur avec la table. Je me débattais comme un poisson au bout d'un hameçon. Puis il m'a tiré par les bras au-dessus de la table. Il me faisait si mal que je voulais crier, mais je n'allais sûrement pas lui donner ce plaisir. Puis il m'a prise par les cheveux et m'a traînée à travers la cuisine, dans le couloir, jusqu'à sa chambre. Maman, j'ai honte d'avoir tellement crié. Je n'ai jamais eu beaucoup de cheveux, mais la

190

plupart de ceux qui me restaient étaient dans sa main au moment où il m'a jetée sur le lit.

« Le pire de tout pendant tout ce temps, c'est qu'il n'arrêtait pas de rire. Il m'appelait mégère et riait de plus belle. "Crie. Mais crie donc", me disait-il en me faisant mal. Il me jetait par terre lorsque je refusais de crier. J'ai eu l'impression que mes dents me rentraient dans la tête. Je me suis mise à me débattre. Je donnais des coups de pied dans ses parties, ce qui le fit crier à son tour. Je le griffai, sur le visage. Une ou deux fois je parvins à le faire grogner un peu, mais la plupart du temps, il continuait de rire en arrachant mes vêtements. Il avait coincé mes bras sur l'oreiller et il a glissé son corps puant et sale entre mes jambes. Je ne pouvais plus bouger. Je ne pouvais plus respirer, alors il a commencé à me mordre. Il m'a mordu les seins, la bouche, les oreilles, jusqu'à ce que je saigne comme un bœuf. Des taches de sang recouvraient son lit, et je me disais qu'il me faudrait les laver, raccommoder mes vêtements. Et il continuait de rire en s'enfonçant en moi. Alors j'ai crié comme il le désirait. J'ai crié au meurtre parce que c'était l'impression que j'avais. Mais il continuait d'aller et venir en moi, en me faisant un mal épouvantable, en me disant d'une voix sifflante : "Petite salope de Noire, petite salope de Noire, je vais te dresser, sale mégère." Il m'a fait cela, maman, pendant six mois tous les soirs. Puis je suis devenue plus intelligente. J'ai arrêté de résister. Je lui ai laissé croire que j'aimais qu'il me prenne. Alors ce n'était plus drôle pour lui. Il a trouvé une autre chair fraiche et m'a renvoyée dans la case des esclaves. » Elle s'arrêta, fixant avec défi Bella et Amelia avant de vider son verre de vin d'un seul coup. « Et tu trouves que je devrais aimer un bébé qu'on m'a fait de cette manière ? Non, maman, c'est impossible. Je hais cet enfant autant que je hais Benson, voilà la vérité. »

Il y eut un long silence. Les yeux d'Amelia et de Bella étaient humides.

« Pauvre petit garçon, soupira Bella. Avec qui est-il maintenant ?

— Et moi, je ne suis pas à plaindre ? dit Vérité d'une voix morne. Ce garçon va bien. Benson s'en occupe comme d'un petit chien. Ce sera son petit animal domestique. C'est Ruby qui l'a nourri parce que je ne supportais pas de le toucher. Ruby nourrirait le monde entier si elle le pouvait. Et Benson aime ce garçon parce qu'il n'est pas vraiment noir. Il dit même aux gens qu'il est son fils.

— Comment s'appelle-t-il ? demanda Amelia.

— Il n'a pas de nom. On l'appelle Nonnom. Benson trouve ça drôle.

— Pauvre petit garçon », dit Bella de nouveau. Elle se leva et remplit leurs verres. « C'est quand même mon petit-fils, dit-elle. Peu importe son père. »

Les trois femmes restèrent silencieuses. Amelia aurait voulu dire quelque chose de réconfortant mais le récit qu'avait fait Vérité de son épreuve avec Benson avait ramené à sa mémoire avec une horrible clarté la nuit où Matthew Oliver était venu la chercher dans la case des esclaves. Le silence devenait oppressant. Pourtant elles n'eurent pas besoin de parler, car un brusque bruit de bottes se fit entendre devant la cuisine.

C'était Zach qui arrivait, enfilant son habit, ses boucles aplaties sur sa tête. On voyait rarement Zach sans perruque. Quelque chose n'allait pas.

« Ah, te voilà, dit-il le souffle court. Je dois partir. Quelqu'un de Windsong vient de m'apprendre la mort de Matthew Oliver. »

9

Mai 1691

« Qui aurait pu rêver de ça ? dit Ben en hochant la tête et éclatant de rire. Zach qui se marie avec la fille des Oliver ! Penses-tu que Matthew Oliver, là où il se trouve maintenant, connaît la vérité à propos de ce qui est arrivé à son fils ? Seigneur, il ne doit guère reposer en paix si c'est le cas.

— Il ne mérite pas de reposer en paix, dit Amelia en remuant son thé. Mais c'est une chance pour Zach qu'il soit mort. Matthew avait pas mal de soupçons à son propos. » Elle fit la grimace. « Élisabeth était tellement désireuse de mettre la main sur Lointaine qu'elle ne lui a sans doute jamais posé la moindre question. Elle aurait sûrement été moins acharnée si elle avait su que j'étais contre et que Zach se moquait d'elle. Elle ne pouvait pas deviner non plus que Matthew allait mourir de la fièvre et qu'il léguerait la propriété à Charlotte. Et bien que je ne me soucie guère d'Élisabeth, je trouve cela injuste. En réalité ce domaine lui a toujours appartenu. En tout cas, Charlotte arrivera peut-être maintenant à se rendre indépendante vis-à-vis de sa mère. Puisque Charlotte et Zach se sont mariés, avec une hâte indécente si l'on songe à la mort récente de Matthew, Windsong appartient pratiquement à Zach.

— Et c'est bien ainsi. Toute propriété de l'épouse appartient au mari, à juste titre, dit Ben sur un ton pédant. Les propriétés ainsi que leur gestion sont l'affaire des hommes. »

Amelia lui sourit d'un air suave. « C'est pourquoi je ne me

remarierai jamais, l'informa-t-elle. Je n'ai nullement l'intention de perdre mon domaine. »

Le visage de Ben s'allongea et il garda le silence. Des rires et des chants provenant de voix éméchées arrivaient de la taverne jusque dans la pièce où ils étaient assis. Ils étaient venus ici directement de Windsong et ils portaient encore les vêtements de cérémonie qu'ils avaient mis pour le mariage. Il devait y avoir un bal dans la soirée mais Amelia s'était excusée, disant que son deuil était trop récent pour qu'elle puisse prendre plaisir à la fête. Windsong lui rappelait trop de mauvais souvenirs. Elle trouvait difficile de se conduire en invitée dans une maison où elle avait été contrainte de vider les pots de chambre des maîtres. Elle avait également été furieuse de constater que Jake faisait partie des invités. Pourtant elle était restée impassible lorsqu'elle avait surpris le regard furtif que lui avait jeté Élisabeth pour surprendre sa réaction lorsqu'elle apercevrait le surveillant. Amelia n'avait aucune envie de se retrouver avec tous ces gens, et elle partit immédiatement après la cérémonie. Zach l'avait accompagnée jusqu'à l'endroit où Pierre l'attendait avec la voiture.

« Dois-tu réellement partir ? demanda-t-il en l'aidant à s'installer.

— Je n'apprécie pas particulièrement la compagnie de Jake », dit-elle.

Il eut le bon goût de paraître gêné. « C'est un bon surveillant, dit-il sur un ton d'excuse. Et il a peur de moi. Il se souvient de ce que je lui ai fait un jour. Je peux le tenir. »

Mais tu ne le feras pas, pensa Amelia. Moins un propriétaire en savait sur les agissements de son surveillant, mieux cela valait pour tout le monde.

Ben avait été le témoin de Zach ce matin à l'église, et Amelia n'ignorait pas qu'il avait été ému par la cérémonie. Depuis cet instant, il n'arrêtait pas de la regarder avec des yeux de chien battu et il lui avait demandé de passer à la taverne pour prendre le thé avec lui. C'était facile de voir où il voulait en venir.

« J'ai toujours espéré qu'un jour, toi et moi..., commença-t-il.

— Ben », dit-elle gentiment en se penchant en avant, pour lui clore les lèvres avec un doigt. Puis elle éclata de rire en se redressant. « Serait-ce par hasard l'idée qu'en m'épousant tu deviendrais le propriétaire de la taverne ?

— Tu es trop injuste, gronda-t-il indigné. Ce n'est pas la taverne que je veux. Tu sais que je t'ai toujours aimée.

— Et je t'aime aussi, dit-elle gentiment. Mais pas comme mari.

— Tu es devenue très dure, Amelia », dit-il. Il était debout, les bras croisés, devant la cheminée, ses cheveux roux et bouclés tombant sur ses épaules. Sa tête atteignait à peine le manteau de la cheminée, mais son visage extrêmement vivant avait une sorte de beauté. Elle le regarda et soupira.

« Nous avons tous été obligés de nous endurcir, dit-elle.

— Les femmes ne doivent pas être dures.

— Les femmes ne doivent pas être esclaves, ne doivent pas être fouettées, violées, on ne devrait pas leur prendre leurs enfants.

— En tout cas, tu as refusé de réunir Lointaine avec Windsong comme tu l'avais promis. Tu aurais pu ôter à Zach la chance de faire un bon mariage.

— Zach et moi avions passé un accord qu'il n'a pas tenu. Je n'étais donc plus obligée de partager ma propriété avec lui. »

Ben fit un geste d'impatience. « Ce n'est pas comme ça que Zach voit les choses. Et pourquoi refuses-tu de me vendre la taverne ? Une taverne ne devrait pas appartenir à une femme.

— Souviens-toi que celle-ci a toujours été entre les mains d'une femme, dit-elle. Mais, le moment venu, elle appartiendra à William avec tout ce que je possède. Je ne veux pas dilapider son héritage. Pourquoi te plains-tu ? Tu jouis de la taverne, tu ne paies pas de loyer, tu gardes les bénéfices et tu deviens un homme riche. Que demandes-tu de plus ?

— Que tu m'épouses, dit-il. Amelia, je t'en prie, réfléchis à cela. Nous sommes tous les deux de la même espèce. Nous avons partagé les mêmes terribles expériences. Nous nous connaissons l'un l'autre, nous sommes même cousins et je t'aime. Je t'ai toujours aimée depuis l'époque où je jouais avec toi, enfant, à Quick Manor. Tu dis que tu ne m'aimes pas de cette manière, mais je crois que tu n'as pas aimé Louis de cette manière non plus ; pourtant tu l'as épousé. Tu l'as épousé pour être en sécurité, j'en suis sûr. Ensemble, nous pouvons bâtir notre commune sécurité. Nous serions de bons associés, toi et moi. L'absence d'amour que tu dis éprouver à mon égard, je la comblerais avec le surplus que j'ai pour toi.

— Ben, je ne peux pas. Je suis désolée, mais c'est impossible.

195

« — Tu aimes toujours ce Noir, dit-il furieux. Pourquoi ne veux-tu pas l'oublier ? Tu vas finir par nous couvrir de honte.

— Il n'y a aucune honte à aimer, dit-elle froidement en s'enveloppant de son châle. Ben, je dois partir. J'ai un tas de choses à faire à la plantation. » Puis elle s'arrêta comme si elle se souvenait de quelque chose et elle dit d'une voix espiègle : « Mais dis-moi, comment va Marie ? » Ben devint écarlate. Mal à l'aise, il remua les pieds. « C'est une très bonne cuisinière, dit-il.

— Et est-ce que cela te rend... heureux ?

— Les clients sont très friands de ses recettes.

— Et est-elle friande de toi ? »

Il secoua la tête, agita les mains et se mit à rire jaune. « Amelia ! dit-il, rien ne t'échappe.

— Tu pourrais avoir fait un plus mauvais choix.

— Non. Pour moi, c'est toi ou personne. Mais comme tu le dis, elle me rend heureux. »

L'animosité entre eux avait disparu et ils s'embrassèrent. Amelia aurait souhaité pouvoir l'aimer, tout aurait été tellement plus simple. Mais il n'était que son cher cousin, rien de plus, rien de moins. Elle lui donna la main, tandis qu'ils traversaient la taverne bondée pour retrouver Pierre, son cocher.

« Viendras-tu à Lointaine bientôt ? demanda-t-elle.

— Peut-être, dit-il, mais je suis fort occupé ici. »

Elle acquiesça. « Alors c'est moi qui viendrai te voir. Que Dieu te garde, Ben », dit-elle en faisait une petite révérence avant de s'éloigner.

C'était un bien curieux mariage, se dit-elle, Zach et Charlotte pouvant à peine cacher leur sentiment de triomphe pour ce qu'ils avaient réussi. Élisabeth, la toute récente veuve, était, quant à elle, incapable de dissimuler la colère sur son visage crispé. Elle était dorénavant une étrangère dans sa propre maison et, de plus, elle continuait à enrager de voir que Windsong et Lointaine ne seraient jamais réunis. Amelia se sentait mal à l'aise. Zach la boudait parce qu'elle avait voulu garder le contrôle total de sa propriété ; Ben l'aimait mais voulait devenir le propriétaire de la taverne et l'accusait d'être dure parce qu'elle refusait de la lui vendre. Les hommes ne veulent pas que les femmes aient la moindre indépendance, se dit-elle. Elle sentit de nouveau un peu de compassion pour l'odieuse Élisabeth. Il était préférable de vivre seule mais libre. Elle n'avait nul besoin d'un homme sinon pour assouvir les désirs importuns de son corps. Elle gardait en mémoire le souvenir de Joshua et de Louis, deux hommes qui lui avaient été cruellement arrachés, mais elle avait William et Tansie, comme un legs de l'un et de l'autre. Elle croyait que ceux qui travaillaient pour elle prendraient soin d'elle. Alors elle se mit à rire. Elle ressemblait à Élisabeth et à ces autres planteurs tyranniques, convaincus d'être aimés de leurs esclaves. Au moins chez elle, seules Vérité et Tansie étaient encore sous le joug. Les autres étaient libres de l'aimer ou de partir.

Le calme régnait à Lointaine. La plupart des domestiques s'était rendus à Windsong pour aider à préparer les festivités et à faire le service durant le mariage. Tous passeraient la nuit là-bas pour ne revenir qu'au matin. Amelia alla tout de suite à la nursery où William était profondément endormi dans son berceau. Elle déposa un léger baiser sur son front avant de gagner la cuisine pour parler à Bella des événements de la journée.

« Ainsi, vous êtes de nouveau là, dit Bella en guise de salut. Je suppose que vous voulez quelque chose à manger ?

— Non. Les tables pour la fête de mariage croulaient sous la nourriture, et j'ai pris le thé avec Ben dans la taverne. Mais je ne serais pas contre un verre de bordeaux. »

Elle s'installa à la table de cuisine et Bella s'avança lourdement vers le tonneau en tenant deux verres.

« Charlotte était réellement ravissante, dit Amelia. Et Zach était gonflé d'orgueil.

— Pour un esclave, c'est sûr qu'il s'est bien débrouillé, dit Bella avec un large sourire. Et quand on y réfléchit, ce n'est pas si mal qu'il ait tué Justinian.

— Chut ! fit Amelia inquiète. On doit oublier ça.

— Je ne vais sûrement pas l'oublier, dit Bella arrêtant de sourire pour prendre une expression obstinée. C'est quelque chose qui peut peut-être servir un jour. »

Amelia, de plus en plus inquiète, jeta un regard aigu à la femme noire. Le visage de Bella était à présent aimable et candide mais au fond de ses yeux pétillaient encore de petits points malicieux.

« Ruby n'est pas encore rentrée de Windsong, n'est-ce pas ? demanda Bella.

— Non, elle n'est pas encore revenue », dit Amelia, agacée du tour que prenait la conversation. Bella pensait à ses intérêts. Elle avait été trop proche d'Amelia pendant trop longtemps, et savait trop de choses sur les Quick. Elle était en fait devenue un membre de la famille, ne serait-ce que par personne interposée. C'était la coutume pour les esclaves de prendre le nom de leur maître, mais Bella avait toujours refusé de s'appeler Bella Oliver. Maintenant qu'elle était libre, elle avait besoin d'un nom propre. Elle avait donc décidé que sa famille et elle porteraient maintenant le nom de Quick. Amelia en avait été heureuse : cela signifiait que Tansie porterait son nom. Elle-même avait décidé d'ajouter Quick à son nom de femme mariée. Elle n'avait jamais aimé se faire appeler Mme Rosier, un titre qui lui semblait appartenir de droit à la première femme de Louis. William et elle étaient maintenant les Rosier-Quick.

Bella but une bonne gorgée de vin.

« Tansie a pleuré jusqu'à n'en plus pouvoir avant de s'endormir parce que Ruby ne revenait pas, dit-elle l'air pensif. Mais tout compte fait, cette Ruby est une bonne esclave. Si M. Zachary veut la garder, il faudra en prendre une autre dans sa propriété. »

Le cœur d'Amelia se serra à la pensée des larmes de Tansie, mais elle ne voulut pas laisser voir à quel point elle était touchée. Elle préféra dire d'un air sévère : « Bella, qu'est-ce que tu veux ? Que cherches-tu ? Arrête de tourner autour du pot avec moi. »

Bella gloussa : « Qu'est-ce qui vous fait penser que je veux quelque chose ? »

Amelia ne répondit pas mais lui jeta un coup d'œil dur comme une épée.

« Vous avez raison, soupira Bella. Mais ce n'est pas moi qui veux quelque chose, mais Vérité.

— Et que veut Vérité ? »

Bella fit la moue puis déclara : « Vérité est amoureuse.

— Oh ! fit Amelia ravie. De qui ?

— De ce grand esclave domestique noir de Windsong, Daniel. Je jure qu'il est l'homme le plus noir que j'ai jamais vu. Vérité l'a toujours aimé depuis qu'elle est petite. Au cours de ces semaines où elle est restée à Windsong pour préparer le mariage, le garçon s'est aperçu qu'il l'aimait aussi. Elle dit qu'elle aimerait rester là-bas, avec Ruby, afin que Daniel et elle soient ensemble.

— Mais Mme Oliver ne voudra pas d'elle, dit Amelia. Elle n'a jamais aimé Vérité. Elle a toujours eu peur d'elle. Et Vérité est beaucoup mieux à Lointaine.

— C'est exactement ce que je lui ai dit : "Ce n'est pas bon pour toi de retourner là-bas. De plus, Mme Oliver ne veut pas de toi, et peut-être qu'un jour tu seras libre si tu restes à Lointaine." »

Amelia commençait à saisir les intentions de Bella. Laissant de côté l'allusion à la liberté, elle dit : « Ainsi, tu veux que j'échange Ruby pour Daniel ?

— Ça me paraît en effet une bonne idée. Je suppose que M. Zach sera capable d'arranger ça. Et si Daniel est ici avec vous et Vérité, ils vivront en véritable couple. Que pensez-vous, Amelia ? » Sur ces mots, Bella tourna le dos afin qu'Amelia ne puisse pas voir son visage.

Bella n'appelait Amelia par son prénom que dans les moments décisifs. Avant qu'Amelia ne soit libre, Bella l'appelait toujours « Ma fille ». Maintenant elle évitait de lui donner quelque nom que ce soit. Si Bella s'était forcée à dire Amelia, ça prouvait qu'il s'agissait de la plus sérieuse des requêtes, de quelque chose qui lui tenait réellement à cœur.

« Tu veux qu'ils fondent une famille. »

Lorsque Bella se retourna vers elle, des larmes remplissaient ses yeux. « Oui, c'est ce que je veux pour mon enfant, dit-elle. Une famille comme il y en a en Afrique, et comme les Blancs en ont ici. Une vraie vie. Peu importe qu'ils n'aient pas grand-chose s'ils sont libres et s'ils sont ensemble. Je n'ai pas réussi à l'obtenir pour Joshua mais maintenant il y a une chance pour Vérité. »

Elle s'arrêta, attendant une réponse, s'essuyant impatiemment les yeux. Amelia savait qu'elle ferait exactement ce que lui demandait Bella. Elle échangerait volontiers Ruby contre Daniel. Mais elle renâclait à leur accorder la liberté. Pourquoi, elle ne le savait pas très bien elle-même. Ça n'entraînerait pas de grands bouleversements ; elle n'aurait qu'à payer Vérité pour son travail. Non, le vrai problème c'était que, si Vérité et son Daniel devenaient libres, ils pourraient aller n'importe où et quitter Lointaine. Vérité, Bella et Tansie étaient devenus une sorte de famille de remplacement pour Amelia et elle ne souhaitait pas les perdre. Libre ou pas, Bella ne quitterait jamais Lointaine, Amelia était sûre de cela. Mais Vérité, avec son esprit indépendant, pouvait prendre le risque de mourir de faim en ville, plutôt que de vivre en sécurité dans une plantation où elle avait été esclave. Donc, il était préférable que, en ce qui concernait Daniel et Vérité, les choses restent comme elles étaient. De plus, il ne fallait pas que Bella gagne trop facilement ; elle pouvait devenir extrêmement exigeante.

Pourtant elle n'avait jamais auparavant menacé de se servir de ce qu'elle savait du passé de Zach.

« Ce n'était pas utile de mettre Justinian sur le tapis, dit Amelia aussi sérieusement que possible. J'aurais acheté Daniel de toute façon pour toi et Vérité. Tu n'avais qu'à demander. Mais puisque tu as parlé de Justinian, il y a une condition à la venue de Daniel. Tu dois me jurer, sur la vie de tes enfants, que jamais, jamais plus tu ne parleras de la façon dont il est mort, que tu n'essaieras jamais d'utiliser cette connaissance à ton avantage comme tu viens de le faire.

— Ce n'était pas à mon avantage, murmura Bella. Mais pour Vérité. »

Apparemment, Bella n'avait pas repéré la faille dans le raisonnement d'Amelia.

« Mais tu me jures que tu ne le feras plus ? »

Brusquement Bella eut un grand sourire. « Supposons que je refuse ? »

Peut-être l'avait-elle vue.

« Daniel restera où il est, dit Amelia fermement.

— Et supposons alors que je dise que j'irai voir Mme Charlotte pour lui dire ce qui est arrivé à M. Justinian, à moins que vous ne fassiez venir Daniel ici ? » Elle jeta la tête en arrière et gloussa. « Vous et moi, nous sommes liées ensemble comme le couvercle sur la boîte à bijoux de Mme Charlotte. Mais peu importe. Je vais vous le jurer sur la tête de mes enfants, si c'est ce que vous désirez. C'est sans importance. Ma fille connaît la vérité, elle aussi, et elle peut dire ce qui est arrivé — à moins que vous ne la fassiez jurer, mais vous savez à quel point ma fille est entêtée. »

Bella n'avait pas été dupe. Elle n'était jamais dupe et Amelia se mit à rire avec elle, d'une manière peut-être un peu forcée.

« Oublions ça, Bella, dit-elle en levant une main comme pour effacer quelque chose d'insignifiant. Aucune promesse. Il est préférable que nous commencions à nous faire confiance.

— Je crois que la confiance serait préférable, Amelia, dit Bella sur un ton solennel. Et je suis sûre que vous allez faire venir ce Daniel à Lointaine.

— Je le ferai venir », dit-elle, bien décidée à agir en conséquence. Ce n'est que quelques heures plus tard qu'elle se rendit compte qu'elle était la seule à avoir promis quelque chose.

Une fois le bal terminé, après que le dernier invité eut quitté la fête, Zach s'assit seul dans la bibliothèque de Windsong, un verre de vieux cognac à la main, passant en revue dans sa tête ce domaine qui, par le plus grand des hasards, était tombé entre ses mains. Sa jeune épouse se préparait dans sa chambre et sa belle-mère, indignée, s'était retirée dans la sienne, laissant à Zach la possibilité de méditer sur les tours et les détours d'une destinée des plus instables qui l'avait amené à épouser l'une des femmes les plus riches de l'île de St. Kitts.

Il se trouvait maintenant devant un dilemme. Il se rendait compte que c'était sa propriété qui avait rendu Charlotte si attirante. Maintenant que le domaine lui appartenait, la séduction de sa femme lui semblait des plus aléatoires. Dans environ une demi-heure, on s'attendait à ce qu'il lui fasse l'amour. En vérité, s'il voulait un héritier pour tout ce qu'il avait accompli, il lui fallait lui faire l'amour.

Les esclaves rangeaient et traînaient dans le grand hall. Il aperçut Ruby, portant sur sa tête un grand plateau chargé de verres. C'était évidemment quelque chose de risqué, mais elle marchait le dos droit, en toute confiance, vers la cuisine, ses deux mains libres tandis que son postérieur se balançait langoureusement. Les deux fesses rondes, bien visibles sous la jupe collante, semblaient l'appeler. Ruby était une force de la nature. L'effet qu'elle faisait sur lui chaque fois qu'il la voyait était aussi étourdissant qu'un coup de tonnerre dans un ciel bleu. Le sang lui monta au visage et Zach se surprit à la comparer avec sa petite épouse, cette enfant gâté, un peu sotte et languissante. Il ne doutait pas un instant de celle avec laquelle il aurait préféré passer la nuit.

Il retourna dans la bibliothèque et se versa un autre cognac. Il reconnaissait maintenant le pas de Ruby : sa démarche était plus vive, plus légère, comme si elle dansait plutôt qu'elle ne marchait. Ce simple bruit le mettait en transe. Les filles que Ben employait dans la maison contiguë à la taverne, que Zach lui avait achetée après le tremblement de terre, étaient réellement plus adroites et s'occupaient fort bien de ses désirs quand le besoin s'en faisait sentir. Mais il était certain que Ruby lui procurerait des sensations érotiques inimaginables, un plaisir qu'il n'avait jamais connu. Charlotte, là-haut, attendait.

Il vida son verre et se dirigea d'un pas lourd vers la cage d'escalier qui conduisait à la chambre de sa femme. Cette même chambre et ce même lit où presque cinq ans plus tôt avait eu lieu sa première et dernière rencontre avec l'homme qui, s'il n'était pas mort, serait aujourd'hui son beau-frère.

Charlotte était elle aussi en transe, rien qu'à la pensée de ce qui allait arriver. Elle avait vingt et un ans, et elle ne connaissait de l'amour que ce « baiser » qu'elle avait surpris dans la conversation des femmes noires. Malgré son jeune âge, quand les esclaves gloussaient et chuchotaient sans faire attention à sa présence, elle savait déjà qu'il s'agissait d'un mot grossier, à ne pas prononcer, et qu'il signifiait l'acte accompli ensemble par un homme et une femme.

« Baiser, baiser, baiser », murmura-t-elle, dès que sa femme de chambre eut quitté la pièce, se demandant à quoi ça pouvait bien ressembler. Est-ce que ça ferait mal ? S'évanouirait-elle vraiment comme elle avait fait semblant de le faire lorsque Zach l'avait embrassée ? Elle avait alors eu envie de s'agripper à lui, de se frotter contre lui, de le laisser toucher, palper son corps. Elle avait souhaité qu'il la baise, ce qui était mal et honteux.

Cependant les esclaves semblaient y prendre plaisir. Elles riaient lorsqu'elles en parlaient en roulant leurs grands yeux noirs, faisant des remarques paillardes qui leur auraient valu le fouet si sa mère les avait entendues. Les jeunes filles noires soupiraient, gémissaient quand elles se souvenaient des plaisirs qu'elles avaient pris avec l'homme qu'elles aimaient, mais bien entendu, se disait Charlotte, les esclaves ressemblaient beaucoup aux animaux. Les femmes blanches vivaient bien plus par l'esprit, étaient plus réservées, plus pudiques. Les Noirs avaient peu d'autres plaisirs accessibles. Ils étaient libres de baiser, disaient-ils, et lorsqu'ils baisaient, ils se sentaient libres. Ce qui était curieux, c'était de voir, bien qu'ils fussent tellement primitifs, à quel point ils étaient fidèles en amour, exactement comme elle souhaitait l'être à Zach.

Sa mère évidemment ne parlait jamais de choses aussi vulgaires. Les quelques allusions qu'elle avait faites à propos de l'amour entre un homme et une femme avaient subtilement donné à Charlotte le sentiment qu'une véritable dame ne prend aucun plaisir à faire l'amour. De l'avis de sa mère, dans une société de personnes blanches et civilisées, l'amour n'était autre chose que le devoir d'une épouse auquel toute femme doit se soumettre. Pourtant c'était un devoir que Charlotte était impatiente d'accomplir. La seule pensée de Zach lui faisait venir à l'esprit d'étranges désirs qu'elle ne comprenait pas totalement.

Elle se sentait un peu troublée que ces sensations soient tellement différentes de la spiritualité de l'amour romantique dont elle avait eu connaissance grâce à des recueils de poèmes : ses préoccupations étaient bien plus terre à terre que les sonnets et les vers qu'elle avait appris par cœur. Sa rêverie ne s'attachait pas tellement au doux désordre des vêtements, mais à l'image de Zach lui enlevant lentement ses dessous de soie pour la voir nue, et à l'envie de le sentir contre elle. Et son imagination suffisait pour provoquer des sensations brûlantes et merveilleuses qu'elle essayait, lorsqu'elle les avait fait surgir, de prolonger. Elle ne voulait pas qu'elles disparaissent et se demandait si l'acte lui-même multiplierait encore la force et la durée de son plaisir.

Mais est-ce que son corps plairait à son mari ? Elle se regarda dans le grand miroir près de la fenêtre. Sa robe de bal avait été laissée sur la petite banquette recouverte de velours placée sous la fenêtre, et sa femme de chambre avait déplié sa chemise de nuit en soie damassée ; pour le moment, elle ne portait qu'un jupon. Elle caressa ses épaules blanches d'une main légère, souleva sa poitrine puis se déshabilla lentement devant le miroir, tandis que la soie bruissait en glissant sur ses hanches avant de faire une tache claire sur le tapis de la chambre.

Toute nue, elle passa ses mains sur son ventre plat, au-dessus de la touffe de poils blonds qui cachait la petite élévation du mont de Vénus. Ses seins étaient petits, avec des bouts roses que fonçait un peu le désir. Devait-elle mettre sa chemise de nuit ou attendre nue son mari ? Non, ce serait trop hardi ; il pourrait la croire impudique. C'était pourtant ce qu'elle désirait : s'étendre sur le lit à baldaquin, nue comme au jour de sa naissance, tirer les rideaux autour d'elle en attendant l'arrivée de Zach. Il n'aurait alors qu'à soulever les rideaux pour la trouver prête à l'amour, attendant son étreinte virile, ses seins offerts à la caresse, ses cheveux blonds épars sur l'oreiller, ses bras ouverts pour l'attirer sur elle. Peut-être serait-il préférable qu'elle garde un petit quelque chose en soie, ainsi que Vénus, pour dissimuler les secrets de son corps ? Ainsi, son mari pourrait l'en débarrasser et constater à quel point elle était prête à le recevoir.

Mais agir de la sorte, c'était se conduire en esclave. Il n'attendait certainement pas cela d'elle. Une telle attitude aurait d'ailleurs pu l'inciter à penser qu'il n'était pas le premier, alors qu'en vérité, tout au long de ces années, elle avait préservé sa virginité. Elle avait su au premier coup d'œil que ce serait lui qui la prendrait. Elle devait se contrôler jusqu'à ce qu'ils se connaissent mieux, après quoi ils pourraient partager des caresses et des baisers audacieux.

Mais ce soir, se dit-elle en soupirant, elle devait se montrer réservée, timide, redoutant de perdre sa virginité, de crainte qu'il n'ait une fausse idée de sa vertu. Après avoir tressé ses cheveux, elle enfila sa chemise de nuit, se glissa entre les draps et les remonta jusqu'au monton. Puis elle attendit l'arrivée de son mari.

Zach était allongé dans l'obscurité étouffante. Les rideaux étaient tirés autour du lit, et à côté de lui, sa jeune épouse sanglotait doucement. Il n'arrivait pas, au nom du ciel, à comprendre pourquoi elle pleurait. Si quelqu'un avait des raisons de verser des larmes c'était lui, lié maintenant à ce paquet de chair douce et froide. Il pensait aux filles de la maison de Ben et à leurs brûlantes étreintes. Certes elles étaient payées pour se conduire ainsi, mais une épouse devait sûrement montrer la même ardeur dans le lit conjugal que des putains sans amour pour l'homme qu'elles caressaient. Qu'est-ce qui n'allait pas chez cette femme ?

Il s'était donné du mal pour lui plaire, mais au moindre attouchement, au moindre baiser, elle s'était à moitié évanouie en se dégageant avec de petits cris apeurés. Finalement, il avait perdu patience. C'était bien plus agréable avec des putains ou des femmes auxquelles on ne demandait pas la permission. Rendu fou par la frustration, il l'avait brutalement pénétrée.

C'est à ce moment-là qu'elle avait commencé à pleurer, et bien sûr, Zach n'avait fait aucune tentative pour la consoler. Il était resté allongé de son côté, rempli d'indignation à la pensée que ce premier rapport avec sa femme ait pu le décevoir à ce point. Finalement, les sanglots de Charlotte s'étaient transformés en reniflements et Zach savait maintenant, en entendant sa respiration, que la jeune femme était endormie.

Avec précaution pour ne pas la réveiller, il se glissa hors du lit. Derrière les rideaux, le clair de lune remplissait la chambre. A tâtons, il trouva ses vêtements. Sa femme ne bougea pas mais se contenta de soupirer et de marmonner dans son sommeil.

Il s'habilla rapidement, se dispensa de mettre sa perruque et quitta la pièce sur la pointe des pieds. Il referma doucement la porte, puis il partit à la recherche de Ruby.

Deuxième Partie

10

Cela faisait maintenant trois semaines que Tansie avait une chambre à elle à Lointaine. Mme Amelia avait soudainement déclaré qu'à dix-sept ans une jeune fille n'avait plus l'âge de dormir auprès de sa grand-mère et qu'il était temps que Bella puisse dormir en paix.

Ce n'était qu'une petite mansarde, mais c'était une pièce bien à elle, avec un lit, certes en mauvais état, quelques vieux meubles et un miroir. L'attribution de cette chambre pourtant peu attrayante provoqua beaucoup de ressentiment chez les autres esclaves, mais Tansie était habituée à la jalousie. Elle avait dû supporter l'envie depuis qu'elle était petite.

Elle était convaincue que les autres esclaves l'auraient aimée davantage et que sa vie aurait été plus agréable, si elle n'avait pas été aussi blanche. Enfant, malgré la pâleur de sa peau, il était évident qu'elle avait du sang noir. Mais en grandissant, elle devint de plus en plus blanche. Bien sûr sa bouche était trop charnue par rapport à celles des Blancs et ses cheveux trop noirs et trop frisés. Mais ils n'étaient pas crépus. Ce n'était que lorsqu'elle les tirait fortement en arrière, en les plaquant contre son crâne, que l'héritage africain pouvait apparaître, révélant de petites pousses torsadées et épaisses. Mais lorsqu'elle laissait son abondante chevelure en liberté, ces petits poils se perdaient dans l'épaisseur de sa crinière. Ses yeux et sa peau étaient couleur olive, et son nez, quoique

209

peut-être un peu épaté, était petit et droit. Mme Amelia disait qu'elle aurait pu être portugaise.

Son teint lui avait donné des privilèges. Elle était devenue la femme de chambre attitrée de Mme Amelia dès l'âge de dix ans. Mais déjà, avant cela, sa maîtresse avait passé au moins deux heures par jour avec elle, pour lui apprendre à lire, à écrire et à parler correctement. Apparemment cela mécontentait beaucoup de Blancs et provoquait un certain nombre de problèmes avec les domestiques et les jardiniers. Tansie s'était vue contrainte de passer rapidement d'une manière de parler à une autre : d'une sorte de patois avec les esclaves à la langue employée par les Blancs cultivés. Le seul autre esclave qui pouvait faire de même était une femme, sa tante Vérité, mais celle-ci ne parlait pas aussi couramment qu'elle le langage des Blancs.

Mme Amelia lui avait aussi appris à coudre et à broder. On lui avait permis de se servir du clavecin dans le salon lorsqu'on avait découvert qu'elle avait un talent pour la musique. Elle pouvait également se rendre, quand elle le désirait, à la bibliothèque où elle dévorait les livres qui lui donnaient une image de la vie en Europe, ce continent si lointain et si différent.

Elle avait environ neuf ans quand elle commença à poser des questions sur la couleur de sa peau. Sa grand-mère Bella et sa tante Vérité étaient noires comme l'ébène. La femme dont elle se souvenait vaguement et qu'elle croyait sa mère était nettement noire. Quant à son père, elle le voyait comme un homme à la peau brune.

Elle en demanda la raison à sa grand-mère.

« C'est parce que ton père est à moitié blanc, lui dit Bella. Son papa était blanc. »

Mais la vieille femme refusa de lui donner de plus amples explications même lorsque Tansie l'accabla de questions sur son grand-père blanc.

Néanmoins la pâleur de sa peau ne la gênait pas outre mesure, en dehors du trouble que cela remuait parfois en elle. Ses voyages à Basse-Terre et à Old Road Town avec sa maîtresse lui avaient montré qu'il y avait dans l'île un grand nombre de personnes à la peau légèrement colorée. Et elle savait aussi que ces gens avaient plus de chances d'être libres un jour que leurs frères noirs. Elle sentait confusément qu'elle aurait aimé être libre elle-même, sans trop savoir pourquoi. Elle avait sa chambre, était bien mieux nourrie, bien mieux habillée que les autres. Bien entendu, ce serait agréable d'avoir de l'argent, même si elle ne savait pas très bien comment elle pourrait le dépenser. Elle avait finalement accepté d'être séparée de ses parents, quoiqu'elle eût encore très présente à l'esprit la nuit où elle avait été arrachée à sa mère. Pourtant elle s'en était accommodée assez rapidement. Tout le monde sait que les esclaves n'ont pas le droit d'avoir une véritable famille.

Mais secrètement, elle sentait qu'elle en avait une. Non pas à cause de sa tante Vérité ni de son oncle Daniel, avec qui elle parlait rarement, mais à cause de sa merveilleuse grand-mère, si grande, si grasse, qu'elle lui donnait la même impression de confort qu'un énorme coussin. Et elle sentait aussi, bien qu'elle n'eût jamais exprimé ce sentiment, que 'Melia, comme l'appelaient les esclaves, avait été une mère et un père pour elle. Elle était certaine que 'Melia l'aimait. On n'en avait jamais parlé, mais Tansie sentait cet amour comme quelque chose qu'elle pouvait toucher et caresser. Sa maîtresse n'avait jamais fait aucune différence entre elle et son fils William. En grandissant, Tansie pensait que cette attitude provenait de ce qu'elle était presque blanche et que peut-être Amelia la considérait comme la fille qu'elle n'avait jamais eue.

Enfant, elle avait partagé les jeux de William, qu'on lui avait souvent confié quand il était bébé. Ils avaient d'ailleurs toujours été les meilleurs amis du monde. William était un garçon gentil et tranquille, avec des cheveux noirs et un teint pâle. Amelia disait qu'il était l'image de son père, qui avait été tué dans un combat entre Français et Anglais. William avait tendance à être trop parfait, trop docile. Les petites espiègleries auxquelles il se livrait avaient toujours été fomentées par Tansie. D'ailleurs celle-ci avait l'impression qu'Amelia était secrètement heureuse lorsque son fils se conduisait mal ou la défiait, car c'était une preuve de caractère.

William prenait trop de plaisir à ses études pour se mettre réellement dans une mauvaise situation. On le voyait toujours le nez plongé dans un livre. Il préférait lire plutôt que jouer, et parfois Tansie trouvait que, meilleur ami ou pas, ce garçon était un camarade bien ennuyeux. Il ne se rebellait jamais contre la sévérité de ses précepteurs, qu'on faisait venir d'Angleterre depuis qu'il avait cinq ans. Aucun d'eux d'ailleurs ne restait jamais bien longtemps. Ils avaient la malheureuse habitude de mourir de la fièvre ou de trouver le climat insupportable, au point de retourner précipitamment en Europe.

Le dernier en date, un certain M. Jott, était resté moins d'un an avant de décider de retourner chez lui. Il s'était convaincu que le climat allait « l'achever » s'il ne s'enfuyait pas immédiatement. Il était parti avec tant de hâte qu'il n'avait même pas laissé à Amelia le temps de le remplacer avant son départ. Si bien qu'à quatorze ans le jeune William était resté quatre mois sans étudier. Mais hier, Joseph avait été envoyé à Basse-Terre pour chercher le nouveau maître, un certain M. Henleigh, qui venait de débarquer.

En le voyant arriver, Tansie avait pensé qu'il ressemblait à l'image qu'elle se faisait de Hamlet. Mark Henleigh était grand, les épaules légèrement voûtées, comme s'il avait passé trop de temps penché sur ses livres. Il ne portait pas de perruque et ses cheveux étaient aussi clairs qu'un citron, malgré des yeux gris foncé. Il avait un visage mince, un menton pointu, de larges pommettes et un grand front fuyant. Il portait des vêtements élégants mais élimés. Son expression mélancolique ne laissait pas présager une très bonne santé. Elle doutait fort qu'il tienne le coup longtemps. De toute façon, c'était une grande amélioration par rapport à M. Jott, ce vieillard grisonnant et faiseur d'embarras.

« As-tu vu le nouveau précepteur ? demanda Amelia à Tansie, alors qu'elle prenait ses vêtements de cheval, le lendemain matin.

— Il ne me semble pas bien solide, dit-elle. Il est vraiment maigre. Et il a l'air triste. »

Amelia soupira. « J'espère qu'il va rester. Tous ces changements ne sont pas bons pour l'éducation de William. Mais celui-ci est chaudement recommandé par M. Lockett. » Lockett était l'agent à Londres de la plantation. « Mais comme il l'a fait remarquer, on n'a guère le choix là-bas. Peu de personnes veulent prendre le risque de venir ruiner leur santé dans les îles ; même les planteurs ont peur de vivre ici. On dit qu'à Macabees, on se prépare à laisser la plantation aux mains d'un agent. De plus en plus de propriétaires rentrent en Europe, et ce n'est pas très bon signe pour les îles. Rien ne peut remplacer les directives d'un bon propriétaire. » Elle soupira. « Toutefois, c'est une bonne chose que M. Henleigh soit arrivé pour la bonne saison. Peut-être que le soleil et les douces brises lui feront du bien et amélioreront sa santé avant les grosses chaleurs. »

Tansie regarda par la fenêtre le ciel bleu qui n'était troué que par de petits nuages blancs, et se demanda pourquoi les gens voulaient vivre ailleurs qu'à St. Kitts. Elle voyait au loin la mer turquoise, et plus près les bois qui arrivaient jusqu'aux abords de la maison. Des bois qu'on coupait constamment pour alimenter les chaudières de la sucrerie ou faire des piquets de clôture et des charpentes. Lointaine avait son verger d'agrumes et de fruits tropicaux de l'autre côté de la maison. Les arbres poussaient sur les rives du petit torrent qui descendait de la montagne et fournissait l'eau au domaine. Une eau qu'Amelia projetait de canaliser pour faire fonctionner un moulin.

Tansie, qui n'avait jamais eu à fournir le moindre travail pénible nécessaire au fonctionnement de la propriété, aimait Lointaine mais elle n'avait jamais été plus loin que la maison et le parc. La case des esclaves et la sucrerie lui étaient interdites. Néanmoins, William et elle avaient la permission de jouer sur la plage. Aussi curieuse qu'elle fût de l'Europe, Tansie pensait que Lointaine était le plus bel endroit du monde, et lorsqu'elle le disait à Amelia, celle-ci éclatait de rire et lui répondait qu'elle avait peut-être raison.

C'était une plantation parfaitement entretenue. Le parc et la maison étaient entourés d'une haie épaisse de plantes exotiques choisies pour leur couleur éclatante. Au-delà de cette haie, se trouvaient les bâtiments de brique rouge qui abritaient les contremaîtres et le bureau de l'économe. Et plus loin encore, la sucrerie avec ses ateliers bien aménagés, où des esclaves compétents construisaient les tonneaux destinés à recevoir le sucre raffiné. On y fabriquait aussi des meubles et toute la menuiserie nécessaire à la maison et à l'usine. La propriété avait ses forgerons, ses tonneliers, qui étaient bien entendu tous noirs. Il y avait aussi une petite distillerie où le résidu du sucre, l'épaisse et collante mélasse, coulait du fond perforé des tonneaux, pour être recueillie et transformée en rhum. Derrière, se trouvaient des cases couvertes de chaume qui abritaient plus d'une centaine d'esclaves, et les jardins où poussait leur nourriture. Tansie n'avait pas le droit d'aller par là. Tout autour de la maison étaient cultivés cent cinquante hectares de canne à sucre d'un jaune rosé. Il y avait aussi des pâturages pour les mules et le bétail. Avec quelques champs de coton et de céréales situés aux abords de la maison, la propriété pouvait vivre en autarcie. Mais comme le faisait remarquer Bella, cette richesse reposait sur le travail forcé des esclaves.

« S'il fallait qu'ils paient les Noirs qui travaillent pour eux, ils ne gagneraient pas grand-chose, aimait-elle à dire. Ça prend à peu près dix-huit mois pour qu'un esclave rapporte à son maître le prix qu'il a été payé, et ensuite il travaille pour rien le reste de sa vie. » Se souvenant de cette conversation, Tansie se dit que personne n'avait eu à payer quoi que ce soit pour l'avoir en toute propriété, puisqu'elle était née esclave.

« Que regardes-tu ? » demanda Amelia.

Tansie tourna le dos à la fenêtre. « Rien, dit-elle, sachant qu'Amelia détestait toute allusion à l'esclavage. Je pensais seulement qu'il faisait un temps superbe.

— Un temps idéal pour la récolte, dit Amelia. On coupe aujourd'hui la canne sur le champ ouest. » Elle boutonnait sa tenue de cheval. « Je vais montrer la propriété au nouveau précepteur. Aimerais-tu venir avec nous ? »

Tansie fut surprise. Pendant les récoltes, les douze esclaves qui s'occupaient du parc et de la maison devaient aller aider au champ et à l'usine. On ne lui avait jamais permis de les accompagner, elle devait rester à la cuisine pour travailler avec Bella. La vieille femme lui avait dit qu'elle avait de la chance, mais ce privilège, à une époque de travail intensif, augmentait le ressentiment des autres esclaves. De plus, cela provoquait chez elle une curiosité intense sur cette partie de la propriété qu'elle n'avait jamais vue.

« Je peux vraiment ? demanda-t-elle, pleine d'espoir. Pourrai-je voir aussi les cases des esclaves ? »

Le visage d'Amelia était sans expression. « Tu pourras voir ce que je montrerai à M. Henleigh, dit-elle. Peut-être est-il temps que tu comprennes un peu plus de choses. Va voir si William est prêt. Il vient aussi. »

Une demi-heure plus tard, Amelia présenta cérémonieusement Tansie au précepteur qui la regarda comme s'il ne pouvait en croire ses yeux. On avait donné un cheval au précepteur et Amelia et William chevauchaient leurs montures habituelles. Tansie était juchée sur une mule. Cette situation rendit M. Henleigh perplexe.

« Ne préféreriez-vous pas avoir mon cheval ? demanda-t-il poliment.

— Les esclaves ne montent pas à cheval », lança Tansie joyeusement. Le précepteur la regarda l'air horrifié.

« Vous êtes esclave ? »

Tansie ouvrait la bouche pour répondre lorsque Amelia lui coupa la parole.

« Il faut partir maintenant, monsieur Henleigh », dit-elle.

Tandis qu'ils parcouraient le kilomètre qui les séparait de la cour de l'usine, William prenait plaisir à montrer à son nouveau maître la rivière, le verger et le champ de maïs dont la récolte servait à la fabrication du pain. Tansie remarqua que William semblait ravi d'avoir un professeur tellement plus jeune que M. Jott et, regardant le jeune homme à travers ses longs cils, elle se rendit compte qu'elle n'en était pas fâchée non plus. M. Henleigh paraissait gentil et apparemment il devait pouvoir être amical en dépit de son air mélancolique. Et de toute évidence il était en adoration devant elle. Elle avait été flattée en constatant son mouvement de surprise en apprenant qu'elle était esclave. Ses vêtements lui venaient d'Amelia et ils ne ressemblaient pas le moins du monde à l'habillement habituel des esclaves. Peut-être était-ce ce qui l'avait trompé ?

L'odeur puissante du sucre en train de bouillir devenait plus forte au fur et à mesure qu'ils approchaient de la cour de la sucrerie. Bientôt ils aperçurent les ailes toilées d'un moulin. Amelia les conduisit alors vers un groupe de bâtiments entourés de petites barrières et aux toits en angle droit, qui ressemblaient à des boîtes.

« Nous allons dire bonjour à M. Durrand, dit-elle. C'est notre économe, un homme inestimable. »

Tansie avait déjà vu M. Durrand les jours où il venait faire son rapport à Mme Amelia. Lui et M. La Bac étaient des personnes fort importantes dans la propriété, et pourtant il apparut à Tansie, tandis qu'ils approchaient de l'habitation, que M. Durrand vivait fort pauvrement. Les vêtements qu'il portait étaient luisants et élimés. L'endroit où il travaillait était petit, triste, à peine mieux que sa chambre à elle. Au milieu se trouvait un bureau où étaient empilés des registres. L'homme salua Amelia avec respect et accompagna leur petit groupe dans la cour de la sucrerie où se trouvait La Bac.

La cour de l'usine fourmillait de Noirs aux corps luisants, de mules couvertes d'écume et de bœufs tirant des charrettes remplies de cannes à sucre. Néanmoins il y avait une logique dans ce que faisaient les hommes et les animaux. Une logique mais peu d'enthousiasme. Hommes et bêtes avaient un air accablé. La Bac s'empressait, son fouet à la main, criant aux hommes de se dépêcher. Amelia fit signe à William et à M. Henleigh de s'arrêter pour regarder.

En vérité, c'était une scène extraordinaire. Les voitures tirées ou par des mules ou par des hommes, étaient chargées de ce qui ressemblait à du petit bois de chauffage. Durant le trajet, des femmes couraient à côté de la charrette pour ramasser la moindre bout de canne tombé lors du trajet vers le moulin. En plus du moulin à vent, il y avait deux moulins actionnés par des bœufs. C'étaient quatre gros rouleaux verticaux dressés au centre d'une surface pavée. Deux larges poutres en partaient et à l'autre bout étaient attachés des bœufs qui tournaient en rond pour actionner le moulin. D'autres bœufs attendaient pour prendre leur relève. Les hommes, nus jusqu'à la taille, dégoulinants de sueur, déchargeaient les voitures et alimentaient les broyeurs de canne. Tout se passait dans un curieux silence. On n'entendait que les sabots des bœufs frappant le sol, le bruit des pas étouffés par la poussière et le claquement des fouets sur le dos des hommes et des bêtes quand ils ralentissaient la cadence. L'énergie concentrée et la chaleur des Caraïbes créaient ici une sorte de nuage de vapeur.

« Vous voyez comment les faisceaux de canne sont entassés entre les broyeurs, dit Amelia en montrant le moulin de sa cravache. Regardez comme le jus descend dans les rigoles et les tuyaux pour aller du moulin à la sucrerie proprement dite. »

Elle montrait les deux sucreries, de grands bâtiments blancs, tout en longueur, au sol rouge, dont les grandes cheminées blanches vomissaient une fumée paresseuse.

« Pouvons-nous aller voir ce qui se passe là-bas, maman ? demanda William. Je suis sûr que M. Henleigh en meurt d'envie.

— Si tu y tiens, dit Amelia. Mais il fait très chaud et ça sent très fort. »

Ils confièrent leurs montures à un esclave, et le petit groupe se dirigea vers la chaudière la plus proche. A l'intérieur, c'était l'enfer. Des chaudrons de cuivre remplis d'un jus bouillonnant fumaient tandis que des hommes nus jusqu'à la ceinture maniaient d'énormes louches de sirop brûlant qu'ils faisaient passer d'un chaudron à l'autre.

Tansie fronça le nez à cause de l'odeur, et remarqua que M. Henleigh ne paraissait pas non plus ravi d'être ici ; de blanc, il devenait vert. La chaleur, les corps nus et suants, les visages fatigués des esclaves et, plus que tout, une atmosphère d'hostilité contenue la mettaient mal à l'aise.

Mark Henleigh porta son mouchoir devant son nez. « Que font-ils ? demanda-t-il.

— L'ébullition fait évaporer le jus de la canne afin d'en faire des cristaux, expliqua Amelia. Ensuite les cristaux sont dirigés vers un séchoir et séparés de la mélasse. C'est avec la mélasse que l'on fait le rhum ; quant aux cristaux, on les envoie en Angleterre, afin qu'ils soient raffinés et deviennent du sucre blanc. Nous produisons environ quatre-vingts tonnes de sucre et quarante tonneaux de rhum chaque année.

— Je vois, dit Henleigh. Et ces hommes et ces femmes sont des esclaves ? Ils travaillent sans salaire ? »

Ses trois compagnons le regardèrent l'air surpris.

« Mais bien sûr », dit William avec impatience.

Tansie remarqua qu'Amelia semblait embarrassée car elle changea aussitôt de sujet.

« Regarde là-bas. Cette opération demande une grande habileté, dit-elle en se tournant vers Tansie. Regarde bien l'esclave qui se tient debout pour surveiller le chaudron. C'est lui l'élément primordial dans ce travail. »

A la fois fascinée et pleine de répulsion, Tansie regarda. Soudain l'homme, un petit Noir musclé, se pencha en avant et plongea son pouce et son index dans le liquide visqueux en fusion. Tansie grimaça en songeant à la température à laquelle devait être le liquide. L'homme retira rapidement sa main, écarta son pouce et son index, et étira la masse de sucre entre ses doigts dans un long fil brun, aussi fin que la corde d'un violon. Si fin qu'on avait l'impression qu'il allait émettre un son.

« Vas-y ! » cria l'homme. A côté de lui un autre esclave bondit pour verser le contenu du chaudron dans un tonneau qui attendait à côté.

« Le sirop est prêt pour la cristallisation. Un peu plus longtemps et il n'est plus bon à rien, expliqua Amelia. Cette opération exige une grande habileté.

— Mais cet homme ne tire rien de son habileté ? » demanda Henleigh.

Amelia ne répondit pas. Elle redressa la tête, fit demi-tour et marcha rapidement en direction de son cheval.

Elle poursuivit la visite au pas de course. Ils ne virent qu'un des champs, où les hommes, les femmes et les enfants coupaient les grandes cannes avec des machettes, toussant à cause de la poussière. D'autres esclaves, munis de fouets, les faisaient avancer rapidement dans une brume de soleil, de poussière et de sueur.

« Il faut aller vite, murmura Amelia sur un ton d'excuse. La canne à sucre n'est plus bonne à rien sinon. »

Elle les emmena ensuite dans un champ déjà coupé, où les esclaves binaient des carrés autour du pied de la plante.

« Dans quinze mois, on pourra la couper de nouveau, dit-elle. Et on recommencera le même processus que vous avez vu aujourd'hui. »

Elle parlait de façon laconique, comme si elle avait épuisé le sujet. Tansie avait l'impression que sa maîtresse avait perdu tout intérêt à cette visite. En effet, Amelia fit brusquement faire volte-face à son cheval pour l'amener en direction de la grande maison. William et Henleigh la suivirent sans protester. L'humeur maussade d'Amelia était contagieuse. Personne ne parla. William, de toute façon, était généralement silencieux. Son mutisme n'avait rien d'étonnant, mais le précepteur paraissait préoccupé, il avait l'air presque lugubre. Tansie, qui habituellement avait la langue bien pendue, était également silencieuse tandis qu'elle restait à la traîne sur sa mule rétive. Elle avait la tête remplie des horreurs qu'elle venait de voir dans la sucrerie et dans les champs : des hommes et des femmes qu'on utilisait comme des animaux. Elle sentait que cette première vision de la vie des esclaves resterait dans son esprit à jamais, exactement comme la vieille tapisserie aux couleurs passées suspendue dans la salle à manger de Lointaine — présentant des soldats blessés ou mourants au cours d'une guerre oubliée depuis longtemps — qui continuait de l'obséder même si l'habitude en avait légèrement estompé l'horreur.

Elle se rendit compte qu'elle n'avait toujours pas vu les cases des esclaves. Si Amelia avait eu l'intention d'y aller elle avait peut-être changé d'avis en constatant l'attitude désapprobatrice du nouveau précepteur ? Tansie commençait à comprendre vaguement pourquoi on lui avait interdit de se rendre près de la sucrerie. La vue des esclaves travaillant sous la menace du fouet avait quelque chose de bestial. Elle comprit alors le ressentiment qu'éprouvaient à son égard les autres esclaves, simplement parce qu'on l'avait tenue loin de tout ça. Elle aurait dû être une de ces femmes à bout de souffle, coupant à la machette les cannes résistantes ou encore jetant les pousses entre les broyeurs du moulin. Elle aurait dû connaître les coups de fouet sur ses épaules, au cas où elle n'aurait pas avancé assez vite. Elle aurait dû être habillée non pas de laine et de fins cotons comme sa maîtresse, mais de toile grossière. Elle ferma les yeux et revit le petit Noir qui attendait près du chaudron et qui plongeait ses doigts dans le sucre bouillant. Il n'avait même pas grimacé. Elle frissonna à la pensée de la vie qu'avait dû mener cet homme pour que ses mains soient endurcies à ce point. De cette vie-là, quelqu'un l'avait protégée.

De retour à la maison, Amelia s'excusa et demanda à William de montrer le parc à Henleigh. Mais le précepteur, sous prétexte d'un mal de tête, préféra regagner sa chambre pour s'allonger un moment.

William se montra immédiatement plein de sollicitude. « Vous n'avez pas l'habitude de ce soleil, dit-il. Maman me dit qu'en Angleterre il fait froid et gris. Je vais demander à Bella de vous préparer un médicament qui vous fera du bien. »

Il se rendit dans la cuisine avec Tansie, et expliqua à Bella ce qu'il voulait qu'elle fasse puis il demanda : « Puis-je emmener Tansie à la plage ? »

William aimait ramasser des coquillages. C'était son occupation préférée après la lecture.

Bella, les mains sur les hanches, les dévisagea tous les deux, puis elle regarda attentivement la figure de Tansie.

« Tu n'as pas beaucoup aimé la sucrerie, hein ? »

Tansie hocha la tête pour confirmer ce jugement.

« Les esclaves non plus ne l'aiment pas beaucoup. Mais on n'y peut rien. » Elle poussa un grand soupir et bizarrement se pencha pour embrasser la joue de Tansie. « Allez, va jouer. Allez-y. Décampez, tous les deux. »

William s'empara de la main de Tansie. « Viens », dit-il en la traînant vers la porte de la cuisine.

Dehors, Tansie se dégagea et bouscula le garçon. Il la bouscula à son tour, et en quelques secondes ils luttaient comme deux petits chiens. Ils se séparèrent en riant, continuant de se bousculer un peu, puis avec un cri de joie, ils coururent main dans la main vers la plage.

Amelia rentra elle-même sa jument à l'écurie. Il lui fallut le trajet de retour vers la maison pour retrouver son calme. Elle n'avait pas aimé cette matinée. Le dégoût non dissimulé de Mark Henleigh pour le travail des esclaves et le désarroi de Tansie dans la sucrerie l'obligeaient à remettre en question sa propre attitude vis-à-vis de l'esclavage. Au cours des années, elle s'était doutée qu'elle devenait insensible, mais avait toujours chassé cette pensée. Aujourd'hui, il lui fallait admettre qu'elle avait effectivement changé, qu'elle s'était endurcie au cours de dix-neuf ans passés aux Antilles. Elle n'avait rien ressenti de particulier devant les esclaves, ce matin. Rien. Elle considérait simplement que cette souffrance, cette sueur, cette hostilité, ce travail abrutissant étaient le lot des Noirs. Elle n'avait même pas respecté le principe de Louis qui interdisait d'avoir des esclaves dans la maison. Bien sûr, Mme Volnay continuait de faire la loi en tant qu'intendante, et elle avait gardé à Lointaine les domestiques français de Louis. Mais ils étaient de moins en moins actifs et se contentaient de former des esclaves pour travailler à leur place — des jeunes filles et des jeunes gens nés esclaves qu'on enlevait aux champs de canne. Vérité et Daniel étaient toujours esclaves, même s'ils étaient privilégiés. Leur fils de dix ans, Juba, esclave lui aussi, travaillait dans la maison, ce qui signifiait qu'il passait la plupart de son temps à courir derrière William. Et bien entendu, Tansie elle aussi était esclave.

Amelia s'était mise au diapason de la dure réalité. Il était impossible de diriger une plantation prospère sans avoir recours aux esclaves. Les planteurs, lorsqu'ils avaient de la chance, voyaient leur investissement leur rapporter dix pour cent par an. Mais la norme était autour de cinq pour cent. De plus ce revenu pouvait leur être enlevé à cause du mauvais temps ou d'une tempête, ou encore si un esclave mécontent mettait le feu à un champ de canne. Amelia avait découvert, un an environ après la mort de Louis, que sa propriété était au bord de la banqueroute. Louis avait été trop généreux, trop accommodant. Avec l'aide de Zach, elle avait sauvé la plantation. Certaines années, elle ne faisait aucun profit mais elle vivait bien et ne souhaitait rien de plus. Il en était de même pour les gens de sa maison. Elle avait trente-cinq ans et avait passé ces quatorze années à protéger l'héritage de son fils.

La situation à St. Kitts était encore aggravée par les guerres incessantes avec la France. Trois ans plus tôt, Christopher Codrington le jeune avait mis les Français à la porte de St. Kitts et démoli Basse-Terre. Deux ans auparavant, la ville avait été incendiée. Elle venait à peine d'être reconstruite lorsque de nouveau elle avait été rasée. En ce moment, il régnait une paix incertaine, mais Amelia ne doutait pas que les Français reviendraient et que les incendies et les destructions recommenceraient. Rien ne garantissait qu'aucune des plantations de l'île survive à la guerre. Jusqu'ici, depuis la reconstruction de Lointaine après la mort de Louis, Amelia avait eu de la chance. De temps en temps un champ était incendié, ce qui causait des pertes d'argent, mais la maison était toujours restée debout, peut-être à cause de sa situation isolée au bout de l'île.

Windsong avait également été épargné par la guerre. Zach était devenu un personnage important au conseil de l'île. En cas de troubles, sa plantation était donc parfaitement gardée par les soldats anglais et les milices insulaires.

Lointaine, au moins financièrement, ne craignait plus rien. Amelia était fière de ce résultat. Mais aujourd'hui la réaction de Mark Henleigh l'avait dérangée. Elle n'avait jamais eu l'intention de devenir aussi dure. Parfois, elle surprenait l'œil impitoyable de Bella posé sur elle, et elle savait exactement ce que pensait la vieille femme. Bella se demandait où était passée la petite esclave blanche qui était tombée amoureuse d'un jeune esclave noir. Et où, se demandait-elle, où donc était passé Joshua ?

« Et puis zut, murmura-t-elle, fouettant l'air de sa cravache pour se soulager. Si Mark Henleigh n'aime pas ce qui se passe ici, il n'a qu'à retourner chez lui. »

Elle décida d'aller voir Ben à Basse-Terre en bateau aussitôt qu'elle le pourrait. Une conversation avec Ben lui remettait toujours l'esprit en place ; il savait écouter et se montrait compréhensif.

Comme elle atteignait le perron de la porte d'entrée, Joseph sortit précipitamment.

« Mme Quick est venue ce matin, dit-il, en prenant sa cravache et son manteau de cheval. Elle attend pour vous voir. »

Elle n'avait pas revu Charlotte depuis l'enterrement d'Élisabeth Oliver, cinq mois auparavant, et elle ne tenait guère à la voir maintenant. Malgré tous ses efforts, Amelia ne parvenait pas à chasser de sa mémoire certains souvenirs désagréables du temps où elle était à son service. Mais l'ancienne propriétaire de Windsong n'était plus la même depuis que sa fortune était tombée entre les mains de son gendre. Selon Amelia, la perte de son mari l'avait nettement moins marquée. Dépossédée de sa propre maison, sa santé s'était lentement détériorée, la transformant en un tas d'os. Et sa langue de vipère s'était tue. Alors qu'elle était encore relativement jeune, sa mémoire commençait à la lâcher. Amelia pensait parfois qu'Élisabeth avait peur de ce gendre géant à l'esprit terriblement lent. Et elle la comprenait. Zach ne serait jamais un intellectuel, mais il était devenu un homme d'affaires, sans pitié et arrogant. Élisabeth s'était retrouvée sans avoir son mot à dire sur la gestion de ce qui avait été sa plantation. Zach s'était montré très dur envers elle, mais peut-être n'avait-il pas oublié les longues heures passées à couper la canne pour le compte des Oliver. Il ne voyait aucune raison d'aimer Élisabeth. Et Amelia était presque sûre qu'il n'aimait pas non plus Charlotte.

« Où est-elle, Joseph ? demanda-t-elle.

— Dans le salon. Bella lui a apporté du café.

— Dites-lui que je me change et que j'arrive.

— Bien, madame, dit Joseph en retournant vers le salon.

— Et qu'on lui apporte encore un peu de café », lui cria Amelia.

Lorsqu'elle redescendit cinq minutes plus tard, elle trouva Charlotte assise les pieds sur un tabouret, habillée d'une robe neuve. Elle paraissait plus grosse, avec un visage plus rond, et avait un air étonnamment heureux. Depuis son mariage, sa bouche s'était affaissée, elle avait perdu son air de supériorité satisfaite et n'avait jamais paru heureuse. Mais maintenant quelque chose était arrivé qui éclairait de nouveau sa vie, se dit Amelia. Peut-être était-ce simplement la mort de sa terrible mère ?

Elles s'embrassèrent et l'étreinte de Charlotte débordait d'une chaleur qu'Amelia se sentait incapable de partager. Elle se dit que sa belle-sœur l'aimait, que ce n'était pas une mauvaise fille, et qu'elle aurait dû être plus gentille.

« Tu me sembles aller fort bien, lui dit Amelia.

— Je vais très bien, dit Charlotte, souriant de toutes ses dents en passant ses doigts pâles dans ses longs cheveux blonds. Je me sens merveilleusement bien et j'ai vraiment une bonne nouvelle à t'apprendre. »

Elle est enceinte, se dit Amelia.

« J'attends un bébé, Amelia. Je suis folle de joie. Ça fait presque cinq mois et cette fois j'ai de bonnes raisons de croire que tout se passera bien. La sage-femme me dit que ma santé est bonne et qu'il n'y a aucune raison pour que mon bébé ne vienne pas au monde normalement. »

Peu après son mariage, Charlotte avait fait une fausse couche. Depuis lors, Amelia se demandait si son frère pourrait jamais avoir une famille, mais elle avait évité évidemment de poser des questions.

Le visage de sa belle-sœur rayonnait. Touchée par ce bonheur, Amelia la serra dans ses bras.

« Ainsi je vais être tante, dit-elle. C'est vraiment une très bonne nouvelle.

222

— Tu ne sais pas à quel point, lui dit Charlotte. J'en ai perdu tellement. J'avais cessé d'en parler de peur de contrarier le destin, mais j'ai fait six fausses couches, Amelia. Je pensais que je n'arriverais jamais à être mère, et Zach n'arrêtait pas de me dire... » Elle hésita un instant. « Je sais que c'est ton frère, Amelia, mais il n'était pas très gentil. » Ses yeux étaient remplis de larmes. « Il disait que je n'étais bonne à rien. Une épouse incapable, incapable même de lui donner un héritier. Parfois je pensais que c'était sa méchanceté qui me faisait avorter. Il était brutal quand... » Elle hoqueta. « Et puis après la mort de ma mère, tout a changé. Il est devenu plus gentil, plus tendre. J'ai commencé à sentir qu'il m'aimait réellement et du coup... Je suis tombée enceinte. Il était tellement ravi à l'idée d'être père qu'il est devenu tendre avec moi. Je ne peux te dire à quel point notre couple est devenu différent et combien nous sommes heureux tous les deux. » Les larmes avaient disparu et elle avait un air extatique, ses mains jointes comme à l'église. « Ça ne te gêne pas que je te dise tout cela ? demanda-t-elle presque timidement.

— Bien sûr que non, dit Amelia. Écoute, je sais à quel point mon frère peut être difficile.

— Pardonne-moi, mais j'avais besoin de parler à quelqu'un et je n'ai personne depuis que maman et papa sont partis. De toute façon, je n'aurais jamais pu leur parler de ce genre de chose.

— Tu n'as pas toujours été heureuse avec Zach ? Je le sentais. Le mariage t'avait changée.

— Je ne savais pas comment m'y prendre pour lui plaire. Et puis il y avait cette esclave.

— Ruby ?

— Oui, Ruby. Je savais qu'il couchait avec elle presque toutes les nuits et j'en avais le cœur brisé. Il ne semblait même pas essayer de se cacher, tout le monde était au courant ; j'ai pensé mourir de honte et d'humiliation. Grâce à Dieu, elle n'a jamais eu d'enfant. Je n'aurais pas pu le supporter. Moi, je n'arrivais pas à le satisfaire. Maman m'avait appris qu'il fallait être réservée et pudique, de peur qu'il pense que je n'étais pas une dame. Je brûlais d'envie de me conduire différemment mais je ne savais pas comment m'y prendre. Il me trouvait froide et sans amour. Il ne se rendait pas compte à quel point je le désirais, à quel point je l'aimais. Mais je croyais que ce ne serait pas bien de le lui dire, de le lui montrer. Et le pire de tout, c'était de vivre à Windsong. J'étais obsédée par la pré-

223

sence de ma mère dans la maison — sa chambre à coucher un peu plus loin dans le couloir — et je craignais que si je me laissais aller à faire ce dont j'avais envie, elle m'entende et me trouve dévergondée. Même si je savais parfaitement qu'il lui était impossible de nous entendre, je l'imaginais couchée dans son lit, nous écoutant. Amelia, toi qui as été mariée, dis-moi, je t'en prie, est-ce quelque chose de mauvais pour une femme de montrer à un homme ce qu'elle éprouve et de lui dire ce qu'elle attend de lui ?

— Bien sûr que non, dit Amelia fermement. Les hommes veulent une dame au salon, mais certes pas dans leur chambre à coucher. »

Charlotte soupira. « Je suis sûre que tu as raison. Tout ce temps perdu, murmura-t-elle, en fixant ses mains en silence. Et puis ma mère est morte. Brusquement elle n'était plus dans la maison. Sa chambre à coucher était vide. Je me sentais libre. C'était comme si toutes les entraves m'avaient été enlevées. Je fis — elle hésita un peu — ce que j'avais rêvé de faire avec mon mari. Et bien loin de me trouver dévergondée, il en fut heureux. Oh Amelia, il ne va même plus rendre visite à Ruby... Enfin, moins souvent. Et je suis la femme la plus heureuse de la terre. Mais je me sens terriblement coupable parce que je suis presque contente que ma mère soit morte, parce que sa mort m'a rendue enfin heureuse.

— Tu ne dois pas te sentir coupable, dit Amelia en se penchant pour prendre la main de Charlotte. Crois-moi, tu as été une fille dévouée et respectueuse pour ta mère qui... » Amelia s'arrêta.

« Tu n'aimais pas maman. » Ce n'était ni une question ni un reproche, mais une simple constatation.

Amelia se surprit à sourire. « Non. »

Charlotte soupira. « Moi non plus. Oh, je la respectais, mais elle n'était pas facile à aimer. J'ai toujours eu peur d'elle. Tu ne peux pas savoir à quel point tu m'as manqué quand tu es partie... » Elle porta sa main à sa bouche. « Mais je ne devrais pas parler de ça.

— Pourquoi pas ? demanda Amelia vivement. C'est quelque chose qui est arrivé. J'ai été ton esclave.

— Ça me semble impossible maintenant. Mais il y avait quelque chose de bon dans tout cela. Imagine, si tout ça n'était pas arrivé, je n'aurais pas connu Zach.

— C'est vrai », dit sèchement Amelia, se souvenant de la souffrance, de l'humiliation des années d'esclavage. Elle était contente que Charlotte soit heureuse, mais déroutée de constater que même maintenant cette fille n'arriverait jamais à comprendre le fossé qui les séparerait toujours. Seule Charlotte pouvait mentalement transformer à son avantage l'horreur de ce qui était arrivé à elle et à Zach.

« Je t'en prie, viens nous rendre visite plus souvent à Windsong, disait Charlotte. Nous devons être encore plus proches. Nous sommes votre seule famille. Je sais à quel point Zach adore te voir et, maintenant que papa et maman sont morts, tu trouveras que les choses ont changé. »

Ah oui, mais leurs fantômes seront toujours là, pensa Amelia. Pourtant elle dit gentiment : « Bien sûr je viendrai. Très prochainement. »

Le lendemain Amelia se réveilla extrêmement énervée, avec un léger mal de tête. C'était un temps antillais de février absolument parfait. Le soleil était déjà haut et quelques nuages flottaient dans un ciel bleu d'aquarelle. Jetant un coup d'œil dans le parc, elle aperçut l'éclair des martins-pêcheurs qui descendaient la rivière. De petits oiseaux d'un jaune éclatant gazouillaient au milieu des feuilles rouges d'un poinsettia, et plus bas, vers la mer, des pétrels tournoyaient. Ce paysage, aussi beau soit-il, ne lui plaisait pas. Elle voulait s'en aller de Lointaine.

Comme d'habitude Tansie lui apporta son petit déjeuner. Mais ce matin, Amelia se sentit honteuse à l'idée de se faire servir par sa propre fille. Tout à l'heure, Tansie viderait son pot de chambre, exactement comme elle-même avait dû vider celui d'Élisabeth et de Charlotte.

« Bonjour, madame Amelia, avez-vous bien dormi ? » demanda Tansie en déposant le plateau sur une table. Elle semblait préoccupée, alors qu'en temps normal, c'était quelqu'un de gai, avec un caractère extraordinairement ouvert et franc. De plus, elle était vive et intelligente. Elle n'aurait pas dû naître esclave, pensait Amelia le cœur serré, mais que pouvait-elle faire d'autre sans dire à Tansie la vérité sur sa naissance ?

« As-tu trouvé intéressante la visite à la sucrerie hier ? » demanda-t-elle, en s'approchant de son petit déjeuner, sachant d'avance quelle serait la réponse.

Le visage de la jeune fille s'assombrit. « Je n'ai pas aimé ça du tout », bredouilla-t-elle.

225

Amelia s'assit et prit un morceau de pain, essayant de paraître imperturbable. « Et pourquoi donc ?

— Je ne sais pas, dit Tansie d'une voix anxieuse.

— Il doit bien y avoir une raison. »

La jeune fille restait immobile, les mains cachées dans son tablier.

« Je n'arrêtais pas de me dire que ç'aurait dû être moi.

— Toi ?

— Oui, moi. J'aurais dû être habillée ainsi, couper la canne et faire ce travail dur et épuisant. Des hommes et des femmes fouettés... comme des animaux...

— Ah ! soupira Amelia incapable de trouver quelque chose d'autre à dire.

— Mais vous me l'avez évité, n'est-ce pas ?

— Pas exactement. Tout le monde a des domestiques qui font des travaux différents.

— Oui, mais on ne leur apprend pas à lire et à écrire, et on ne leur donne pas les vêtements de leur maîtresse. Ils n'ont pas non plus leur propre chambre. » La voix de la jeune fille était inquiète. « J'étais très bien jusqu'au moment de me coucher et puis j'ai commencé à réfléchir. J'ai pensé à ça durant la nuit. Je ne comprends pas pourquoi j'ai eu tellement de chance. Pourquoi moi ? Pourquoi m'avez-vous choisie ? »

Parce que, ma chérie, tu es ma fille, mourait d'envie de dire Amelia. Pourtant elle prit une grande inspiration et dit : « Peut-être parce que tu étais tellement blanche. Et je t'aimais. Tu étais une petite fille adorable et assez malheureuse sans ta maman. Et puis tu étais la petite-fille de Bella, et Bella est libre.

— Mais c'est vous qui avez libéré ma grand-mère. Elle me l'a dit.

— Eh bien oui. Elle a été très gentille avec moi, lors de mon arrivée à St. Kitts.

— Mais vous n'avez pas libéré Vérité et Daniel.

— Effectivement. Peut-être n'étaient-ils pas aussi gentils avec moi. » Amelia cherchait désespérément à rendre l'atmosphère moins lourde, tandis que Tansie était bien décidée à dire ce qu'elle avait sur le cœur.

« Si c'est simplement parce que je suis presque blanche, ce n'est pas juste, dit-elle l'air farouche. Je suis une esclave comme les autres. Ce n'est pas bien que je sois traitée mieux qu'eux, simplement pour cela. D'ailleurs je ne comprends pas pourquoi je suis tellement blanche. Ma mère était noire. Je me souviens d'elle et elle était merveilleusement noire, une peau chaude et brillante. Bella est noire. Je sais que mon père était à moitié blanc, mais Bella ne veut rien me dire à ce sujet.

— Je n'ai aucune information sur le père de ton père. Je ne peux rien te dire. »

Tansie la regarde l'air incrédule. Puis elle dit : « Je dois être avec ma mère et avec mon père. »

Amelia ressentit une douleur insupportable, mais elle parvint à dire avec fermeté : « Tu sais très bien qu'il est difficile pour les esclaves de constituer une famille. Peut-être comprends-tu mieux maintenant pourquoi je n'ai pas voulu que tu voies les champs de canne et la sucrerie plus tôt.

— Mais pourquoi donc ? demanda Tansie vivement. J'aimerais ne les avoir jamais vus. Avant de voir ce qu'était la vie des esclaves, je ne me suis jamais interrogée sur ma propre chance. Qu'est-ce que je vais devenir ? Vous ne m'avez pas préparée à une vie d'esclave. Pourquoi me laissez-vous vous parler ainsi ? Vous ne le permettriez à aucun autre esclave. Ce n'est pas juste. Je ne suis ni noire ni blanche. Ce serait mieux pour moi d'être une esclave comme tous les autres. Je n'appartiens à aucun endroit.

— Mais si, tu es chez toi ici, s'écria Amelia. A Lointaine. C'est ta maison et elle le sera toujours.

— Il le faudra bien, n'est-ce pas ? Je ne peux sortir de la plantation, dit la jeune fille avec amertume.

— Si tu étais libre, partirais-tu ? » avança doucement Amelia en retenant son souffle devant l'importance de la réponse. Tansie réfléchit.

« On ne sait jamais, dit Tansie prudemment.

— Où irais-tu ?

— Je ne sais pas.

— Bon. Quand ça sera clair dans ta tête, viens me le dire. » Le soulagement d'Amelia l'aida à prendre un ton léger. « Et arrête de t'inquiéter à propos de tout ça. Les domestiques ont une vie bien plus facile que les esclaves dans les champs et à la sucrerie.

— Pas aussi facile que la mienne.

— Oh, arrête, je t'en prie. A cause de toi, mon thé est froid, dit Amelia, faisant semblant d'être irritée. Cours à la cuisine me chercher une autre théière, si tu veux être une bonne fille. »

Tansie fit immédiatement ce qu'on lui demandait et, dès qu'elle fut partie, Amelia poussa un profond soupir. Consternée, elle se rendait compte qu'elle n'aurait pas dû laisser sa fille grandir à l'écart des autres esclaves. Si la petite fille avait été habituée à la vie de la plantation, elle n'aurait pas reçu un choc semblable à celui qu'elle avait éprouvé hier. Dans son désir de protéger au mieux son enfant, Amelia avait fait une erreur de jugement, mais il était trop tard pour revenir en arrière.

En retournant dans la cuisine avec le plateau du petit déjeuner d'Amelia, Tansie ne faisait pas attention à l'endroit où elle mettait les pieds. Son esprit était toujours occupé par sa conversation avec Amelia. Elle trébucha et le plateau s'écrasa sur le sol dallé de la cuisine.

Comme elle regardait consternée le tas de porcelaine cassée, sa grand-mère, avec une agilité surprenante pour sa corpulence, lui envoya sur l'oreille une gifle bien sentie.

« A quoi penses-tu, ma fille ? siffla-t-elle. Crois-moi, si tu travaillais à Windsong, les Oliver t'auraient fait fouetter jusqu'à ce que ta carcasse dégouline de sang.

— Je ne l'ai pas fait exprès, protesta Tansie.

— Je n'ai pas dit que tu l'avais fait exprès. Ça ne fait aucune différence. Je connais une fille qui a été fouettée un jour pour avoir seulement cassé un poudrier. Tu peux t'estimer heureuse de travailler ici. »

Tansie voulait avoir des éclaircissements.

« Si quelqu'un d'autre avait laissé tomber le plateau, une fille plus noire que moi, penses-tu qu'on l'aurait fouettée ? demanda-t-elle avec agressivité.

— Mme Amelia n'aime pas qu'on fouette qui que ce soit. Pas dans la maison. Elle a été fouettée elle-même une fois et elle ne l'a pas oublié.

— Mme Amelia a été fouettée ? » Tansie ne pouvait en croire ses oreilles. Sa maîtresse si élégante, si sûre d'elle, qui ne perdait jamais son calme, avait été fouettée comme une esclave ! « Ce n'est pas possible, dit-elle. Je ne le crois pas. D'ailleurs, elle ne se préoccupe guère que les gens soient fouettés dans les champs et à la sucrerie.

— Veux-tu bien te taire ! Il y a beaucoup de choses que tu ne sais pas à propos de Mme Amelia, dit Bella de mauvaise humeur, et ce n'est sûrement pas à moi de te les dire. Maintenant, tu vas me nettoyer ça et filer avant de provoquer de nouveaux dégâts.

— Et pour le linge ? » C'était le travail de Tansie de laver chaque jour le linge personnel d'Amelia.

« Tu n'es pas en état de t'en occuper aujourd'hui. Tout ce que je te demande, c'est de filer. »

Bella paraissait si furieuse, si fâchée, que Tansie la prit au mot et sortit dans le jardin. Privée de son habituel travail matinal, elle ne savait pas très bien quoi faire. Elle se demandait si William allait pouvoir jouer avec elle ou s'il était en train de prendre ses leçons avec son nouveau précepteur. Si William n'était pas disponible, elle pouvait toujours aller jouer avec Juba. Mais Vérité et Daniel n'aimaient guère la voir en compagnie de leur fils. L'ennui c'était que ces deux garçons lui semblaient maintenant trop jeunes, trop puérils pour être réellement d'agréables camarades. Elle aurait aimé avoir un ami de son âge.

Elle se tenait immobile, désœuvrée, quand elle entendit qu'on l'appelait. C'était M. Henleigh. Il sautillait dans l'allée en agitant frénétiquement sa main, et arriva près d'elle à bout de souffle.

« Mademoiselle Tansie, dit-il, la main sur sa poitrine. C'est une telle joie... »

Tansie éclata de rire. « Vous ne devez pas m'appeler mademoiselle, dit-elle. Je suis simplement Tansie. On n'appelle jamais une esclave madame ou mademoiselle.

— Je n'arrive pas à vous voir en tant qu'esclave, dit-il immédiatement. Je n'arrive pas à penser que vous êtes une esclave. C'est absurde, cruel. Une honte. »

Elle le regarda avec intérêt. « Parce que je suis tellement blanche ?

— Oui.

— Ça vous serait égal si j'étais noire ?

— Après ce que j'ai vu hier, je soutiens qu'aucun homme ni aucune femme, quelle que soit sa couleur, ne devrait être esclave. Mais pour quelqu'un comme vous, c'est un véritable scandale. »

Sa voix passionnée montrait de toute évidence qu'il était sincère. Tansie écouta son point de vue et acquiesça.

« Dans ce cas, vous n'allez pas vous plaire ici, le prévint-elle.

— Je m'en suis déjà aperçu, dit-il comme il sortait son mouchoir de sa poche et commençait à tousser. Pardonnez-moi... Cette toux... J'avais espéré que le climat chaud de cette île me ferait du bien.

— C'est possible », dit Tansie prudemment, pensant que le climat viendrait probablement à bout de quelqu'un d'aussi fragile que lui. Puis elle lui demanda poliment : « Aimeriez-vous que je vous montre le parc ?

— S'il vous plaît, dit-il avec empressement. J'ai donné un devoir écrit à M. William et suis sorti pour prendre un peu d'air frais. Il me faudra un certain temps pour m'habituer à la chaleur.

— Il fait plus froid d'où vous venez ?

— Beaucoup plus froid, dit-il en souriant. Je viens du Yorkshire. Dans le nord de l'Angleterre. Il fait froid, c'est austère, mais c'est le plus beau pays du monde. »

Tansie le regarda incrédule. « C'est plus beau qu'ici ?

— D'une manière différente, dit-il. Peut-être un jour je vous y emmènerai. »

Il y avait quelque chose dans la voix du jeune homme qui la fit le regarder en face. Ses yeux paraissaient fiévreux tant ils brillaient, et son expression était passionnée. Puis il sourit, et son sourire était d'une douceur absolument étonnante, un sourire si chaud qu'on aurait pu le prendre pour la caresse du soleil.

« J'aimerais voir l'Angleterre, dit-elle, transportée par ce sourire.

— Alors vous la verrez. » Il parlait comme s'il s'agissait d'une certitude, la faisant douter de sa sincérité. Avait-elle vraiment envie de voir l'Angleterre ? Elle n'en était pas si sûre.

Ils marchèrent en silence pendant un petit moment, ce qui n'était nullement désagréable. Puis il dit brusquement : « Vous n'avez pas, je crois, aimé plus que moi la sucrerie hier. »

Elle comprit qu'il lui posait une question. « J'ai détesté cette visite.

— Aviez-vous déjà été là-bas auparavant ?

— Mme Amelia ne m'y avait jamais autorisée.

— Pourquoi ? » demanda-t-il, l'air toujours aussi soucieux, regardant la bouche de Tansie comme si sa réponse était de la plus haute importance, ce qui enleva toute timidité à la jeune fille.

« Je ne sais pas, dit-elle. Je n'arrête pas de me le demander. J'en ai parlé à Mme Amelia ce matin et elle m'a dit qu'elle m'avait protégée parce que je suis presque blanche. Mais ce n'est pas bien.

— Je ne comprends pas.

— Eh bien, je ne suis pas vraiment blanche, mais je ne suis pas réellement noire non plus. En tant qu'esclave, être mieux traitée parce que ma peau est plus pâle me paraît injuste. Ça

230

me rend honteuse. Oh, c'est difficile à expliquer. » Elle le regarda avec une sorte de supplication dans les yeux. « Comprenez-vous ce que je veux dire ?

— Parfaitement bien.

— Mme Amelia ne comprend pas. »

Il resta silencieux un instant et ses lèvres rouges, bien gonflées, s'arrondirent en une moue tandis qu'il réfléchissait. Il était presque beau, d'une beauté fragile, vaguement féminine. Ses cheveux blonds étaient ébouriffés par le vent, et il passait une main négligente dans sa coiffure sans pouvoir la discipliner.

« Peut-être que les gens qui vivent ici ont perdu tout sens moral. Transformer des hommes en esclaves doit émousser la sensibilité. »

Elle ne comprenait pas exactement ce qu'il voulait dire mais elle acquiesça d'un air grave. Il hocha lui aussi la tête avant de lui prendre la main et de dire de façon pressante : « Mais vous avez de nobles pensées. Vous comprenez la justice même si elle ne va pas dans le sens de vos propres intérêts. Comme il serait plus facile pour vous de remercier le Seigneur d'être si blanche, de vous en réjouir sans avoir la moindre pensée pour ceux qui ont moins de chance. Mademoiselle Tansie, je ne peux vous dire à quel point je vous admire, vous êtes un rayon de lumière qui perce cette obscurité qui règne sur les Tropiques. Sûrement Dieu vous récompensera et vous donnera votre liberté.

Ce n'est guère probable, lui dit-elle, étant donné que les Noirs n'ont pas le droit de connaître Dieu.

— Vous n'allez pas à l'église ? dit-il horrifié en portant une main à son visage.

— Aucun esclave ne va à l'église, mais Mme Amelia m'a appris à lire la Bible. Aussi je sais de quoi vous parlez.

— Oh, quelle horrible privation ! murmura-t-il. Quelle cruauté d'enlever la parole de Dieu à ceux qui en auraient le plus besoin, à ceux qui vivent dans cet univers inhumain. Mademoiselle Tansie, me laisserez-vous vous conduire vers la lumière ? »

Elle n'était pas sûre de ce qu'il voulait dire, mais le visage du jeune homme rayonnait d'une telle joie anxieuse qu'elle ne voulut pas le décevoir en refusant son offre. D'un autre côté, elle soupçonnait fort que ce qu'il proposait ne serait accueilli favorablement ni par les Blancs ni par les Noirs de la propriété.

« Très bien », dit-elle solennellement, puis elle ajouta avec un air de conspirateur : « Mais nous ferions mieux de nous cacher de Mme Amelia et de Bella. »

La journée s'annonçait mal pour Amelia, bizarre, comme si une tempête ou un tremblement de terre menaçait, bien que ce ne fût pas l'époque où la nature habituellement se montrait sous son jour le plus violent. Ce qui la menaçait était ce qu'elle avait créé elle-même. Extrêmement mal à l'aise, Amelia s'habilla et décida de rendre visite à Ben comme elle l'avait projeté la veille. Elle avait besoin d'un changement.

Pierre l'y conduisit en bateau. Le vent la calma. Elle alla à pied de la plage à la taverne, se souvenant combien ce genre de marche restait pour elle le symbole de la parcelle de liberté qu'elle avait réussi à arracher bien des années auparavant. Basse-Terre avait énormément changé : à chaque reconstruction de la ville, les habitants utilisaient de moins en moins de chaume pour leurs toits et élargissaient les rues afin de diminuer les risques d'incendie. Ben avait essayé de conserver le caractère bien particulier de la taverne mais l'immeuble avait beaucoup souffert. Son cousin avait eu de la chance cependant, d'avoir à sa disposition lors des incendies un grand nombre d'hommes prêts à combattre les flammes. Il avait fait de l'endroit le lieu de rencontre le plus vivant de la ville. Français et Anglais s'y mêlaient en toute amitié, de sorte que les gens ordinaires se demandaient pourquoi ces deux nations passaient tant de temps à essayer de s'entr'égorger.

Dès que Ben aperçut Amelia, il demanda immédiatement à un de ses serveurs, un gigantesque Irlandais, de le remplacer au bar et s'avança au-devant d'elle d'un pas dansant, en souriant. Il ne s'était jamais habitué à porter perruque et ses cheveux roux tombaient en boucles sur ses épaules. Il semblait avoir à peine changé depuis le jour de son arrivée à St. Kitts, dix-neuf ans plus tôt. Il était toujours couvert de taches de rousseur, plein d'allant, svelte et d'une incorrigible bonne humeur. Ils s'installèrent devant une bouteille de bordeaux, dans l'arrière-salle de la taverne, qui était maintenant joliment meublée avec le meilleur mobilier que les marchands de l'île faisaient venir d'Europe. Ben était devenu riche grâce à la taverne, sans jamais employer un seul esclave malgré les exhortations de Zach prétendant qu'il était fou, que son profit serait bien plus grand s'il n'avait pas de gages à payer. Mais

Ben restait inébranlable : il n'avait nulle envie d'être le propriétaire d'un autre être humain, ce qui rendait Amelia honteuse.

« Es-tu venue me vendre la taverne ? » demanda-t-il, dès qu'ils furent confortablement installés. C'était toujours sa première question lorsqu'ils se voyaient.

« Non, pas encore. Ce sera un jour à William de décider.

— J'aurai certainement plus de chance en parlant avec lui qu'avec toi.

— C'est probablement vrai, reconnut-elle. Je ne pense pas qu'il ait jamais été très intéressé par les affaires. Il est comme son père, c'est un rêveur. Mais il ne me cause aucun souci.

— Qui t'en cause alors ? demanda gentiment Ben.

— Tansie. Elle commence à poser des questions.

— Ça t'étonne ? Tu l'as protégée, tu l'as gâtée. Il fallait bien qu'elle en arrive à se demander pourquoi.

— Je le comprends maintenant, mais quand elle était petite, cela ne me semblait pas important. »

Il la regarda en levant un sourcil. « Pourquoi ne lui donnes-tu pas la liberté ?

— Parce que c'est encore un véritable bébé. Et si elle part, je ne le supporterai pas.

— Tu as l'intention de la garder avec toi pour toujours ? »

Amelia éluda la question. « Elle n'a que dix-sept ans. Je brûle d'envie de lui dire la vérité. Ce matin, elle m'a lancé qu'elle devrait être avec ses véritables parents, et j'avais envie de lui crier que j'étais sa mère. Tu ne peux pas comprendre, Ben. Personne ne peut comprendre. Elle est si belle, si charmante que n'importe quelle mère serait fière d'elle. Mais Zach ne me pardonnerait jamais si je la reconnaissais. Il est devenu si important, si influent maintenant. Et je dois admettre que je prends moi-même plaisir aux quelques mondanités auxquelles nous avons droit. Je détesterais être exclue. Je me rends compte que j'aurais dû retourner directement en Angleterre quand nous avons retrouvé notre liberté, et emmener Tansie avec moi. Elle serait passée pour blanche en Angleterre sans aucune difficulté. Sa vie aurait été complètement différente.

— Tu peux encore le faire.

— Et abandonner l'héritage de William ? Je dois également penser à lui.

— Tu pourrais vendre Lointaine. Ou mettre un régisseur. D'autres le font. J'ai même entendu dire que Macabees allait être vendu.

233

« — Oui, j'en ai entendu parler aussi. Ben, dans ce cas est-ce que les esclaves seront vendus avec la plantation ? »

Ben haussa les épaules. « Qui sait ? Mais si tu penses à Joshua, oublie tout ça. Voilà une chose qui te mettrait réellement au ban de la société. »

Ils étaient assis en face l'un de l'autre à une petite table. Ben se pencha en avant pour remplir le verre de sa cousine. Abandonnant le sujet de Joshua, il dit : « Il me semble que tu as bien trop longtemps pensé à tes enfants. Tu as besoin de t'occuper un peu de toi, Amelia. Tu as besoin d'un peu d'amour dans ta vie.

— Mais j'ai celui de mes enfants, protesta-t-elle.

— Est-ce assez ?

— Non, pas toujours, reconnut-elle.

— Je parle d'une sorte d'amour différent, lui dit-il brutalement. Pourquoi refuses-tu de m'épouser ? Donne la liberté à Tansie. Laisse-la partir. Même ici dans les îles, elle pourrait être acceptée. Le premier homme qu'elle rencontrera voudra l'avoir pour elle. Elle peut épouser qui elle a envie. Comme toi d'ailleurs, si tu acceptais de sortir de ce cocon dans lequel tu te caches.

— Tu penses que je me cache ?

— Évidemment. Un tel gaspillage. Une si belle femme, gâcher sa vie ainsi ! Ce n'est pas bien que tu t'occupes d'affaires d'hommes.

— Mais les affaires des hommes sont bien plus intéressantes que celles des femmes. Je suis heureuse.

— Le crois-tu ? » dit-il avec insistance. Et Amelia sentit qu'elle ne pouvait échapper à son regard inquisiteur.

« Presque toujours, dit-elle en riant légèrement. Mais c'est vrai que je me sens quelquefois seule.

— Alors épouse-moi.

— Ce n'est pas une solution, ni à mes problèmes ni aux tiens.

— Mais si, c'est une solution pour moi.

— Non, si je ne t'aime d'amour.

— Ça m'est égal.

— Bien sûr que non, dit-elle gentiment. A la longue, tu serais blessé par mon indifférence. »

Ben devint écarlate, et Amelia regretta de le faire souffrir ainsi. Elle se pencha en avant pour prendre sa main. « Mais je ne suis nullement indifférente à toi, Ben. Je suis venue te voir aujourd'hui parce que j'avais besoin de parler à quelqu'un. Tu as raison. Je suis dans une impasse. Je ne sais pas où je vais. La propriété est solide et marche bien. Les problèmes de ce côté sont terminés. Et je sens qu'il ne me reste rien à faire de ma vie. Je m'ennuie et je suis mécontente de moi-même. »

Ben réfléchit. « Pourquoi ne fais-tu pas un voyage en Europe ? Emmène Tansie et William avec toi. Marie Tansie là-bas et reviens à Lointaine. Zach dirigera la propriété en ton absence. »

Elle se mit à rire. « Il serait ravi. N'as-tu pas remarqué qu'il achète de plus en plus de terres de plus en plus près de mon domaine ? Il n'a jamais renoncé à l'idée de réunir les deux plantations. En tout cas, il devient beaucoup plus facile de lui rendre visite. Il a même fait ouvrir une route pour atteindre Lointaine.

— Zach est un homme extrêmement volontaire.

— Et il va être père.

— Oui, il me l'a dit. »

Il y avait quelque chose dans la voix de son cousin qui lui fit dire : « Voudrais-tu avoir des enfants, Ben ?

— Seulement s'ils sont de toi, lui dit-il.

— Oh, Ben », soupira-t-elle, tendant son verre pour qu'il le remplisse.

Elle se sentait légèrement enivrée et nostalgique lorsqu'elle quitta la taverne. Ben et elle avaient parlé de leur premier jour dans l'île, comme ils le faisaient souvent, se demandant ce que serait devenue leur vie s'ils étaient restés dans le Devon.

Ben s'était déclaré satisfait de son sort. « J'ai le tempérament d'un aubergiste, avait-il avoué. Mais chez nous, cela n'aurait pas été considéré comme quelque chose de convenable pour moi. J'aurais été Ben Clode, gentleman.

— Et si Monmouth avait gagné, peut-être que papa m'aurait trouvé un comte. Imagine, j'aurais pu être comtesse, avait-elle ajouté avec un petit rire. Mais je pense que je suis plutôt faite pour gérer ma propriété. J'aurais détesté vivre à la cour. »

Ils avaient bu à leurs souvenirs avec une seconde bouteille avant qu'Amelia ne pense à retourner chez elle.

En se dirigeant vers la plage, elle aperçut une charrette remplie d'esclaves qui descendait la rue devant elle. De vieilles femmes étaient assises à l'arrière, les hommes debout s'accrochaient aux côtés. Une tête, qui dominait les autres, fit retentir quelque chose dans sa mémoire. Elle s'arrêta, plissa les yeux à cause du soleil afin de voir plus clairement, tandis que la charrette s'éloignait d'elle avec fracas. Il y avait dans les épaules de l'homme quelque chose qui lui était familier, mais aussi quelque chose de bizarre. La manche gauche de la chemise d'étoffe grossière qui habillait l'imposante silhouette à la tête familière était vide. L'homme n'avait qu'un bras. Amelia commença à courir pour rattraper la charrette. Elle était à bout de souffle lorsqu'elle arriva à sa hauteur. L'homme qu'elle pourchassait, le manchot, tourna la tête en entendant ses pas. Elle aperçut alors un beau visage, marron clair, avec de nombreuses rides, un visage qu'elle n'avait pas oublié et qu'elle n'oublierait jamais. Elle plongea un instant son regard dans les yeux étonnés de Joshua. La charrette prit brusquement de la vitesse pour s'engager sur la route qui sortait de la ville. Joshua et ses compagnons disparurent à ses yeux.

11

Amelia rentra à Lointaine dans un état d'agitation extrême. La vision qu'elle avait eue de Joshua l'avait bouleversée. L'avoir revu et le perdre de nouveau lui était insupportable. Comme ça l'avait été aussi de découvrir qu'il avait été mutilé. Mais pourquoi lui avait-on coupé le bras ? De quoi l'avait-on puni ? Avait-il essayé de s'échapper pour la retrouver ? La perplexité, le désir et la colère l'assaillaient, provoquant chez elle une douleur physique. De retour à la plantation, elle grimpa directement dans sa chambre et s'allongea sur son lit pour tenter de se calmer.

Comme elle retrouvait peu à peu ses esprits, elle se demanda si elle ne pouvait avoir été victime d'un mirage dû à l'absorption non pas d'une mais de deux bouteilles de bordeaux en compagnie de Ben. L'image qu'elle avait eue n'était-elle pas l'effet cruel des vapeurs de l'alcool mêlées à son violent désir ? Même après tant d'années, elle n'avait pas passé une seule journée sans penser à lui. A son avis, la personnalité de Tansie, qui la tenait sous son charme, lui venait de son père. Il était l'homme le plus fort et le meilleur qu'elle eût jamais connu. Rien n'avait changé. Et ce n'était pas un mirage. C'était Joshua blessé, vieilli, mais un homme qu'elle aimait toujours et qu'elle voulait de nouveau pour elle.

Couchée derrière les rideaux fermés de son lit, il lui vint à l'esprit qu'elle était terriblement intransigeante. Elle aimait Tansie et voulait tellement vivre auprès d'elle qu'elle n'arrivait pas à se résoudre à lui donner la liberté. Elle aimait William et voulait lui offrir le monde, même s'il fallait pour cela

237

sacrifier sa vie à elle. Elle aimait Joshua et voulait qu'il revienne. Et Louis ? Louis était un intermède. Elle ne l'avait jamais réellement aimé. Elle ne l'avait épousé que par commodité, à une époque où elle avait désespérément besoin d'aide. Son mariage avec Louis n'était d'ailleurs pas une erreur. Il lui avait donné William et Lointaine, la plantation étant le moins important des deux. Doux, sérieux, grave, William était ce qui comptait le plus pour elle. Si elle n'avait pas eu Lointaine, elle aurait pu vivre grâce à la taverne. Elle avait toujours refusé de la vendre à Ben, simplement parce qu'elle n'avait jamais été absolument certaine que, en ce qui concernait la plantation, la chance continuerait à lui sourire. Elle ne croyait pas à sa propre prospérité. Sur ces îles en butte aux hostilités permanentes, on pouvait se retrouver ruiné et sans abri du jour au lendemain. Avec la taverne, elle saurait où s'abriter avec les siens en cas de besoin, comme elle l'avait déjà fait auparavant.

Mais maintenant, apparemment, il lui fallait vendre la taverne. Quelque chose d'autre était devenu plus important. Elle resta allongée jusqu'au moment où la cloche du dîner résonna dans la maison. Rapidement, elle mit un peu d'ordre dans sa toilette et descendit à la salle à manger pour retrouver William et le nouveau précepteur. Elle continuerait plus tard à réfléchir à ses projets.

Si Amelia n'avait pas été si absorbée par ses propres pensées ce soir-là, elle aurait pu se rendre compte de la tension dangereuse qui régnait entre Tansie et le précepteur. Elle aurait vu les regards brûlants qu'il lançait à sa fille et aurait remarqué la fascination qu'exerçait le jeune homme sur elle. Mais l'esprit d'Amelia était entièrement occupé par l'idée de ramener Joshua dans sa vie et de la meilleure manière de s'y prendre.

Le lendemain matin, elle se leva tôt et soigna sa toilette plus qu'elle ne l'avait fait au cours des ces dernières années. Elle crêpa ses cheveux, mit des mouches en forme de cœur, ce qu'elle n'avait pas fait depuis la mort de Louis, et se poudra. Elle se rendait bien compte que ces préparatifs n'auraient aucun effet sur l'homme à qui elle avait l'intention de rendre visite mais ils l'aidaient à se donner confiance.

Elle fut satisfaite de son reflet dans le miroir. Les années ne lui avaient rien ôté de sa beauté, dont elle s'était pourtant peu souciée. Ses yeux émeraude étaient toujours aussi brillants et séduisants, sa peau claire et lumineuse, sa chevelure abondante. Elle sourit à sa propre image, éclata de rire en constatant sa vanité, et partit à la recherche de Pierre. Pour l'expédition qu'elle projetait, elle voulait quelqu'un avec elle. Il aurait été préférable d'avoir Zachary ou même de l'envoyer à sa place, mais pour le moment elle n'avait pas envie de lui dire ce qu'elle avait en tête, et d'ailleurs il avait juré, il y avait fort longtemps, que rien ne pourrait l'obliger à franchir de nouveau les portes de Macabees.

Elle trouva Pierre dans la cuisine, en train de bavarder avec Bella. Le Français austère et la femme noire au franc-parler avaient sensiblement le même âge et étaient devenus amis au cours des années. Bella fixa Amelia comme celle-ci entrait dans la cuisine.

« Seigneur, seigneur, dit-elle. Où est-ce qu'on va comme ça pour s'être mise sur son trente et un ? »

Amelia ne tint aucun compte de sa remarque. « Pierre, dit-elle. Est-il possible de se rendre à Macabees en voiture ?

— Macabees, c'est ça ? » railla Bella les mains sur les hanches.

D'après Pierre, c'était possible, bien que la route ne fût pas très bonne.

« Alors, je veux que vous veniez avec moi, lui dit Amelia, et que vous m'attendiez tant que j'y reste.

— Et qu'allez-vous donc y faire ? demanda Bella.

— Tu verras », lui dit Amelia.

En voiture, elle se sentait, de façon absurde, extrêmement nerveuse. Joseph tenait les rênes et Pierre était assis à ses côtés. Ils franchirent le grand portail en fer et s'engagèrent dans la superbe allée de palmiers royaux qui conduisait à Macabees. C'était une propriété dont on ne parlait qu'à mots couverts. Personne n'y était jamais invité et personne n'invitait jamais Vincent Ramillies. Amelia garda le silence tandis qu'on roulait sur un chemin en mauvais état, plein de trous, qui coupait les champs de canne avant d'atteindre le parc. La route devint bien meilleure lorsque apparut le grand manoir de style élisabéthain. En dehors d'un bruit d'eau courante dans les bois qui bordaient la route, il régnait ici un curieux silence.

Comme la voiture s'arrêtait devant le perron, un Noir d'une taille impressionnante attira leurs regards. Apparemment, il gardait l'entrée, les bras croisés, aussi majestueux qu'une statue.

Bien décidée à ne pas se laisser intimider, Amelia descendit rapidement de voiture pour monter les marches.

« Bonjour, dit-elle. Je suis venue rendre visite à ton maître. Veux-tu le prévenir de ma présence ici ?

— M. Ramillies ne reçoit personne. »

En dix-huit ans, Amelia avait appris beaucoup de choses sur les esclaves.

« Fais ce que je te dis, lança-t-elle d'un ton sec. Va dire à M. Ramillies que Mme Rosier-Quick de Lointaine est ici pour une question d'extrême importance. Fais-moi entrer dans la maison immédiatement et cesse d'être insolent, sinon je te ferai fouetter. »

Elle le regardait de ses yeux immenses et froids. Le domestique lui jeta un coup d'œil furieux puis détourna le regard avant d'ouvrir la porte. Amelia entra en coup de vent, sa robe bruissant contre ses pieds, Pierre sur ses talons.

Sans un mot, le cerbère disparut dans les profondeurs d'un grand couloir carrelé.

« Ce sont les pires, murmura-t-elle à l'intention de Pierre. Les esclaves à qui l'on donne un peu de pouvoir. Habituellement, ils s'en servent contre leurs semblables mais je ne vais pas le laisser s'en servir contre moi, dit-elle avec un mouvement de tête volontaire. Ne vous inquiétez pas, Pierre, vous pouvez m'attendre dans la voiture. Je suis en sécurité ici.

— Si vous en êtes sûre, madame », murmura Pierre qui n'avait guère l'air heureux.

Elle se mit à rire. « Si je ne suis pas sortie d'ici au coucher du soleil, il sera temps de m'envoyer de l'aide. » Pierre prit la porte à contrecœur.

Amelia s'assit sur un grand canapé. Elle se doutait que si Vincent Ramillies acceptait de la recevoir, il la ferait attendre. Mais elle avait le temps, se dit-elle. Elle avait patienté dix-huit ans. Une petite demi-heure de plus ne comptait guère.

Elle était assise depuis environ un quart d'heure, dans ce grand hall froid au silence oppressant, lorsqu'elle entendit un bruit furtif, comme un animal qui détalait. Elle leva les yeux rapidement. La porte face au canapé venait de s'ouvrir et elle aperçut un petit visage pâle qui la regardait. Elle sourit. Le visage qui avait une expression terrifiée disparut. Amelia, désœuvrée, fixa la porte avec curiosité. Une minute plus tard, le visage apparut de nouveau, à un moment où Amelia, la tête rejetée en arrière et les yeux à demi clos, semblait somnoler. La personne qui essayait de se cacher fut trompée par cette attitude et se montra un peu plus longtemps, regardant Amelia avec une sorte de fascination apeurée. C'était une toute jeune fille.

Puis le visage pâle, étroit, aux énormes yeux bleus fort tristes disparut de nouveau, et la porte de la pièce se referma doucement.

Amelia resta un moment perplexe, puis brusquement se leva, traversa le hall et ouvrit la porte qui lui faisait face. Elle se trouva dans une bibliothèque où était assise à un bureau l'adolescente mystérieuse. En apercevant Amelia, la jeune fille eut un brusque mouvement de frayeur, bondit sur ses pieds, porta une main à son cœur et se mit à regarder autour d'elle comme un animal acculé.

« Pourquoi ne venez-vous pas me parler ? demanda Amelia gentiment, en tendant sa main. Je me sens seule dans cet immense hall.

— Je ne peux pas, répondit la jeune fille en reculant vers la fenêtre. Je vous en prie, laissez-moi tranquille. Il serait furieux.

— Qui ? demanda Amelia.

— Mon oncle. Et lui.

— Alors il faudra qu'ils se mettent en colère contre moi aussi, vous ne croyez pas ? — Amelia se demandait qui pouvait bien être ce « lui » — puisque c'est moi qui vous ai parlé la première. Je suis Amelia Rosier-Quick. Je vis à Lointaine. J'ai un garçon qui a à peu près votre âge.

— Où est Lointaine ? demanda la jeune fille avec intérêt.

— C'est la plantation voisine, à l'ouest de celle-ci, un peu plus bas sur la côte. Maintenant, dites-moi, s'il vous plaît, votre nom ?

— Isobel, murmura la jeune fille.

— Quel joli nom. » On avait l'impression qu'il fallait parler à cette jeune fille comme à une enfant et surtout veiller à ne pas l'effrayer. « Habitez-vous ici ? »

La jeune fille acquiesça, en se tordant les mains.

« C'est une très jolie maison.

— Je la déteste. »

La peur avait temporairement disparu pour être remplacée par une haine si forte, si intense qu'Amelia recula d'un pas. Puis Isobel tendit l'oreille pour écouter et pâlit. « Il revient, murmura-t-elle. Je vous en prie, oh, je vous en prie, partez. Il ne faut pas qu'il me voie avec vous. » Elle paraissait de nouveau terrifiée, les yeux démesurément agrandis, le corps tétanisé. Amelia n'entendait rien, mais elle se dit qu'en vivant dans cette maison sinistre, la jeune fille avait dû développer un sixième sens. Sans répondre, elle fit un petit signe de tête et sortit de la pièce en fermant la porte doucement derrière elle.

Isobel avait raison. Quelques secondes plus tard, Amelia entendit à son tour un bruit de pas. Elle se tenait tranquillement au milieu du hall, quand le portier réapparut avec un air hostile sur le visage.

« M. Ramillies m'a demandé de vous dire qu'il était occupé. » Il se dirigea vers la porte d'entrée pour la congédier mais Amelia traversa la hall dans la direction d'où il venait.

« Vous allez sortir », cria-t-il.

Sans s'arrêter, Amelia tourna simplement la tête pour le regarder de ses grands yeux verts flamboyants, puis elle lui fit un geste autoritaire de la main lui signifiant de partir. Il se mit à marcher lourdement derrière elle. En même temps, il semblait à Amelia que des petits pas plus doux la suivaient également. Mais rien ne pouvait l'arrêter.

Elle pénétra bientôt dans la salle voûtée, à l'arrière de la maison, où quelques années auparavant Zach avait affronté Vincent Ramillies. Elle vit un vieil homme assis dans un énorme fauteuil à oreillettes. Il était habillé d'une jolie chemise blanche à jabot, d'un gilet de brocart et d'une culotte et de bas en soie rose. Son long visage pâle, surmonté d'une perruque d'un roux carotte, était sans expression. Derrière son fauteuil, se tenait un mulâtre d'une trentaine d'années, élégamment habillé, lui aussi, sa belle apparence accentuée encore par un énorme turban.

« Je viens de vous faire dire que je ne voulais pas vous voir, siffla Ramillies d'une voix indignée.

— Que voulez-vous de mon maître ? demanda le mulâtre avec agressivité. Nous ne recevons pas de femmes ici. »

Comme il était évident qu'on ne lui proposerait pas de siège, Amelia s'installa dans le fauteuil qui se trouvait de l'autre côté de la cheminée près de laquelle était assis Vincent Ramillies. Elle s'abstint de lui tendre la main. Elle sentait qu'il n'avait aucune envie de la toucher.

Sans prêter attention à la question du mulâtre, elle s'exclama : « Monsieur, monsieur Ramillies, c'est en vérité un plaisir de me trouver en votre compagnie dans votre magnifique demeure. Puis-je vous féliciter pour votre goût ? Macabees est sûrement la plus belle maison de l'île. Mon frère, Zachary Quick, qui vous a rendu visite il y a fort longtemps, m'avait vanté son charme, et maintenant que je la vois par moi-même, je comprends son enthousiasme. Il m'avait également parlé de la grande amabilité que vous lui aviez témoignée et m'a demandé de vous présenter son très bon souvenir, à vous et à votre entourage. »

Ramillies fit la moue puis caressa son nez avec son pouce et son index, la regardant avec quelque chose qui ressemblait à du dégoût. Mais l'allusion à Zach semblait avoir retenu son attention.

« C'est le colosse ? demanda-t-il.

— Mon frère est effectivement très grand, dit Amelia avec un sourire de conspirateur.

— Et il achète des esclaves.

— Oui. Il a été très touché de votre générosité lorsque vous avez accepté de les lui vendre. Si vous vous en souvenez, une des femmes avait été ma nourrice.

— Aucun souvenir, dit-il sur un ton glacial.

— Naturellement. Une question aussi triviale. Il y a si longtemps.

— Je me souviens qu'il a pris deux femmes. Aujourd'hui nous n'avons plus de femme dans cette maison. Aussi vous m'obligeriez en me disant rapidement ce que vous désirez, madame...

— Acheter Macabees », dit Amelia calmement.

L'homme se raidit et le mulâtre se cramponna au dossier du fauteuil de Ramillies.

« Macabees n'est pas à vendre.

— Oh, mon Dieu. Vous voulez dire qu'on m'a mal renseignée ?

— Si c'est ainsi que l'on vous a renseignée, vous avez été induite en erreur.

— Une information de source sûre pourtant.

— De quelle source ?

— Si l'on s'est trompé, peut-être serait-il préférable de ne pas la révéler. Mais c'est un personnage officiel qui estime que vous devez retourner en Angleterre pour occuper un poste de la plus haute importance. »

Il la dévisagea. Elle lui rendit son regard, ayant décidé qu'il était temps de montrer les dents.

« Pourquoi voulez-vous acheter Macabees ?

243

— C'est contigu à ma propriété. Je souhaite agrandir ma plantation.

— Lointaine ?

— Lointaine. »

Brusquement Ramillies commença à glousser en faisant un bruit si désagréable qu'Amelia sentit ses cheveux se dresser sur sa nuque. Il n'y avait aucune gaieté sur son visage ni dans son rire.

« Et combien êtes-vous prête à payer ?

— Sa valeur et même plus.

— Cela représente une grosse somme.

— De quel ordre ?

— Étant donné que Macabees n'est pas à vendre, ce ne serait que pure spéculation. »

Amelia sourit. « Ce serait pourtant intéressant de le savoir.

— Hum, dit-il en faisant glisser son pouce et son index sur son nez long et mince. Trente mille guinées. »

Le cœur d'Amelia tressauta lorsqu'elle entendit l'énormité de la somme. « C'était ce à quoi j'avais pensé, dit-elle calmement. Cela comprendrait évidemment les esclaves. »

Ramillies se pencha en arrière dans son fauteuil pour prendre la main du mulâtre. « Pas mes esclaves personnels, bien entendu, ni Néron évidemment. Il n'est pas mal, n'est-ce pas ? dit-il sur un ton railleur. Il est très beau, ne trouvez-vous pas ? Bien sûr, vous ne le reconnaîtrez jamais. Les dames doivent se montrer réservées. »

C'était la plus grande insulte sur l'île de suggérer qu'une femme blanche pouvait trouver un intérêt sexuel à un Noir, mais elle fut sans effet sur Amelia. Elle regarda froidement Néron. « Oui, dit-elle. Un beau mélange de noir et de blanc. Votre mère était blanche, je suppose ? »

Néron rougit de colère mais Ramillies se mit à glousser. « Oh, quelle peste ! dit-il ravi. Je regrette réellement de ne pas pouvoir vous vendre Macabees.

— Je le regrette aussi, dit Amelia en se mettant debout. Mais dites-moi comment une telle rumeur a pu se propager ?

— Je n'en ai aucune idée, dit Ramillies, cessant brusquement de ricaner. Et si je le savais, je ne vois pas en quoi cela pourrait vous regarder.

— Si jamais vous changiez d'avis... », murmura Amelia.

Ramillies eut un mouvement de main affecté. « Néron, reconduis Mme Rosier-Quick. Je vous salue, madame.

— Au revoir, monsieur, roucoula Amelia. C'était un tel plaisir.. Mais ne soyez pas surpris de me voir revenir au cas ou vous changeriez d'avis. »

Sans lui donner le temps de répondre, elle tourna les talons et traversa dignement la pièce. Elle avançait aussi lentement qu'elle le pouvait, entraînant dans son sillage Néron l'efféminé. Elle jeta un coup d'œil rapide devant chaque porte pour essayer d'apercevoir de nouveau la jeune fille effrayée. Ramillies avait dit qu'il n'y avait pas de femmes chez lui, mais c'était de toute évidence un mensonge. Pourquoi cette enfant était-elle si effrayée, et d'où sortait-elle ? Puis Amelia se souvint que le vieux Pottle, maintenant mort depuis longtemps, lui avait raconté que le frère et la belle-sœur de Ramillies avaient laissé une petite fille. Ce devait être Isobel. Son âge correspondait parfaitement. Comme c'est triste pour cet enfant, se dit Amelia, d'avoir vécu dans ce temple du mal avec pour seule compagnie le repoussant Vincent. Elle ne supportait pas d'y penser.

Néron ouvrit la porte d'entrée. Le colossal portier se tenait en haut des marches, regardant la voiture d'Amelia comme s'il craignait qu'elle ne prenne d'assaut la maison. Pierre et Joseph se dressèrent à sa vue et descendirent de voiture avec sur le visage les signes d'un profond soulagement.

« Est-ce que ça va, madame ? » demanda Pierre en l'aidant à monter en voiture.

Elle fit oui de la tête, bien qu'elle tremblât légèrement. « Ne partez pas précipitamment, Joseph, dit-elle. Prenez votre temps. Partons avec dignité. »

Joseph agit en conséquence. Il tourna autour des chevaux, vérifia les rênes, retendit la toile du toit de la voiture, puis quitta lentement le parc pour s'engager dans l'allée.

« C'est vraiment un sale endroit, madame, dit-il par-dessus son épaule comme ils approchaient du portail. On craignait que vous n'en sortiez jamais.

— J'ai eu quelque doute aussi, à une ou deux reprises », dit-elle piteusement.

Ils se trouvaient maintenant sur le chemin qui, contournant la propriété de Macabees, traversait les bois. Amelia entendit de nouveau un bruit d'eau et il lui sembla que, maintenant qu'ils étaient sortis de la plantation, les oiseaux se remettaient à chanter. Elle frissonna, heureuse d'en avoir fini, bien que son petit plan ait échoué. Elle comprenait maintenant pourquoi Zach avait tellement détesté cet endroit.

Comme elle se demandait ce qu'elle allait faire maintenant,

le bruit de l'eau devint plus fort. Et soudain, sortant des bois, apparut, titubante, une petite silhouette mouillée qui courait désespérément vers la voiture. Lorsqu'elle fut à leur hauteur, ils virent que ses jupes trempées se collaient à ses maigres jambes. Amelia comprit immédiatement de qui il s'agissait.

« Oh, arrêtez, je vous en prie, arrêtez, criait désespérément Isobel en agitant les bras. Emmenez-moi avec vous. Je vous en prie, emmenez-moi. »

Sans qu'on ait besoin de le lui dire, Joseph arrêta immédiatement la voiture. Amelia en descendit aussitôt et courut vers la jeune fille qui était tombée sur les genoux avant de s'effondrer dans la poussière. L'enfant leva la tête, et la fixa de ses yeux bleus immenses et terrorisés. « Aidez-moi », murmura-t-elle.

Amelia et Pierre portèrent Isobel dans la voiture. Ce n'était pas difficile, elle ne pesait presque rien. Une fois à l'abri, elle se tassa, haletante et éperdue, dans un coin de la banquette.

« Je vous en prie, je vous en prie, partons tout de suite d'ici, supplia-t-elle, avant qu'ils s'aperçoivent de mon absence. »

Sans prendre la peine de réfléchir à ce qu'elle faisait, Amelia obtempéra. « Chez nous, Joseph, dit-elle, et vite. »

Zach se disait qu'il était le plus heureux des hommes. Il était trois heures de l'après-midi et la chaleur pesait sur le toit de chaume de la case des esclaves où il était étendu nu sur la paille. Des mouches tournaient furieusement autour de sa tête avec un bourdonnement aigu. Il les éloignait d'une main négligente, trop repu pour prendre la peine de les écraser. Ruby dormait à côté de lui ou faisait semblant, aussi nue que lui, son ventre rond et luisant se soulevant et s'abaissant au rythme de sa respiration. Ses seins aux pointes sombres et agressives étaient toujours aussi fermes. Son large visage était couvert de sueur, accentuant son charme exotique. Zach avait fait l'amour trois fois avec elle et il se sentait épuisé.

Un peu plus loin dans la grande maison, sa femme dormait aussi. Elle faisait la sieste pour se protéger, elle et son futur enfant, de la chaleur écrasante. Pour le moment, Zach rendait visite à Ruby à des heures où Charlotte ne pouvait deviner ce qui se passait. Naguère, il ne s'en souciait aucunement mais son attitude avait changé maintenant que sa femme allait lui donner un héritier. Il faisait très attention de ne pas la bouleverser.

La chambre spacieuse de la grande maison doit être plus fraîche, se disait Zach, et il se demanda ce qu'il ressentirait à baiser Ruby dans son lit. Mais ce serait manquer d'égards à sa femme. De toute façon, il préférait la chaleur humide et l'odeur particulière du grenier des esclaves. C'était amusant de coucher avec Ruby tandis que les autres occupants de l'endroit travaillaient comme des forcenés pour lui, sous un soleil meurtrier. A y réfléchir, peut-être que Ruby travaillait pour lui aussi. Il ne se faisait aucune illusion quant à son amour ni même quant à son affection, mais est-ce que cela avait de l'importance ? C'était une putain-née. A son avis, il était totalement impossible de violer Ruby. Dès l'instant où on la touchait, que ce soit brutalement ou gentiment, elle s'offrait entièrement, seins, sexe et bouche.

Zach ne parvenait pas à renoncer complètement à ses séances débridées avec Ruby. Du sexe. Voilà ce que c'était. Il n'avait pas besoin de réfléchir pour baiser Ruby. Il suffisait de le faire. Depuis la mort d'Élisabeth, Charlotte s'était également libérée mais très différemment. Avec elle, il fallait réfléchir à ce que l'on faisait. Elle pouvait inonder ses seins de parfum, mettre du miel entre ses cuisses. Elle aimait le surprendre, lorsqu'il entrait dans leur chambre à coucher, tirait les rideaux de leur grand lit à colonnes, il la trouvait étendue les jambes ouvertes. Ou encore elle jouait avec la pointe de ses seins, puis le suppliait de se mettre à genoux afin qu'elle puisse les lui fourrer dans la bouche. C'était extraordinaire la manière dont elle avait changé, et sa grossesse, apparemment, attisait encore ses désirs. Charlotte avait beaucoup d'imagination lorsqu'il s'agissait d'amour et elle s'attendait à ce qu'il soit à la hauteur, aussi bien en actes qu'en paroles. Ruby n'était rien d'autre qu'une grande baiseuse, qui faisait beaucoup de bruit, dépensait une grande énergie et prenait tout ce qu'on lui offrait.

Un des fantasmes favoris de Zach était d'avoir les deux femmes en même temps dans son lit. La blanche d'une sensualité effrénée, la noire d'une sexualité débordante. Bien entendu, il savait que cela ne serait jamais possible.

Mais Charlotte allait bientôt se réveiller, et quand elle ouvrait les yeux, elle aimait le trouver à ses côtés. Depuis qu'elle avait commencé à prendre du ventre, elle lui avait demandé d'essayer de nouvelles positions afin qu'il n'appuie pas trop lourdement sur elle. Elle adorait particulièrement qu'il la prenne par-derrière et maintenant quand il tirait le rideau, il lui arrivait souvent de la trouver à quatre pattes, ses deux douces fesses rondes tournées vers lui comme une offrande, le suppliant silencieusement de « les prendre ».

Il commença à s'habiller, se disant qu'il n'aurait pas dû baiser Ruby trois fois. Mais peut-être la vue de Charlotte ranimerait-elle son désir. Il l'espérait et soupira en descendant l'échelle : parfois c'est épuisant pour un homme, d'avoir deux femmes dans sa vie.

Charlotte était déjà réveillée lorsqu'il revint dans la maison. Elle l'attendait dans le hall, si excitée à l'idée de lui communiquer le message qu'elle avait reçu qu'elle ne pensa même pas à lui demander d'où il venait.

« Pierre te cherchait, dit-elle très énervée. Amelia demande que tu viennes chez elle avec Ben demain matin pour une question d'extrême importance. J'ai fait avertir Ben d'être ici à neuf heures trente afin que vous puissiez vous rendre là-bas ensemble. De quoi peut-il s'agir ? Et qu'est-ce qui est tellement important ? »

Ses yeux bleus étaient agrandis par l'excitation. Elle est très jolie, se dit Zach. Non pas superbement exotique comme Ruby, mais au fond bien plus jolie. Il lui vint à l'esprit qu'il fallait absolument arriver à se débarrasser de Ruby. La vendre, la faire travailler dans les champs, n'importe quoi qui supprime la tentation.

« Amelia n'est pas quelqu'un qui fait des histoires ou qui perd son sang-froid, dit-il sur le ton assez grandiloquent qu'il avait adopté depuis son élection au conseil de l'île. Il se passe sûrement quelque chose de sérieux.

— Qu'est-ce que ça peut bien être ? dit Charlotte dans un souffle en joignant les mains.

— Sans aucun doute nous le saurons demain », annonça-t-il. Il lui caressa légèrement l'épaule, puis fit glisser sa main sur la rondeur qui enveloppait son fils. Charlotte lui sourit et Zach ne vit plus que ses grands yeux bleus et ses douces boucles blondes.

« Pierre a interrompu ma sieste, dit-elle en faisant avec ses lèvres minces mais bien rouges la plus adorable des moues.

— Mon pauvre amour, dit-il en levant la main pour lui prendre un sein.

— Es-tu fatigué ? demanda-t-elle avec timidité. Fait-il trop chaud aujourd'hui ?

— Non, je ne suis pas trop fatigué, dit-il en pressant le bout de son sein.

— Bien, fit-elle. Montons tout de suite. »

« Dieu soit loué, vous êtes là tous les deux. » Amelia, debout près de la fenêtre qui donnait sur l'allée, attendait impatiemment Zach et Ben. Ils arrivèrent ensemble vers dix heures du matin, le visage grave, désireux de savoir ce qui se passait.

Amelia insista pour qu'ils s'installent dans son petit salon et demanda à Bella de servir du café et des sucreries. Une fois qu'ils furent assis confortablement, elle aborda le problème de front.

« Je suis allée à Macabees hier, annonça-t-elle.

— Tu as fait quoi ? demanda Zach.

— Je suis allée à Macabees et j'ai compris pourquoi tu n'aimais pas cette propriété, Zach. C'est vraiment un endroit horrible. »

Elle se pencha légèrement en avant pour attirer leur attention et leur raconta l'histoire de la jeune fille effrayée ainsi que sa rencontre avec Vincent Ramillies. En parlant, elle se rendit compte que son récit n'était pas du goût de Zachary.

« Pourquoi veux-tu acheter Macabees ? l'interrompit-il grossièrement.

— Là n'est pas la question. Ce n'est pas ce dont je veux parler pour le moment, dit-elle avec impatience. Mais de quelque chose de plus grave. En partant, Pierre et moi nous nous sommes rendu compte que la jeune fille nous attendait dehors. Elle voulait s'enfuir de Macabees. Elle s'était glissée par la porte d'entrée tandis que le géant noir me suivait dans la pièce où j'avais trouvé Vincent Ramillies. Pour échapper aux chiens, elle avait suivi le lit du ruisseau en nageant quand l'eau était trop profonde, jusqu'aux limites de la plantation. Elle se doutait qu'on lancerait les chiens à ses trousses, elle avait vu tant d'esclaves en fuite rattrapés ainsi. Les chiens, elle le savait, étaient dressés pour mettre en pièces les fuyards. Elle était épuisée et trempée jusqu'aux os lorsque nous l'avons trouvée, mais...

— Tu ne l'as pas amenée ici ? » coupa Zach l'air horrifié.

Amelia le regarda avec exaspération. Il ne comprenait jamais rien.

« Bien sûr qu'elle est ici, répondit-elle sèchement. Que pouvais-je faire d'autre ? La ramener à ce monstre ? Elle dort encore. Hier, après que je me suis occupée d'elle, que je l'ai séchée et nourrie, je crus qu'elle ne cesserait jamais de parler. Elle a eu une vie réellement horrible. Elle a de la chance d'être vivante. Et me croirez-vous, aussi loin qu'elle s'en souvienne je suis la première femme qu'elle ait jamais vue.

— Mais tu ne peux absolument pas la garder, intervint Zach.

— Elle ne retournera jamais à Macabees. Il faudrait me passer sur le corps, dit Amelia d'un ton provocant. Ses parents sont morts lorsqu'elle était petite, et ce sont des esclaves hommes qui l'ont élevée. Je ne lui ai pas rendu service lorsque je t'ai envoyé acheter Vérité, Zach. J'ai l'impression qu'après le départ de Vérité et de Ruby, Ramillies a décidé qu'il n'y aurait plus jamais une autre femme dans la maison. Quand elle a eu environ quatre ans — elle n'a d'ailleurs aucune idée de sa date de naissance —, Ramillies a fait venir un précepteur d'Angleterre, quelqu'un qui a fait office de nounou, de professeur, de tout. Isobel dit qu'il était assez gentil et s'occupait assez bien d'elle sauf pendant... ce qui me semblait être des orgies entre hommes qui duraient des jours entiers. L'année de ses sept ans, cet homme est mort ; la fièvre, comme toujours. Celui qui l'a remplacé était un véritable monstre. Du jour où il la prit en charge, elle n'eut plus jamais le droit de sortir de la maison, et comme il n'y avait jamais de visiteurs à Macabees, elle ne connaît absolument rien du monde extérieur. Ce précepteur avait décidé qu'elle devait tout savoir mais certainement pas pour lui donner le goût de l'étude. Ses leçons étaient plutôt un prétexte pour la plier à sa volonté. Oh non pas sexuellement, quoique les punitions, qu'il lui infligeait à la moindre erreur, ressemblassent à une sorte de vengeance exercée sur les femmes. Le corps de cet enfant est couvert de cicatrices causées par des brûlures. On l'obligeait à se pencher nue au-dessus de la flamme d'une bougie. Ses pauvres petits seins sont couverts de cicatrices. Parfois il la fouettait, on en voit les marques également. Il inventait mille tortures et punitions avec la bénédiction de Ramillies. Isobel pense que son oncle espérait qu'il finirait un jour par la tuer. Elle dit qu'il la hait.

— Pourquoi ? demanda Ben qui était devenu tout pâle.

— Dieu seul le sait. Peut-être simplement parce qu'elle est de sexe féminin. Peut-être pour une autre raison.

— Et quel âge a-t-elle maintenant ? demanda Zach.

— Quinze ans probablement.

— C'est affreux, murmura Ben.

— Donc, comme vous le voyez, elle ne peut retourner là-bas. »

Il y eut un long silence.

« Eh bien, dit Amelia. Qu'allons-nous faire ?

— Je sais ce que je vais faire, dit Zachary l'air lugubre. Je vais aller le tuer. »

Bien que satisfaite de cette réaction, Amelia n'en réagit pas moins fermement. « Non ! Sûrement pas le tuer, dit-elle. Ce dont nous avons besoin, c'est l'aide de la loi. Ben, tu connais bien les gendarmes, et toi Zach, le juge et l'avocat général ; de plus tu es membre du conseil. Tu es un ami du gouverneur. Il y a sûrement un moyen de faire partir Ramillies de St. Kitts sans provoquer un scandale qui ferait tort à Isobel. Ou au moins obtenir l'autorisation de ne pas renvoyer cette pauvre enfant chez lui.

— C'est dommage que tu lui aies proposé d'acheter Macabees, dit Ben l'air pensif. On pensera que c'est un complot pour l'obliger à vendre.

— Mais si je n'avais pas été à Macabees, je n'aurais jamais été au courant de l'existence d'Isobel », protesta Amelia.

Il y eut un silence embarrassé, interrompu par l'arrivée de Mme Volnay : « La jeune personne est descendue, madame. Elle demande à vous voir.

— Faites-la entrer, s'il vous plaît », dit Amelia.

Les deux hommes s'agitèrent sur leurs sièges en attendant l'arrivée de la jeune fille. Elle se glissa par l'entrebâillement de la porte, comme un petit fantôme. Elle était d'une maigreur et d'une pâleur effrayantes et avait l'air d'une souris hypnotisée par un serpent. Mais en dépit de tout, on voyait bien que c'était une très jolie fille.

« S'il vous plaît, excusez-moi, madame Amelia, mumurat-elle. Je vous dérange ? »

Ben s'avança vers elle, lui prit la main et la fit entrer dans le cercle. Il lui offrit le plateau de confiserie et lui caressa la tête.

« Tu ne nous déranges pas, dit-il. En fait, nous parlions de toi.

— De moi ? s'exclama-t-elle, l'air à nouveau terrorisé.

— Nous essayons de trouver un moyen pour que tu ne retournes jamais à Macabees, dit Ben gentiment. Mais nous avons besoin de ton aide. Nous allons t'emmener chez le juge et le procureur, et il faudra leur dire ce qu'on t'a fait subir, leur montrer la preuve de tes souffrances.

— Et s'ils ne me croient pas ?

— Ils te croiront, parce que tu leur diras la vérité.

— Je vous crée des ennuis, dit-elle, des larmes dans la voix.

251

Il faut me pardonner, mais quand Mme Amelia est venue à Macabees hier, c'était la première fois que j'avais l'occasion de m'échapper. Je craignais de ne pas savoir où aller. Voilà votre malchance, madame Amelia, puisque votre visite m'a donné l'occasion de m'enfuir. »

Amelia fit un petit geste de dénégation. « Ce n'était pas une malchance, dit-elle.

— Est-ce que réellement personne ne pouvait vous venir en aide ? demanda Zach.

— Personne, dit Isobel. Cependant, parfois, un homme cherchait à me voir. On le renvoyait toujours en lui disant que j'étais malade.

— Mais qui était-il ?

— Je ne sais pas. J'ai entendu un des esclaves dire qu'il venait de Nevis. Est-ce que c'est près d'ici ?

— C'est l'île voisine, lui dit Zach. As-tu une idée de son nom ?

— Non. Mais une fois, je l'ai entrevu. C'est un homme âgé avec un manteau noir, habillé très simplement, avec des cheveux blancs attachés par un ruban noir. Son valet est également très vieux.

— Un prêtre peut-être ? avança Amelia. Ou un avocat ? »

Isobel haussa les épaules en signe d'impuissance. « Je ne sais pas, mais je crois qu'il avait quelque chose à voir avec mes parents.

— Nous devons le trouver, dit Amelia qui marchait de long en large. Zach, que penses-tu que Ramillies fera lorsqu'il s'apercevra de la disparition d'Isobel ?

— Il lâchera les chiens pour la retrouver.

— Et lorsque les chiens reviendront bredouilles, il se doutera bien qu'elle est avec toi, dit Ben.

— Ils sauront vite qu'elle est ici, dit Zach résolument. Les chiens retrouveront sa trace là où elle est sortie de l'eau, et l'endroit où ils la perdront sera celui où elle est montée dans la voiture. »

Amelia frissonna. « Et alors ?

— Ça dépend, dit Ben, réfléchissant à voix haute. Si elle n'est rien pour lui, il peut laisser faire. Mais si elle a un quelconque intérêt à ses yeux, il voudra la récupérer.

— Mais comment voulez-vous que je sois de quelque importance pour lui ? intervint Isobel.

— Peut-être est-ce toi qui es réellement propriétaire de Macabees », suggéra Ben.

Amelia fit claquer ses doigts. « Voilà ! Si on t'a cachée de cette manière, ça a certainement un rapport avec l'héritage. Il faut rechercher cet homme au manteau noir.

— Et si c'est le cas, dit Ben gravement, je pense qu'Isobel a vraiment de la chance d'être vivante. »

Après de nouvelles discussions, on décida d'emmener Isobel à Windsong. Si Ben la prenait à Basse-Terre, quelqu'un de Macabees pouvait la voir. De toute façon, la taverne était difficile à garder étant donné les nombreuses allées et venues.

« Peut-être William pourrait-il rester avec vous pendant un temps afin qu'elle ait au moins un compagnon, proposa Amelia. Et M. Henleigh pourrait les accompagner lui aussi. Ils travailleraient ensemble. » Elle s'arrêta pour réfléchir, puis elle dit à la jeune fille : « S'ils ne te trouvent pas là, ils te chercheront à Windsong, aussi tu ne dois pas quitter la maison de Zachary avant que ce problème soit résolu, Isobel, et surtout ne jamais rester seule.

— Demain, j'irai à Nevis, dit Ben.

— J'irai avec toi, dit Zach en se tournant vers Amelia. Tu resteras à Lointaine, Amelia, juste au cas où Ramillies découvre que nous allons à Nevis et devine ce que nous préparons.

— Tu penses qu'il peut y avoir du danger ? » demanda-t-elle.

Zach haussa ses larges épaules et serra les poings. « C'est possible. »

Le lendemain matin, après qu'Isobel et William furent partis pour Windsong, Néron arriva à Lointaine. Joseph était perplexe devant ce Noir qui demandait à voir Mme Rosier-Quick et il l'envoya promener en marmonnant qu'il n'avait jamais vu un culot pareil. Une heure plus tard, un Blanc solidement bâti, trop élégamment habillé, se prétendant le tuteur d'Isobel Ramillies, se présenta, expliquant qu'il venait de la part de M. Ramillies. Néron l'accompagnait. Joseph fit entrer le précepteur mais laissa Néron dehors. Puis il alla chercher Pierre.

Guindé et poli, le Français salua le soi-disant précepteur. « Et quel est votre nom, monsieur ?

— Mon nom est sans importance. » Amelia, qui écoutait derrière la porte du salon, entendit l'homme répondre d'une voix chargée de colère.

« C'est important pour moi, dit Pierre. Je n'autorise pas des étrangers inconnus à pénétrer dans la maison de ma maîtresse.

— C'est votre maîtresse que je veux voir.

— Mme Rosier-Quick est à Basse-Terre pour affaires, lui répondit Pierre froidement. Si vous aviez l'obligeance de me donner votre nom, je lui ferais part de votre visite. »

Il y eut un bref silence puis l'homme dit d'un ton menaçant : « Je recherche une jeune fille, Isobel Ramillies. Nous avons de bonnes raisons de croire qu'elle se trouve dans cette maison.

— Je crains de ne pouvoir vous aider, monsieur, dit Pierre qui semblait sincèrement désolé. Cette personne m'est inconnue.

— Elle n'est pas inconnue de votre maîtresse.

— Vraiment ? Cela bien entendu est possible. Mais nous n'avons aucune jeune personne dans cette maison. » Il toussa discrètement. « Joseph, voulez-vous raccompagner monsieur, s'il vous plaît. »

Après le départ du visiteur, Amelia sortit de sa cachette : « Ils n'en resteront pas là. Nous devons avertir Windsong. Pierre, va là-bas avec Vérité et Daniel. Et assure-toi que Vérité dort dans la même pièce qu'Isobel cette nuit.

— Oui, madame, dit-il en s'inclinant profondément. Mais j'hésite à vous laisser ici.

— Joseph s'occupera de moi, n'est-ce pas, Joseph ?

— Bien sûr, madame Amelia, dit-il en hochant sa grosse tête grise. Personne n'entrera avec Bella et moi ici. Cette Bella, elle vaut mieux que deux hommes. Ne vous inquiétez pas, madame Amelia, vous serez en sécurité. »

Néanmoins elle dormit fort mal, sursautant à chaque craquement de la vieille maison, écoutant le bruit du vent dans les grands palmiers plantés devant la fenêtre de sa chambre. Elle se demandait ce qui se passait à Macabees. Qu'étaient-ils en train de comploter ? Jusqu'où étaient-ils capables d'aller ? A quel point Isobel comptait-elle pour eux ? Elle se tournait et retournait dans son lit, agacée de ne rien savoir, désirant être transportée secrètement à Macabees pour savoir ce que l'on fabriquait là-bas.

Le lendemain matin, de bonne heure, Ben et Zach revinrent, couverts d'embruns, hâlés, mais contents de leur voyage. Ils étaient accompagnés d'un vieillard fragile, habillé d'un manteau et d'une culotte noirs et élimés. Ses bas également noirs faisaient des plis sur ses chevilles osseuses, mais sa chemise à jabot était d'une blancheur éclatante. Il portait une perruque blanche fort courte et malgré ses yeux d'un bleu un peu délavé, son regard était étonnamment perçant.

« Je te présente M. Butts, dit Ben. Monsieur Butts, Mme Rosier-Quick. »

Le vieil homme s'inclina cérémonieusement. « Je dois vous remercier, madame, dit-il avec une voix de basse. Votre frère et votre cousin m'ont dit que c'est vous qui avez sauvé ma cliente.

— Votre cliente ? »

Il sourit et ses rides creusèrent son visage. « Oui, ma cliente, qu'on avait perdue et qu'on vient de retrouver.

— Ah, dit Amelia. Tout le plaisir a été pour moi qui l'ai trouvée. Je suis si heureuse de vous rencontrer que j'en oublie la bienséance. Je vous en prie, asseyez-vous. Puis-je vous offrir un peu de café ?

— Volontiers. »

M. Butts, malgré son grand âge et son apparente fragilité, ne manquait pas d'énergie lorsqu'il s'agissait de discourir.

« Voyez-vous, expliqua-t-il, une fois qu'il fut servi, les parents d'Isobel étaient mes clients. Je vivais à Old Town Road à cette époque, mais j'étais fatigué de ces guerres incessantes à St. Kitts. Le plus terrible, c'étaient ces boulets de canon qui passaient sans arrêt au-dessus de nos têtes, ne trouvez-vous pas ? Et quel que soit le vainqueur, ça n'en finissait jamais. Je me suis donc installé à Charlestown dans l'île de Nevis. Plus primitive certes, cette île est aussi plus paisible. Ce n'est que par hasard que j'ai appris la mort d'Alfred et de Miranda Ramillies. Ils étaient si jeunes ! Pourtant, sur ces îles, on devrait s'attendre à tout. » Il s'arrêta pour boire une gorgée de café et il soupira de satisfaction.

« Alfred était venu me voir à Nevis au moment de la naissance de sa fille afin de modifier son testament, poursuivit-il. Et... » Il s'arrêta pour les regarder tous les trois.

« Et ? interrogea vivement Amelia.

— Macabees lui appartient. En totalité. Alfred m'a expliqué à l'époque que son frère avait une fortune personnelle. Vincent Ramillies était de très loin son aîné, et j'imagine que le jeune Alfred pensait que Vincent logiquement mourrait le premier. » Il secoua la tête d'un air désolé. « Malheureusement, il n'y a rien de moins fiable que la logique, si j'en crois mon expérience. »

Il y eut un grand silence.

« Ainsi Vincent Ramillies ne peut pas vendre Macabees ? demanda Amelia.

— Pas le moindre caillou. Quand j'ai appris finalement par un autre client qu'Alfred était mort, je suis allé voir Vincent.

255

Il aurait dû évidemment prendre contact avec moi, mais on ne peut s'attendre à une conduite décente de la part d'un tel individu. Il se proposa pour continuer à diriger la propriété jusqu'à ce qu'Isobel soit capable de le faire. C'était trois ans déjà après la mort d'Alfred, et comme la plantation semblait très prospère, j'ai jugé que c'était la façon la plus raisonnable de résoudre le problème, même si, je dois le dire, je n'apprécie guère Vincent Ramillies. J'ai vu l'enfant qui m'a semblé en bonne santé et un jeune homme qui était apparemment son précepteur. A mon avis, bien sûr, une nurse aurait été préférable, mais Vincent m'a dit qu'il en attendait une d'Angleterre. Je n'avais aucune raison de ne pas croire cet odieux personnage. De plus, le testament d'Alfred était extrêmement sommaire, il ne fournissait aucune provision en cas de difficulté. J'en suis responsable sans doute, mais ce jeune homme était extrêmement impatient. Il faisait partie de ces gens qui pensent qu'ils vivront éternellement et, voyez-vous, on finit par les croire. Jamais deux frères n'ont été aussi dissemblables.

— D'après ce que j'entends, Isobel a de la chance d'être en vie, dit Amelia l'air pensif.

— Oui, si j'en crois ces jeunes gens. Néanmoins il semble que Vincent avec ses manières efféminées n'ait pas la trempe d'un assassin.

— Et qu'allons-nous faire maintenant ? demanda Zach.

— C'est simple, nous allons trouver le juge. Mais j'aimerais voir ma cliente au préalable. J'aurais certes dû l'exiger les dernières fois où je suis allé à Macabees. Mais en vieillissant, on ne s'acharne plus autant. Néanmoins, le vieillard que je suis prendra plaisir à annoncer la bonne nouvelle à cette jeune fille. »

Ils se rendirent à Windsong en voiture, par égard pour les vieux os de M. Butts. Comme ils s'arrêtaient devant la maison, William franchit la porte d'entrée, traînant derrière lui Isobel. Les deux adolescents descendirent le perron en courant, William très excité contrairement à son habitude criait : « Maman, maman !

— Qu'y a-t-il, William ? demanda Amelia dès que Joseph l'eut aidé à mettre le pied à terre.

— Un homme est venu chercher Isobel. Nous nous sommes cachés et tante Charlotte s'est montrée très courageuse. Elle l'a fait partir et elle ne lui a absolument rien dit.

— C'était mon précepteur, M. Peckett, expliqua Isobel timidement. Je l'ai reconnu à sa voix.

— Ils ne sont pas revenus ? demanda Zach.

— Non. Je pense que tante Charlotte l'a effrayé, elle était si violente.

— Bravo à tout le monde, dit Amelia en les embrassant.

— Et on a tout résolu, bredouilla William. Isobel peut rester avec nous pour toujours et je partagerai avec elle M. Henleigh, ainsi elle ne retournera jamais dans cet horrible endroit.

— Nous parlerons de ça plus tard, lui dit Amelia. Isobel, est-ce que vous reconnaissez ce monsieur ? »

M. Butts avait réussi à s'extirper de la voiture et se tenait dans l'allée, les bras ballants, avec un air très digne. Isobel hocha lentement la tête. « C'est le monsieur qui est venu me demander à Macabees », dit-elle.

Il s'avança vers elle, lui prit la main et s'inclina. « Votre serviteur, mademoiselle Isobel. Mon nom est John Butts. J'étais l'avocat de votre père et j'ai de bonnes nouvelles à vous annoncer.

— Allons à l'intérieur pour en parler », dit Zach avec chaleur, les poussant doucement vers le hall de la maison.

Il les conduisit dans la bibliothèque et fit signe à Butts, qui se comportait de façon un peu théâtrale, de s'asseoir devant un grand bureau. Il attendit que tout le monde soit installé et qu'on fasse silence pour prendre la parole : « Mademoiselle Ramillies, j'ai ici avec moi, pour que vous puissiez en prendre connaissance, le testament et les dernières volontés de votre père. Elles sont extrêmement claires. Il déclare léguer tous ses biens à son enfant unique, Isobel Jane Ramillies. »

La jeune fille était devenue toute pâle. « Qu'est-ce que cela signifie ? murmura t-elle.

— Cela signifie que Macabees vous appartient.

— Ce n'est pas à l'oncle Vincent ?

— Non. Votre oncle n'a aucun droit d'être là à moins que vous ne le désiriez. C'est votre propriété et votre plantation. Vous possédez tout ce qui se trouve sur ce domaine. »

Isobel battit des mains puis les porta à ses joues rougissantes. « Oh, madame Amelia, vous vouliez l'acheter. Vous êtes allée là-bas pour l'acheter. Achetez-la. Oh, achetez-la. Ça sera ma manière de vous remercier pour ce que vous avez fait.

— Doucement ! dit M. Butts en levant une main prudente. Souvenez-vous qu'il s'agit non seulement de votre plantation mais aussi de votre maison. Ne faites rien précipitamment.

Prenez votre temps, jeune demoiselle. Vous avez la vie pour prendre vos décisions.

— Mais je préférerais rester avec Mme Amelia et William, protesta-t-elle.

— Et il en sera ainsi si Mme Amelia le veut bien, jusqu'à ce que nous ayons démêlé cet écheveau. Il faudra du temps avant que nous puissions... Il toussa doucement... persuader votre oncle de partir. Peut-être six mois.

— Et je pourrai rester avec vous ? » dit Isobel en tournant vers Amelia ses grands yeux bleus inquiets.

Amelia posa son bras sur les épaules de la jeune fille. « Bien sûr que tu peux, ma chérie. Bien sûr.

— Hourra ! Hourra ! Hourra ! cria William en sautant sur place d'excitation. Oh merci, maman. » Il avait attrapé la main d'Isobel et maintenant ses yeux noisette se faisaient suppliants. « Pouvons-nous aller jouer ? demanda-t-il. Isobel ne connaît pratiquement aucun jeu. J'ai tant à lui apprendre. »

John Butts avait raison dans ses prévisions, au sujet du temps qu'il faudrait avant d'expulser Vincent Ramillies de Macabees. En fait ce ne fut qu'à la fin du mois de septembre, c'est-à-dire sept mois après l'arrivée d'Isobel à Lointaine, que Ramillies quitta St. Kitts pour l'Angleterre, avec le précepteur Peckett, une montagne de bagages et une cohorte d'esclaves. M. Butts avait pensé plus sage d'autoriser Ramillies à emmener ses esclaves personnels, laissant entendre qu'ils étaient si dépravés qu'aucune personne de qualité n'en voudrait.

Vincent Ramillies s'était battu comme un tigre pour rester dans l'île mais le juge avait eu la preuve des mauvais traitements infligés à Isobel. Comme le bruit s'en répandait, chacun dans l'île lui tourna le dos. Il lui devenait difficile d'acheter quoi que ce soit et encore plus difficile d'écouler son sucre. Il y eut des disputes à n'en plus finir pour savoir ce qui lui appartenait et ce qui faisait partie des biens d'Isobel parmi le mobilier de la maison. Finalement, le juge décida que Ramillies pouvait emporter ce qu'il prétendait être à lui, à la condition qu'Isobel soit d'accord. En fait ce fut Butts qui prit les décisions. Il se souvenait fort bien des choses qui avaient appartenu à son ancien client et de celles dont il était sûr qu'il ne les avait jamais achetées. Il donna pour ces dernières l'autorisation de les enlever.

On décida également que, pour sa sécurité, Isobel resterait

chez Butts dans l'île de Nevis jusqu'au départ de Ramillies. En effet la mort de la jeune fille aurait fait de son oncle son héritier. Il pouvait encore lui venir à l'esprit de la faire assassiner. William et Henleigh accompagnèrent Isobel. Vérité, Daniel et Juba furent chargés de la protéger. Deux marins, particulièrement solides, qui avaient déserté leur bateau et travaillaient maintenant à la taverne pour Ben, firent également partie du voyage.

Zach, pendant les sept mois qui précédèrent le départ de Ramillies, fut un homme heureux. En juillet, Charlotte accoucha de jumeaux qu'ils appelèrent James et Julia. Charlotte, qui n'était plus de première jeunesse, faillit mourir pendant l'accouchement et Zach fut surpris de sa propre douleur et de son angoisse à ce moment-là. Mais elle se remettait fort bien et son mari avait décidé d'acheter Macabees pour l'offrir à ses enfants. Sa sœur n'avait pas besoin d'un si grand domaine. Ce n'était pas bien pour une femme sans époux de s'occuper d'une plantation, d'avoir même le moindre bout de terrain.

Si Zach était satisfait de sa vie, ce furent sept mois pénibles pour Tansie et Amelia. Tansie, brusquement privée de ses compagnons de jeux, se sentait seule et s'ennuyait. Sans bien le comprendre, elle était jalouse d'Isobel dont l'arrivée inattendue dans leur vie avait provoqué maints problèmes. Elle en voulait aussi à Mark Henleigh, son ami qui voulait la conduire vers la lumière, de s'être laissé arracher à elle si brutalement. Si seulement elle avait su que le précepteur souffrait de la même manière de son côté.

Amelia avait la possibilité de retrouver Joshua maintenant tout proche. Mais elle devait encore attendre. De plus, William lui manquait. La maison semblait vide sans lui et elle avait besoin de faire quelque chose de sa vie.

Le jour où Vincent Ramillies mit le cap sur Bristol, Amelia marchait dans son jardin, arrachant çà et là une mauvaise herbe. Elle découvrait qu'après une si longue attente le départ de Ramillies était, d'une certaine manière, une déception.

Demain William et Isobel reviendraient avec Henleigh ainsi que Vérité et sa famille, et la vie reprendrait son cours normal. Dès que ce serait décemment possible, Amelia demanderait à Isobel de lui acheter Joshua afin de le faire venir à Lointaine. Elle savait qu'Isobel ne refuserait pas. Son seul problème était que brusquement elle n'était plus très sûre d'elle-même. Était-ce réellement ce qu'il fallait faire ? Après une si longue séparation, n'était-il pas préférable de laisser les choses telles quelles ?

Elle cheminait le long du ruisseau qui traversait le verger, sous les orangers dont les fruits faisaient plier les branches.

A chaque nouvelle récolte, elle éprouvait le même plaisir à voir mûrir les fruits. Au loin, elle aperçut une silhouette qui marchait dans sa direction sans se presser. Elle plissa les yeux pour se protéger d'un soleil aveuglant. C'était un Noir. Pourtant les esclaves n'avaient pas l'autorisation de venir par ici, à moins qu'ils ne travaillent aux arbres fruitiers.

Elle se demandait si elle allait appeler Joseph, puis décida de se débrouiller seule. L'homme avait maintenant accéléré le pas, puis il commença à courir vers elle. Elle hésita, s'immobilisa, se demandant si elle était réellement en danger. Si c'était le cas, devait-elle faire demi-tour et courir vers la maison ? Avant qu'elle n'ait eu le temps de se décider, elle s'aperçut d'une étrangeté dans la silhouette qui venait vers elle. L'homme n'avait qu'un bras.

C'était Joshua.

12

Sans se soucier des témoins éventuels, elle ouvrit les bras et l'attira à elle, moitié pleurant, moitié riant, submergée par un plaisir qu'elle n'avait pas éprouvé depuis des années. Dès qu'elle l'avait vu, elle avait compris que rien n'avait changé, et elle l'embrassa de tout son cœur.

« Amelia, fais attention, dit-il, se dégageant à regret. On peut nous voir.

— Je m'en moque, dit-elle.

— Il ne faut pas. » Il lui souriait de ses grands yeux bruns où étaient montés des larmes. Il était encore plus beau que dans son souvenir. Ce n'était plus un adolescent mais un homme. Un homme solide, avec un visage doux et... un seul bras.

« Que t'est-il arrivé ? » demanda-t-elle en touchant sa manche, débordant d'amour et de pitié.

Il recula encore un peu.

« Non, pas maintenant. Ce n'est pas le moment d'en parler », dit-il. Il jetait des coups d'œil inquiets autour de lui et elle se rendit compte qu'il était gêné, brusquement inquiet. « Pouvons-nous parler ensemble ? N'est-ce pas dangereux que tu sois ici avec moi ?

— Et pourquoi donc ? »

Le visage de Joshua disait clairement qu'il savait qu'elle en connaissait la raison. « Je ne devrais pas être ici, murmura-t-il.

— C'est vrai. Les esclaves n'ont pas le droit d'être ici, Joshua, dit-elle en riant pour essayer de le mettre à l'aise. Mais toi tu es là. Tu as le droit d'être partout, dans mon domaine.

261

— Cette plantation t'appartient ? »

Elle acquiesça.

Une ombre passa sur son visage. « Alors ça ne sera plus jamais la même chose entre nous.

— Mais je ne sens aucune différence. Et toi ? » Elle tendit la main et passa ses doigts sur les joues de Joshua. Il s'écarta de nouveau.

« Moi non plus. Mais les choses ont changé », dit-il avec obstination.

Elle fit un geste d'impatience.

« Viens à la maison, dit-elle, nous avons besoin d'être seuls.

— On ne nous verra pas ? »

Elle ne savait pas trop s'il craignait pour lui-même ou pour elle. « Non, nous serons en sécurité. »

Rapidement, elle le conduisit à travers le parc à l'arrière de la maison où se trouvait une porte qui ne servait qu'aux fournisseurs. Sur la pointe des pieds, comme deux conspirateurs, ils montèrent l'escalier, empruntèrent un couloir silencieux avant d'arriver à sa chambre à coucher.

Il s'arrêta sur le seuil.

« Je ne devrais pas être ici », répéta-t-il embarrassé. Elle comprenait ses craintes : un esclave noir pouvait être pendu s'il avait des relations sexuelles avec une Blanche. Elle lui prit la main pour le rassurer.

« C'est le seul endroit de la maison où jamais personne ne me dérange durant la journée. Nous serons tout à fait tranquilles.

— Tu en es sûre ?

— Absolument sûre. Mais ferme la porte à clé si cela te soulage. »

C'est ce qu'il fit, enlevant même la clé pour la poser sur une petite table.

Ils étaient immobiles, se regardant intensément, séparés par la longueur de la pièce, prenant la mesure des changements survenus chez l'un et l'autre, cherchant à retrouver une intimité. La peau de Joshua semblait plus grise, et il paraissait fatigué, mais à part cela il n'avait guère changé.

« Tu me cherchais ? demanda-t-elle.

— Toi et Tansie. » Il baissa la tête, fixa le sol, puis la regarda droit dans les yeux. « J'ai un fils, dit-il brusquement.

— Avec Ruby ?

— Avec Ruby. » Sa voix était calme, mais ses yeux l'observaient pour guetter sa réaction.

« Je le sais. Elle me l'a dit quand Zach l'a amenée ici. Moi aussi, j'ai un fils. »

Sa bouche se contracta. « Et un mari ?

— Il est mort il y a quatorze ans. Aimes-tu Ruby ?

— Non. Aimais-tu ton mari ?

— Non. Je n'ai jamais cessé de t'aimer. »

Il poussa un grand soupir. En le regardant, Amelia sentit monter en elle le désir brûlant qu'elle avait refoulé pendant si longtemps. Depuis que la porte était fermée, ils s'étaient rapprochés, comme attirés par un aimant. Ils n'étaient plus éloignés maintenant que de deux ou trois pas. Ils se tenaient debout immobiles et silencieux, et la tension entre eux n'aurait pas été plus grande s'ils avaient été dans les bras l'un de l'autre.

Le désir d'Amelia était si pressant, si impérieux, qu'elle se sentait incapable de le contenir. Elle lui prit la main et lui dit doucement : « Aime-moi, je t'en prie. »

Une expression angoissée passa sur le visage de Joshua. Ses longs cils noirs voilèrent ses yeux comme pour cacher sa souffrance.

« Amelia, je n'aurais pas dû venir ici. Nous ne sommes plus semblables maintenant. Tu n'es plus une esclave.

— Je suis ton esclave, dit-elle.

— Amelia ! gémit-il d'une voix suppliante.

— Ne veux-tu pas faire l'amour avec moi ? lui demanda-t-elle, bien décidée à ne pas renoncer.

— Plus que tout au monde. »

Elle lâcha sa main et le prit dans ses bras, serrant autant qu'elle le pouvait son grand corps.

Il la regarda. « Je me suis lavé, dit-il absurdement. Je me suis lavé dans la rivière. »

Elle lui sourit et tendit le cou pour l'embrasser. Il hésita puis s'écarta.

« Nous ne devrions pas...

— Joshua je t'aime, dit-elle. Au nom du ciel, embrasse-moi.

— Je n'ai qu'un bras pour t'enlacer.

— Alors sers-t'en. »

Maladroitement il l'attira vers lui.

« Voilà qui est mieux, dit-elle. Beaucoup mieux.

— Toujours aussi jolie, murmura-t-il. Toute rose et toute douce. » Il la regarda. « Tes yeux ressemblent toujours à des feuilles. A de jolies feuilles printanières. Mais tu ne comprends pas. Tout est différent maintenant. »

Les flots de lumière qui passaient par la fenêtre de la chambre accentuaient les différences du couple, ils rebondissaient sur la peau brune comme ils l'avaient fait près de l'étang bien des années auparavant. Joshua ressemblait à une statue antique, ses cheveux frisés aplatis sur la tête, son visage taillé à la serpe, son corps puissant, le bras absent...

« Et tu es toujours aussi beau, dit-elle doucement. Maintenant, aime-moi. »

Ils firent l'amour comme dans son souvenir, gentiment et passionnément, intensément et innocemment. Se rappelant leurs rencontres amoureuses furtives, il y avait si longtemps, elle se sentait jeune à nouveau. Ils se sentaient intimidés. Il était gêné par la perte de son bras. Quant à elle, elle se demandait si son corps, qui avait dix-neuf ans de plus que lorsqu'ils avaient fait l'amour pour la première fois, pouvait encore lui plaire. Elle n'oubliait pas non plus que son amant était passé par les bras hardis et superbes de Ruby. Mais quand ils furent dévêtus et que son corps la recouvrit, que sa bouche écrasa la sienne, que sa main s'empara de ses fesses pour la soulever, elle sentit de nouveau, malgré les longues années stériles, qu'ils ne faisaient plus qu'un. Et toute son anxiété s'évanouit. Elle s'accrocha à lui, profondément heureuse, s'émerveillant de pouvoir finalement satisfaire le grand amour qu'elle avait pour lui, dans les profondeurs et la douceur de son propre lit.

Assouvis, ils s'endormirent tous les deux. Ce fut elle qui se réveilla la première. Elle se pencha pour lui caresser le visage. Il remua, marmonna, se tourna vers elle et prit sa tête pour la poser sur son épaule.

« Comment m'as-tu retrouvée ? » lui demanda-t-elle doucement en l'embrassant.

Il fit une petite grimace. « Après ça, dit-il en faisant un geste vers son bras manquant, j'ai travaillé dans la maison à Macabees comme domestique, aux ordres du maître et du précepteur de Mlle Isobel. Tous les autres domestiques étaient... comme M. Justinian et je ne voulais plus de ça. Je me tenais à l'écart. Je ne parlais qu'au maître et au précepteur. Je dérobais des livres à la bibliothèque. La lecture m'a aidé. Je voulais parler correctement au cas où je te rencontrerais de nouveau. Puis Isobel s'est enfuie et ils ont lâché les chiens, comme ils le font toujours, mais ils ne l'ont pas trouvée. Le maître donnait l'impression de vouloir tuer quelqu'un tant il était furieux, mais il ne savait à qui s'en prendre. Peu après, alors que je faisais le ménage dans le bureau du maître, j'ai trouvé des lettres sur sa table de travail. Je les ai lues. Des lettres d'un avocat appelé Butts. Il y en avait d'autres aussi, provenant du juge d'Old Road Town. Elles étaient posées là sur son bureau, certaines froissées sans doute dans un geste de colère. J'imagine qu'il ne les aurait pas laissées traîner s'il avait su que je savais lire. Ces lettres expliquaient que la plantation appartenait à la pauvre petite Mlle Isobel. J'ai supposé alors que le maître devrait obligatoirement quitter l'île. Puis une autre lettre arriva, l'informant qu'une certaine Mme Amelia Rosier-Quick de Lointaine témoignerait contre lui devant la cour. Bien entendu, je ne savais pas que tu t'appelais Rosier, mais je savais que tu étais Quick et que tu possédais une plantation. Et je sus tout de suite qu'il s'agissait de toi. » Il soupira et se tourna pour enfoncer son visage dans les cheveux d'Amelia. « Si tu ne m'avais pas appris l'alphabet il y a bien longtemps, je ne t'aurais jamais retrouvée. Ça ressemble à un miracle. »

Elle poussa un soupir heureux et demanda : « Mais comment as-tu fait pour arriver à Lointaine ?

— Benson, le surveillant, avait parlé un jour de la plantation voisine en faisant un geste dans sa direction. Ce ne fut pas difficile de la trouver. Il n'y a pas d'autre plantation dans ce bout de l'île. J'ai attendu le jour où le maître a été obligé de partir pour l'Angleterre. Il emmenait ses esclaves personnels avec lui, et Benson et ses employés l'ont accompagné au bateau. Alors je me suis enfui. »

Elle se serra contre lui. « Et tu es ici.

— Et je suis ici. »

Puis elle se dressa brusquement. « Mais ton bras ?

— Je m'étais déjà enfui une autre fois, juste après l'enlèvement de Tansie. J'avais pris mon fils avec moi, et suis parti à la recherche de ma fille. Ils ont lâché les chiens. C'était difficile de se déplacer rapidement avec un bébé sur les épaules. Ils m'ont rattrapé. Les chiens s'en sont pris à mon bras et Benson l'a sectionné avec une machette. C'est ce qu'ils font aux esclaves qui tentent de s'enfuir, dit-il. Je savais ce que je risquais. »

Elle eut envie de lui demander s'il s'était enfui pour partir à sa recherche ou à celle de Ruby. Mais il lui apparut que ce n'était vraiment pas le bon moment.

« Ils n'ont pas blessé ton fils ?

— Samuel ? Non. Ils l'ont laissé tranquille. »

Ils restèrent silencieux pendant un moment.

« Tu sais, Amelia, finit-il par dire, on a tort d'agir ainsi.

— Non ! dit-elle passionnément, se retournant pour l'embrasser.

— On a tort, dit-il avec entêtement, le visage fermé. Tu n'es plus une esclave. Tu es propriétaire d'une plantation. Ce que nous faisons est dangereux pour toi aussi bien que pour moi. » Sa voix devint plus grave : « Nous ne pourrons plus jamais être ensemble. »

Elle ressentit une douleur épouvantable parce qu'elle savait qu'il avait raison. Elle réfléchissait à toute vitesse, essayant de trouver un moyen de préserver une vie commune.

« On peut garder le secret.

— Comment ?

— D'une manière ou d'une autre.

— Mais non, voyons. » Elle sentait qu'il était profondément triste. « Nous ne sommes plus des enfants comme autrefois. Nous avons grandi et nous devons admettre que ce n'est plus la même chose. Tu es riche, et je suis un esclave.

— Je trouverai quelque chose, bredouilla-t-elle.

— Peut-être, dit-il gentiment puis pour la consoler il l'attira vers lui. Je n'aurais pas dû venir ici, mais j'ai tellement rêvé de toi durant toutes ces années. Il fallait que je vienne. Il fallait que je te voie.

— C'était la même chose pour moi, murmura-t-elle. Mais je ne te laisserai pas retourner à Macabees. Je t'achèterai à Isobel et je te garderai ici.

— Alors je serai vraiment ton esclave, dit-il l'air piteux.

— Non. Tu seras libre. Je te donnerai la liberté comme à Bella. Bella est libre.

— Et Tansie ? » demanda-t-il vivement.

Amelia fit non de la tête.

« Et pourquoi pas ?

— Si je lui avais donné la liberté, elle serait partie.

— Ainsi ta fille est ton esclave ? dit-il si bouleversé que des larmes lui montèrent aux yeux. Tu l'aimes ?

— Oui. Presque autant que je t'aime toi. Elle est belle.

— Et Vérité ?

— Vérité n'est pas libre, dit-elle d'une voix ferme. Mais elle vit en famille avec Daniel et son fils, Juba, dans leur propre maison. »

Il s'éloigna légèrement d'elle et se coucha sur le dos, fixant le plafond à caissons.

« Pourquoi n'as-tu libéré que maman ?

— Parce que je savais qu'elle ne me quitterait jamais. Les

autres seraient partis. Et j'ai besoin d'eux. C'est ma famille, Joshua. »

Il eut un petit rire sec. « Une famille noire.

— C'est vrai, une famille noire, lança-t-elle avec un air de défi.

— Et tu crois que je resterai si tu me libères ?

— Je ne sais pas. » L'idée qu'il pouvait partir après qu'elle l'aurait libéré lui tordit l'estomac. « Mais j'espère que tu resteras. »

Il se tourna de nouveau pour la prendre dans ses bras. « Oh, Amelia, où voudrais-tu que j'aille ? Il me faut être ici. Car c'est là qu'est mon cœur. »

Isobel était très excitée lorsqu'elle vit que la voiture d'Amelia les attendait, à l'arrivée du bateau de Nevis. Daniel et Vérité, qui portaient les bagages, avançaient lentement. Joseph lâcha les rênes et descendit de son siège pour les aider. Mark Henleigh fermait la marche. C'était une journée chaude et humide, si chaude que la mer étincelait comme de l'argent et que l'éclat des voiles blanches faisait mal aux yeux. Henleigh toussait lamentablement dans son mouchoir. La courte traversée depuis l'île voisine lui avait donné un teint verdâtre. Isobel pensait qu'il avait tendance à s'apitoyer sur lui-même.

Quant à elle, bien au contraire, elle se sentait très optimiste. Le souvenir des terribles années qu'elle avait passées à Macabees commençait à s'effacer, bien qu'il y eût encore des jours où elle se sentait désespérée et se mettait à pleurer sans raison. Quelquefois, elle était torturée d'horribles cauchemars. Vérité se précipitait alors pour la réveiller afin de la calmer.

William et elle étaient devenus très intimes et le jeune garçon ne la quittait plus. Elle en était ravie. Grâce à lui, elle avait l'impression d'être en sécurité. Ensemble, ils se moquaient du sérieux de Henleigh, qui, à sa manière un peu solennelle, prenait plaisir à leurs gamineries. Mais plus que tout, elle avait passé de nombreuses heures en compagnie de Butts qui lui avait parlé de ses parents et de ses origines. Pour la première fois de sa vie, elle sentait qu'elle était réellement quelqu'un, avec une famille et des racines. Butts lui avait même donné une miniature représentant ses parents. Elle regardait interminablement leurs beaux visages anglais chaque soir, avant de s'endormir. Elle était heureuse de ne retrouver chez eux aucun des traits durs et cruels de l'oncle Vincent.

« Vous savez, vos parents, autant que des clients, étaient des amis, lui avait dit Butts. Et je suis peiné de n'avoir rien fait de plus pour vous. Mais je n'avais aucune idée des horribles traitements qui vous étaient infligés. »

Il l'avait convaincue qu'elle ne devait rien faire précipitamment. Macabees lui appartenait. Elle pouvait garder la plantation, y mettre un responsable, ou encore la vendre et rentrer en Angleterre. Toutefois, il lui fit remarquer que l'Angleterre ne pouvait lui apporter grand-chose. Il ne lui disait rien de catégorique, la laissant se décider elle-même, mais elle sentait bien que Butts pensait qu'elle devait garder Macabees pour le moment, en attendant de voir quelle tournure allait prendre sa vie.

« Vous découvrirez à quel point ce sera différent de vivre là-bas en tant que maître, vous qui êtes si jeune. En janvier prochain, vous aurez seize ans et il vous sera possible de décider des choses par vous-même.

— Vous connaissez la date de mon anniversaire ? demanda-t-elle ravie.

— Je connais la date de votre naissance. Vous êtes née le 3 janvier 1690, et vos parents disaient que vous étiez le plus beau cadeau que le Seigneur pouvait leur faire pour cette nouvelle année. »

Isobel estimait qu'une fois qu'on connaissait sa date de naissance, on devenait quelqu'un de réel, une véritable personne. Elle savait maintenant exactement qui elle était.

Amelia les attendait sur le perron de Lointaine. Elle prit William dans ses bras, qui se dégagea, un peu gêné. Il mesurait déjà quinze centimètres de plus que sa mère, sa voix était devenue grave et il avait une ombre de moustache sur la lèvre supérieure.

« Comme tu as grandi ! s'exclama Amelia en le tenant à bout de bras, pour bien le regarder. Oh, tu m'as tellement manqué ! »

William rougit, remua les pieds d'un air embarrassé sans trouver rien à dire, tandis qu'Isobel sentait son cœur se serrer. Elle ne pouvait se souvenir d'avoir manqué à sa mère.

Néanmoins, on l'embrassa également et Henleigh fut accueilli avec chaleur. Puis Amelia annonça que le thé serait bientôt servi.

Elle conduisit Isobel jusqu'à la chambre qui lui était destinée. Une fois la porte fermée, elle lui dit sur un ton pressant : « Isobel, ma chérie, il faut que je te parle. »

Surprise, Isobel jeta son chapeau sur le lit et se retourna, étonnée.

« Je t'ai volé un esclave, dit Amelia avec un petit rire nerveux. Naturellement, la punition pour voler un esclave est la mort, mais je doute que tu m'envoies au gibet. Il s'agit du père de Tansie, il a profité du départ de ton oncle pour s'enfuir et il est venu ici, hier. Je ne sais pas si on l'a recherché ou non. Mais je l'ai gardé dans la propriété.

— Le père de Tansie ? demanda Isobel étonnée. De quel esclave s'agit-il ? Est-ce que je le connais ?

— Peut-être te souviens-tu de lui. Il s'appelle Joshua. Il n'a qu'un bras.

— Naturellement, que je me souviens de lui. Il était toujours calme et gentil. Je l'aimais beaucoup. Et c'est le père de Tansie ? Mais il est tellement...

— Foncé ?

— Oui, effectivement. Mais s'il est le père de Tansie, il doit rester ici.

— Donc, je dois te l'acheter.

— Sûrement pas ! s'écria fermement Isobel. C'est un cadeau.

— Mais je désire lui rendre sa liberté.

— Si c'est votre souhait, alors je le libérerai », dit-elle en faisant un grand geste qui montrait clairement que Macabees lui appartenait bien et qu'elle en ferait ce qu'elle voudrait.

Amelia la prit dans ses bras et l'embrassa. « Tu es une si gentille fille », soupira-t-elle. Isobel fut quelque peu désorientée de voir que des larmes étaient montées aux yeux d'Amelia.

En bas, le thé les attendait et Amelia fut surprise en constatant que Zach était déjà là. Il se leva comme elles entraient dans la pièce, prit la main d'Isobel, s'inclina et bredouilla des félicitations avant de s'excuser auprès d'Amelia de son intrusion.

Au milieu de la collation, Zach dit brusquement à Isobel en la regardant dans les yeux : « Je suppose que vous voulez vendre Macabees ?

— Oh non, dit-elle, tandis qu'elle étalait du miel sur son pain, en faisant très attention de ne pas en faire couler sur les côtés. J'ai décidé de garder la plantation un certain temps.

— Vraiment ?

— Oui. M. Butts m'a fait remarquer que c'était ma maison et que je n'en avais pas d'autre.

— Mais non, mais non ! dit Zach avec chaleur bien qu'il

parût quelque peu dérouté. Vous êtes chez vous à Windsong si vous le désirez, à n'importe quel moment. »

William avait brusquement renoncé à l'attitude relâchée qu'il avait adoptée à table. Il se redressa. « Ou ici, Isobel, dit-il vivement. Je préférerais que tu restes ici.

— Je pourrai venir te voir, dit Isobel gentiment. J'aimerais tellement continuer à travailler avec toi et M. Henleigh. Mais c'est mieux pour moi d'avoir ma propre maison. »

Zach s'agitait sur sa chaise. « Mais la plantation...

— Je mettrai quelqu'un pour la diriger. De plus je suis sûre que vous et ma chère Amelia me donnerez les conseils dont j'aurai grand besoin. »

Il y eut un silence. Amelia jeta un coup d'œil malicieux à son frère. Il paraissait vraiment fâché.

« Je suis navré de vous décevoir, dit doucement Isobel. Je savais que vous vouliez acheter la plantation, Amelia, mais je suis sûre que vous comprendrez.

— Je comprends fort bien, répondit Amelia, en ajoutant de façon assez énigmatique : De toute façon, j'ai changé d'avis. Je n'ai plus besoin d'acheter. »

Isobel surprit le regard chargé de suspicion que Zach jeta à sa sœur. Mais Amelia se contenta de sourire, un sourire qui remontait les coins de sa bouche, d'une façon plaisante et mystérieuse.

« Pourquoi ne vas-tu pas faire une promenade avec William avant qu'il ne fasse nuit ? demanda-t-elle. Et demain nous nous rendrons tous à Macabees.

— Oh oui, viens, Isobel, dit William en bondissant sur ses pieds. Allons jusqu'à la plage. »

Soulagée de pouvoir échapper à l'évidente mauvaise humeur de Zach, Isobel repoussa son assiette et s'excusa. Main dans la main, les deux jeunes gens sortirent de la maison, traversèrent le parc et gagnèrent le rivage. Il y avait là une retenue d'eau dans les rochers qui était l'endroit de la propriété que préférait William. C'était pour lui un lieu secret. Isobel avait été flattée qu'il le lui ait montré avant son départ pour Nevis. Mais aujourd'hui, William paraissait nerveux, taciturne, et Isobel se demanda s'il n'était pas fâché. Son humeur ne s'améliora pas lorsqu'ils arrivèrent en vue du sable noir. Ils n'étaient pas seuls. Quelqu'un était étendu sur la plage. William s'arrêta net, rempli d'indignation. L'homme, un grand nègre avec un seul bras, se leva précipitamment. Tout d'abord

il parut effrayé, puis il bredouilla comme pour lui-même :
« Mademoiselle Isobel ! »

William s'avança pour se mettre devant la jeune fille afin de la protéger. « Qui es-tu ? » demanda-t-il agressivement, sans se soucier du fait que l'homme, même avec un seul bras, était probablement deux fois plus fort que lui.

Isobel l'écarta d'un geste. « Ce n'est que Joshua, de Macabees, expliqua-t-elle. Amelia m'a dit qu'il était ici. C'est le père de Tansie. » Elle se retourna pour regarder l'esclave, et dit d'une voix calme : « Je suis contente de te voir, Joshua. Je voulais te dire que tu es libre. Je demanderai à M. Butts de te donner les papiers nécessaires la prochaine fois que je le verrai. »

Joshua la regarda, effaré. « Vous me donnez ma liberté ? »

Isobel lui sourit. « Oui, et ainsi Mme Amelia n'aura pas à t'acheter », dit-elle joyeusement.

L'homme mit une main sur ses yeux et Isobel se demanda s'il n'était pas en train de pleurer.

« Vous ne savez pas ce que vous faites pour moi. Vous ne savez pas ce que vous me donnez, dit-il d'une voix étouffée, avant d'enlever sa main de son visage pour la regarder. Vous êtes réellement décidée ? Vous pensez vraiment me donner la liberté ?

— Naturellement, dit Isobel, qui ne voulait pas gâter les choses en lui révélant que c'était à la demande d'Amelia.

— Tu es le père de Tansie ? demanda William.

— Oui.

— Elle ne te ressemble pas beaucoup. »

Le Noir eut un grand sourire. « Et c'est plutôt bien pour elle, dit-il.

— Tu es venu hier, n'est-ce pas ? lui demanda Isobel. Est-ce que tu l'as vue ? Elle est vraiment jolie. »

L'homme fit non de la tête.

« Elle doit être en ce moment dans la cuisine avec Bella, lui dit William. Pourquoi ne vas-tu pas la voir ? Puis il ajouta poliment : Sais-tu y aller ?

— Je trouverai », dit l'homme. Il fit un petit salut, hésita comme s'il voulait ajouter quelque chose mais se contenta de murmurer doucement : « Merci. » Puis d'un pas léger, il les quitta.

William fronça les sourcils. « Je me demande comment il connaît cet endroit, dit-il presque pour lui-même. D'ailleurs il ne s'exprime pas du tout comme un esclave. C'est vraiment bizarre.

— Il n'aurait pas dû être là ? »

William haussa les épaules. « Je demanderai à maman de lui dire de ne plus venir ici. Cet endroit m'appartient.

— S'il est libre, j'imagine qu'il peut aller partout où il veut, dit Isobel pensivement.

— Pas s'il est noir », coupa William sur un ton sans réplique. Abandonnant le sujet, ils regardèrent dans les profondeurs de l'eau.

Bien qu'il ne fût jamais très bavard, Isobel se rendait compte que son compagnon était bizarrement silencieux. Il s'éloigna brusquement de l'eau et se laissa tomber sur le sable.

« Isobel, as-tu vraiment l'intention d'aller vivre à Macabees ? demanda-t-il l'air extrêmement sérieux.

— Oui. » Il n'y avait aucune possibilité de discussion, la réponse était catégorique.

William se mit à rougir et commença à tirailler les quelques poils qui lui poussaient sur le menton. « Je voudrais que tu restes à Lointaine, bredouilla-t-il.

— Pourquoi ? »

Il dessina un cœur dans le sable et dit d'une voix sourde : « Écoute, tu vois bien que je t'aime. »

Elle le regarda étonnée. Elle n'avait jamais pensé qu'elle pouvait être aimée. « Tu m'aimes ? » s'exclama-t-elle, incapable de contenir son étonnement.

Il acquiesça solennellement. « Il y a longtemps que j'ai décidé de t'épouser.

— Moi ?

— Oh, pas tout de suite bien sûr. Maman ne le permettrait pas. Mais dès que nous serons assez âgés. »

Il était assis sur le sable, les jambes croisées, le visage rouge d'embarras, ses yeux sombres obstinément fixés par terre. Il avait un très joli profil, le nez droit, la bouche bien dessinée, le menton ni trop gros ni trop petit. Ses cheveux noirs étaient retenus en arrière par un grand nœud. Une mèche s'en était échappée qui tombait sur son épaule. Il portait une chemise ample, une culotte serrée, des bas rouges et des chaussures avec des boucles d'argent. Brusquement Isobel le vit comme un bel homme plutôt renfermé mais certes plus comme un garçon timide. Elle se rendit compte aussi qu'il voyait une femme en elle. Gênée, elle aussi fixait le sable. « Je t'aime vraiment beaucoup, William, dit-elle. Mais est-ce vraiment cela, l'amour ? »

William réfléchit un instant. « Je t'aime bien aussi mais c'est plus que cela. M. Herrick dit :

> *Tu es mon amour, ma vie, mon cœur*
> *La prunelle de mes yeux*
> *Et tu disposes de moi*
> *Pour me faire vivre ou mourir sous ta loi.*

« C'est assez proche de ce que je sens.

— Oh, William, dit-elle en joignant les mains, tout excitée à l'idée qu'il pourrait mourir pour elle, même si elle ne souhaitait nullement qu'il le fasse. Tu veux vraiment que je sois ta femme ?

— Oui. » Il leva brusquement la tête et la regarda droit dans les yeux. Son regard était si intense qu'elle frissonna. Puis il fixa de nouveau le sable.

« Et tu m'aimes ? » demanda-t-elle, désirant entendre de nouveau ces douces paroles. Mais William se contenta de hocher la tête.

« Ne penses-tu pas que ce serait bien si nous nous mariions ? demanda-t-il inquiet. Un jour, j'aurai Lointaine, et maman m'a dit que la taverne m'appartiendrait aussi. Je pourrai donc très bien m'occuper de toi. »

Isobel ne savait trop ce qu'elle ressentait. De la gratitude certes, mais aussi une sorte d'épanchement au niveau de son cœur, comme si sa poitrine ne pouvait contenir une telle joie. Et de la tendresse aussi. Et une excitation. Un mélange inexplicable de tous ces sentiments. Et maintenant, elle avait envie de toucher son visage, de savoir à quoi il ressemblerait sous ses doigts.

Mais elle se retint et dit : « Ça pourrait être bien de se marier. Comme dans les histoires.

— Oh, mais notre mariage sera bien réel », dit-il, brusquement sûr de lui.

Elle hocha la tête d'un air pensif. « Nous ne serons plus jamais seuls si nous nous marions, n'est-ce pas ?

— Jamais.

— Et nous serons heureux. Et gentils l'un avec l'autre.

— Toujours.

— Et nous ne nous ferons jamais de mal ?

— Jamais. » L'émotion plissait les grands yeux de William tandis qu'il faisait toutes ces promesses.

« Alors, je crois que j'aimerais t'épouser, William », dit-elle solennellement en lui tendant la main.

Il la lui prit, ne sachant pas très bien que faire ensuite.

« Tu peux m'embrasser », dit-elle plus paisible qu'une colombe.

Il se pencha maladroitement pour joindre leurs lèvres. C'était une sensation agréable et le visage d'Isobel s'empourpra. Lui aussi était devenu écarlate.

Le temps parut s'arrêter tandis qu'ils se regardaient avec émerveillement.

« J'aimerais informer maman de ce que nous avons décidé, finit-il par dire.

— Oh, je pense que nous devrions.

— Maintenant ?

— Oui, maintenant. »

Il lui prit la main et l'aida à se lever. Ils marchèrent vers la maison en silence et retournèrent dans le petit salon où Amelia et Zach étaient encore en train de prendre le thé. Le frère et la sœur paraissaient tendus comme s'ils venaient de se disputer. Ils tournèrent la tête, un peu surpris à la vue des deux jeunes gens qui entraient dans la pièce.

« Vous avez vite fait », dit Amelia.

William s'approcha d'elle. « Nous avons quelque chose à te dire, maman.

— Oui ? fit Amelia en tendant la tête.

— Nous avons décidé que lorsque vous nous donnerez votre accord nous nous marierons. »

Isobel ne put retenir un petit rire en voyant la mine de Zach s'allonger. Amelia paraissait également surprise.

« Vous marier ?

— Oui, maman. » Il toussota intimidé et sa voix monta de plusieurs octaves. « Vous voyez, j'aime Isobel. »

Les deux adultes semblaient incapables de prononcer une parole.

« Et j'aime William », murmura Isobel timidement.

Zach posa sa tasse de thé et adressa un léger salut à Amelia.

« Tu as gagné », dit-il sèchement. Isobel n'avait pas la moindre idée de ce qu'il voulait dire par là.

Joshua n'eut aucune difficulté à trouver la cuisine. Sûr de lui, il marcha en direction de la face nord de la maison où généralement se trouvaient les cuisines, où tout aussi généralement on mettait les cabinets sous le vent. Aucun homme ne pouvait le chercher. Il était libre. Il était important pour lui que sa liberté lui ait été accordée par Isobel. Si Amelia l'avait libéré, ce n'aurait pas été la même chose. La dette à son égard aurait été trop grande, si bien qu'il serait toujours resté son esclave. Même s'il se doutait qu'Amelia était pour quelque chose dans la soudaine décision de sa maîtresse, ça n'avait pas d'importance. Une fois qu'il aurait les papiers de Butts, il pourrait aller n'importe où et travailler pour qui il voudrait, à condition, bien sûr, qu'on lui donne du travail.

Durant un instant, il fut pris par l'envie de retourner en Afrique, puis son bon sens reprit le dessus et il comprit que ce n'était pas une très bonne idée. Son cœur lui disait qu'il resterait exactement là où il était, ici, à Lointaine, avec sa famille et la femme qu'il aimait.

Mais être un homme libre sans qu'Amelia ait eu besoin de l'acheter changeait les choses. Peut-être qu'ils pourraient maintenant avoir une sorte de vie en commun, puisqu'il n'était plus un esclave et ne l'avait jamais été chez elle. Il faudrait garder la chose secrète bien sûr, mais peut-être y avait-il quelque espoir pour eux. Il s'imaginait devenu riche, l'emmenant dans un endroit où leur amour ne gênerait personne. Mais dans quelle partie du monde ? Il était toujours noir et à sa connaissance, aucun esclave libéré n'avait fait fortune. En fait, ceux qui avaient eu la chance d'avoir un bon maître trouvaient leur situation d'homme libre encore pire.

Une odeur de pain chaud le guida jusqu'à la porte de la cuisine. Il se demandait si Ruby serait là. Il ne savait pas trop que penser à propos d'elle. C'était la mère de Samuel, mais il n'avait pas vu Sam depuis deux ans, depuis qu'on le lui avait arraché pour le faire travailler dans les champs. Il avait fort peu pensé à Ruby après qu'elle eut été enlevée de Macabees. Ses rêves s'étaient cristallisés sur Amelia. Si Ruby était là, elle pouvait compliquer les choses.

Avec précaution, il ouvrit la porte de la cuisine, et une bouffée de chaleur le frappa au visage. Sa mère était tournée vers la cheminée. Elle paraissait un peu moins grosse et nettement plus vieille. Avec un serrement de cœur, il se souvint que ce n'était plus une jeune femme. Vérité, malgré ses cheveux qui commençaient à grisonner, n'avait pas de rides. Elle épluchait des légumes, assise à une grande table de bois. Elle leva la tête au bruit de la porte, fixa son frère un instant, porta ses mains à ses joues et s'écria d'une voix étranglée : « Maman, c'est Joshua. »

Sa mère pivota si rapidement qu'elle faillit en perdre l'équilibre.

« Mon fils ! » s'écria-t-elle. Puis les deux femmes se jetèrent sur lui pour l'embrasser, pour le serrer contre elles, et tout le monde se mit à pleurer.

« Ton bras ? Qu'est-il arrivé à ton bras ? s'écria Vérité.

— Tu t'es enfui, dit sa mère d'un ton accusateur. Et ils t'ont attrapé. Pourquoi t'es-tu enfui ?

— Pour retrouver ma famille, dit-il simplement. Toi, Vérité, Tansie... Maman, où est Tansie ? »

Bella renifla. « Elle sert le thé à Amelia, et toutes les deux sont en train de bavarder. Ça fait bien une heure qu'elle est partie. Mais elle ne va pas tarder à revenir.

— J'ai tellement envie de la voir.

— Elle est très jolie et très gentille.

— Et elle est vraiment blanche », précisa Vérité d'une voix aigre. Sa mère lui jeta un regard de reproche.

« Mais ce que je veux savoir, mon garçon, c'est comment tu as fait pour te retrouver ici ? Est-ce qu'Amelia est allée te chercher ? »

Il fit non de la tête. « Je suis venu de mon propre chef. C'est une longue histoire, maman. Mais le mieux de tout c'est... » Il prit une grande inspiration. « C'est que je suis libre. » Les deux derniers mots sonnèrent comme un coup de trompette.

« Tu es libre ? demanda Vérité, la voix chargée d'envie.

— Je suis libre. Mlle Isobel m'a accordé ma liberté aujourd'hui même.

— Mlle Isobel ? fit Bella surprise. Et pourquoi t'a-t-elle donné la liberté ?

— Parce que Macabees lui appartient. Elle n'était qu'un bébé lorsque nous sommes allés là-bas. Maintenant tout est différent. »

Bella était abasourdie. « Elle n'a sûrement pas l'âge de pouvoir te donner la liberté.

— Elle a presque seize ans. »

Bella secoua la tête. « Oh, le temps ! Oh, toutes ces années, où sont-elles passées ? Et toi, que vas-tu faire avec ta liberté, Josh ?

— Rester ici et travailler avec vous, si Mme Amelia me donne du travail. »

Bella éclata d'un rire homérique en se tapant les cuisses. « Elle va te donner du travail, mon garçon, c'est sûr. J'imagine même que tu seras épuisé avec le travail qu'elle va te donner.

Aussi tu ferais mieux de te reposer maintenant et de prendre un peu de thé et nous dire ce qui t'est arrivé au cours de ces années. » Elle retourna vers la cheminée, puis sans le regarder, dit si doucement que Joshua dut tendre l'oreille pour l'entendre : « Mais je vais être la femme la plus heureuse du monde maintenant que tu es de retour, Josh. Je serai une femme avec toute sa famille autour d'elle. Et il n'y a rien de mieux que ça. »

Il attendait toujours dans la cuisine quand Tansie revint. Elle entra vivement par la porte et s'arrêta net en l'apercevant, ce qui lui permit de la regarder sans donner l'impression qu'il la dévisageait. En se souvenant de l'image qu'il avait gardée de la petite fille de quatre ans qu'on lui avait brutalement arrachée, il se dit qu'il l'aurait reconnue. Ses yeux étaient aussi vifs et aussi noirs qu'autrefois, ses cheveux frisés mais nullement laineux, son nez droit et bien dessiné comme celui de sa mère. Elle ressemblait à une jeune fille blanche, une jeune fille du sud avec une peau bronzée et une bouche un peu trop gonflée. Elle était étonnamment belle.

« Je te connais, dit-elle en le regardant. Je suis sûre que je te connais, non ?

— C'est ton papa qui t'attend là assis à cette table, dit Bella en riant de plaisir. Il est venu te retrouver. »

La jeune fille resta d'abord bouche bée puis un sourire apparut sur ses lèvres rouges. On aurait dit qu'elle venait de recevoir un cadeau. Un cadeau de grande valeur.

« Tu es mon père ? Réellement ? »

Son expression disait clairement qu'elle voulait que ce soit vrai. Joshua acquiesça de la tête lentement à trois reprises. Sa fille si belle restait silencieuse, ne trouvant rien à dire, puis elle éclata d'un rire ravi, à l'unisson avec Bella.

« Mon père ! » dit-elle en s'avançant vers lui. Elle mit ses bras autour de son cou et enfonça son visage dans sa poitrine. « Je me souviens bien de toi. Je t'aimais. Et puis ils m'ont emportée.

— Et maintenant il t'a retrouvée », dit Bella.

Il l'attira à lui avec son seul bras pour la regarder de près, souriant stupidement parce qu'il essayait de contenir sa joie. Il avait envie de crier, de danser. S'il avait encore eu ses deux bras, il l'aurait soulevée de terre et l'aurait fait tourbillonner.

Tansie se dégagea avec une expression inquiète sur le visage. « T'es-tu échappé ?

— Oui.

— Alors, tu n'es pas en sécurité. Grand-mère, nous devons le cacher.

— Ce n'est pas la peine, dit Bella. Mme Amelia a tout arrangé. »

Tansie le regarda en inclinant la tête sur le côté. « Tu vas rester ici à Lointaine ? »

Il hocha la tête car sa gorge était si nouée qu'il craignait de se mettre à pleurer en parlant.

« Qu'est-ce que tu vas faire ici ? »

Il parvint à articuler : « Je suis libre, Tansie. »

De nouveau la jeune fille resta bouche bée avant de s'exclamer : « Libre ! » De toute évidence, elle était impressionnée. Elle était si jeune, tellement jeune. Amelia devait avoir veillé sur elle attentivement.

« Ma maîtresse, Mlle Isobel, m'a donné la liberté, lui dit-il.

— Mlle Isobel ! fit-elle en levant les yeux au ciel. Et quand je pense que je ne l'aimais pas beaucoup. »

Maintenant que l'excitation du premier moment de la rencontre était passée, Joshua se sentait intimidé, gêné, et il voyait qu'il en était de même pour sa fille. Elle n'arrêtait pas de lui jeter de petits coups d'œil comme si elle n'arrivait pas à croire à sa présence. Mais son regard évitait de se poser sur la manche vide. C'était gentil, pensa-t-il. Elle était trop polie pour poser des questions. Puis brusquement, elle se tourna vers lui et lui demanda : « As-tu amené maman avec toi ? »

Bella se raidit. Et se rendant compte de ce qu'elle avait fait, elle porta vivement la main à son dos, comme s'il lui faisait mal et échangea un rapide regard avec Joshua.

« Ton père dit que ta maman est morte. Depuis longtemps maintenant. »

Des larmes montèrent aux yeux de Tansie.

« Tu te souviens d'elle ? demanda-t-il, désireux de savoir exactement ce dont elle se rappelait.

— Je crois. Elle était douce, noire et riait sans arrêt. Elle m'a souvent donné sa part de nourriture. C'était ma mère, n'est-ce pas ? »

Il hésita puis dit : « Oui.

— J'aimerais qu'elle ne soit pas morte, dit-elle tristement. Je l'aimais comme je t'aime. » Puis elle s'anima de nouveau. « Mais tu es de retour. » Elle se serra encore contre lui et quand elle se dégagea, il la retint un instant pour la regarder et admirer sa beauté. Bien qu'il lui sourît, l'expression de Tansie restait sérieuse. Deux rides apparurent au milieu de ses sourcils, et les coins de sa bouche s'affaissèrent.

« Qu'y a-t-il ? demanda-t-il.

— Je me pose des questions.

— A propos de quoi ? dit-il sur un ton paternel et chaleureux.

— Parce que je suis si blanche. » Puis elle passa à autre chose. « Mais ça n'a plus d'importance, puisque tu es avec moi, et que maintenant je sais que cette personne était ma mère. Je suis vraiment noire, n'est-ce pas ? » Elle soupira de façon un peu théâtrale et l'embrassa en disant : « Oh, c'est un tel soulagement de savoir qui je suis vraiment. »

Joshua ne répondit pas mais ses yeux passèrent par-dessus la tête de sa fille pour rencontrer ceux de Bella et dans leurs regards, il y avait une résignation impuissante.

Tansie observait à la dérobée Mark Henleigh pendant qu'ils descendaient vers la plage. Il était revenu de Nevis depuis presque six mois maintenant et chaque jour il s'arrangeait pour faire une promenade avec elle. Tansie était sûre que Mme Amelia n'était pas au courant de ce qui se passait. Sa grand-mère en revanche semblait l'encourager à tenir compagnie au jeune homme. Quand c'était possible, Bella faisait le travail de sa petite-fille, de façon que celle-ci soit libre en début d'après-midi. Alors que naguère Tansie devait rester dans la cuisine jusqu'à ce que Mme Amelia demande son thé, elle avait maintenant l'autorisation d'accompagner M. Henleigh dans ses promenades.

Comme ils marchaient d'un pas tranquille dans la chaleur écrasante, il semblait à Tansie que le précepteur était plus frêle, plus sentimental que jamais. Le soleil avait décoloré ses cheveux qui étaient devenus presque blancs et il les attachait simplement derrière sa nuque. Il lui expliqua qu'il ne pouvait supporter le poids d'une perruque, étant donné la température qui régnait dans les îles. Sa peau aussi avait changé, elle était légèrement hâlée. Il était toujours aussi maigre, mais fort élégant avec ses grandes bottes, sa culotte serrée et sa chemise blanche de batiste.

Quelques jours après son retour de Nevis, il était venu la trouver à la cuisine pour lui demander de l'accompagner l'après-midi. Il désirait faire le tour de la propriété qu'il connaissait encore si mal. Tansie avait jeté un regard en coin

279

à Bella. Celle-ci l'avait poussée dehors en lui disant qu'elle s'occuperait du thé de sa maîtresse. Ce jour-là ils avaient marché près de la maison, en longeant le ruisseau.

« Est-ce que vous vous êtes plu à Nevis ? lui avait demandé Tansie poliment.

— C'était très beau, lui avait-il répondu, plus luxuriant qu'ici, mais je m'y serais plu davantage si vous m'aviez servi de guide. »

Tansie avait éclaté de rire. « Mais j'aurais été un bien mauvais guide, étant donné que je n'ai jamais été à Nevis. »

Il s'était tourné pour la regarder de ses yeux bleus fiévreux.

« Alors nous aurions pu la découvrir ensemble.

— J'aurais eu mon travail à accomplir, lui avait-elle rappelé.

— Ah bien sûr, avait-il dit en colère. J'avais oublié. Vous êtes esclave. Oh, quelle iniquité ! Si seulement je pouvais vous tirer de là. »

Tansie n'avait su que répondre. Il ne comprenait rien à rien, mais son innocence et sa colère la touchaient réellement, et elle était flattée qu'il ait envie d'être près d'elle.

« Je n'ai pas une vie si pénible, lui avait-elle dit. J'ai de la chance. Tout le monde ne s'en tire pas aussi bien. Mon père est revenu et lui aussi est libre comme ma grand-mère. Toute ma famille a de la chance.

— L'esclavage est une ignominie, avait-il grondé. Une tache à la surface de la terre.

— Je crains que vous ne soyez jamais heureux ici, monsieur Henleigh », lui avait dit Tansie en hochant la tête.

Il lui avait jeté un regard brûlant. « Oh, c'est vrai, mais je veux l'être, avait-il dit avec force. Tant que vous serez ici, je serai heureux.

— Et je suis heureuse que vous soyez là, avait-elle dit poliment. C'est si agréable d'avoir un compagnon de promenade. »

Il s'était incliné pour la remercier du compliment, mais il avait paru déçu, comme si elle ne lui avait pas dit ce qu'il attendait.

Depuis lors, elle l'avait vu au moins une demi-heure chaque jour et elle commençait à attendre avec impatience leurs rencontres. William n'était jamais là, toujours accaparé par cette mauviette d'Isobel qui la plupart du temps ressemblait encore à un animal effrayé. Elle avait donc pour seule compagnie Juba, et il était vraiment très jeune. Mark Henleigh avait vingt et un ans, il n'était donc pas tellement plus âgé qu'elle. Et il aimait la flatter. Il lui récitait des poèmes d'amour, lui écrivait des billets doux, lui disait qu'elle était la plus belle et faisait sans cesse allusion au profond sentiment religieux qui conduisait sa vie. Il rêvait de lui faire suivre ce qu'il appelait la Voie lumineuse du Seigneur. A vrai dire, ses sermons n'impressionnaient guère Tansie. Elle avait un caractère trop joyeux, trop ouvert, pour se jeter tout à coup dans la religion. Elle ne cherchait d'ailleurs aucune consolation. Même son père était revenu dans sa vie, et elle ne voyait guère ce qu'elle aurait pu demander de plus. Le souvenir de la journée qu'elle avait passée à la sucrerie et dans les champs de canne continuait à la troubler, mais elle sentait confusément que le Seigneur de M. Henleigh ne pouvait pas grand-chose contre ça. Sinon, pourquoi n'avait-il encore rien fait ?

Aujourd'hui, Mark voulait marcher jusqu'à l'Atlantique, une promenade bien plus longue que celle qui conduisait à la mer des Caraïbes. Tandis qu'ils avançaient entre les rangées de canne en essayant de s'abriter du soleil, il garda le silence. Il en fut ainsi jusqu'à ce qu'ils atteignent le sable doré de la plage. Alors, il se mit à parler.

« Tansie, je me sens un peu embarrassé », dit-il.

Il paraissait plutôt nerveux et la jeune fille posa sa main sur son bras pour le calmer. Il fit un bond comme si elle l'avait piqué.

« Embarrassé ? Mais pourquoi ? »

Au grand désarroi de la jeune fille, il tomba à genoux dans le sable, devant elle.

« Vous m'avez tellement manqué pendant ces mois passés à Nevis. Oh, je sais bien, vous allez dire que je vous connais à peine, et c'est vrai, mais il m'était impossible d'effacer votre doux visage de mon esprit, j'entendais résonner votre rire joyeux, et je jure que votre douce voix me parlait dans l'obscurité de mes nuits sans sommeil. Je pouvais vous voir aussi clairement que si vous aviez été là dans la chambre avec moi.

— Seigneur ! dit Tansie d'une voix éteinte.

— J'ai su alors que je vous aimais et que je vous voulais pour moi. Je suis revenu avec l'intention de vous faire la cour, comme je l'aurais fait pour n'importe quelle jeune femme à laquelle je me serais sérieusement attaché. » Il se frappa alors le front de sa main. « Mais tout, s'écria-t-il, tout me dit que ce n'est pas possible parce que vous êtes esclave.

— Vous voulez dire me faire la cour, comme avant de se marier ? » demanda-t-elle, surprise et désireuse qu'il se relevât le plus vite possible. Elle craignait en effet de le voir attraper une insolation sous ce soleil torride.

« C'est ce que je veux dire. »

Elle pensa que ce serait moins embarrassant si elle s'asseyait, elle aussi, sur le sable chaud, en tirant sa jupe pour cacher ses chevilles.

« Mais les Blancs ne se conduisent pas ainsi avec les esclaves.

— C'est bien là mon problème. Que puis-je faire ? »

Elle réfléchit au problème. « Notre amitié ne semble pas contrarier grand monde.

— Notre amitié ! gronda-t-il, quand je désire tellement plus.

— Vous voulez dire que vous avez envie de me baiser ? »

L'expression du jeune homme exprimait une pure horreur. On aurait dit qu'il venait de recevoir un coup de pied dans le ventre.

« Vérité dit que c'est tout ce que les Blancs font aux filles noires, s'empressa-t-elle d'expliquer.

— Tansie, vous ne devez plus jamais utiliser ce mot. Et ce n'est pas tout ce que je veux de vous. D'ailleurs, vous n'êtes pas noire.

— Vous avez vu mon père ? »

Henleigh dit d'une voix hésitante : « Eh bien, il n'a pas du tout l'air d'un Noir. Pas plus que vous. »

Elle se redressa pour le regarder. Il paraissait si triste, si romantique et ses yeux bleus avaient perdu leur aspect fiévreux, comme si une ombre tombait sur eux. Il était extrêmement attirant.

« Ça me serait égal, dit-elle l'air pensive.

— De quoi ?

— Que vous me baisiez. C'est bien normal que vous en ayez envie. Tous les hommes blancs le font quand ils le veulent. Je ne crois pas que j'en ferais une histoire comme Vérité, avant qu'elle ne vienne ici et que Mme Amelia lui dise qu'elle pouvait vivre avec Daniel. Je vous aime vraiment beaucoup. Je me dis que je peux peut-être aimer ça, si vous me le faites. »

Il grommela de nouveau. « Tansie, je ne suis pas quelqu'un à faire ce genre de chose. Mais vous êtes en train de me dire que vous ne protesteriez pas si un autre homme vous prenait sans avoir recours à l'assistance du clergé ? »

Elle n'était pas sûre de ce que signifiait : avoir recours à l'assistance du clergé. « Si c'était un Blanc, je ne pourrais pas protester, expliqua-t-elle patiemment, essayant de bien lui faire comprendre qu'elle était une esclave.

« Oh, Seigneur. Ma pauvre enfant. C'est affreux. »

Il se pencha pour passer ses bras autour d'elle et l'attirer contre lui. Puis brusquement, il se mit à l'embrasser, à coller sa bouche contre la sienne, sa langue s'insinuant entre les lèvres de la jeune fille. Elle n'avait jamais été embrassée auparavant et elle se sentit excitée, ravie, et lui rendit ses baisers. Mais brusquement, il s'écarta.

« Pardonnez-moi, pardonnez-moi, haleta-t-il. Oh Seigneur, aidez-moi ! »

Il bondit sur ses pieds, recula de quelques pas, une expression égarée sur le visage, fit demi-tour et traversa la plage en direction de la maison, aussi vite qu'un esclave poursuivi par des chiens.

Pensive, Tansie resta assise sur la plage, les jambes croisées, laissant des poignées de sable couler entre ses doigts, tandis que les vagues, de l'autre côté de l'Océan, se brisaient doucement sur les rivages de l'Angleterre. A quel point faisait-il froid dans cet endroit qu'on appelle le Yorkshire ? se demandait-elle.

« Madame Amelia, est-ce qu'il y a des esclaves en Angleterre ? »

Amelia se redressa d'un seul coup sur son siège en entendant cette question. Elle se sentait alanguie et comblée amoureusement. Elle était assise devant sa table de toilette, tandis que Tansie la coiffait pour le dîner. Elle avait passé le début de l'après-midi en compagnie de Joshua dans le calme de sa chambre à coucher, comme tous les après-midi depuis six semaines. Ces rencontres n'auraient guère été possibles sans la complicité de Bella qui s'arrangeait pour que Tansie et les domestiques soient occupés ailleurs. Les choses s'étaient fort bien passées. Joshua avait une chambre dans les mansardes avec un escalier qui arrivait presque à côté de la chambre à coucher d'Amelia. A condition qu'il retourne dans sa chambre avant que la chaleur ne commence à tomber, ils étaient en sécurité. Les domestiques blancs, Mme Volnay, Pierre et Béatrice, comme la plupart des gens de l'île, se reposaient dans leur chambre. William aurait pu poser des problèmes, mais il rendait visite à cheval à Isobel chaque jour. Amelia ne l'avait pas découragé. Après tout, bien qu'elle ne fût pas encore habituée à cette pensée, les deux jeunes gens étaient fiancés. Et ils la harcelaient pour savoir quand ils pourraient se marier. Elle sourit en se souvenant de la mine de Zach lorsque Isobel avait annoncé qu'elle garderait Macabees, et de sa fureur quand il s'était rendu compte que le jour où William et Isobel seraient mariés, Macabees et Lointaine seraient réunis.

Ces courts moments d'intimité avec Joshua étaient devenus leur vie. Ils ne faisaient pas toujours l'amour, parfois ils bavardaient ou simplement s'asseyaient pour lire. Amelia expliquait à Joshua les mots qu'il ne comprenait pas. La brièveté de ces rencontres leur donnait une intensité particulière. Joshua avait soif d'apprendre et, comme Amelia l'avait découvert quand ils n'étaient encore qu'adolescents, son amant avait une intelligence aiguë et rapide. Elle arrivait sans difficulté à lui faire comprendre la philosophie et les mœurs de son pays, alors qu'il n'avait aucune expérience de la vie en Europe. Il avait même commencé à apprendre le latin. Amelia s'attristait à la pensée que, dans un monde différent, Joshua aurait été un homme capable de grandes choses. Dans la situation actuelle, le mieux qu'elle puisse faire pour lui, sans offenser Joseph, était de lui donner la responsabilité du parc avec trois esclaves travaillant sous ses ordres. Ce n'était pas grand-chose pour un homme ayant ses capacités, mais c'était déjà mieux que de vider les ordures de Macabees.

Ils faisaient l'amour passionnément et Amelia se sentait comblée. Elle se rendait compte qu'elle avait occulté cet aspect de sa nature durant les années où la vie les avait séparés, Joshua et elle. Maintenant elle pouvait donner libre cours à ses désirs. Chaque matin, elle se réveillait en se disant qu'elle était heureuse, du moins aussi heureuse qu'il était possible de l'être étant donné les circonstances. Elle sentait aussi que la carapace qu'elle s'était forgée commençait à se désagréger lentement. En se sentant aimée, elle s'adoucissait.

Ni l'un ni l'autre ne se dressait contre les conventions. Ils n'étaient plus des enfants. Ils acceptaient la manière de vivre des Antilles, et même s'ils en violaient les règles, ils ne les violaient qu'en secret. Il eût été bien trop dangereux d'agir autrement.

Mais la question de Tansie l'avait inquiétée, lui rappelant l'époque lointaine où Joshua lui avait demandé la même chose.

« Des esclaves en Angleterre ? Non, pas vraiment, dit-elle.

— Si j'étais en Angleterre est-ce que je serais obligée d'être esclave ? Ou est-ce que je serais libre ? »

Amelia se rendit compte qu'elle était incapable de lui répondre. « J'imagine que des gens vraiment très riches puissent avoir des esclaves, dit-elle sans trop y croire. Peut-être que Vincent Ramillies continuera à considérer comme des esclaves les hommes qu'il a emmenés avec lui. Je ne pense pas qu'il y ait une loi contre ça.

— Mais quelle importance si personne ne sait qu'on est esclave ?

— Pourquoi me demandes-tu ça ? »

La jeune fille haussa les épaules : « Je me posais simplement la question », dit-elle.

Amelia la considérait d'un air perplexe. « Aurais-tu envie d'être libre ? » demanda-t-elle. C'était la première fois qu'elle abordait cette question.

Tansie haussa de nouveau les épaules. « Quelle différence cela ferait-il si j'étais libre ?

— Tu pourrais partir d'ici, aller où tu en as envie, travailler où tu voudrais.

— Pour faire quoi ?

— Tu pourrais être femme de chambre et être payée. »

Tansie inclina la tête sur son épaule et réfléchit. Puis elle dit avec candeur : « Mais je ne veux pas laisser Bella et papa alors qu'il vient juste de revenir. Je suis heureuse ici, avec vous. Je ne comprends pas pourquoi Vérité fait tant d'histoires à propos de la liberté. Je suis sûre que si elle était libre, elle ne serait pas à moitié aussi contente. » Puis son visage devint sévère. « Naturellement, c'est très différent pour ces pauvres gens, hommes et femmes, qui travaillent dans les champs et à la sucrerie. »

Amelia n'avait aucune envie de parler des esclaves qui travaillaient dans les champs ou à la sucrerie. Ce simple rappel avait gâché le soulagement énorme qu'elle avait ressenti en entendant Tansie dire qu'elle était heureuse. Mais elle ne savait toujours pas ce qui avait provoqué chez la jeune fille ce soudain intérêt pour l'Angleterre, à moins que Mark Henleigh ne lui ait fourré des idées dans la tête.

« As-tu parlé de l'Angleterre avec M. Henleigh ? » demanda-t-elle.

Un grand sourire découvrit les dents blanches de Tansie. Sa bouche est peut-être un peu trop grande pour qu'on puisse parler de beauté classique, se dit Amelia. Cependant, un jeune homme pâle, fragile comme Henleigh devait trouver irrésistible ce genre de beauté si pleine de vie. Elle aurait dû se rendre compte plus tôt que le précepteur pouvait être séduit.

« Oh oui, dit Tansie. Il m'a beaucoup parlé du Yorkshire d'où il vient. Apparemment, il y fait très froid. Mais c'est un jeune homme très gentil. Je l'aime beaucoup et je crois qu'il m'aime bien. » Elle mit sa main sur sa bouche et se mit à rire doucement, ses yeux bruns pétillant de joie. « Mais il n'arrive pas à comprendre que je suis esclave. »

Amelia resta silencieuse. Elle avait l'impression que Tansie lui cachait quelque chose mais elle n'était pas sûre de vouloir l'apprendre. Si Henleigh était tombé amoureux de Tansie, il fallait qu'elle réfléchisse aux conséquences que cela pouvait avoir. Et de nouveau, elle sentit ce frisson de crainte qui la parcourait toujours à l'idée qu'elle puisse perdre quelqu'un qu'elle aimait. Peut-être faudrait-il interdire aux deux jeunes gens leurs promenades. Il était si facile pour eux d'en profiter pour faire l'amour. Mais Tansie était si jeune, si enfantine. Amelia ne pouvait croire qu'un homme aussi religieux que Henleigh se conduise en séducteur. De plus, mettre un terme à ces promenades risquait de compromettre la merveilleuse intimité qu'elle partageait avec Joshua. Tout cela était trop compliqué et Amelia abdiqua.

Je laisse au destin le soin de régler ce problème, se dit-elle.

13

Février 1706

« Les nouvelles ne sont pas bonnes. » Zach, extrêmement nerveux, marchait de long en large dans le salon d'Amelia, une tasse de café à la main. Une tasse qui paraissait ridiculement petite dans sa grosse patte. « Les Français rassemblent des navires et des hommes. Ils sont déjà deux contre un. Ils ont sept navires de guerre et vingt-trois brigantines. Le gouvernement a réduit les effectifs de la flotte dans ces îles. Si les Français attaquent, nous ne pourrons même pas résister. Nous serons écrasés, nos biens seront confisqués ou brûlés. Mon Dieu ! Ces foutues guerres. J'irai me battre, naturellement. Nous nous battrons tous. Je suis venu pour te proposer de t'installer avec ta famille à Windsong. Ta plantation est très isolée et de plus, elle se trouve sur le sol français ; en toute probabilité, ils essaieront de la reprendre.

— Ce sont les Anglais qui ont brûlé notre maison et tué Louis, lui rappela Amelia.

— Oh, mais je suis maintenant dans une position qui me permet de faire en sorte que ce genre de chose ne se reproduise plus, dit-il avec grandiloquence. Je peux contrôler nos troupes mais pas celles des Français. »

C'était un matin merveilleux, frais et ensoleillé. Dehors, dans son jardin, Amelia pouvait voir le haut des grands palmiers s'agiter doucement contre le ciel, admirer les immenses hibiscus rouges et les bougainvillées aux fleurs violettes. Leurs têtes frappaient doucement sur les fenêtres à petits carreaux. Au loin, elle entendait Joshua en train de siffler, tandis qu'il travaillait dans le jardin. De nouveau la guerre ? Son cœur se serra.

« Qu'en penses-tu ? dit Zach sur un ton pressant.

— Je te remercie beaucoup. Et si tu penses que c'est raisonnable, bien entendu nous viendrons, dit Amelia en pensant que ce déménagement mettrait un terme à sa liberté et à sa vie avec Joshua. Mais pourquoi ne pas attendre pour voir la tournure que prennent les événements ?

— Amelia, je t'en prie. La prochaine fois, c'est peut-être toi qui seras tuée.

— Je peux être tuée à Windsong.

— Windsong est bien gardé. »

Elle réfléchit et soupira : « Si je peux amener quelques-uns de mes domestiques.

— Si tu veux parler de Joshua, alors la réponse est non, dit-il sèchement.

— Je veux dire y compris Joshua. Si la réponse est non, nous resterons ici. »

Il tira sur ses bas de soie avec impatience. « Je dois te rappeler que Ruby fait partie de ma maison et je ne tiens pas à m'en débarrasser. »

Elle leva les yeux au ciel et secoua la tête. « Et tu as le culot de critiquer ma conduite ! »

Zach se mit à rire, légèrement embarrassé. Puis il se laissa tomber dans un grand fauteuil à oreillettes. « Ça suffit avec nos problèmes sentimentaux. Qu'allons-nous faire d'Isobel ? Penses-tu qu'elle devrait venir également ?

— Si elle le désire, mais généralement, Macabees est épargné. La propriété est merveilleusement protégée par Brimstone Hill. » Brimstone Hill passait pour imprenable.

« Ce ne sera pas le cas si les Français anéantissent la garnison. La forteresse est loin d'être finie et elle manque d'effectifs. »

Inquiète Amelia demanda : « Tu penses vraiment que la situation est grave ?

— Très grave, dit-il lugubrement. On pourrait penser que le gouvernement nous mettrait à l'abri. Ces îles ont envoyé l'année dernière plus de vingt-cinq mille tonnes de sucre en Angleterre. Les Antilles sont la colonie anglaise la plus riche d'outre-mer. Et pourtant, ils gâchent tout en se battant avec les Français à propos du trône d'Espagne. On craint que l'alliance de la France et de l'Espagne ne prive l'Angleterre de ses colonies et de son commerce. Ici, aux Antilles, nous ne sommes que des pions dans un jeu que nous ne pouvons d'aucune manière contrôler. Le gouvernement de la reine Anne prétexte n'importe quoi pour faire la guerre, alors que leur vraie raison c'est la lutte pour garder la suprématie commerciale. Pourtant, en déclenchant des combats dans ces eaux, ils anéantissent le profit de leurs colonies. Crois-moi, il y aura bien peu de sucre à partir d'ici pour l'Angleterre, si les Français attaquent. »

Amelia avait l'impression d'avoir déjà entendu le même discours dans la bouche de Matthew Oliver, bien des années auparavant. Les rois et les reines montaient sur le trône et en descendaient — Anne avait été couronnée en 1702 — mais rien ne changeait. Amelia repensait au cadavre de Louis, à sa maison en flammes, à la peur des domestiques et à sa solitude en face du désastre. Elle s'en était à peu près bien tirée, mais c'était il y avait fort longtemps, quand elle était encore en possession de toute son énergie, de toute sa jeunesse. Elle ne se sentait plus la force de lutter à nouveau. Et si cette fois le cadavre dans l'allée était celui de Joshua ? Ou de Tansie ? Elle n'avait pas le droit de mettre ceux qu'elle aimait en danger, simplement parce qu'elle avait envie de passer ses après-midi au lit avec son amant.

« D'accord, si la guerre éclate, nous irons à Windsong, dit-elle résignée. Ben aussi, car très certainement ils détruiront encore Basse-Terre.

— Ce serait sage, sa chance peut le lâcher, dit Zach en soupirant. Et la guerre est là. Aucun doute à ce sujet. Au premier signe des combats, il faudra partir.

— Très bien, dit-elle. Je vais me préparer. La Bac s'occupera de Lointaine et de Macabees si Isobel le désire. Car comme d'autres, ajouta-t-elle avec un sourire espiègle, il a rêvé de mettre la main sur la propriété. »

Zach lui jeta un coup d'œil furieux mais devant son regard moqueur, il éclata de rire avec elle.

« Amelia, dit-il, tu es réellement impossible. »

Quelques semaines plus tard, les premiers boulets de canon français, de la taille d'une calebasse, tirés des navires de la flotte française, tombaient sur Old Town Road. Les Anglais ripostèrent en bombardant Basse-Terre. Quand les deux capitales de l'île ne furent plus que des ruines fumantes commencèrent les combats entre les troupes et les attaques contre les propriétés.

Amelia déménagea avec sa maisonnée. Windsong, en haut d'une colline, adossé aux montagnes, était hors de portée des canons de la marine française. Mme Volnay et Pierre avaient préparé les bagages et attendaient l'ordre de départ depuis plusieurs jours. On ferma Lointaine avec des volets et des barres de fer. « Aucune efficacité contre le feu », remarqua Pierre en jetant un dernier regard à la façade morte, alors que la voiture s'engageait dans l'allée.

« Il vaut mieux que la maison brûle plutôt que l'un d'entre nous soit blessé », dit Amelia. Elle regardait résolument devant elle, puis marmonna à mi-voix pour se débarrasser de l'image de Lointaine en flammes : « Seul le ciel sait où ce pauvre Zach va nous fourrer tous. »

Les habitants de l'île de St. Kitts avaient l'habitude des batailles. Chaque année, il y avait des escarmouches ici et là, mais aujourd'hui il ne s'agissait plus d'escarmouches. Le ciel nocturne était embrasé par les flammes des villages et des plantations en train de brûler. Et durant la journée retentissaient sans cesse les coups sourds des canons. La mitraille était redoutée par-dessus tout — un agglomérat de petites balles qui s'éparpillaient, provoquant des dégâts terrifiants. Les mansardes de Windsong avaient été transformées en hôpital improvisé et Amelia et les autres femmes blanches, y compris Tansie, soignaient jour et nuit les blessés.

Zach était au front mais faisait des apparitions à Windsong lorsqu'il y avait un moment de répit dans les combats. Il apportait de bien sinistres nouvelles. Les Anglais étaient écrasés par le nombre. « Les Français nous ont toujours dépassés en effectifs, mais nous parvenions à gagner, dit-il. Cette fois, l'écart est trop grand. »

Chacun avait une place et un travail bien définis. Joshua, Tansie, Bella et sa famille furent installés dans la case des esclaves. Il n'y avait aucun autre endroit où ils puissent aller. Si Amelia n'avait pas été si fatiguée, si préoccupée par des questions vitales, elle se serait souciée de l'inconfort inhabituel des gens de sa maison. Mais en ces jours où des hommes si jeunes devenaient aveugles, infirmes, réclamaient des soins et une attention constante, avant parfois d'agoniser, elle n'avait guère le temps de se faire du souci pour ceux qui étaient en parfaite santé.

Au moins pour l'instant, il y avait des vivres. Windsong avait toujours pu se suffire à elle-même, et les réserves de farine, de poisson fumé, de denrées importées d'outre-mer étaient abondantes. Isobel avait apporté des vivres en provenance de Macabees. Bella et sa famille passaient leur journée à préparer des repas. Amelia savait que Ruby travaillait également à la cuisine, mais elle chassait cette pensée de son esprit. Elle craignait par-dessus tout que Ruby et Tansie se rencontrent et se reconnaissent. Elle fit en sorte que sa fille puisse prendre ses repas dans la mansarde avec les blessés, et elle s'arrangea pour la tenir éloignée de la cuisine.

Ben, avec Juba comme lieutenant, organisa une garde composée aussi bien de Noirs que de Blancs. Elle comprenait Joshua et Mark Henleigh. Son rôle était de monter la garde vingt-quatre heures sur vingt-quatre. La plupart des esclaves qui travaillaient dans les champs de canne vinrent s'y joindre pour augmenter le nombre des défenseurs. On négligea la récolte. On craignait surtout les incendies. Si la maison était incendiée, il fallait pouvoir mettre tous les hommes à pied d'œuvre. Tous les récipients étaient remplis d'eau et l'on humidifiait en permanence le toit et les murs dans l'espoir de décourager les flammes. On avait l'impression que l'île entière était en feu. Les montagnes disparaissaient derrière la fumée, et il était impossible de ne pas sentir les odeurs d'incendie. Amelia se disait qu'elle n'arriverait jamais à se débarrasser de cette odeur acide, repoussante, qui collait à sa peau, à ses cheveux, à ses vêtements. Il n'était pas question de prendre des bains. Les esclaves étaient bien trop occupés pour avoir le temps de faire chauffer de l'eau pour leur maîtresse. Chaque fois qu'elle se réveillait d'un bref sommeil agité, Amelia découvrait de la suie à l'intérieur de ses narines, dans ses oreilles et au coin des yeux. Avant de sortir du lit, dans la pièce qu'elle partageait avec Isobel, et de retourner à l'infirmerie improvisée, elle restait allongée un moment, s'inquiétant pour Lointaine. Elle avait l'impression d'avoir misérablement trahi quelque chose en quittant sa maison. Mais elle dormait rarement dans son lit. Les femmes, la plupart du temps, sommeillaient dans l'infirmerie lorsqu'elles avaient un moment.

C'était étrangement calme au petit matin dans le grenier. Les patients, allongés côte à côte sur de la paille prise dans l'écurie, étaient recouverts de draps fins provenant de la maison. Tous semblaient endormis. Amelia était tranquillement assise, les mains reposant sur ses genoux, lorsqu'elle eut soudain l'impression d'être prise au piège, que sa vie n'irait jamais au-delà de ce grenier hideux, malodorant, étouffant,

pauvrement éclairé par des bougies et rempli de soldats ago-
nisants. Elle fut prise d'un besoin irrépressible de soleil et
d'air frais.

« Je vais faire un tour », glissa-t-elle à Tansie et à Isobel,
assises de chaque côté d'un garçon qui avait été éventré par
de la mitraille. Il respirait encore mais plus pour très longtemps et marmonnait des paroles inintelligibles, les yeux
ouverts fixant les lumières tremblotantes.

Les deux jeunes filles étaient trop absorbées par le blessé
pour prêter attention à Amelia. Tansie acquiesça d'un air
absent, Isobel ne bougea pas d'un pouce. Charlotte sommeil-
lait à l'autre bout de la pièce. Elle avait travaillé avec autant
d'acharnement et s'était montrée aussi brave que les autres,
ce qui avait surpris sa belle-sœur.

Amelia glissa le long de l'échelle qui menait au grenier, puis
descendit l'escalier de la maison avant de se mettre à courir
dans le couloir qui conduisait à la cuisine. Bella, sa peau noire
grise de fatigue, était endormie dans un fauteuil, la tête dans
les mains. Amelia passa devant elle sur la pointe des pieds
pour ne pas la réveiller et atteignit la porte qui donnait sur
le parc. Dehors, le soleil venait de se lever. Il ressemblait à une
grande fleur rose s'ouvrant dans le ciel. Tout était étonnamment calme, pas de canonnades, pas de grondements inquié-
tants. Les fumées étaient montées si haut qu'on les confondait
avec des nuages. L'air venu de l'Atlantique, peut-être même
de la paisible Angleterre, semblait pur et frais.

Amelia s'assit sur le banc où, bien des années auparavant,
elle s'était assise avec Matthew Oliver, et respira avec délice
l'air matinal. Elle resta là environ cinq minutes. Revigorée
mais parfaitement consciente du moment de faiblesse qui
s'était emparé d'elle, elle se leva pour retourner à son devoir.
Elle était debout, étirant ses membres fatigués, quand brusquement elle aperçut Joshua qui marchait dans l'allée, venant
de la case des esclaves. Son cœur se mit à battre et elle partit comme une flèche dans sa direction — puis elle s'arrêta
net.

Elle sentit ses poings se serrer et son ventre se contracter
tandis qu'une immense colère la submergeait. Ruby marchait
sur les talons de Joshua. Tous les deux se dirigeaient vers
l'étang secret.

Pendant un jour ou deux, Joshua s'était senti brimé d'être
contraint de retourner dans la case des esclaves, d'obéir aux

292

ordres et, surtout, d'être si brusquement séparé d'Amelia. Mais son heureuse nature lui permit de surmonter rapidement son ressentiment et de comprendre qu'on était en guerre, une guerre des plus sérieuses. Dans ces conditions, les sentiments personnels devenaient secondaires. Il se trouvait dans une des deux cases qu'on avait allouées aux pompiers improvisés. Durant la journée, on l'employait comme jardinier dans le potager. Une tâche importante étant donné que l'île ne pouvait plus être ravitaillée. Il n'avait jamais aperçu ni Amelia ni Tansie, mais il savait que les femmes travaillaient jour et nuit pour soigner les blessés qui arrivaient du champ de bataille.

Il haïssait cette guerre qui l'avait soudainement séparé de ceux qu'il aimait. Il se désolait de voir ses camarades noirs creuser des tombes dans le parc. Le sang des jeunes, qu'ils soient noirs ou blancs, ne devrait pas être versé aussi facilement. Le charpentier n'arrêtait pas de fabriquer de grossiers cercueils pour les morts en attendant le jour où une sépulture décente leur serait accordée dans le cimetière de l'île.

Bella l'avait prévenu que Ruby travaillait à la cuisine. « Je ne vais pas bien sûr lui dire que tu es ici, à moins que tu le veuilles, dit-elle.

— Il est préférable qu'elle ne le sache pas », dit-il. Il en avait envie et en même temps il craignait de voir Ruby ; que lui dirait-il s'il la voyait ? Il n'avait aucune nouvelle de Samuel et il ne voulait pas reprendre leur liaison. Se souvenant de l'effronterie de Ruby, il se disait qu'une rencontre ne pouvait amener que des complications.

« Je demanderai à Juba de t'apporter à manger dans le potager, lui dit Bella. Il vaut mieux que tu te tiennes à l'écart de la cuisine. »

Mais bien entendu, leur rencontre était inévitable. Elle eut lieu dans le jardin alors qu'elle le traversait pour se rendre dans la case des esclaves, portant un énorme faitout en équilibre sur la tête.

Elle paraissait merveilleusement gracieuse et solide, grande et élancée, une main sur la hanche, l'autre contrôlant l'équilibre de la marmite posée sur sa belle tête enturbannée. Il aurait dû lui tourner le dos, partir, avant qu'elle l'aperçoive, mais il ne fit rien de tel. Il se dressa devant elle au moment où elle approchait.

« Bonjour Ruby », dit-il simplement.

Elle s'arrêta net et dut retenir sa marmite avec son autre

main pour l'empêcher de tomber. Elle le regarda, avec un air grave sur son visage noir aux traits si parfaitement dessinés.

« On m'a dit que tu étais ici. Vérité m'a raconté ce qui est arrivé à ton bras, dit-elle. Ainsi elle t'a retrouvée, hein ?

— Vérité ? fit-il, faisant exprès de ne pas comprendre.

— Non. La Blanche. Mme Amelia. »

Il ne répondit pas. Ruby souleva la marmite de sa tête pour la reposer sur sa hanche.

« Où est Samuel ? demanda-t-elle, le visage impassible.

— Il travaille dans les champs à Macabees. Je ne l'ai pas vu depuis deux ans.

— Mais tu as Tansie à la place, non ?

— Non, pas à la place.

— Tu baises de nouveau cette Melia ? »

Il éluda la question. « Je suis un homme libre, Ruby. La maîtresse de Macabees m'a donné ma liberté. »

Le visage de Ruby s'adoucit. « Oh, Josh ! Je suis si contente pour toi. Que vas-tu faire ?

— Je ne sais pas encore. »

Là au milieu du sentier, elle ressemblait à une superbe statue, ses jambes solides, écartées, ses seins toujours aussi provocants. Mais Joshua ne ressentait aucun désir pour elle.

« Il n'y a jamais eu que toi, Joshua, dit-elle, ses yeux noirs fixés sur lui. Je t'avais dit que je ne dormirais jamais avec un autre Noir et j'ai tenu ma promesse. Le maître, il me monte dessus presque tous les jours, mais ça ne compte pas. J'imagine que c'est mon travail et c'est moins dur que de couper la canne. »

Il hocha la tête sans rien dire.

« Il faut que je porte cette marmite à la case, dit-elle brusquement. Où dors-tu ?

— Dans le dortoir des hommes.

— Bien. » Elle reposa la marmite sur sa tête, fit demi-tour et partit en direction de la case des femmes, le dos toujours droit, mais ses épaules légèrement tombantes indiquaient qu'elle avait été blessée.

Joshua la regarda un instant. Elle était toujours merveilleusement belle, mais au cours de leur brève conversation, il lui avait semblé qu'elle avait changé. Elle avait perdu un peu de son éclat. Mais tous avaient perdu de leur éclat.

Il espérait que c'en serait fini avec elle, mais ce ne fut pas le cas. Quelques nuits plus tard, à l'approche de l'aube, elle vint le chercher dans la case des hommes. A moitié endormi, il sortit du lit en titubant pour se plonger dans la douce lumière de l'aurore. Ruby, complètement habillée, son turban de couleur vive sur la tête, l'attendait impatiemment.

« Josh, j'ai besoin de te parler, dit-elle. Connais-tu un endroit où l'on puisse aller ? »

Il se souvint de la retenue d'eau où il avait fait l'amour avec Amelia pour la première fois. Ce serait un endroit sûr à cette heure matinale. Il acquiesça et sans un mot lui fit traverser le parc vers le passage secret. Sur le côté gauche, au loin, il sentit une présence près du banc de jardin, mais il décida de passer outre et avança d'un pas décidé comme s'il avait un travail urgent à faire, suivi par Ruby. Il fut surprise de voir que le sentier n'était pas envahi de mauvaises herbes. Quelqu'un d'autre devait avoir découvert l'étang.

« C'est joli ici, dit Ruby, en jetant un coup d'œil autour d'elle.

— Oui. » Il ne savait trop que faire ni que dire, mais Ruby lui adressa un grand sourire et s'avança sans hésitation vers lui, l'entoura de ses bras et posa sa tête sur son épaule en murmurant : « Oh, Josh ! Ça fait si longtemps. »

Il mit son bras maladroitement autour d'elle. « Je suis désolé de ne pas avoir de nouvelles de Sam, Ruby, dit-il.

— A quoi ressemble-t-il ? Est-ce qu'il est beau ? demanda-t-elle en s'écartant de lui.

— C'est un beau garçon.

— Noir comme moi ?

— Noir comme toi. Il te ressemble plus qu'à moi. »

Elle soupira. « Josh, est-ce que tu vas m'embrasser, oui ou non ? »

Il hésita, pencha la tête et l'embrassa doucement sur les lèvres.

Elle éclata de rire. « Ne peux-tu faire mieux que ça ? Allez, viens. »

Elle l'embrassa passionnément, à pleine bouche, mais à sa consternation il ne sentait rien. Il n'aimait plus son odeur. Il n'aimait plus sa façon d'être. Elle se donnait trop ouvertement. Elle n'était pas Amelia. Ruby dut sentir le manque d'intérêt de son compagnon car elle s'écarta de lui.

« C'est cette Blanche. Cette Amelia. C'est elle que tu aimes encore. »

Il ne pouvait dire la vérité. C'était trop dangereux. « Ruby, ça n'a rien à voir avec toi. C'est ma faute. J'ai changé. J'ai appris à vivre sans personne. »

Elle s'était écartée de lui mais continuait à le regarder dans les yeux.

« Oh, Josh, dit-elle tristement, tu ne me dis même pas la vérité. Je sais que tu l'aimes. Vérité me l'a dit... » Elle vit un voile d'inquiétude passer sur son visage et leva une main, une paume rose devant ses yeux. « Ne crains rien. Je ne dirai rien. Mais Josh, ce n'est pas bien. Tu es un Noir et c'est une Blanche. Ce n'est pas bien. Ça suffit déjà que les femmes noires soient obligées d'être les putains des Blancs. On ne peut pas y faire grand-chose. Mais nous avons besoin de nos hommes. Pas nos hommes avec les Blanches. Et Josh, ils te tueront s'ils découvrent ce qui se passe entre toi et elle.

— Vérité n'aurait pas dû t'en parler.

— Vérité est comme moi, elle pense que ce n'est pas bien. Vérité est noire et fière de l'être. Comme moi. Elle veut que nous soyons de nouveau ensemble, comme nous l'étions à Macabees.

— Je te l'ai dit, Ruby, ce n'est plus comme ça. Je n'ai plus besoin de personne.

— Tous les hommes ont besoin de quelqu'un si la bonne personne est là. Et si tu n'aimes pas cette Blanche, prouve-le-moi en me faisant l'amour. »

Elle souriait de nouveau en avançant vers lui. Elle jeta ses bras vigoureux autour de lui, en écrasant ses seins contre sa poitrine. Elle l'agaçait avec les hanches, se frottait contre son ventre. Bientôt il en ressentit les effets. Alors la main de Ruby trouva un passage dans les vêtements afin de lui attraper le membre qu'elle se mit à caresser sur toute sa longueur. Et Joshua sentit monter en lui des vagues irrésistibles de désir.

« C'est mieux, Joshua. C'est beaucoup mieux, gloussa-t-elle. Maintenant qu'allons-nous faire avec cette si belle chose ? Que crois-tu qu'il serait préférable de faire, hein ? »

Elle semblait plus forte que lui. Elle l'obligea à se coucher par terre, pas très loin de l'endroit où il avait fait l'amour avec Amelia. Dès qu'il fut allongé sur le dos, elle remonta ses jupes pour les nouer autour de sa taille. Elle n'avait rien en dessous et Joshua aperçut son ventre d'ébène luisant et son abondante toison noire. Elle posa ses mains sur sa poitrine, le visage rayonnant, et commença à le chevaucher. Il ne put résister au plaisir. Pourtant il essayait de se contrôler. S'il se contenait, il arriverait à se convaincre qu'il n'avait pas été infidèle à Amelia. Mais elle s'agitait sur lui, de gauche à droite, en avant, en arrière, avec des mouvements tournants.

Joshua entendit un terrible grognement et se rendit compte que c'était lui qui venait de l'émettre.

« C'est vraiment bon », dit-elle heureuse, ses mains accrochées à lui.

Il l'écarta et remonta ses genoux sous son menton pour se dérober à ses entreprises. Elle s'assit à côté de lui et se mit à rire.

« N'est-ce pas meilleur qu'avec la Blanche ? demanda-t-elle.

— Ruby, fit-il, ne sachant que dire. Ruby, il faut que j'aille travailler. »

Il se mit debout, ferma son pantalon. Sa culpabilité était mêlée de colère. Il la laissa et repartit rapidement vers la maison.

Comme Ruby et Joshua s'étaient inévitablement retrouvés, une semaine plus tard Tansie rencontra Ruby.

Ce matin-là deux très jeunes soldats étaient morts. Tansie, inconsolable, était au bord de la dépression. Trop de garçons, à peine plus vieux que les deux jeunes filles qui aidaient à les soigner, étaient morts. Et ces morts lui avaient fait prendre conscience de sa propre condition de mortelle. La jeune fille, normalement si heureuse et si joyeuse, était accablée. Elle était convaincue que tout le monde allait mourir dans cette guerre épouvantable.

« Allez marcher dans le jardin, dit Amelia à Isobel et à Tansie. Essayez de vous détendre un peu. »

Tansie lui jeta un coup d'œil tragique. « Ce n'est pas pour ça que j'irai mieux, dit-elle.

— Essaie toujours », lui dit Amelia fermement.

Isobel qui a connu d'autres épreuves se montre plus forte, se disait Tansie, elle a beau avoir l'air d'une mauviette, c'est elle, indiscutablement, la plus courageuse. Ce n'était pas une constatation agréable.

Isobel voulait retrouver William qu'elle n'avait pas vu depuis plusieurs jours. Tansie, elle, décida de partir à la recherche de Mark Henleigh, mais auparavant, elle voulait passer voir sa tante et sa grand-mère à la cuisine.

La tristesse et la fatigue qui avaient pesé sur ses épaules ces derniers jours semblèrent s'envoler au fur et à mesure qu'elle s'éloignait du grenier. Elle se sentait un peu plus légère lorsqu'elle franchit le seuil de la cuisine. Bella, qui était en train de dépiauter un poisson salé, lui jeta un coup d'œil surpris.

« Mme Amelia sait que tu es ici ? demanda-t-elle l'air fâché.

— Elle m'a dit de descendre. »

Bella paraissait sceptique. Elle faisait la moue comme si elle hésitait à renvoyer sa petite-fille.

Tansie ne prêta aucune attention à cet accueil peu chaleureux. La cuisine était hospitalière. Trop chaude comme toujours, mais bien loin d'être aussi étouffante que le grenier dont le toit recevait directement les rayons du soleil. Plusieurs femmes étaient au travail dans la cuisine. L'une d'elles, assise à la table, découpait une mangue. Elle posa son couteau pour dévorer Tansie du regard. C'était une très belle Noire, à la poitrine abondante sous son corsage de grosse toile. Elle semblait vouloir lui dire quelque chose. Tansie la dévisagea à son tour et sentit remuer en elle de vagues souvenirs.

« Bonjour, Tansie, dit la femme, ce qui lui attira aussitôt un regard furieux de Bella.

— Bonjour, fit Tansie, en inclinant la tête sur le côté. Tu me connais ? »

L'autre eut un grand sourire : « Je t'ai connue.

— Où ?

— A Macabees quand tu étais petite. »

Ce fut la poitrine de cette femme qui déclencha les souvenirs. Tansie se rappelait brusquement ces seins qu'on mettait dans sa bouche impatiente lorsqu'elle avait quatre ans tandis qu'une voix de femme roucoulait : « Qui veut biberonner le néné ? » Quand on l'avait emmené à Lointaine, ces petites rasades de lait maternel avaient cessé. Cela n'avait pas eu beaucoup d'importance car elle avait été très bien nourrie à Lointaine. Elle n'avait d'ailleurs jamais plus eu faim depuis.

« Es-tu ma maman ? » demanda Tansie en retenant sa respiration.

La femme éclata d'un rire joyeux. « Alors tu te souviens de Ruby ?

— Je pense, oui », dit Tansie intimidée et maladroite. Cette femme était-elle ou non sa mère ?

« Alors viens me donner un baiser. »

Soulagée d'avoir quelque chose à faire, Tansie se dirigea sagement vers Ruby qui la serra contre elle. Elle avait une odeur forte et sa chair était incroyablement douce et souple. Sa peau était couverte de sueur mais ça n'avait aucune importance.

« On m'a dit que tu étais morte, dit Tansie lorsqu'elle fut libérée de cette puissante étreinte.

— Eh bien, c'est ce que nous croyions tous », dit Bella sans ajouter un mot de plus, comme si elle avait la bouche cousue.

Tout le monde gardait le silence et Tansie, perplexe, attendait une explication.

« Il y a du travail à faire ici, ma fille, gronda Bella. Fiche-moi le camp. Va retrouver. M. Henleigh. Il est dans le salon en train de lire.

— Mais...

— File ! Je ne veux plus te voir ! dit Bella en frappant des mains. Décampe. »

A contrecœur, Tansie s'exécuta. « Au revoir, maman, lança-t-elle avec un air de défi. A bientôt. »

Mark Henleigh leva les yeux de son livre au moment où Tansie entrait dans le salon. Il bondit sur ses pieds, le visage radieux.

« Mademoiselle Tansie, souffla-t-il. Comme je suis content de vous voir.

— Je me demandais si vous viendriez faire une promenade, dit Tansie.

— N'est-ce pas dangereux ? »

Tansie haussa les épaules. « Mme Amelia dit qu'on n'est à l'abri nulle part, et qu'il faut faire en sorte de vivre le plus normalement possible.

— Mais c'est stupide de prendre des risques. »

Il ne l'avait pas comprise. Parfois, se dit-elle, son esprit est un peu lent.

« Eh bien moi, je vais marcher.

— Alors, je vous accompagne. »

Ils quittèrent le salon en silence. Dehors, Tansie hésita. Le domaine ne lui était pas encore familier.

« Où allons-nous ? demanda-t-elle.

— J'ai découvert une charmante retenue d'eau cachée dans les bois, dit-il. C'est tranquille et il y fait frais. Je vous y emmène. »

En marchant, Tansie eut l'impression que le bruit du canon était de plus en plus menaçant. Elle leva la tête pour regarder les petits nuages de fumée qui traînaient paresseusement dans le ciel. Aujourd'hui, on n'apercevait aucune fumée noire. Peut-être n'y avait-il plus rien à brûler, et seul Windsong avait échappé à l'incendie ? Un choc, particulièrement violent,

299

ébranla la terre sous ses pieds. Elle s'accrocha au bras de son compagnon qui accéléra le pas.

« Allons nous mettre à l'abri dans le bois », dit-il.

La matinée tournait au tragique et cette canonnade au-dessus de leurs têtes mettait Tansie très mal à l'aise. Pour se débarrasser de son angoisse, elle décida de lui parler de Ruby.

« Il est arrivé une chose merveilleuse ce matin, dit-elle.

— Ah oui ? » Une autre détonation déchira l'air. Henleigh accéléra encore le pas.

« J'ai retrouvé ma mère.

— Votre mère ! s'exclama-t-il interloqué.

— Oui, ici, elle s'appelle Ruby. C'est la cuisinière.

— Ruby ! Cette... » Sa main dessina une paire de seins. « ... négresse est votre mère ? »

Elle fit oui de la tête. « Elle est gentille », dit-elle simplement.

Il la regardait perplexe. « Je ne comprends pas. »

Quelque chose passa au-dessus de leurs têtes avec un sifflement inquiétant. Le projectile frappa le sol dans un fracas épouvantable.

Le précepteur lui prit la main, se retourna pour évaluer à quelle distance ils se trouvaient de la maison. Elle voyait qu'il cherchait à savoir de quel côté courir. Les bois étaient plus proches et il l'entraîna dans cette direction.

« Vite, fit-il. Mettons-nous à l'abri. »

Un autre boulet de canon siffla au-dessus de leurs têtes. A bout de souffle, il lui fit prendre un étroit sentier jusqu'à ce qu'ils atteignent une jolie clairière au milieu de laquelle se trouvait la retenue d'eau.

« Ils visent la maison, dit-il consterné. Vite, couchez-vous. C'est plus sûr. »

Il l'entoura de ses bras et la fit s'étendre sur le sol humide de la clairière. La canonnade redoublait d'intensité et le sol vibrait comme lors d'un tremblement de terre. Le vacarme était assourdissant. On respirait une odeur de fumée mêlée à celle de la poudre. Terrifiée, Tansie se cramponnait à Mark Henleigh, qui se coucha sur elle afin de la protéger. Il colla ses mains sur les oreilles de la jeune fille pour amortir le bruit terrifiant, en lui murmurant dans les intervalles : « N'ayez pas peur. Ce sera bientôt fini. »

Ils entendaient des cris frénétiques entre les coups de canon.

« Ils ont dû atteindre la maison, dit-il d'une voix étonnamment calme.

— Oh, mon Dieu ! dit-elle. Nous devons aller là-bas les aider.

— Non, pas encore. » Il appuyait de tout son poids sur elle, si bien qu'elle parvenait à peine à respirer. « Quand le bombardement sera fini. Pour le moment nous sommes moins exposés ici. »

Elle se rendit compte qu'elle tremblait et eut honte de sa peur. Mais elle avait vu combien la mitraille et les balles de mousquet pouvaient endommager le fragile corps humain, et elle était incapable de contrôler sa terreur. Elle ne voulait pas être éventrée, aveuglée ou amputée.

Lui, en revanche, faisait preuve de courage, la tenant dans ses bras, la réconfortant. Le temps semblait s'être arrêté et brusquement, un silence irréel s'abattit sur eux. Ce calme inattendu était presque aussi terrifiant que le bruit du bombardement. Elle se serra contre Henleigh, cachant son visage dans son épaule.

« Que se passe-t-il maintenant ? demanda-t-elle d'une voix étouffée. Pourquoi tout est-il si tranquille ?

— C'est fini pour le moment, dit-il pour l'apaiser en lui caressant les cheveux. N'ayez pas peur. Nous allons encore attendre ici un petit moment pour être sûrs que c'est bien fini. Nous sommes à l'abri, loin de la maison. »

Prudemment elle leva la tête. « Vous êtes si courageux, murmura-t-elle.

— Uniquement parce que je devais vous protéger. Maintenant, calmez-vous. Nous sommes en sûreté entre les mains du Seigneur. »

Elle se blottit de nouveau contre lui. « Je me sens plus sûre dans les vôtres », dit-elle. Elle le serra très fort et tourna la tête pour lui donner un petit baiser sur la joue en remerciement. Mais le garçon tourna la tête à ce moment-là et ce fut sa bouche qui rencontra la sienne. Il poussa un petit cri, presque un cri de désespoir lorsque leurs lèvres se joignirent. Puis il répondit à son baiser, comme il l'avait fait sur la plage et cette fois encore, Tansie y trouva beaucoup de plaisir. Elle se tortillait contre lui et s'aperçut du changement qu'elle provoquait chez son compagnon. Maintenant que c'était fini, elle avait l'impression que même le bombardement avait quelque chose d'excitant, quelque chose de terrifiant mais aussi d'excitant. Elle se sentait transportée. Elle avait été tellement sûre qu'ils allaient mourir, et ils avaient survécu, accrochés l'un à l'autre. C'est alors qu'elle prit sa décision : si elle devait mourir dans cette guerre stupide, elle ne mourrait pas vierge. Elle ne voulait pas mourir sans avoir été baisée.

« Baise-moi », lui souffla-t-elle dans l'oreille.

Il gémit de nouveau. « Ne dites pas ça, Tansie. Ne dites pas ça.

— Fais-le ! Fais-le ! » Elle brûlait d'impatience. Le bombardement pouvait recommencer et le prochain coup de canon les tuer. « Je sais que tu en as envie. Fais-le. »

Elle luttait avec ses propres vêtements, remontant sa jupe pour lui ouvrir un passage. Puis, nue jusqu'à la taille, elle ouvrit bras et jambes, écartant de ses deux mains son épaisse toison pour lui montrer le chemin. On avait l'impression que Henleigh était en train de prier. S'impatientant, Tansie s'assura qu'il la désirait encore.

« Glisse-le en moi, murmura-t-elle.

— Il ne faut pas.

— Nous en avons envie tous les deux », protesta-t-elle.

Il grogna de nouveau, roula sur elle et se redressa sur ses coudes, avant de s'enfoncer dans le corps impatient. Leurs mouvements furent frénétiques mais incohérents. Ils se poussaient maladroitement l'un contre l'autre. Il en termina trop rapidement. Et s'effondrant, haletant, sur elle en l'écrasant, il s'écria : « Que Dieu me pardonne ! Oh, que Dieu me pardonne. »

Tansie regrettait que ce soit déjà fini et que ce ne fût pas meilleur. Mais elle se disait que baiser n'était pas du tout ce que racontaient les gens. C'était bien loin d'être aussi excitant que le bombardement.

Les premiers coups de canon tirés sur Windsong n'atteignirent pas leur cible. Un boulet s'enfonça dans le jardin derrière la maison, ébréchant quelques statues et pulvérisant la tête d'une nymphe en pierre. Un autre creusa un grand cratère dans la pelouse et brisa la plupart des fenêtres à petits carreaux de la maison. Puis, grâce au ciel, il y eut une accalmie qui permit à Ben d'emmener l'équipe de pompiers dans le grenier afin d'évacuer les blessés. Les femmes étaient déjà descendues au rez-de-chaussée pour voir ce qui se passait. Pâles, atterrées, elles se serraient dans le hall autour d'Amelia. Les préposées à la cuisine, y compris Bella et Ruby, couraient dans les couloirs, prises de panique.

« Que tout le monde descende à la cave », ordonna Ben.

Amelia se détacha du groupe. « Ben, les blessés, si jamais un projectile frappait le toit... », cria-t-elle. Ben se rendit compte qu'il ne l'avait plus entendue crier ainsi depuis l'enfance.

« Descends à la cave ! cria-t-il lui aussi d'une voix étonnamment forte pour sa petite taille. Laisse la voie libre. » Puis se rendant compte qu'Amelia refuserait d'obéir à un ordre aussi raisonnable à moins qu'elle n'ait une véritable responsabilité, il hurla : « Amelia, et toi, William, vous êtes chargés de la sécurité de ces femmes. Mettez-les à l'abri immédiatement. »

Il voulait se débarrasser de William. Le jeune garçon ne pouvait être d'un grand secours. Il tremblait de tous ses membres et son visage était blême.

Ben lui envoya une bourrade. « Vite ! Occupe-toi de ces femmes. Emmène-les en bas », ordonna-t-il.

Soulagé, William se précipita vers l'escalier de la cave.

« Maintenant les blessés. » Ben se démenait comme un général emmenant ses hommes à la bataille. Il entraîna onze solides Noirs au grenier. Juba, Daniel et Joshua le suivaient. Il se sentait calme, maître de la situation, responsable. Il avait l'impression qu'il avait attendu toute sa vie ce moment pour montrer son autorité et sa fermeté.

Un autre boulet de canon frappa la maison avec un bruit sourd, et la lourde porte vola en éclats à l'endroit où tout le monde se tenait quelques secondes plus tôt. La maison vibra dans un crépitement de verres brisés.

« Il faut installer les blessés à la cave », ordonna Ben. Il était en nage et sentait le goût salé des gouttes qui dégoulinaient sur ses lèvres. Brusquement il frissonna à la vue des blessés terrorisés qui se contorsionnaient pour se mettre debout ou essayaient de ramper vers l'escalier. Un homme qui avait perdu ses deux jambes hurlait : « Aidez-moi, aidez-moi ! » d'une voix si aiguë qu'on aurait pu le prendre pour une femme. De nouvelles explosions secouèrent la maison. Ben avait l'impression que les murs commençaient à s'enfoncer dans le sol. Une fumée épaisse rendait l'air irrespirable. Peut-être un incendie s'était-il déclaré ? Mais d'abord, il fallait porter secours à ces hommes. Ceux qui pouvaient encore marcher s'étaient massés autour de l'échelle, se battant pour se frayer un passage ; certains même se laissaient tomber dans le couloir situé en dessous. La chaleur épouvantable, la puanteur, la fumée, le bruit, les cris des blessés impotents qu'on soulevait faisaient de l'endroit une antichambre de l'enfer.

« Seigneur, Seigneur, faites que nous sortions d'ici vivants »,
se dit Ben tandis qu'il essayait d'éviter la cohue devant
l'échelle.

Il ne restait plus dans le grenier que Joshua et un jeune soldat anglais. De son unique bras, Joshua soutenait le jeune
homme qui n'avait qu'une jambe — la misère au service de la
pauvreté, se dit Ben avec dérision. Jusqu'à maintenant, aucun
projectile n'avait atteint le grenier, quand, brusquement, un
boulet de canon défonça le toit, et éclata au fond de la pièce.
Le choc projeta Ben à l'étage en dessous. Il tomba mal et se
tordit la jambe. Abasourdi, il parvint néanmoins à se remettre debout ; il s'était foulé le genou mais pouvait encore marcher. Curieusement, l'échelle était toujours debout, il y avait
un trou béant dans le plancher du grenier sous lequel le soldat était étendu sans connaissance. Au-dessus de lui, à moitié dans le vide, Ben distingua le corps effondré de Joshua.
Une énorme pierre projetée par l'explosion lui avait écrasé la
poitrine. Du sang gargouillait au coin de sa bouche.

« Je ne peux bouger..., parvint à grogner Joshua. Avec un
seul bras... impossible de... »

La première réaction de Ben fut de remonter dans le grenier, le bloc de pierre était en équilibre et il aurait été assez
facile de le faire basculer dans le trou pour dégager le corps
de Joshua. Mais il pouvait tomber sur le soldat et l'écraser.
Il fallait d'abord déplacer le jeune homme.

« Attends ! » dit-il en traînant, au prix d'un terrible effort,
le soldat un peu plus loin. Lorsqu'il se tourna de nouveau vers
Joshua, il vit que le sang qui coulait de sa bouche était plus
épais, plus noir. Le blessé pouvait à peine respirer. Un râle
horrible sortait de sa poitrine. Si l'on n'intervenait pas immédiatement, cet homme allait mourir. Il ne lui restait plus qu'un
souffle de vie.

Mourir. Il allait mourir. Cet homme qu'Amelia aimait, qui
lui avait donné un enfant, un esclave maintenant libre qui, en
se mêlant à leur vie, avait anéanti une fois de plus les rêves
de Ben. S'il mourait, on en serait débarrassé pour toujours.
Il ne représentait plus une menace, ni un obstacle. Et sûrement, ensuite, la vie d'Amelia ne pourrait être que meilleure.

Ben hésita un instant puis prit sa décision. Il abandonna le
mourant pour faire descendre le soldat inconscient jusqu'à
l'abri précaire de la cave.

Ruby était assise dans le noir près d'Amelia dans la cave. Quelqu'un alluma des bougies et les flammes vacillantes firent reculer l'obscurité. Une odeur entêtante de vin rouge se mêlait aux relents de moisi.

Les femmes étaient assises sur des tonneaux, des meubles déglingués et de vieilles caisses, sur tout ce qui pouvait faire office de siège. Le bruit du bombardement parvenait jusque dans les profondeurs de la cave et Ruby ne savait pas trop si elle était vraiment plus en sécurité dans ce sous-sol. Si jamais les piliers de pierre de la maison s'effondraient elle risquait d'être enterrée vivante. Elle aurait préféré être dehors et tenter sa chance sous un ciel clément, bien qu'il n'y ait pas, se dit-elle tristement, de ciel vraiment clément depuis que la guerre avait débuté.

Les femmes tendaient l'oreille pour entendre la prochaine explosion et s'efforçaient néanmoins de paraître calmes pour suivre l'exemple de leur maîtresse. Amelia, assise le dos droit, les mains posées sur ses genoux, portait un grand tablier blanc qui dissimulait sa robe de soie verte. L'expression de son visage indiquait clairement qu'elle aurait aimé envoyer tous ces Français en enfer. Les blessés, maintenant calmés, avaient été installés aussi confortablement que possible à l'autre bout de la cave.

A côté d'Amelia, Vérité s'était recroquevillée sur elle-même, de sorte que l'on ne voyait que la courbe de son dos et sa nuque. Presque contre elle, assise sur un tonneau se trouvait Bella, la tête baissée, qui regardait ses mains. Isobel et Charlotte, qui entourait ses enfants de ses bras, étaient assises calmes et résignées de chaque côté d'Amelia. Tansie n'était pas là.

« Où est Tansie ? » demanda brusquement Amelia.

Personne ne put lui répondre.

« Qui l'a vue pour la dernière fois ? »

Bella se redressa. « D'après ce que je sais, elle est venue dans la cuisine et elle est partie avec M. Henleigh. »

Le visage d'Amelia se durcit. « Elle est allée dans la cuisine ?

— Elle m'a dit que c'était vous qui l'aviez envoyée en bas. » Ruby remarqua le regard anxieux qu'Amelia jeta dans sa direction. Elle jugea préférable de ne rien dire.

« Ils se seront sûrement mis à l'abri. » Ruby se dit qu'Amelia essayait de se rassurer et elle fut prise de pitié pour elle. Mais pouvait-on avoir pitié d'une femme qui ne voulait même pas reconnaître sa propre fille ?

« C'est plus sûr dehors », reconnut Bella.

Il y eut de nouveau un silence et Amelia demanda d'une voix pressante : « Est-ce fini ? Si c'est le cas, j'irai à sa recherche. »

Vérité quitta sa position de fœtus et leva la tête. « La maîtresse va chercher une esclave au milieu de ce chambardement. Seigneur ! »

Amelia rougit. Ruby ne savait pas si c'était de confusion ou de colère. Sans ajouter un mot, Amelia se leva.

« William, dit-elle, veille à ce que personne ne quitte cet endroit jusqu'à ce que Ben en donne l'autorisation. »

Dans un bruissement de soie, elle quitta la cave, la tête haute, juste au moment où une autre explosion secouait la maison. Ruby ne put s'empêcher de remarquer que sa maîtresse avait du courage.

Et là, au milieu de toutes ces femmes noires attendant en silence, gênées par la présence de leur maîtresse, Ruby comprit qu'elle n'était pas jalouse de cette pauvre Amelia. Qu'avait donc obtenu sa maîtresse ? L'amour de Joshua ? Quel bénéfice en retirait-elle sinon la crainte de voir son amant pendu par une bande de Blancs fanatiques et d'être elle-même définitivement rejetée, si la chose s'ébruitait. Et quant à l'amour charnel, Ruby savait qu'elle pouvait en avoir à n'importe quel moment avec Joshua. Il ne montrerait jamais la moindre résistance si elle le touchait, l'embrassait, l'excitait et lui faisait l'amour. De plus elle avait un fils de lui, et un fils c'était quand même mieux qu'une fille. D'ailleurs, Amelia ne pouvait même pas reconnaître que Tansie était sa fille. Et, ironie du sort, Tansie croyait que la grosse Ruby était sa mère. Ruby estimait qu'elle avait gagné une bataille et elle sentait au fond d'elle qu'elle finirait par triompher sur toute la ligne.

Ses agréables pensées furent interrompues par le claquement des élégantes chaussures d'Amelia qui descendait les marches de la cave.

« Bella, Bella, criait-elle d'une voix désespérée. Oh, Bella, viens, viens vite. C'est Joshua... »

Bella abandonna son tonneau et se précipita vers la porte.

« Je viens ! » cria-t-elle.

Mue par une angoisse irrépressible, Ruby lui emboîta le pas. Dans l'escalier plongé dans l'ombre, la bougie d'Amelia éclairait son visage bouleversé, couvert de larmes. Quand elle aperçut les deux femmes elle s'écria : « Oh Bella ! Il est mort ! »

Bella leva les mains au ciel et se mit à pousser des hurlements de douleur. Puis elle s'avança presque menaçante vers Amelia.

« Où est-il ? demanda-t-elle.

— Dans le grenier. Il est coincé sous un bloc de pierre. Je n'ai pas pu le bouger. »

Écartant Amelia de son chemin, Bella se précipita dans l'escalier, traversa la maison suivie des deux femmes. Ruby se sentit suffoquer quand elle aperçut le corps de Joshua par le trou du plafond, et des larmes inondèrent ses joues.

Ce fut Bella qui d'une furieuse poussée dégagea seule le corps de Joshua, projetant le bloc de pierre dans le couloir en dessous. Puis de ses grands bras, elle souleva son fils et le coucha doucement sur l'une des paillasses abandonnées du grenier. Elle prit un coin de son tablier, le mouilla de sa salive et tendrement essuya le sang au coin de la bouche.

« Mon fils, murmura-t-elle, mon fils bien-aimé. »

Ruby jeta un coup d'œil à Amelia et fut effrayée de voir le chagrin qui déformait le visage de sa maîtresse. Cette fois, elle ne pouvait manquer de s'apitoyer.

« Pardonnez-moi », s'entendit-elle prononcer.

Amelia était livide, ses immenses yeux verts lui mangeaient le visage mais elle retenait ses larmes. Ses doigts pétrissaient nerveusement l'ourlet de son tablier.

« Tu l'aimais aussi, s'écria-t-elle. Il m'a trahie avec toi. Je vous ai vus ce matin. Vous alliez vers notre point d'eau. Comment peut-il avoir fait ça ? dit-elle en se couvrant le visage avec ses mains. Oh, mon Dieu, mon Dieu, que vais-je faire ? »

Bella s'était redressée, elle posa ses mains sur les épaules d'Amelia et la secoua de toutes ses forces.

« Vous allez rester digne, c'est ce que vous allez faire, dit-elle. C'est ce que Josh attend de vous. Et vous n'allez pas vous laisser avoir par cette garce. » Elle jeta un coup d'œil étincelant à Ruby. « Maintenant, tu vas dire la vérité sur toi et sur Josh. Tu vas lui dire qu'il l'aimait, elle. »

La colère de Bella était menaçante mais Ruby bouillait d'indignation d'avoir été traitée de garce. De plus, elle était surprise de constater avec quelle force Bella prenait la défense d'Amelia. Elle voulut raconter comment Josh et elle avaient baisé et comment ils auraient pu baiser chaque fois qu'elle le désirait. Mais elle se retint. Baiser, ce n'était pas aimer. Elle était bien placée pour le savoir. Amelia la fixait anxieuse avec dans les yeux quelque chose qui ressemblait à de l'espoir. Et de nouveau Ruby fut envahie par cette sensation de pitié, qui se transforma ensuite en un sentiment de culpabilité. C'était elle qui avait forcé Josh. Elle l'avait rendu malheureux simplement pour se prouver à elle-même qu'elle était capable de faire de lui ce qu'elle voulait. Elle l'aimait, bien entendu, mais lui ne l'aimait pas. Il fallait qu'elle regarde les choses en face. Ce qu'elle pouvait faire de mieux pour Joshua maintenant était d'apporter un peu de réconfort à cette femme désespérée qui l'avait aimé.

Amelia avait pris beaucoup de risques pour Joshua. Elle l'avait réellement aimé. Et même si Ruby l'avait aimé aussi, quelle importance cela avait-il maintenant ? Il était mort et ni l'une ni l'autre ne pourraient plus jamais le serrer dans leurs bras. L'important c'était qu'il repose en paix.

« C'est vrai que je l'aimais, avoua-t-elle, mais c'est vous qu'il aimait. Il me l'a dit. Il ne voulait pas de moi. Il ne voulait même pas me toucher. Il n'avait envie que de vous. »

Elle se rendit compte qu'elle était en train de dire la vérité, ce qui n'était nullement son intention. Un rayon d'espoir illumina le visage d'Amelia.

« Mais tu as son fils, murmura-t-elle.

— Et vous avez sa fille. »

Il y eut un grand silence. Dehors le bombardement s'était arrêté mais on entendait encore au loin des coups de mousquet. De la fumée obscurcissait la pièce empuantie.

Tout à coup, Amelia poussa un cri étouffé et se précipita vers Ruby. Celle-ci recula, craignant qu'elle ne veuille la frapper. Mais ce n'était pas l'intention d'Amelia. Au grand étonnement de Ruby, les longs bras recouverts de soie verte de sa maîtresse se posèrent sur elle. Spontanément, Ruby la serra contre elle. Le corps d'Amelia était d'une maigreur impressionnante, mais elle sentait bon comme une fleur. Ruby était consciente de son odeur de sueur à elle. Mais, sans aucune gêne, les deux femmes s'enlacèrent et éclatèrent en sanglots. Ce fut la voix de Bella qui les sépara. « Il est temps de partir d'ici, dit-elle. J'ai l'impression que la maison brûle. »

Zach, avec un détachement de soldats anglais, mit finalement en déroute le détachement d'artilleurs français qui avait tiré sur Windsong. Mais si les Anglais gagnèrent cette bataille, il était dit qu'ils ne gagneraient pas la guerre. En fin de compte, avec la destruction de la plupart des propriétés anglaises, la guerre fut perdue, même si les Français, ayant appris qu'une énorme flotte britannique approchait, décampèrent brusquement.

Windsong ne fut pas réduit en cendres. L'équipe de pompiers de Ben maîtrisa l'incendie. Mais la fumée et les dégâts causés par les boulets de canon rendaient la maison inhabitable. A Macabees également, la maison avait souffert et la quasi-totalité de la récolte avait été incendiée par des tirs perdus. Une odeur de sucre brûlé empuantissait la propriété et arrivait même jusqu'à Lointaine qui, curieusement, avait été épargnée. Lorsque la guerre cessa brusquement, tous les Quick et leurs domestiques allèrent s'installer à Lointaine.

D'après Zach, le domaine avait été épargné parce que les Français avaient cru que cette plantation leur appartenait et que les Anglais n'avaient pas de forces suffisantes pour s'en emparer. Amelia s'abstint de faire remarquer qu'il avait soutenu le contraire avant la guerre et que, si elle était restée chez elle, Joshua serait encore vivant.

Quant à Ben, il était occupé comme toujours à la taverne. Il entreprit rapidement les réparations afin de pouvoir se remettre à ses affaires.

Amelia était de retour depuis un mois à Lointaine quand Ben vint la voir. Il la trouva assise dans le jardin, devant la fenêtre du salon. Elle tenait à la main une fleur d'hibiscus d'un rouge profond qu'elle faisait tourner dans les rayons du soleil pour intensifier l'éclat des pétales rouge sang.

« J'ai à te parler, annonça-t-il.

— A quel sujet ? interrogea-t-elle en levant la tête.

— A propos de toi. »

Elle haussa les épaules. « Mais encore ?

— Tu n'es pas heureuse.

— C'est vrai.

— Amelia, dit-il en s'asseyant dans un fauteuil à côté d'elle et en lui prenant la main. Au fond, cela vaut mieux. Ça se serait terminé en catastrophe. Si jamais quelqu'un avait découvert... Maintenant, tu peux vivre normalement, être heureuse comme n'importe qui. Tu peux avoir d'autres enfants. Nous pouvons avoir des enfants...

— Qu'est-ce que tu racontes ? demanda-t-elle l'œil vide.

— Tu le sais très bien, dit-il avec impatience. Joshua est mort. Tu dois essayer de l'oublier. Surmonter ta douleur. Vivre. »

Amelia eut l'impression qu'il la suppliait, qu'il la priait d'être heureuse. Mais des gouttes de sueur perlaient à son front et ses yeux évitaient les siens. Il fixait désespérément sa main posée sur celle de sa cousine.

« C'est mieux qu'il soit mort, murmura-t-il. Ne peux-tu pas le reconnaître ? »

Amelia eut brusquement en mémoire la vision de son cousin et d'elle-même, il y avait fort longtemps, devant le maître de Windsong en compagnie des autres domestiques. Elle se souvenait de la tentative de Ben de faire délibérément endosser le meurtre de Justinian Oliver à Joshua.

« Est-ce que tu aurais pu le sauver, Ben ? » demanda-t-elle tout à coup.

Il la regarda comme si elle l'avait giflé. Puis il se redressa, le visage brusquement écarlate. D'indignation ? Ou de honte ?

« Seigneur, bien sûr que non ! s'écria-t-il d'un ton outré. Comment aurais-je pu ? J'avais été projeté hors de la pièce. Je n'étais même pas conscient. Et ma jambe... Elle me fait toujours mal, sais-tu. »

Comment pouvait-il se plaindre de sa jambe alors qu'un homme était mort ? se dit Amelia accablée. Puis en réfléchissant, elle pensa qu'elle était réellement injuste envers Ben. Personne ne pouvait laisser un homme mourir. Pas Ben. Et pourtant ?

« Je suis désolée, dit-elle. Je n'aurais pas dû dire ça. »

Il s'agita sur son siège. « Ça ne fait rien. Mais je suis blessé que tu puisses penser une chose pareille. Tu sais comme je t'aime, et comme je t'ai toujours aimée.

— C'est peut-être la raison pour laquelle cette pensée m'est venue à l'esprit, dit-elle sèchement. Un jour, il y a longtemps...

— Ne m'as-tu pas encore pardonné ? »

Il paraissait triste et elle lui prit la main. « Bien sûr que si », dit-elle.

Elle n'aurait pas dû avoir ce geste de tendresse. Il jeta ses bras autour d'elle et essaya de l'embrasser.

« Ben !

— Tu sais ce que je ressens. Amelia, épouse-moi. Je t'en prie. Nous serons heureux ensemble. Il est mort, tu es vivante. Et je t'aime. »

Elle soupira. Le visage criblé de taches de rousseur de son cousin s'était ridé, mais ses cheveux étaient toujours aussi abondants et vigoureux qu'autrefois. Il semblait sincèrement bouleversé et durant un instant elle se dit : « Pourquoi pas ? » Elle s'était déjà dit la même chose avec Louis et cela n'avait pas été une si mauvaise décision. Mais elle était alors poussée par la nécessité, ce qui n'était plus le cas maintenant. Plutôt vivre seule qu'avec un homme qui ne pourrait jamais,

jamais, même dans un millier d'années, prendre la place de Joshua.

« Rien n'a changé, Ben, dit-elle doucement.

— Mais si, il est mort.

— Rien n'a changé. »

Il restait immobile les yeux baissés, ses mains appuyées sur les accoudoirs du fauteuil. « Rien n'a changé pour moi non plus, dit-il, et ça ne changera jamais. » Puis il hocha la tête et s'en alla.

Très vite, après la fin des hostilités, une fois Windsong restauré, Charlotte et sa famille purent retourner chez eux. Charlotte demanda si elle pouvait garder Juba avec elle.

« Les enfants se sont tellement attachés à lui, expliqua-t-elle, et je sens qu'ils sont en sécurité sous sa surveillance. »

Amelia hésitait, sachant que Vérité et Daniel seraient malheureux d'être séparés de leur fils unique.

« Alors nous n'avons qu'à les prendre eux aussi, si tu le veux bien, proposa Charlotte. J'ai toujours de la place pour un ou deux domestiques bien stylés. »

Amelia sentait qu'il était impossible de refuser même si Zach rechigna lorsqu'on l'informa de cette décision. Il ne pouvait, disait-il, supporter les façons revêches de Vérité.

Dans les jours qui suivirent la mort de Joshua, Amelia songea à faire venir le fils de Ruby à Lointaine. Toute l'animosité qu'elle avait pu éprouver vis-à-vis de Ruby s'était évanouie, et elle avait dans l'idée de réunir la mère et le fils. Isobel avait accepté bien volontiers cette proposition mais on s'aperçut alors, en s'adressant à Benson, que Samuel avait été vendu avec un lot d'esclaves que le surveillant considérait comme trop remuants ou trop vieux. Samuel faisait partie des fauteurs de troubles et maintenant Benson n'avait pas la moindre idée de l'endroit où il pouvait se trouver. Ne voulant pas décevoir Ruby, Amelia garda pour elle ses projets.

Au début de 1707, une grande partie de l'île fut à nouveau dévastée, de sorte que le Parlement de Londres envoya 103 000 livres en compensation des dommages de guerre. Lentement, tout redevint comme avant.

Amelia se trouvait dans le même état d'esprit que lors de la mort de Louis. Plus rien n'avait d'importance à ses yeux. Elle s'enfermait dans sa chambre la plupart du temps, et laissait La Bac s'occuper de la propriété. Elle ne s'intéressait pratiquement à rien. Elle passait la plupart de son temps à essayer de surmonter sa douleur sans parvenir à chasser l'image du corps désarticulé de Joshua écrasé par ce bloc de pierre. Chaque soir, lorsqu'elle cherchait à s'endormir, l'image du visage torturé, taché de sang, la bouche ouverte dans un cri silencieux, s'imprimait sur ses paupières. Elle sursautait et ouvrait les yeux. Mais la même image revenait dès qu'elle baissait de nouveau les paupières. Il était mort, mort, mort. Elle l'avait retrouvé uniquement pour le reperdre. Elle était convaincue qu'elle ne pourrait jamais combler ce vide. Elle ne renoncerait pas à sa constance simplement parce qu'il n'était plus là.

Elle n'ignorait pas qu'elle avait négligé William. Toutefois elle lui avait donné l'autorisation d'épouser Isobel en août, alors qu'il aurait juste dix-sept ans. Mais il fallait encore attendre quelques mois. Elle penserait à ça le moment venu. Elle supportait à peine de voir Tansie. Non seulement la jeune fille parlait sans arrêt de sa « mère », Ruby, mais elle lui rappelait cruellement Joshua. Non pas qu'elle lui ressemblât physiquement, mais à cause de sa gentillesse, de sa vivacité, de sa gaieté. Comme son père, Tansie ne se plaignait jamais. Elle avait repris ses anciennes tâches maintenant qu'il était devenu inutile de la laisser dans l'ignorance des après-midi secrets que sa maîtresse passait dans sa chambre à coucher. A travers le rideau d'indifférence qu'Amelia avait tiré autour d'elle, il lui semblait parfois que sa fille était bizarrement préoccupée mais elle mettait cette tristesse sur le compte de la mort de Joshua. Effectivement, Tansie avait été inconsolable à la mort de son père et Amelia croyait qu'elle aussi le pleurait toujours.

Ce fut au commencement de mars — cette époque de l'année qu'Amelia préférait par-dessus tout aux Caraïbes, lorsque la chaleur n'est pas trop forte, que les alizés apportent un peu de fraîcheur et que le parc devient une symphonie de couleurs — que Mark Henleigh lui fit dire qu'il souhaitait la rencontrer. Pierre, d'un air désapprobateur, transmit le message.

Amelia s'étonna : « Que me veut-il ? Il s'en va ?

— Je n'en ai aucune idée, madame », dit Pierre le visage fermé. Amelia se rendit compte alors qu'elle n'avait pas vu le précepteur depuis des semaines, sinon des mois. Elle n'avait pas non plus vérifié la manière dont il s'occupait de William et d'Isobel. C'était encore une des choses qu'elle avait négligées.

Elle soupira. « Dites-lui qu'il peut venir prendre le thé avec moi cet après-midi. »

Ce fut un Mark Henleigh particulièrement nerveux qui entra

furtivement dans le petit salon. Il avait toutes les apparences d'un coupable dans l'attente du châtiment. Son visage pâle était anxieux, et ses yeux cernés donnaient l'impression qu'il n'avait pas dormi depuis plusieurs jours.

« Que se passe-t-il, monsieur Henleigh ? demanda Amelia en l'apercevant.

— Oh, mon Dieu, madame, commença-t-il en se prenant de façon théâtrale le front dans les mains. Oh, madame.

— Asseyez-vous. Et prenez un peu de thé, ajouta-t-elle en poussant dans sa direction une tasse dont il s'empara fébrilement en renversant une partie du liquide dans la soucoupe. Maintenant, dites-moi, qu'y a-t-il ?

— J'aime votre esclave Tansie », bafouilla-t-il.

Amelia ne fut pas exagérément surprise. Elle avait laissé les choses suivre leur cours et la destinée avait fait son œuvre.

« Je vois, dit-elle. Et est-ce que Tansie vous aime ?

— Je le pense, dit-il d'une voix à peine audible. Car elle attend un enfant de moi. »

Tout d'abord, Amelia se sentit outragée. Comment avait-il osé faire cela à sa fille ? Elle se leva tandis qu'elle sentait le rouge de la colère lui monter aux joues. Le jeune homme commença à trembler, renversant de plus en plus son thé. Puis Amelia retrouva son calme. On n'avait jamais vu une maîtresse en colère parce qu'une esclave était enceinte. La plupart au contraire auraient été ravies à l'idée de cette force de travail supplémentaire. En tout cas, le responsable ne pourrait être critiqué d'aucune façon. Amelia retomba dans son fauteuil, essayant de dominer sa colère et de reprendre ses esprits.

« Je veux l'épouser, marmonna-t-il. Je veux l'épouser et l'emmener avec notre enfant en Angleterre. Je crains, madame, de ne pouvoir vivre ici beaucoup plus longtemps. » Une quinte de toux l'interrompit. Il sortit son mouchoir, s'en couvrit la bouche, et discrètement cracha dedans. « Le climat... ma santé... Tansie dit qu'elle aimerait vivre en Angleterre, mais bien entendu il y a un problème étant donné qu'elle vous appartient. »

Son ton dédaigneux montrait clairement ses sentiments par rapport à l'esclavage.

Amelia était perplexe. En Angleterre, Tansie commencerait une nouvelle vie et il était peu probable que quelqu'un devinât son origine. Ce qui était un risque dans ces îles où les questions de couleur étaient omniprésentes. Ce pouvait donc être une merveilleuse opportunité pour elle que d'épouser ce jeune homme sérieux. Mais dans ce cas, Amelia la perdait pour toujours et la mort de Joshua était trop proche encore pour qu'elle puisse l'envisager. Mais... Mais... Elle faisait encore preuve d'égoïsme.

« Depuis combien de temps est-elle enceinte ? demanda-t-elle sèchement.

— Nous pensons environ cinq mois. Tout est ma faute, madame, et j'ai prié, et prié pour être pardonné de ma conduite. Mais je l'aime. » Son visage était éclairé par la ferveur d'un homme qui se confesse. « C'est arrivé le jour du bombardement. Nous nous promenions ensemble — oh en toute innocence — et puis les explosions ont commencé. Nous nous sommes allongés dans l'herbe et je l'ai protégée de mon corps. Comme vous le savez, le bombardement n'en finissait pas. Nous étions si serrés l'un contre l'autre et pendant si longtemps que nous avons perdu la tête. Je sais bien que les choses auraient dû en rester là, mais je n'ai plus pu me passer d'elle et elle de moi. Depuis, nous sommes amants. Ce n'est que cette semaine qu'elle m'a avoué qu'elle était enceinte. La pauvre enfant avait peur de me dire la vérité, craignant que je ne sois furieux contre elle.

— Et vous l'êtes ? demanda sèchement Amelia.

— Furieux ? Je suis ravi. Avoir un enfant de Tansie était mon rêve le plus cher. Si vous m'accordez la permission de nous marier ici, personne en Angleterre ne saura que notre enfant a été conçu avant le mariage. Personne en dehors de Dieu qui, je n'en doute pas, nous pardonnera de nous aimer si fort l'un l'autre.

— Vous n'ignorez pas que les esclaves n'ont pas le droit de se marier ?

— Oui, Tansie me l'a dit, mais je n'arrive pas à croire qu'un droit aussi fondamental soit retiré aux enfants de Dieu. »

Amelia soupira. « Monsieur Henleigh, dit-elle patiemment, ces îles ne vous conviennent sûrement pas. Vous allez vous attirer les foudres de vos compatriotes si vous exprimez publiquement de tels sentiments. Vous devriez avoir la sagesse de retourner en Angleterre.

— Avec Tansie ? demanda-t-il d'une voix anxieuse.

— Avec Tansie, dit-elle comme on se jette à l'eau. Je lui donnerai sa liberté.

— Oh, madame. Vous faites de moi l'homme le plus heureux de la terre. »

Amelia eut un petit rire triste. « J'espère que c'est Tansie qui s'en chargera. Mais je vous demande de réfléchir. Elle a du sang noir.

— Je ne peux pas le croire. Je suis certain qu'il y a une erreur. Mais même si elle en avait, les Africains sont tout autant les enfants de Dieu que nous autres.

— Si vous avez la certitude de ne pas vous tromper.

— Je ne me trompe pas. Pouvons-nous le lui annoncer ? Peut-elle venir ? Elle attend derrière la porte, elle brûle d'impatience de connaître votre décision. »

Amelia s'efforça de sourire mais c'est avec une profonde tristesse qu'elle lui dit : « Bien sûr. »

Il se précipita pour ouvrir la porte : un jeune homme fragile, élancé, charmant avec ses cheveux blonds attachés par un large ruban noir. Amelia comprenait fort bien pourquoi sa fille au charme exotique était tombée amoureuse de lui. Les contraires s'attirent.

Tansie entra presque timidement dans la pièce, et Amelia la regarda plus attentivement qu'elle ne l'avait fait depuis longtemps. Sans aucun doute, sa fille était nettement plus ronde. Bella et les autres l'avaient sûrement remarqué, mais elle, sa mère, avait été trop accablée par sa douleur pour s'en apercevoir.

« Viens ici, Tansie », dit-elle doucement.

La jeune fille s'avança vers elle, le visage grave, ses yeux noirs brillants ombragés par des paupières veloutées. Elle fixait ses pieds.

« Je vais te donner ta liberté, Tansie, afin que tu puisses épouser M. Henleigh et aller vivre en Angleterre. »

Les paupières veloutées se levèrent mais, plus que du ravissement, ce qu'Amelia vit dans les yeux sombres, c'était de l'appréhension.

« Merci, madame, dit-elle d'une voix contenue.

— C'est ton souhait ? »

Tansie acquiesça.

« Tu n'en sembles pas si sûre.

— Est-ce qu'il fait très froid en Angleterre ? demanda-t-elle soudain.

— Bien plus froid qu'ici. Mais c'est très beau. Et tu seras ta propre maîtresse et non pas une esclave », lui fit remarquer Amelia.

Elle parlait comme si Mark Henleigh n'était pas présent.

« Maman et vous, vous allez me manquer. Et Bella et William. Oh, tout le monde », dit-elle tristement.

Maman ! Sa mère lui manquerait. Au moins elle avait ajouté « vous ». Amelia décida de ne pas se laisser aller à sa douleur.

« Mais tu seras avec ton mari. Tu l'aimes ? »

La jeune fille leva les yeux. « Oh oui. Il est si gentil. Et il m'aime tant.

— Alors c'est ce qui compte », lui dit Amelia.

Tansie épousa discrètement Mark Henleigh, deux semaines après qu'elle eut obtenu sa liberté. Son bébé vint au monde en juillet 1707, un mois avant le mariage de William. C'était une petite fille vigoureuse, avec une chevelure noire et laineuse, une peau couleur noisette, un visage large et une grande bouche. Elle avait indiscutablement du sang africain. On l'appela Delilah. Mark et Tansie étaient tombés d'accord sur ce prénom avant la naissance.

Lorsque Mark la vit pour la première fois, il pâlit et tourna les talons. Deux semaines plus tard, renonçant à tous ses principes et sans un mot d'explication, il partit pour l'Angleterre sur le bateau du capitaine West, laissant derrière lui sa femme et son enfant.

Il écrivit trois mots à Amelia : « Vous aviez raison. »

Troisième Partie

14

Novembre 1713

« Messieurs, hurla Ben, le visage écarlate et épanoui, portons un toast à St. Kitts, île anglaise, et à Sa Majesté, la reine Anne. » Il leva sa chope à bout de bras en ajoutant : « C'est ma tournée. »

Un rugissement ébranla la taverne de Christophe Colomb et Tansie remplit rapidement les verres qu'on lui tendait. La pièce enfumée et bruyante était pleine de soldats anglais, de marins, de marchands, de commerçants, de bourgeois et même de quelques mulâtres libres. Les seules femmes en dehors de Tansie étaient Marie, depuis longtemps la maîtresse de Ben, qui, elle aussi, faisait le service, et quatre prostituées, plus toutes jeunes, qui travaillaient à la taverne depuis des années. Ben n'arrêtait pas de se plaindre de l'absence de sang neuf mais il se heurtait à un problème. Comme Marie et Tansie, les prostituées qui habitaient et travaillaient dans la maison voisine de la taverne faisaient maintenant partie de la famille.

C'était une époque euphorique. Après des années de guerre, la France et l'Angleterre avaient fait la paix, et le tout récent traité d'Utrecht avait reconnu une fois pour toutes que St. Christopher était une possession britannique. Presque tous les Anglais de l'île étaient soûls, à force de boire à la santé de la reine.

C'était une ère nouvelle et Tansie pensait que ce serait peut-être pour elle aussi le début d'une nouvelle vie. Elle souriait aux hommes qu'elle servait, sans prêter attention aux coups d'œil concupiscents que sa présence provoquait. Elle travaillait et vivait dans la taverne depuis presque six ans maintenant, c'est-à-dire depuis que son mari l'avait abandonnée pour retourner en Angleterre. Elle avait vingt-six ans et, en se penchant sur son passé, avait du mal à admettre à quel point elle avait été à l'époque jeune et naïve. Le départ précipité de Mark lui avait brisé le cœur. Elle n'aurait jamais pu imaginer qu'il la quitte si grossièrement, elle et son bébé, tellement elle était convaincue de sa gentillesse et de son bon cœur. C'était un garçon plutôt triste certes, mais elle l'avait aimé pour ses belles qualités qu'on rencontrait rarement aux Antilles. Pourquoi était-il parti sans un mot d'explication ? Elle le savait bien entendu. L'homme qui s'était élevé contre l'esclavage, qui avait dévotement déclaré que tous les hommes étaient les créatures de Dieu n'avait pas pu supporter l'idée que son enfant ne soit pas aussi éclatant que le sentier du Seigneur qu'il voulait lui faire suivre. La réaction de son mari avait été pour Tansie une déception effroyable. Elle avait aussitôt prévenu Mme Amelia qu'elle ne pourrait supporter de rester à Lointaine, le lieu de son humiliation, où tout le monde savait qu'on l'avait abandonnée. Amelia avait reconnu qu'il était préférable pour elle de se rendre à Basse-Terre mais que Delilah serait mieux à la plantation.

« Tu es Mme Henleigh, lui avait dit Amelia. Personne ne peut t'enlever ça. Commence une nouvelle vie. Ben t'hébergera. »

Tout d'abord Ben s'était montré réticent, mais Amelia lui avait confié quelque chose — que Tansie ignora toujours — qui l'avait fait changer d'avis. Puis quand la jeune femme commença à servir derrière le bar et que Ben vit l'effet qu'elle faisait sur la clientèle, il se montra très satisfait. Deux ans plus tard, toujours grâce à l'intervention d'Amelia, Ben se laissa persuader que Tansie devrait avoir une place bien à elle dans la taverne. Elle en devenait en quelque sorte la gérante, même si Ben avait exigé de garder le contrôle de l'établissement.

Tandis qu'elle servait machinalement à boire, Tansie ne pensait pas au traité d'Utrecht. Elle avait de fort bonnes raisons de croire que sa vie, comme celle de St. Kitts, allait bientôt changer de cap. Ce matin elle avait reçu un courrier d'Angleterre qui avait adouci l'amertume dont elle n'avait jamais réussi à se débarrasser. La lettre avait mis trois mois avant de lui parvenir et les nouvelles qu'elle contenait la bouleversèrent et la soulagèrent en même temps. L'enveloppe contenait deux documents distincts. L'un provenait d'un avocat de Londres, l'informant avec mille circonlocutions que, à son grand regret, son mari Mark Paul Henleigh était mort. Néanmoins ses biens, qui s'élevaient à deux mille sept cent cinquante souverains, devaient servir à l'entretien de son épouse et de Delilah, la fille née de leur mariage. L'homme de loi demandait qu'on veuille bien lui donner des instructions.

Le second venait de Mark lui-même. Tansie reconnut son écriture qu'elle connaissait bien depuis l'époque où il lui envoyait des billets doux et des poèmes : des messages secrets qui louaient inlassablement sa beauté. Ce tracé net et élégant lui fit bondir le cœur.

Ma chère Tansie, quand tu recevras cette lettre je n'appartiendrai plus au monde des vivants, mais serai parti rejoindre mon Créateur. Ma santé, comme tu le sais, n'a jamais été bonne et maintenant une terrible tuberculose m'emporte rapidement vers ma fin. Je n'ai pas peur de la mort. A vrai dire, avec la culpabilité et les souffrances que j'endure, la tombée du rideau final sera la bienvenue et je me débarrasserai de cette carcasse mortelle avec joie.

Mais il y a une chose que je veux faire avant de m'en aller, c'est me prosterner devant toi. Depuis que j'ai quitté St. Kitts, voilà six ans, j'ai eu beaucoup de temps pour réfléchir à ma conduite, à ma lâcheté, à ma cruauté. S'il y a un enfer, sans aucun doute les crimes que j'ai commis envers toi m'y conduiront tout droit. Je supporterai les flammes avec patience.

Je n'ai jamais cessé de t'aimer. Il ne s'est pas passé un jour sans que je pense à toi et que je ne me reproche tout ce qui s'est passé. La vérité, c'est que je n'ai pas eu le courage de rentrer en Angleterre avec Delilah. Quand nous nous sommes mariés, je n'ai pas voulu croire que notre enfant pourrait être noir. Et bien sûr, je suis profondément honteux de ma réaction lorsque j'ai vu Delilah pour la première fois. En découvrant ses traits, j'ai pensé à mes parents, à leur désarroi en face d'une telle petite-fille. J'ai également pensé à moi, je le reconnais, et à mon propre embarras. Mes principes chrétiens ne m'ont pas soutenu à ce moment-là. Je n'ai pensé ni à toi ni à l'enfant, mais seulement à mes peurs égoïstes. Voilà la raison de mon départ.

Maintenant que la mort porte sa main glacée sur moi,

j'éprouve le besoin de me repentir des péchés que j'ai commis à ton égard. Je ne sais pas quelle a été ta vie durant toutes ces années, mais j'ai prié pour que tu sois la plus heureuse possible loin de ton époux si lâche. J'ai également prié pour que tu trouves dans ton cœur la force de me pardonner et peut-être même de m'être un peu reconnaissante de t'avoir apporté la liberté. J'ai prié aussi pour que notre enfant soit en bonne santé — et libre. Ma seule consolation réside dans le fait que même si je n'ai jamais douté de ton amour, je n'ai jamais été convaincu que tu étais réellement persuadée d'être heureuse en Angleterre. Et à vrai dire, tu avais sans doute raison.

Je t'ai laissé le peu de biens que je possède en espérant que cet argent vous rendra à toi et Delilah la vie plus facile. Elle aura bientôt six ans. Je pense bien souvent à elle.

Je te dis adieu et te demande une fois de plus de me pardonner.

Ton mari pitoyable mais aimant, Mark.

Tansie relut lentement la lettre et elle pleurait lorsqu'elle la replia soigneusement. En six ans la souffrance provoquée par le départ de Mark s'était émoussée mais le sentiment d'avoir été rejetée était toujours aussi aigu. Depuis, elle avait fui la compagnie des hommes, préférant vivre seule. Tansie, même si elle ne le savait pas, tenait beaucoup de son père. Depuis qu'elle avait quitté Lointaine, elle avait travaillé de son mieux et elle savait que Ben appréciait maintenant sa compétence, malgré ses réticences initiales. Pendant ses brefs moments de liberté, Tansie s'enfermait dans la pièce que Ben lui avait donnée et lisait tous les livres qui lui tombaient sous la main. Quand il venait en ville, William lui en apportait aussi quelques-uns pris dans sa bibliothèque. Amelia la poussait également à lire, et elle lui avait offert le clavecin sur lequel, enfant, elle avait appris à jouer. Maintenant, elle étudiait au moins une heure par jour des partitions d'Antonio Vivaldi et de Jean-Sébastien Bach qu'Amelia faisait venir spécialement de Londres par son agent, M. Lockett.

Cette vie solitaire lui convenait. Elle pouvait rendre visite à Delilah autant qu'elle le désirait, bien que l'enfant ne sût pas qu'elle était sa mère. Amelia avait exigé que la petite fille soit élevée comme un être libre. Tansie prenait le thé à Lointaine au moins une fois tous les quinze jours, arrivant dans la voiture que lui fournissait Ben. Elle s'étonnait qu'on ne fasse plus allusion à l'époque où elle était esclave. Son seul regret provenait de ce que sa nouvelle condition avait changé ses rapports avec Ruby. Ruby la fuyait et Tansie en devinait la raison. Elle s'habillait maintenant avec des vêtements élégants, ses manières, ses goûts avaient évolué. Pour tout dire, sa vie n'avait plus rien à voir avec celle d'une esclave. Néanmoins les dérobades de Ruby la rendaient perplexe. Souvent elle se demandait si celle-ci était réellement sa mère. Après tout, personne n'avait jamais confirmé ce lien avec certitude, pas même Ruby elle-même. Mais alors, qui était sa mère ? Elle ne voyait personne d'autre. Parfois elle sentait que son entourage lui cachait quelque chose. Mais Bella restait muette lorsqu'elle lui posait des questions trop précises, et elle se disait qu'elle se faisait des idées.

Tansie eut de la peine en apprenant la mort de son mari mais sa lettre effaça beaucoup du ressentiment qu'elle avait éprouvé. Elle n'était pas rancunière. Elle se demandait ce qu'elle allait faire de cet héritage.

La taverne ferma tard cette nuit-là. Même le gendarme ne passa la porte, en titubant, qu'après trois heures du matin, et les solides Irlandais qu'employait Ben pour se débarrasser des clients récalcitrants eurent fort à faire. Lorsque tout fut remis en ordre et nettoyé Tansie put enfin aller se coucher. Néanmoins, elle se leva très tôt. Elle voulait parler à Amelia de ce qu'elle venait d'apprendre. C'était peut-être le moment de reprendre son enfant et de vivre comme une mère de famille et non plus comme une aubergiste. Avec l'argent que lui laissait Mark, elle pouvait s'acheter une maison à elle.

Amelia l'accueillit chaleureusement et lui proposa de faire une promenade dans la fraîcheur du parc où une légère brise agitait le sommet des palmiers. Tout à l'heure, il ferait trop lourd et l'on serait mieux à l'intérieur.

« Sais-tu que je vais devenir grand-mère ? Ma chère Isobel est finalememnt enceinte.

— Vous êtes bien trop jeune pour être grand-mère », lui dit Tansie. C'était vrai. Amelia semblait défier le temps. Sa chevelure fauve n'avait rien perdu de son éclat, le vert de ses yeux s'était même renforcé avec les années. Elle avait finalement surmonté la grande dépression qui s'était emparée d'elle après la guerre, et elle était plus gaie que jamais. Mais depuis qu'elle était libre, Tansie se sentait moins à l'aise avec Amelia que lorsqu'elle était son esclave.

« J'en suis heureuse, dit Amelia. J'avais besoin d'une diversion, sinon j'aurais totalement gâté ta Delilah.

— C'est de Delilah que je voudrais justement vous parler »,
dit Tansie.

Amelia haussa les sourcils.

« J'ai eu des nouvelles de Mark.

— Ah !

— Il est mort. Il m'a écrit une lettre avant de mourir et m'a
légué ses biens — deux mille sept cent cinquante souverains. »

Amelia garda le silence et conduisit Tansie vers un banc
placé à l'ombre d'un tamarin. La jeune fille sortit les deux lettres de la poche de sa robe. Amelia les lut en silence.

« C'est bien qu'il t'ait finalement reconnue, murmura Amelia
en repliant soigneusement les deux lettres. Es-tu très chagri-
née par sa mort ?

— Un peu, mais d'une certaine manière encore plus apaisée qu'il ait eu l'honnêteté de m'expliquer sa conduite. J'ai ressenti un tel sentiment d'échec, une telle impression de rejet
lorsqu'il est parti. Et puis, je suis aussi soulagée, je n'irai pas
en Angleterre. Je pensais que c'était ce que je voulais, ce dont
j'avais rêvé, mais en fin de compte, l'idée de quitter l'île me
faisait peur.

— L'aimais-tu ? demanda Amelia.

— Je l'aimais parce que je l'admirais beaucoup. Cependant
je dois avouer qu'il ne m'avait jamais semblé très viril avant
que nous soyons amants. Ensuite, ce fut différent. Il me flattait. Il paraissait m'adorer et ne supportait pas le fait que je
sois une simple esclave. Ça le rendait fou furieux. Alors que
pour ma part, ça ne m'avait jamais posé de problème. Il était
si intelligent, si cultivé. Savoir qu'il me trouvait merveilleuse
suffisait à me séduire. Et bien entendu, c'est moi qui l'ai
séduit. »

Curieusement, Amelia éclata de rire. « Mais il s'accusait du
contraire.

— Vraiment ? demanda Tansie avec un petit rire triste. Tout
était ma faute. Je pensais que je ne sortirais pas vivante de
la guerre et je ne voulais pas mourir vierge. Il n'arrêtait pas
de me dire à quel point il m'aimait, et je crois que c'était vrai.
Et je ne voyais aucune raison de ne pas en arriver là. »

Un large sourire illumina le visage d'Amelia. On aurait dit
qu'elle s'apprêtait à faire une révélation, mais elle n'alla pas
plus loin.

« Et maintenant ? demanda-t-elle seulement.

— Et maintenant je crois qu'il est temps d'arrêter d'être
une gérante de taverne pour devenir une véritable mère.

— Ah », fit Amelia en gardant une immobilité absolue. Seules quelques-unes de ses boucles étaient agitées par le vent. « Penses-tu que ce serait sage ?

— Pourquoi pas ?

— Parce que ce pourrait ne pas l'être, prononça Amelia d'une voix mesurée. Dis-moi, de quelle manière crois-tu que les gens te considèrent à Basse-Terre ? Comme une Blanche ou comme une Noire ? »

C'était quelque chose à quoi Tansie n'avait jamais pensé auparavant.

« Comme une Blanche, reconnut-elle finalement.

— Et comment penses-tu qu'ils te considéreront si tu t'installes en famille avec Delilah ?

— Je ne comprends pas où vous voulez en venir.

— Ou bien ils penseront que tu es une femme blanche qui a couché avec un Noir, ou une Noire qui se fait passer pour une Blanche.

— Mais je suis noire, dit Tansie.

— Mais non. Pas plus que tu n'es blanche. Tu n'es ni l'un ni l'autre et tu peux choisir exactement ce que tu veux. Je pense qu'il vaut mieux être blanc. A la longue, tu pourras te faire une place dans leur monde et on n'y verra que du feu.

— Mais ce serait une trahison, s'écria Tansie.

— Et pourquoi donc ? Tu n'es ni blanche ni noire. Tu ne dois d'allégeance ni d'un côté ni de l'autre. C'est à toi de faire ton choix. Tu trahirais tout autant ton sang blanc en voulant à tout prix être noire. Je te le demande, qu'as-tu de commun avec les Noirs ? Ce sont de braves gens, mais incultes, même si ce n'est pas leur faute. Tu es une fille cultivée et intelligente. Tu ne peux vivre parmi eux et être heureuse.

— Mais pourquoi donc faut-il que je choisisse ? demanda fiévreusement Tansie. Je ne sais pas moi-même qui je suis.

— Je viens juste de te le dire. Tu es une femme cultivée et intelligente. La couleur de ta peau n'a rien à voir avec ça. Tu dois trouver ta place dans un monde de gens cultivés et intelligents.

— Et que deviendra alors mon enfant ?

— Elle grandira en sécurité, avec moi, dans l'espoir qu'un jour sa vie et celle des Noirs changeront. Si tu l'enlèves d'ici, vos deux vies seront gâchées. A moins que tu ne la prennes comme esclave ou comme servante.

— Je ne pourrais faire cela à mon propre enfant. »

Amelia détourna la tête et regarda fixement en direction du ruisseau. « Ce serait douloureux, mais ce n'est pas impossible.

— Jamais. Jamais je ne voudrais faire ça, mais vous ne comprenez pas la souffrance de ne pas l'avoir avec moi. »

Les yeux d'Amelia se fermèrent comme si elle essayait de cacher ce qu'elle ressentait. « Oh, si, je le comprends, dit-elle doucement. Je le comprends très bien. »

Tansie soupira. « Et alors que devrais-je faire de ma propre vie ?

— Sortir de la coquille que tu as construite autour de toi. Continuer à t'occuper de la taverne, c'est mieux d'avoir quelque chose à faire. Et songer à te remarier. »

Tansie secoua violemment la tête en entendant prononcer le mot mariage. « Et supposez que la même chose arrive de nouveau ? Que je me marie et que j'aie un enfant noir ?

— Cela ne regarde que le destin. »

Tansie se leva et s'éloigna de quelques pas. « Je vais réfléchir à tout cela, dit-elle. Mais si je décide de reprendre Delilah, personne ne m'en empêchera.

— C'est ton droit. » La voix d'Amelia était résignée mais elle sourit et lui tendit la main. « Viens la voir, maintenant. »

Delilah avait un visage rond, une peau brune, des yeux noirs allongés presque bridés. Ses cheveux frisés avaient déjà beaucoup poussé. Sa bouche était comme celle de sa mère, mais son nez bien plus large. Si cet enfant tenait ses promesses, elle deviendrait une jeune femme étonnamment belle, se dit Tansie. Mais jamais, même dans un million d'années, elle ne pourrait passer pour blanche.

La petite fille était également intelligente. En jouant avec elle, en lui faisant la lecture, en l'observant écrire son nom, Tansie comprenait ce qu'Amelia avait voulu lui dire. Elle ressentait en face de sa fille un orgueil mêlé de désespoir. Que pourrait bien faire Delilah de son intelligence avec son sang noir ? Amelia avait raison. Il était préférable d'être blanc que noir. Et elle, Tansie, contrairement à sa fille, pouvait passer pour blanche.

Assise dans la voiture qui la ramenait à Basse-Terre, conduite par un cocher noir, Tansie trancha. Elle deviendrait blanche. Portugaise peut-être. De plus en plus de Portugais arrivaient sur ces îles, beaucoup venant de Madère, où la vie apparemment était encore plus dure qu'ici. Ils avaient les yeux et les cheveux noirs et le teint olivâtre. Tansie leur ressemblait étonnamment. Elle deviendrait donc portugaise.

Cette décision ne la rendait guère heureuse. Elle avait toujours l'impression de trahir les siens mais elle se souvint alors des paroles d'Amelia : « Tu trahirais tout autant ton sang blanc si tu voulais à tout prix être noire. » Naturellement, c'était vrai. Elle se mit à rire doucement dans sa main gantée. Ce serait amusant de tromper les gens. Tous ces Blancs avec leurs airs supérieurs. Elle serait plus blanche qu'aucun d'entre eux. Peut-être deviendrait-elle riche et pourrait-elle s'introduire dans la haute société ? On se battrait pour être invité à ses soirées et personne ne devinerait que leur belle et élégante hôtesse (car elle serait les deux à la fois) avait une mère noire comme le charbon, un père métis et pour grand-mère une cuisinière noire. C'était une perspective qui lui souriait énormément — dans la mesure où personne n'apprendrait jamais la vérité la concernant.

Elle arriva à la taverne de fort bonne humeur et monta dans sa chambre pour s'habiller. Tansie était réellement la gérante de la taverne. Elle portait des robes élégantes coupées par les couturières les plus en vue. Elle avait acquis une telle habileté à servir les boissons que ses soies et ses satins, venus de France, n'étaient jamais tachés par la moindre goutte d'alcool. Ses cheveux noirs étaient toujours coiffés à la dernière mode, grâce à l'expérience acquise au service d'Amelia. Elle utilisait une poudre discrète pour neutraliser les effets de la chaleur dans la taverne. Et bien qu'elles fussent légèrement démodées, elle aimait poser des mouches sur ses joues rondes et hâlées. Elle s'habillait pour plaire aux clients mais elle ne les provoquait jamais et restait toujours extrêmement digne. Elle s'était rendu compte que sa beauté, alliée à un comportement empreint de dignité, la rendait encore plus désirable. Prissie, la plus jeune des quatre prostituées, lui avait même dit un jour : « Merci beaucoup, patronne. C'est vous qu'ils veulent mais comme ils savent qu'ils n'y arriveront pas, ils viennent nous voir. »

Tansie faisait rarement attention aux clients. Très vite elle avait appris à leur sourire en donnant à ses yeux un aspect chaleureux et intéressé alors qu'elle ne les voyait même pas. Toutefois, en arrivant dans la taverne ce matin-là, elle se montra moins impassible qu'à l'ordinaire. Ce n'était guère étonnant. Il n'y avait qu'un seul client dans la pièce et c'était un des hommes les plus grands qu'elle ait jamais vus. Elle avait toujours pensé que Zachary Quick était remarquablement grand, mais cet homme était un véritable géant. Il n'avait non plus rien d'un dandy. Sa tignasse de cheveux châtains tombait de chaque côté de son long visage, comme les oreilles d'un épagneul. Il ressemblait à Charles Ier et cette abondante chevelure le faisait paraître encore plus grand. Il était obligé de pencher la tête pour ne pas se cogner au plafond. Ses yeux, qui avaient la couleur de la mer, se mirent à briller lorsque Tansie passa la porte. L'homme venait certainement du port, se dit la jeune femme, car il portait une redingote d'uniforme, une épée et un tricorne de marin. Il dégageait une odeur de poisson qui lui fit froncer le nez.

« Ah, dit-il d'une voix qui ressemblait à un roulement de tambour. J'ai une soif prodigieuse. Deux pots de bière, s'il vous plaît, patronne. »

Elle tira deux pots de bière au tonneau placé sous le bar et les poussa devant l'homme. Il vida le premier d'un trait, respira profondément et réserva le même sort au deuxième. Fascinée, Tansie regardait remuer son énorme pomme d'Adam. Puis avec un gentil sourire, il dit : « Remettez ça, s'il vous plaît. »

Elle se surprit à sourire tandis qu'elle remplissait les deux pots d'étain. Une main énorme s'empara d'un des pots et la troisième bière fut engloutie par le colosse. Quelle taille pouvait-il avoir ? se demanda-t-elle. Pas loin de deux mètres.

« Si j'ai soif, savez-vous, c'est entièrement votre faute.

— Ma faute ! » s'exclama Tansie l'air surpris, en essayant d'identifier son accent. En tout cas, il n'était pas anglais.

« Absolument, dit-il avec solennité. Vous m'avez servi beaucoup trop de bon bordeaux hier soir. Ce matin, j'avais la bouche qui ressemblait à la cale d'un navire d'esclaves.

— Vous étiez ici hier soir ? dit-elle, étonnée de ne pas l'avoir remarqué.

— Ouais. Mais je n'ai pas réussi à franchir la porte. J'ai bu dans la rue. J'ai envoyé le plus petit et le plus agile des marins de mon équipage se frayer un passage dans la cohue. Mais je vous ai vue.

— Ah oui ?

— Eh oui, dit-il avec un grand sourire qui rida ses yeux bleus. C'est un des avantages d'être grand. Je pouvais vous apercevoir par-dessus les têtes de vos clients. Et ce que j'ai vu ne ressemblait guère à une servante d'auberge.

— Je ne suis pas servante, dit-elle vivement. Je suis patronne de la taverne.

— Vous êtes mariée avec le patron ? »

— Non. Je suis vraiment la gérante.

— Je vois. Une femme exceptionnelle. Je m'en doutais. »

Tansie ne répondit pas. Quelques hommes entraient et elle se retourna pour crier à Marianne de venir l'aider.

« Vraiment c'est dommage, dit l'homme en prenant son pot de bière.

— Qu'est-ce qui est dommage ? demanda Tansie tandis qu'elle entendait les pas de Marianne dans l'escalier.

— Que ces messieurs viennent juste en ce moment étancher leur soif. Je suis arrivé tôt dans l'espoir de passer un petit moment seul à seul avec vous.

— Vraiment, dit-elle, se demandant pourquoi elle dérogeait à sa règle et acceptait de parler à ce client étrange.

— Vraiment, répéta-t-il. Voyez-vous, je n'ai pas beaucoup de temps. »

Avec quelque difficulté, il était parvenu à poser ses coudes sur le bar. Son visage buriné et joyeux se trouvait maintenant à la hauteur de celui de Tansie. « Vous êtes toute petite, remarqua-t-il sur le ton de la conversation. A vrai dire, fit-il abandonnant le sujet, je n'ai pratiquement pas de temps du tout.

— Pas de temps pour quoi ?

— Pour vous dire que j'ai décidé de vous épouser. »

Tansie resta bouche bée. Elle dévisagea l'homme avec incrédulité. Un doigt démesurément long vint se poser sous son menton et lui ferma doucement la bouche.

« Aucune femme n'est à son avantage la bouche ouverte, dit-il. Permettez-moi de me présenter. Commandant Robin Darnley, navigateur et commerçant à Boston, Massachusetts, pour vous servir. Commandant de la *Reine des Mers*, qui doit malheureusement lever l'ancre avec la marée. C'est-à-dire au plus tard dans vingt minutes. Mon bateau a chargé sa cargaison de mélasse et mon équipage m'attend. Donc nous n'avons guère le temps de faire plus ample connaissance. Et si je sens la marée, la morue pour être plus précis, je vous demande de ne pas y attacher trop d'importance. Ce sont les derniers relents de ma précédente cargaison en provenance de l'Atlantique Nord. Si j'avais imaginé vous rencontrer, j'aurais apporté plus de soin à ma toilette avant de descendre à terre. Mais la prochaine fois que je reviendrai, je prendrai un bain avant de faire ma cour. » Il sortit sa montre de gousset. « Disons, dans neuf semaines, cinq jours et vingt-trois heures. D'accord ? »

Tansie, penchée au-dessus du bar, restait sans voix. Il la souleva comme si elle n'était pas plus lourde qu'une poupée et lui déposa un baiser sonore sur les lèvres avant de la reposer doucement par terre. Elle fut si surprise qu'elle n'eut aucune réaction.

« Au revoir », dit-il. Il lança une poignée de monnaie sur le bar, lui fit un petit salut, et sortit d'un pas si lourd que les verres en tremblèrent sur les étagères.

Tansie regarda son large dos disparaître dans l'encadrement de la porte. Puis elle porta une main à sa bouche, là où il avait posé le baiser. Marianne avait des difficultés à garder son sérieux, quant aux autres clients, ils se tapaient les cuisses. Rouge de confusion, Tansie, pour se donner une contenance, entreprit de laver une des chopes que le géant avait utilisées.

« Allez-vous accepter sa proposition ? lui lança Marianne.

— Ne sois pas stupide, Marianne », dit-elle sèchement. Pourtant, à la vérité, elle n'était nullement fâchée. Elle était même ravie. Elle sentait encore le baiser lui brûler les lèvres. Neuf semaines, cinq jours et vingt-trois heures... Ce qui nous amenait aux environs de la mi-février. Peut-être pour la Saint-Valentin.

Mais neuf semaines, cinq jours et vingt-trois heures, c'est long. Lorsque Noël arriva, elle s'aperçut qu'elle se sentait moins malheureuse. La lettre de Mark avait calmé ses blessures et elle commençait à se débarrasser du passé. Ben l'avait introduite chez quelques dames de la bonne société en la présentant comme sa nièce. Avec Marie et Marianne qui s'occupaient de la taverne, Ben sortait beaucoup et Tansie l'accompagnait sans que jamais personne pose de questions.

Elle avait presque maintenant oublié le commandant Darnley, mettant ses paroles et sa conduite sur le compte de l'alcool qu'il avait absorbé la veille. Néanmoins, il y avait chez cet homme quelque chose qui l'avait séduite et elle souriait intérieurement au souvenir de sa monumentale silhouette qui encombrait la taverne et de la façon dont il l'avait soulevée du sol avec tant de facilité. Peut-être, qui sait, pouvait-il revenir ? Et si c'était le cas, il lui fallait reconnaître qu'elle en serait heureuse.

Bella pétrissait de la pâte lorsque Joseph, se traînant sur ses vieilles jambes, passa la tête dans l'entrebâillement de la porte de la cuisine pour lui dire que la maîtresse voulait lui parler.

« Qu'est-ce qu'il y a encore ? » grommela Bella en se débarrassant de la farine qui collait à ses doigts.

De mauvaise humeur, elle traversa la maison pour se rendre au salon d'Amelia. Depuis que ses cheveux crépus étaient devenus blancs, elle portait des turbans de soie de couleurs vives, coupés pour la plupart dans de vieilles robes d'Amelia. Elle avait plus de cinquante ans, un âge avancé pour une Africaine des Antilles. Depuis qu'elle était une femme libre, elle menaçait parfois de s'arrêter de travailler, bien qu'elle n'en eût aucunement l'intention.

Amelia l'attendait debout, près de la fenêtre, perdue dans la contemplation du parc. Elle se retourna en entendant Bella entrer.

« Eh bien qu'est-ce qu'on me veut ? dit Bella, qui sans attendre d'être invitée s'affala dans un fauteuil.

— J'ai à te parler, dit Amelia. Quelque chose me préoccupe depuis des semaines. »

Elle a l'air fatiguée, se dit Bella. Fatiguée et soucieuse comme toujours lorsqu'elle ne savait pas trop que faire.

« Alors qu'est-ce qui ne va pas ?

— Tansie.

— Qu'est-ce qu'elle a fait ?

— Rien. Mais quand même. Il y a un certain temps, elle parlait de reprendre Delilah.

— Et grand Dieu, qu'est-ce qu'elle en ferait ?

— C'est bien là le problème, dit Amelia. Tu vois, Mark Henleigh est mort et lui a laissé ce qu'il possédait.

— A qui ? à Tansie ou à Delilah ?

— A Tansie », dit Amelia avec impatience. Elle lui rapporta la conversation qu'elle avait eue quelques semaines plus tôt avec Tansie.

« Il faut qu'elle choisisse son camp, conclut Amelia. Ce que lui laisse Mark ne représente pas une fortune importante mais ça lui permet d'être indépendante. Elle peut élever Delilah, bien sûr, mais quelle explication pourra-t-elle fournir si on lui en demande ?

— Qu'est-ce que vous voulez dire ? Fournir des explications à qui ? C'est sa fille, non ? » Bella n'ignorait pas l'agressivité de ses questions.

« Bien sûr, mais tu sais aussi bien que moi ce que diront les gens s'ils apprennent que Delilah a du sang noir.

— Il n'y a rien de mauvais dans le sang noir. Ce que vous

331

êtes en train de dire, c'est que vous pensez que Tansie ferait mieux de se faire passer pour blanche.

— En fait, elle est blanche. Oh, Bella, arrête d'être contre moi. Je ne dis pas que c'est mauvais d'être noir. Et pour l'amour du ciel, c'est bien toi qui durant toutes ces années m'as mise en garde contre les problèmes que je pourrais avoir en révélant qu'elle était ma fille. Tu avais raison. Aussi il est préférable qu'elle choisisse une bonne fois pour toutes.

— Et qu'elle choisisse le côté blanc. C'est ce que vous dites ?

— Eh bien, n'est-ce pas son intérêt ? »

Bella poussa un énorme soupir. « Ben oui. C'est vrai.

— J'ai pensé aux dangers qu'il peut y avoir pour elle si elle choisit d'être blanche. Combien y a-t-il de gens qui savent que je suis sa mère, à ton avis ? Et combien de gens sont au courant au sujet de Delilah ? Nous avons de la chance d'être dans un endroit retiré ici à Lointaine, mais le moindre soupçon à son sujet peut tout ruiner pour elle.

— Et pour vous. »

Amelia haussa les épaules. « Bella, je suis trop vieille pour me soucier de ça maintenant. Que pourraient-ils me faire ? Je n'ai à aucun moment regretté d'aimer Joshua. Je voudrais simplement qu'il soit encore là. Mais je souhaite que Tansie soit plus heureuse que moi. »

Bella grogna mais sans conviction. « Bon, dit-elle, je sais que c'est votre fille, Vérité le sait et cela veut dire, j'imagine, que Dan le sait aussi. Mais peut-être pas Juba. Et pour Ben et Zach ?

— Oui, ils l'ont toujours su, mais je suis absolument certaine qu'ils n'en parleront à personne. Zach parce qu'il ne voudrait pas que ça se sache, et Ben parce qu'il ne veut pas y croire.

— Ruby est au courant, dit Bella d'un air pensif. Mais ce n'est pas le genre de personne à faire du mal à qui que ce soit. La vieille Bessie le savait mais elle est morte maintenant depuis longtemps. Sa fille Minta le sait. J'imagine qu'elle doit encore être quelque part à Macabees, si elle vit toujours.

— Mais peut-être l'un d'entre eux en a-t-il parlé à d'autres ? Quant à Tansie et Delilah... Eh bien personne n'ignore sur la propriété que Tansie a été esclave et que Delilah est sa fille. Ça va être difficile pour Tansie, mais que peut-elle faire d'autre sinon d'en prendre le risque ?

— D'être ce qu'elle est. Apprendre un métier comme les

autres esclaves libres. Ou simplement rester la gérante de la taverne.

— Elle mérite mieux. Elle est trop jeune pour vivre seule.

— A quoi pensez-vous encore, à un mariage avec un Blanc ? Vous savez ce qui est arrivé la dernière fois.

— Ça peut fort bien ne plus se reproduire, dit Amelia sur la défensive. Elle est belle, elle est intelligente. Elle ne peut épouser un esclave, ni même un esclave libre. Qu'auraient-ils en commun ?

— Si vous ne voulez pas qu'elle épouse un Noir, ce serait mieux de dire qu'elle est votre fille, dit Bella de façon catégorique. Et prétendre que son père était blanc.

— Ça ne justifierait pas la présence de Delilah, fit remarquer Amelia.

— On peut dire qu'elle a fauté avec un Noir.

— Cela ne l'aiderait pas beaucoup. »

Cette fois, Bella protesta franchement. « Je ne vois pas pourquoi vous ne lui dites pas tout simplement maintenant. »

Amelia grimaça. « Je le souhaite de tout mon cœur, mais je sens que le moment est passé. Elle ne me pardonnerait jamais toutes ces années de tromperie. Au moins, pour le moment, nous sommes amies. Et si je lui dis, que dirai-je à William ? Et si je ne le dis pas à William, il faudra que je demande à Tansie de garder le secret.

— Eh bien j'ai l'impression qu'il lui faudra tenter sa chance comme nous tous.

— Pourrais-tu demander à Vérité et à Ruby d'être discrètes ?

— Ruby n'a pas besoin de moi pour l'être. Quant à Vérité, si je le lui demande, elle risque de faire exactement le contraire à cause de sa mauvaise tête. Il vaut mieux rester tranquille. Mais je réalise que Vérité connaît pas mal de secrets vous concernant. Ce serait peut-être le moment de lui donner la liberté.

— Qu'est-ce qu'on y gagnerait ?

— Plus de bien que de mal, j'imagine.

— Mais elle fait partie de la famille.

— Alors pourquoi est-elle à Windsong ? Depuis combien de temps ne l'avez-vous pas vue ? Je veux qu'elle revienne ici. »

Amelia garda le silence et Bella comprit qu'elle avait gagné. Elle connaissait Amelia comme sa propre fille et parfois l'aimait même beaucoup plus que Vérité. Bien entendu, même sous la torture, elle ne l'aurait jamais reconnu. Amelia, se disait-elle souvent, aurait été une fille parfaite... si seulement elle n'avait pas été blanche.

« Tu as raison, dit Amelia l'air pensif. Ça fait longtemps qu'elle devrait être libre. Je vais m'en occuper dès demain. »

Elle décida de se rendre à Windsong tôt le matin. Sa jument était morte quelques années auparavant, et elle en avait maintenant une autre, une jolie petite bête noire qui, au dire de son valet d'écurie, descendait de cette première jument qu'elle avait tant aimée. Le soleil brillait dans un ciel pur de janvier, ce qui ne laissait présager aucune pluie, ce dont on avait pourtant un grand besoin. La journée s'annonçait torride.

Amelia chevaucha à travers une multitude de champs de canne et une forêt où des oiseaux ressemblant à des perroquets la regardaient attentivement du haut de leurs branches. Elle chantonnait doucement. L'idée de donner la liberté à Vérité et à Daniel l'avait mise de bonne humeur. Plus elle envisageait les chances qu'avait Tansie de devenir une véritable Blanche, plus la chose lui semblait possible. La plupart des esclaves qui étaient à Windsong au moment de sa naissance étaient morts. Certains à Lointaine connaissaient son passé, mais elle ne craignait aucune méchanceté de leur part.

Vérité était la seule à poser un problème, mais si elle se sentait libre elle n'aurait plus aucune raison de faire du mal. A vrai dire Vérité, malgré son caractère difficile, ne nuirait probablement jamais à sa famille.

Charlotte accueillit sa belle-sœur avec plaisir et demanda qu'on fasse venir ses jumeaux âgés de huit ans, afin qu'ils saluent leur tante. C'étaient des enfants charmants, débordants de vie, avec un caractère heureux et les cheveux fauves des Quick.

« Tu les trouves grandis, n'est-ce pas ? lui demanda Charlotte avec tendresse après qu'on les eut reconduits à la nursery. Zach parle déjà de faire venir un précepteur d'Angleterre.

— Ah, fit Amelia en disposant sa jupe autour d'elle. Dans ce cas, vous pourrez sans doute me rendre Juba. »

Charlotte laissa échapper un petit cri d'émotion. « Mes enfants auront le cœur brisé s'ils le perdent. Ils sont devenus inséparables.

— Eh bien, commença prudemment Amelia, c'est précisément à ce sujet que je suis venue ce matin. J'ai décidé de donner leur liberté à Vérité et à Daniel, et je me vois mal ne faisant pas la même chose pour Juba. »

Charlotte était devenue très pâle. « La liberté ? Seigneur ! dit-elle dans un souffle. Je pense qu'il serait préférable que tu en parles à Zach. Je t'en prie, excuse-moi un instant. »

Elle sortit de la pièce en grande hâte. Amelia savait que pour Charlotte, donner leur liberté à des esclaves c'était dilapider sa fortune, mais sa réaction était malgré tout exagérée étant donné que Vérité et Daniel ne lui appartenaient pas.

Au bout d'un certain temps, elle revint avec Zach. Il portait encore son bonnet de nuit et sa robe de chambre et paraissait mal à l'aise en entrant dans la pièce.

« Bonjour, dit-il.

— Bonjour, Zach. » Il était plus de dix heures du matin et elle regarda sa tenue d'un air étonné. « Je suis désolée de t'avoir dérangé.

— Nous avons eu une soirée chargée au conseil ! » marmonna-t-il.

Amelia se tut et attendit. Le malaise devenait palpable.

« Tu es venue à propos de Vérité et de Daniel ?

— Je veux leur donner la liberté, dit-elle en hochant la tête.

— Je crains que ce ne soit pas possible », dit Zach en évitant son regard. Apparemment, il semblait avoir des difficultés à garder ses mains en place.

« Je ne comprends pas.

— Ils ont été vendus », finit-il par lâcher.

Amelia le regarda abasourdie. Charlotte, le visage blanc comme un linge, semblait vouloir intervenir.

« Que veux-tu dire par "ils ont été vendus" ?

— Exactement ce que ça veut dire. » Maintenant, il tentait de faire le fanfaron.

« Mais tu ne peux pas les avoir vendus. Ils ne t'appartenaient pas. »

Le trouble de sa sœur lui donna de l'assurance. « Néanmoins, c'est ce que j'ai fait.

— Comment as-tu pu ! Amelia sentit la colère l'envahir. Mais c'est impensable. Comment as-tu osé ! Où sont-ils ? Tu vas aller me les chercher tout de suite.

— Difficile. Je les ai vendus à un marchand d'esclaves itinérant. Il m'a promis de s'en débarrasser dans une plantation située sur une autre île. Je n'ai aucune idée de laquelle. »

Pour l'instant Amelia se maîtrisait encore, mais sa fureur grondait.

Les dents serrées elle dit : « Et pourquoi as-tu fait une chose aussi horrible ?

— J'avais de bonnes raisons de la punir. Elle était désagréable et insolente. Je voulais la faire fouetter. Alors elle m'a menacé. Je ne l'ai pas fouettée. Je m'en suis débarrassé pour de bon.

— Je vois. Et quelles étaient ses menaces ?

— Je préférerais ne pas en parler. »

Vérité et Daniel, malgré leur âge, avaient été expédiés dans une autre île, séparés de leur fils sans aucune possibilité de voir leur famille, et son frère avait le culot de rester là debout devant elle, l'air satisfait et sûr de lui. La rage l'emporta.

« Je comprends pourquoi tu préfères ne pas en parler, mon cher frère, dit-elle d'une voix suave. Je suppose que Vérité t'a laissé entendre qu'elle pourrait révéler que c'est toi qui as tué le frère de Charlotte, au cours de cette nuit dramatique il y a maintenant bien longtemps ; que Tansie n'est pas mon esclave mais ma fille et celle de son frère Joshua qui était mon amant. Était-ce de cela que tu avais peur ? Eh bien maintenant tout est clair », et pointant son index vers sa belle-sœur horrifiée, elle poursuivit : « Et tu n'auras plus besoin maintenant de te débarrasser de qui que ce soit pour cacher les secrets de la famille. A moins bien entendu que tu n'essaies de te débarrasser de moi. »

L'assurance de Zach avait volé en éclats. Il reculait à petits pas, les mains collées à ses oreilles.

« Oh non ! » hurla Charlotte, ses boucles blondes enfantines ballottant contre ses joues. Elle fit deux pas incertains en avant, les paumes de ses mains en avant comme pour repousser la vérité. Puis elle tituba, fléchit les genoux et s'écroula.

« Je crois que ta femme s'est évanouie, dit calmement Amelia en jetant un coup d'œil sur sa belle-sœur. Peut-être ferais-tu bien de t'occuper d'elle. Je te souhaite le bonjour, Zach. »

Dehors, elle commença à trembler en pensant à l'énormité de ce qu'elle venait de faire. Mais elle ne partirait pas sans Juba. Essayant de se maîtriser, elle se rendit à la cuisine. Ruby était seule et leva la tête d'un air surpris en voyant Amelia.

« Bonjour, Ruby, dit-elle d'une voix saccadée. Je suis venue pour ramener Juba à la maison. Tu n'as pas à être étonnée de me voir ici, je connais bien ces cuisines. J'ai été moi aussi esclave ici, il y a longtemps. Pendant quatre ans seulement, mais suffisamment pour m'en souvenir. J'ai vécu dans la case des esclaves, là-bas. »

Ruby leva les mains au ciel, comme si elle était noyée sous ces révélations. « Je sais, dit-elle, Josh me l'avait dit. »

Cet aveu paisible calma Amelia. Elle laissa échapper le soupir qu'elle retenait depuis si longtemps, et dit : « Et tu n'en as jamais parlé ? »

Ruby haussa les épaules. « Ce n'est pas mes oignons. » Les yeux noirs, vifs, scrutaient Amelia, elle se mordit les lèvres et secoua la tête. « Vous avez entendu parler de ce qui est arrivé à Vérité et à Dan, n'est-ce pas ?

— Oui. Pourquoi est-ce que personne ne m'en a informée ?

— Parce que c'était les oignons de personne, j'imagine. Et je ne voulais pas être celle qui allait briser le cœur de Bella.

— Alors ce sera à moi de le faire.

— Sans doute. »

Le visage d'Amelia se contracta. « Ça m'est insupportable. Je sais que Vérité était difficile, mais je l'aimais. Nous avons grandi ensemble. Elle faisait partie de ma famille, plus peut-être que ma véritable famille. Pourquoi a-t-il fait ça ?

— Par peur. Mais elle n'a jamais rien dit sur vous. Vous lui avez appris à lire. Elle faisait la même chose avec Juba, et avec moi aussi avant qu'on ne l'emmène. Mais elle a peut-être raconté des choses sur lui. Et ça lui ferait les pieds si c'était vrai. »

Ruby avait les yeux pleins de larmes et Amelia ne parvenait plus à retenir les siennes. Ruby tendit la main au-dessus de la table de la cuisine. Amelia la lui prit dans la sienne. Elles restèrent debout ainsi, têtes baissées, jusqu'à ce que Ruby retire sa main et essuie son visage.

« J'imagine que vous voulez que j'aille chercher Juba », dit-elle.

Le petit cheval noir ne prit guère plus de temps pour rentrer à Lointaine, même avec Juba en croupe. C'était un jeune garçon de dix-sept ans, mince, sévère, avec parfois un sourire espiègle. Aujourd'hui, il n'y avait aucun signe de sourire.

Il n'ouvrit pas la bouche avant d'être arrivé.

« Viens avec moi, Juba », dit Amelia. Elle traversa la maison pour se rendre à la cuisine. « Je veux que tu dises bonjour à ta grand-mère et que tu ailles ensuite m'attendre dans le salon.

« — Vous n'allez pas me vendre ? demanda-t-il le visage inquiet.

— Bien sûr que non.

— Alors pourquoi les avez-vous laissés vendre mon père et ma mère ?

— Je n'y suis pour rien. Je n'étais pas au courant. Je vais essayer de les retrouver. Et je vais te donner la liberté. »

Il la regarda avec des yeux comme des soucoupes, mais avant qu'il ait pu dire quoi que ce soit, Amelia fonça en direction de la cuisine. Il la suivit. Bella l'embrassa, le serra contre elle, puis jeta un coup d'œil circulaire.

« Où est Vérité ? » demanda-t-elle.

Amelia fit signe à Juba de sortir et comme le garçon s'éloignait, Bella demanda, la voix tremblant d'inquiétude : « S'est-il passé quelque chose ?

— Des choses terribles », dit Amelia en frappant sa botte avec sa cravache. Puis elle s'assit et commença à se déchausser afin que Bella ne puisse voir l'expression de son visage. « Zach a vendu Vérité et Daniel.

— Vendus ! s'exclama Bella, ses yeux révulsés.

— Il voulait châtier Vérité pour son insolence. Elle l'aurait menacé de révéler ce qu'elle savait de son passé. Il les a vendus, elle et Daniel.

— Où sont-ils ?

— Je ne sais pas. Loin d'ici. Il m'a dit qu'il s'était débarrassé d'elle pour toujours.

— Vous ne pensez pas... ?

— Je ne pense pas qu'il aurait fait ça.

— Il l'a déjà fait une fois.

— C'est à cela qu'il pensait que Vérité faisait allusion. En tout cas, dit Amelia en abattant sa main sur la table, il n'aura plus à se débarrasser de personne pour garder ce secret. J'ai tout dit à sa femme, le meurtre de Justinian, Josh, Tansie et moi. Elle connaît depuis ce matin tous nos secrets de famille. »

Bella se balançait d'avant en arrière, les bras croisés sur sa poitrine. « Et que va-t-elle faire maintenant ?

— Rien. Charlotte ne voudra pas que sa position dans le monde soit menacée à cause d'un mari meurtrier et d'une belle-sœur maîtresse d'un Noir. Elle gardera le secret. »

La fureur d'Amelia commençait à diminuer et elle se sentait brusquement épuisée. Elle regrettait aussi d'avoir blessé Charlotte dans sa colère — même si c'était une colère justifiée — en lui révélant des choses qu'elle n'était peut-être pas capable de supporter. Mais, se disait-elle, Charlotte aurait dû le savoir dès le début. De tels secrets sont trop dangereux. Mais qui était-elle pour parler ainsi, elle qui continuait de garder cachée la naissance de sa fille ?

Bella s'était tassée sur elle-même. « Qu'allons-nous faire ? demanda-t-elle d'une petite voix pitoyable.

— Essayer de les retrouver.

— Zach ne vous dira absolument rien. Pas après ce que vous m'avez raconté.

— Non. Il ne va rien me dire. Ça prendra peut-être des années, Bella, mais nous finirons par les retrouver. Et au moins nous avons Juba.

— Mais Vérité et lui sont séparés, dit-elle avant d'appuyer la tête sur la table pour se mettre à pleurer. Je voudrais tellement qu'on m'ait laissée tranquille en Afrique, gémit-elle. Nous étions si heureux là-bas. »

Amelia se creusait la tête à propos de la manière de récupérer Vérité et Daniel. Elle savait que ce ne serait pas facile étant donné qu'elle n'avait aucun renseignement. Il y avait une multitude d'îles et encore plus de plantations aux Antilles. Par où allait-elle commencer ses recherches ?

Récemment, on avait donné l'autorisation aux Noirs et aux mulâtres d'organiser un marché, le dimanche, près de la prison, dans un quartier récent de Basse-Terre. Les esclaves arrivaient des campagnes environnantes et des plantations pour vendre leurs produits : légumes, volailles, fruits, tout ce qu'ils parvenaient à élever ou à faire pousser sur le petit lopin de terre qui leur était octroyé derrière leurs cases. Ils ne gagnaient pas grand-chose mais espéraient à la longue économiser suffisamment d'argent pour acheter leur liberté. Un esclave artisan, un forgeron, un chaudronnier, un charpentier, pouvait ce jour-là travailler pour les gens de la ville, faire de petits travaux dans les maisons où il n'y avait pas d'esclaves. Tous passaient leur temps libre sur ce marché du dimanche car c'était le seul endroit où ils pouvaient obtenir des nouvelles les uns des autres. Bella s'y rendait tous les dimanches matin, pour essayer d'apprendre quelque chose au sujet de Vérité et de Daniel. Mais en vain.

Amelia était parvenue à retrouver la trace du marchand d'esclaves, mais il n'avait rien voulu lui dire. Elle soupçonnait qu'on lui avait ordonné de se taire. Zach était maintenant suffisamment puissant dans l'île pour se faire obéir. On disait

339

qu'il serait probablement le prochain adjoint du gouverneur. Sans l'aide de Zach, Amelia se rendait compte qu'elle n'arriverait jamais à rien.

Deux semaines après la scène terrible à Windsong, Ben débarqua inopinément à Lointaine. Un orage tropical s'était brusquement abattu sur l'île, il était trempé et s'ébrouait comme un chien lorsqu'Amelia l'accueillit avec plaisir.

« C'est Zach qui m'a envoyé, dit-il sans préambule.

— Ah.

— Il m'a raconté ce qui s'était passé.

— Je vois.

— Tu n'aurais pas dû dire tout cela devant Charlotte, Amelia. Ce n'était vraiment pas une chose à faire.

— Et ce n'était pas une chose à faire de vendre Vérité et Daniel.

— Deux mauvaises actions ne se transforment jamais en une bonne. »

Amelia laissa échapper un soupir d'exaspération. « Assez de morale, Ben. Je n'ai fait que dire la vérité.

— Écoute, il faut que tu retournes à Windsong et que tu fasses croire à Charlotte que tu as menti à propos de Zach. Elle est au plus mal et Zach n'en peut vraiment plus.

— Vraiment, dit-elle sèchement. Et qu'est-ce qui te fait penser que j'agirai ainsi ?

— Parce que c'est ton frère et qu'il l'a fait pour moi. Je lui en suis reconnaissant et c'est pourquoi j'essaie de te convaincre. Il n'avait pas l'intention de tuer Justinian. C'était un accident. Il voulait simplement l'émasculer afin qu'il me laisse tranquille. Mais bon Dieu, Zach n'est pas chirurgien. Comment pouvait-il prévoir que ce petit salaud allait saigner à mort ? » Il fit un mouvement d'impatience de la main. « Écoute, Zach ne se soucie guère que sa femme soit au courant. Mais ses crises de nerfs, ses larmes et ses gémissements le rendent fou. Allez, Amelia, c'est ton frère. Il ne comprend vraiment pas pourquoi tu fais tant d'histoires à propos d'un couple d'esclaves noirs. »

Elle regarda tristement son cousin. Comme ils étaient tous devenus cruels et égoïstes, dans cette île paradisiaque où la vie était si facile.

« Il ne veut même pas faire l'effort de comprendre, dit-elle. Vérité et moi avons été esclaves ensemble. A sa manière elle a été très gentille avec moi, autant que le permettait son mépris des Blancs. Et parfois je pense qu'elle a raison de nous mépriser. Zach et toi avez oublié ce que c'est que d'être esclave.

— Zach peut-être, dit-il sèchement, mais pas moi. Je ne me suis jamais enrichi sur le dos des esclaves. Tu ne peux pas en dire autant. »

Amelia grimaça. « Touché », murmura-t-elle, puis elle ajouta doucement : « Je veux bien faire ce qu'il désire, à condition qu'il accepte de me dire où il a vendu Vérité et Daniel.

— Il ne le sait pas. »

La réponse était venue trop rapidement, trop vivement.

« Alors pourquoi a-t-il acheté le silence du marchand d'esclaves ?

— Je l'ignore. » Ben haussa les épaules. « Mais à mon avis, même s'il le savait, il ne le dirait pas. Zach veut devenir l'adjoint du gouverneur de cette île. Mais en réalité il brigue le poste de gouverneur. Il ne va pas supporter les menaces de chantage d'une esclave noire. A sa place, je ne dirais rien non plus. »

Amelia se dirigea vers la fenêtre et dit à son cousin : « Ben, est-ce que tu as toujours envie de la taverne ? Pour toi tout seul ? »

Il y eut un long silence avant qu'elle ne se retourne. L'expression de Ben était énigmatique. Mais il était devenu très pâle, ce qui faisait ressortir les taches de rousseur sur son visage.

« Pourquoi me demandes-tu ça ?

— Parce que si tu retrouves Vérité et Daniel et que tu me les ramènes ici, la taverne t'appartiendra. »

Ben gonfla ses joues et souffla une impressionnante quantité d'air.

« Désolé, Amelia, dit-il. Mais c'est non.

— Et pourquoi ?

— Je te l'ai dit. J'ai une dette envers Zach. Et d'ailleurs, tu devrais penser à Tansie. Tu n'as pas envie que l'histoire de ses origines fasse le tour de l'île. Elle s'est bien imposée parmi les Blancs.

— Penses-tu que je me soucie le moins du monde que les gens sachent mon histoire avec Josh ?

— Non. Mais tu te ferais du souci s'ils étaient au courant à propos de Tansie. Et moi aussi d'ailleurs. J'aime de plus en plus cette fille. »

Amelia le dévisagea avec une incrédulité mêlée d'horreur. Elle pencha la tête sur le côté.

« Est-ce pour ça que tu as laissé mourir son père ? » demanda-t-elle doucement.

Ben rougit si fort que ses taches de rousseur s'effacèrent de sa peau.

« Que dis-tu ?

— Tu as parfaitement entendu. »

Il ouvrit la bouche pour protester mais Amelia leva les mains pour l'arrêter.

« Je le sais, Ben. J'en suis sûre. J'ai passé en revue sans arrêt cette journée dans ma tête. Tu aurais pu le sauver si tu l'avais voulu. Inutile de me mentir plus longtemps. »

Le silence qui suivit parut interminable. Puis Ben dit, d'une voix à peine audible : « Il allait gâcher ta vie. Et la mienne. Sa mort ne m'a servi à rien — tu me repousses toujours — mais quoi que tu en dises elle t'a beaucoup servie. Et à Tansie aussi. Zach a tué pour moi. Je n'ai pas tué pour toi, j'ai simplement renoncé à porter secours... pour toi.

— Je devrais te haïr, dit-elle tristement, mais je ne peux pas. Je devrais haïr Zach, mais je ne peux pas. Il faudra un bon bout de temps avant que nous nous retrouvions les uns les autres. Nous nous sommes fait beaucoup trop de mal.

— Au nom du ciel ! s'écria-t-il en colère. Tout ce que nous avons fait, c'était pour sauver notre peau. Toi aussi, Amelia. Ce que tu as fait à Zach et à Charlotte était pervers, d'une insigne cruauté. Et il te faudra vivre avec ça, exactement comme Zach et moi devons vivre avec le souvenir de choses dont nous aurions préféré qu'elles n'aient jamais eu lieu. » Il ramassa son tricorne, l'enfonça sur sa perruque et sortit de la pièce en claquant la porte.

Il reprit le bateau pour Basse-Terre, se rendit dans les écuries de la taverne, enfourcha son cheval et partit comme une flèche à Windsong. Zach et Charlotte s'apprêtaient à dîner, ils l'invitèrent à se joindre à eux. C'était la première fois qu'il revoyait la femme de son cousin depuis les révélations d'Amelia. Elle était pâle et très amaigrie. C'est une petite sotte, se disait Ben, mais elle a montré une force de caractère surprenante durant la guerre, ce qui est tout à son honneur, et elle s'occupe parfaitement des enfants de Zach. Elle est prétentieuse, c'est vrai, imbue d'elle-même, mais elle cache un cœur généreux bien qu'un peu naïf. Ben se sentait désolé pour elle.

Après que les esclaves, qui avaient fini de servir le repas, eurent quitté la pièce, Zach s'exclama avec colère : « Je dois te dire, Ben, que Charlotte continue de croire que c'est moi qui ai tué son frère. Es-tu parvenu à convaincre Amelia de revenir sur ses mensonges ? »

Il paraissait si blessé, son visage exprimait une indignation morale si forte que Ben se demanda si Zach n'était pas parvenu à se convaincre lui-même qu'il n'avait rien à voir avec la mort de Justinian.

« Amelia ne ment pas, murmura Charlotte.

— Tout le monde ment lorsque ça l'arrange, lança Zach.

— Je ne crois pas que cela soit vrai, dit Charlotte avec dignité.

— Peut-être Amelia est-elle persuadée à tort que Zach est responsable de la mort de Justinian, émit prudemment Ben.

— Mais qu'a-t-elle dit ? » L'intonation de Zach était si rude qu'elle irrita Ben.

« Qu'elle parlerait de cette affaire avec toi lorsque tu lui aurais dit où se trouvent Vérité et Daniel.

— Nous en avons déjà parlé. Je ne le sais pas. Je me suis arrangé pour ne pas le savoir. Il est préférable qu'ils ne se mettent pas en travers de notre route.

— Ce que je ne comprends pas, Zach, dit Charlotte, dont le visage était d'une étrange pâleur à la lueur de la chandelle, c'est pourquoi, si tu es innocent, tu désirais tellement les vendre ? »

Zach s'étrangla de colère. « Tu mets en doute mon innocence ? Je suis l'homme le plus calomnié au monde. Je les ai vendus pour protéger Amelia et Tansie, et maintenant ça se retourne contre moi. De toute façon, tu devrais te réjouir de la mort de ton frère. S'il était toujours vivant, tu ne serais pas ici.

— Et toi tu n'en serais pas le propriétaire, lui répliqua doucement Charlotte. Franchement, Zachary, par moments je n'arrive pas à croire à quel point tu es devenu insensible.

— Il a toujours été insensible, dit Ben joyeusement pour détendre l'atmosphère. Mais comme je le disais, il est possible qu'Amelia croie à tort que Zach est le responsable de la mort de votre frère. Car, vous avez raison, elle ne ment pas. Je me souviens que j'étais présent lors de cette nuit dramatique. Et c'est vrai que Zach est entré dans la chambre de Justinian, mais uniquement pour le réveiller et le menacer de terribles représailles s'il ne me laissait pas tranquille. Amelia l'a vu quitter la maison et s'enfuir dans les bois. Moi, plus

343

tard, j'ai vu une silhouette sombre dans l'entrée. Le clair de lune faisait étinceler la machette que l'homme tenait levée dans sa main. » Ben se laissait entraîner par son histoire. « Il se dirigeait à pas de loup vers la chambre de Justinian. A vrai dire, j'ai été terrorisé. J'étais assez couard à l'époque, et je suis descendu comme un fou, craignant d'être mêlé à cette histoire. Je ne voulais même pas croire à ce que j'avais vu. Mais si vous vous en souvenez, les dernières paroles de votre frère mourant à votre père furent pour confirmer que son agresseur était bien un Noir. Pour ma part j'ai toujours cru qu'il s'agissait de Joshua, bien que je me sois abstenu d'en parler sur le moment — il ne risquait plus rien à accuser Joshua, pensat-il —, pourtant les esclaves ne m'ont jamais pardonné d'avoir suggéré qu'il pouvait s'agir de l'un d'entre eux, et j'ai dû chercher refuge dans votre maison par crainte des violences. »

Une expression de soulagement envahit le visage de Charlotte. Déjà, elle semblait avoir repris des couleurs.

« Pourquoi ne m'as-tu pas dit ça, Zach ? demanda-t-elle.

— Parce qu'il n'en savait rien, dit Ben vivement. Il n'était pas là, souvenez-vous. Il se cachait dans la montagne. Et nous n'en avons jamais parlé depuis. »

Il piqua un morceau de viande au bout de sa fourchette et l'engloutit avec satisfaction tandis que Charlotte se levait, faisait le tour de la table, pour s'approcher de son mari. Elle s'agenouilla à côté de lui, inclina la tête et dit : « Pardonnezmoi, mon cher mari.

— Bon, bon, dit Zach, en caressant ses boucles blondes et en jetant un coup d'œil reconnaissant à Ben. Bon, bon.

— Mais bien entendu, on ne peut en vouloir à Amelia, dit Ben pensivement. Elle a dit ce qu'elle croyait être la vérité.

— Mais comment peut-elle croire une chose pareille de son propre frère ? s'écria Charlotte. Je ne lui pardonnerai jamais. Je ne veux plus la voir ici. »

Cela ne la chagrinera guère, se dit Ben, en avalant son dernier morceau de viande.

15

Robin Darnley, au moment de s'habiller, dans sa cabine de la *Reine des Mers*, hésitait entre deux justaucorps. Porterait-il le bordeaux ou étrennerait-il le brun ? Il avait amené son voilier dans la rade de Basse-Terre, la veille au soir, juste au moment où le soleil, pareil à une énorme boule de sang, s'enfonçait dans une mer turquoise. Il avait alors calculé qu'il lui restait encore douze heures avant son rendez-vous à la taverne de Christophe Colomb. Il avait vérifié les sécurités de son ancrage et la solidité de ses amarres. Puis, tandis que son équipage se rendait à terre pour goûter les plaisirs de Basse-Terre, il s'était réfugié dans sa cabine. Il avait en effet besoin d'une bonne nuit de sommeil. Dans l'Atlantique Nord, la mer avait été mauvaise et le voyage s'était révélé périlleux.

Il avait lu un moment avant de s'endormir. Robin aimait la poésie : Marvell, Spenser, Shakespeare. Il emportait toujours des recueils de leurs œuvres dans ses bagages. Bien qu'il cultivât une apparence virile et qu'il fût d'une nature exubérante et insouciante, un cœur romantique battait sous sa large poitrine musclée, un cœur qui s'était affolé à la vue de la jeune femme aux cheveux noirs qui servait les clients dans la taverne de Christophe Colomb.

Il n'avait jamais vu une femme aussi belle. Son visage était parfait, avec des traits fins bien dessinés et un menton potelé. Elle était anglaise jusqu'au bout des ongles, mais sans rien de fade et d'insipide. Sa peau était dorée comme si elle était éclairée de l'intérieur par le soleil. Elle avait une grande bouche, d'un rose profond, un peu plus foncé à l'endroit où les lèvres recouvraient des dents parfaitement rangées et d'un blanc éclatant. Ses cheveux et ses yeux étaient noirs comme la nuit mais elle souriait sans arrêt, d'un sourire qui de toute évidence n'était qu'une façade. C'était quelqu'un de secret, il en était convaincu. Immédiatement il avait désiré connaître la femme qui se cachait derrière ce sourire, derrière ces yeux noirs et langoureux, et il avait décidé de toucher grâce à son amour le cœur qui se cachait derrière les petits seins qui gonflaient doucement la soie couleur jade de son corsage.

Il ne se moquait pas d'elle lorsqu'il lui avait dit qu'il voulait l'épouser. Ses paroles, aussi sincères que l'Océan était profond, étaient sorties naturellement de sa bouche. Il avait vingt-sept ans et naviguait depuis l'âge de quatorze ans. Aucune femme ne l'avait impressionné de cette manière. Elle l'avait frappé comme un coup de tonnerre, comme un éclair, comme la foudre. Pourquoi avait-il été touché ainsi ?

Robin Darnley était un homme sûr de lui. Il ne lui était jamais venu à l'esprit que cette jeune femme pouvait ne pas vouloir de lui. Néanmoins il se sentait nerveux en se préparant le lendemain matin. La cargaison qu'il amenait dans ces îles consistait principalement en morues séchées — de la morue de bonne qualité destinée aux Blancs — et en poissons douteux et bon marché qui ne trouvaient pas d'acquéreurs dans le Nord et dont on nourrissait les esclaves. Le bénéfice était important. Le seul ennui était cette odeur nauséabonde dont il était difficile de se débarrasser. Il y était tellement habitué qu'il était incapable de dire si lui-même sentait mauvais ou non.

Aussi, non content de s'être lavé de la tête aux pieds, il avait également nagé dans les eaux limpides qui baignaient la quille de la *Reine des Mers*. Il déplia les vêtements neufs qu'il avait achetés à Boston. Il les avait enveloppés dans plusieurs épaisseurs de toile afin de les protéger de l'odeur. Il se décida en fin de compte pour le joli justaucorps brun en velours, aux brandebourgs dorés et aux grands revers de satin, boutonné jusqu'au col. Il revêtit également une belle chemise de soie damassée, un superbe gilet de brocart et un foulard. Ses bas étaient en soie beige et sa culotte en laine fine. Il allait probablement transpirer comme un étalon dès que le soleil commencerait à chauffer, mais tant qu'il ne sentait pas le poisson...

Deux hommes d'équipage le conduisirent en barque jusqu'au rivage et le portèrent pour lui éviter de tremper dans l'eau ses chaussures cirées à boucles. Il remonta ensuite le quai en bois grossier qui prolongeait la jetée, pour se rendre en ville. Il aimait bien Basse-Terre. Cette ville respirait la prospérité. Les rues étaient relativement larges grâce aux ordonnances de la municipalité qui voulait ainsi réduire les risques d'incendie. Pour la même raison, presque tous les toits de chaume avaient été remplacés par des toits de bardeaux qui donnaient aux maisons un aspect moderne. Peut-être serait-ce un bon endroit pour acheter une boutique et devenir, en plus de marin, commerçant ? Dans la mesure naturellement où la fille qu'il allait épouser était d'accord. Il n'envisageait pas encore de renoncer à la mer, mais un jour peut-être il aurait envie de s'établir sur la terre ferme. Il y avait des endroits moins accueillants que cette paisible île des Tropiques.

En arrivant à la taverne, il inclina son tricorne de façon désinvolte sur son abondante chevelure, regarda sa montre pour vérifier qu'il était bien à l'heure, puis franchit la porte, sûr de lui, en prenant soin de baisser la tête. Il était exactement neuf heures du matin.

Il s'immobilisa sur le seuil. Aucune fille aux cheveux noirs ne l'attendait, il n'y avait que celle qu'on appelait Marianne qui, debout derrière le comptoir, essuyait des verres.

« Bonjour monsieur, dit la fille, avec un fort accent anglais. Que prendrez-vous ?

— J'ai rendez-vous avec une jeune femme brune — la patronne, dit-il. Où est-elle ?

— Dans sa chambre, je pense. Voulez-vous que je l'appelle ?

— Sur-le-champ », dit-il sur un ton de commandement.

Après avoir jeté un coup d'œil inquiet autour d'elle comme si elle craignait qu'il puisse dérober quelque chose, la fille s'éclipsa. Elle ne s'absenta qu'une minute et il l'entendit qui criait dans la cage d'escalier : « Tansie, il y a un type qui veut vous voir. » En revenant dans la taverne, elle dit essoufflée : « Elle sera là dans un instant, monsieur. »

Ainsi elle s'appelait Tansie. Il arpenta la pièce de long en large dans la taverne. Son épée heurtait sans arrêt le dossier des chaises et il la remettait en place d'un geste nerveux. Il n'aurait pas dû porter ce foutu machin. Bientôt il entendit un petit bruit de pas pressés. Il se retourna, la main sur l'épée, pour empêcher le cliquetis de l'arme. Tansie venait d'entrer dans la salle. En voyant l'homme qui l'attendait, elle s'arrêta brusquement, prête à reculer. Elle était tout habillée de gris.

« C'est vous ! »

Il ne savait pas si c'était une exclamation de surprise, de plaisir, ou de dépit. « Nous avions rendez-vous, madame, dit-il avec un air de reproche. Et vous n'étiez pas là.

— Mais je n'ai jamais pensé... » Elle était troublée, ce qui donnait un avantage à son interlocuteur.

« Je suis un homme de parole, madame, comme vous le découvrirez. Nous nous étions mis d'accord pour nous rencontrer dans neuf semaines, cinq jours et vingt-trois heures. J'étais exact au rendez-vous.

— Je n'ai jamais accepté un tel rendez-vous.

— Mais, chère madame, dit-il avec un large sourire sur son visage, vous l'avez même scellé par un baiser. »

Tansie devint écarlate. « Je n'ai jamais rien fait de pareil, dit-elle l'air indigné.

— J'ai senti que vos lèvres répondaient aux miennes, lança-t-il d'un air solennel. Ça ne faisait pas l'ombre d'un doute.

— Je vous prie de m'excuser, monsieur, mais c'est vous qui avez volé ce baiser.

— Et j'espère en voler beaucoup d'autres. »

Tansie était de plus en plus troublée, mais apparemment elle ne donnait aucun signe de mécontentement. Il lui sourit en s'émerveillant de la voir aussi charmante, aussi pimpante.

« Comme vous êtes petite », murmura-t-il et donnant à sa voix le ton de la plus profonde admiration, il conclut : « Une Vénus de poche. »

Tansie rougissait de plus en plus, on aurait pu croire qu'un soleil couchant éclairait son visage.

« Que voulez-vous de moi, monsieur ? demanda-t-elle pour essayer de retrouver son calme.

— Je vous l'ai dit. Vous épouser. Je suis ici pour vous faire la cour, mais l'endroit ne me semble guère propice. Où se trouvent votre père et votre mère afin que je puisse leur demander la permission de faire une promenade en ville avec vous ?

— Je suis mon seul maître. Je fais ce que je veux.

— Alors c'est à vous que je ferai ma demande. Puis-je vous emmener faire une promenade en ville ? »

Marianne, qui avait observé la scène en tendant l'oreille, ses yeux bruns pétillant de malice, dit : « Allez vous promener. Allez-y. Prissie viendra m'aider. »

Tansie paraissait indécise mais elle se décida enfin : « Il faut que j'aille chercher mon chapeau et mon châle. Voulez-vous m'attendre un instant, commandant Darnley ? »

Elle se souvenait de son nom. C'était bon signe.

Elle revint avec son chapeau, son châle et une ombrelle, sans doute pour la même raison qu'il portait son épée, c'est-à-dire pour cacher sa nervosité. Ils restèrent silencieux jusqu'à ce qu'ils atteignent la rue qui débouche sur la mer.

« Voici mon bateau, la *Reine des Mers* — là-bas à l'ancre, dans la rade. Le trois-mâts », lui dit-il pour rompre le silence.

Elle regarda dans la direction qu'il lui indiquait. « C'est un beau bateau. Il est vraiment à vous ?

— A moi et à mon père. Nous sommes une famille d'armateurs.

— De Boston ? »

Encore quelque chose dont elle se souvenait. Il éprouva le besoin d'ajouter :

« Oui. Ma famille est arrivée d'Angleterre sur le *Mayflower*. Nous avons fait fortune dans le Nouveau Monde. Mon père est quelqu'un de très riche. »

Elle inclina la tête sans montrer la moindre surprise, ne semblant aucunement impressionnée.

« A quoi ça ressemble, Boston ?

— C'est une belle ville, faite de grandes maisons de briques rouges avec un jardin public en plein centre. La maison de ma famille est un peu à l'écart près de la mer.

— Y fait-il froid ?

— En hiver très froid. Et en été très chaud.

— Comme en Angleterre ?

— Oui, mais plus froid et plus chaud. » Cette conversation ne ressemblait nullement à ce qu'il désirait. « Parlez-moi de vous », dit-il brusquement.

Tansie regarda la mer comme si elle cherchait quelque chose à l'horizon.

« Je suis veuve, dit-elle. J'ai un enfant. »

Malgré la conscience qu'il avait de sa méchanceté, de sa culpabilité, il ne put s'empêcher de remercier Dieu que le mari ne soit plus de ce monde.

« J'aimerais beaucoup connaître votre enfant et votre deuil m'attriste, dit-il sans aucune sincérité. Quand votre mari est-il mort ?

— Il y a quelques mois. De tuberculose. » Elle marqua un temps d'arrêt. « Il vivait en Angleterre. Il m'avait abandonnée », dit-elle d'une voix calme. Pourtant son interlocuteur sentait que la blessure n'était pas totalement refermée.

« Il devait être fou », dit-il avec force.

Elle lui sourit et Robin sentit son cœur bondir dans sa poitrine. « Il avait ses raisons. De très bonnes raisons.

— Je ne peux y croire. »

Elle lui jeta un regard curieux. « Commandant Darnley, vous me dites que vous êtes venu me faire la cour et que vous désirez m'épouser. Est-ce bien cela ?

— Absolument.

— Sans rien savoir de moi ? Pas même mon nom ?

— Je le connais, vous vous appelez Tansie.

— Tansie Henleigh. Mon nom de jeune fille est Quick. »

Il s'immobilisa, se tourna vers elle et lui prit les mains. Tansie releva le visage pour le regarder, si bien qu'il dut se faire violence pour résister à l'envie d'embrasser ses lèvres gonflées.

« J'ai l'impression de vous connaître depuis toujours, Tansie Henleigh, mademoiselle Quick. J'ai senti que je vous connaissais à la seconde où je vous ai aperçue. Je ne suis pas un blanc-bec. Je navigue depuis treize ans maintenant et je suis commandant de mon navire depuis cinq ans. J'ai vu des femmes dans tous les coins du monde mais je n'en ai jamais rencontré une dont la beauté puisse rivaliser avec la vôtre. Je ne peux exprimer ce que j'ai ressenti lorsque je vous ai vue. J'avais l'impression qu'un lien que j'ignorais existait tout au fond de moi pour m'attacher à vous. Ce fut un coup de foudre. C'est une sensation nouvelle pour moi, si bien que j'ai envie de vous prendre dans mes bras, de vous enlever et de ne jamais vous laisser vous éloigner de moi. » Au milieu de cette déclaration, il lui vint à l'esprit que sa compagne pouvait croire qu'il n'était attiré que par sa beauté, ce qui n'était pas bien entendu le cas. « Et ce n'est pas seulement à cause de votre visage, expliqua-t-il. A votre manière de vous conduire et de sourire, j'ai compris que vous étiez à la fois pleine de gentillesse et d'un tempérament joyeux. Madame Henleigh, Tansie, tout ce que je peux dire, c'est que je vous aime. Je ne comprends pas très bien ce qui m'arrive, mais c'est la sensation la plus forte que j'aie jamais éprouvée. Pardonnez-moi si je vous semble un peu brutal, mais je ne suis ici que pour dix jours, le temps de décharger le navire, récurer la cale et charger une nouvelle cargaison. Ensuite je dois lever l'ancre de nouveau. Mais je veux vous conquérir dans ces dix jours afin que nous puissions nous marier à mon retour. Me laissez-vous le moindre espoir ? Est-ce que je peux tenter ma chance ?

— Oh oui, dit-elle tranquillement. Mais la question est de savoir si je peux tenter la mienne ? »

Il ne comprenait guère ce qu'elle voulait dire par là. « De la folie, dit-il tendrement, avant de s'abandonner à son envie de la prendre dans ses bras, juste là sur le quai aux yeux de tous. Vous êtes si menue, dit-il.

— Et vous si grand. » Elle riait, essayant de ne perdre ni son chapeau ni son ombrelle. Je pense que vous devriez me reposer à terre, sinon ma réputation sera compromise à tout jamais.

— Alors il vous faudra m'épouser », dit-il en lui embrassant le bout du nez et en la reposant doucement par terre.

Elle défroissa sa robe et remit en place ses cheveux. Elle souriait et semblait heureuse. Elle n'était pas en colère.

« Êtes-vous toujours aussi exubérant ? demanda-t-elle.

— C'est mon défaut. Mais je peux également être romantique.

— Je m'en suis aperçue », dit-elle sur un ton pince-sans-rire. Elle se tenait tranquillement devant lui, la tête inclinée sur l'épaule. Apparemment, elle essayait de formuler quelque chose.

« Commandant Darnley, je dois retourner à la taverne maintenant, mais si vous le désirez, je vous réserve ma journée de demain. Mais quelles que soient vos intentions me concernant, je dois d'abord vous demander de me laisser un peu de temps. Il faut que je vous donne l'occasion de décider si vous voulez ou non continuer à me voir. Pouvons-nous, s'il vous plaît, en rester là pour le moment ? Si vous êtes d'accord, passez me voir à sept heures demain matin et nous verrons alors ce que nous ferons. » Elle lui fit un drôle de petit salut avec son ombrelle et s'éloigna d'un pas décidé en direction de la taverne.

Il comprit qu'elle ne souhaitait pas qu'il la suive, et qu'elle désirait être seule. Il resta planté à la regarder partir, profondément perplexe. Il était amoureux sans aucun doute et il sentait qu'il la séduisait. Mais qu'avait-elle voulu dire lorsqu'elle lui avait demandé si ça valait la peine pour elle de tenter sa chance ? C'était une femme mystérieuse, mais peu importait, quels que fussent ses secrets, il était bien décidé à en faire sa femme. Secouant la tête pour chasser ces pensées un peu inquiétantes, il reprit sa marche le long de la mer en faisant des ricochets sur l'eau frémissante. Il devait maintenant patienter jusqu'au lendemain.

Elle l'attendait le lendemain matin, en tenue de ville, un châle sur la tête. Elle sourit et sans cérémonie lui dit immédiatement : « Nous allons prendre un bateau, est-ce que cela vous convient ?

— J'ai l'habitude des bateaux, madame, dit-il.

— Mais cette fois ce sera un très petit bateau, expliqua-t-elle. Et il vous faudra tenir la barre.

— Je crois en être capable », dit-il en souriant.

Le bateau était échoué sur la plage. Tansie demanda à son compagnon de monter dans l'embarcation et fit signe à deux mulâtres qui paressaient sur la plage de les mettre à l'eau. Il y avait des siècles que Robin n'avait pas barré un aussi petit bateau. Il lui fallut un certain temps pour prendre la mesure des voiles, mais ensuite il manœuvra avec plaisir.

« Ça me rappelle l'époque où j'étais gamin, dit-il. On faisait de la voile sur la Charles. Bon, où allons-nous ?

— A l'autre bout de l'île, dit-elle en montrant l'ouest, près de Sandy Point. A une plantation qui s'appelle Lointaine.

— Un nom curieux.

— On l'appelle Lointaine, expliqua-t-elle, parce qu'elle a appartenu à un Français qui lui avait donné ce nom à cause de son éloignement de la France.

— Et pourquoi allons-nous là-bas ? »

Tansie ne répondit pas immédiatement. Elle réfléchissait. Finalement elle conclut en disant : « Vous verrez.

— Un voyage mystérieux ?

— En quelque sorte. »

La jeune femme paraissait préoccupée, inquiète. Quelque chose la troublait, mais Robin décida de ne pas lui poser de questions avant d'avoir atteint la plantation. Sans aucun doute, lorsqu'ils seraient là-bas, tout apparaîtrait au grand jour.

C'était un temps idéal pour la navigation, avec juste ce qu'il fallait de vent pour gonfler les voiles et faire avancer le bateau comme une flèche. Le sable noir de la plage soulignait artistiquement le bord de mer. L'île vue du large était magnifique, les plaines de canne à sucre d'un jaune-vert duveteux se découpaient devant les montagnes aux sommets entourés de brume. Robin reconnaissait d'autres îles qu'il avait croisées lors de ses traversées et s'étonnait de les voir si distinctes et si proches dans cette claire lumière matinale.

Tansie était assise en face de lui, son châle retenant ses cheveux. Elle semblait prendre plaisir au voyage, un petit sourire remontait le coin de ses lèvres, mais elle gardait le silence.

Elle lui indiqua où il devait accoster. Cette fois, Robin dut tremper ses chaussures à boucles et ses bas avant de pouvoir toucher terre, car la plage était déserte.

« Il nous faudra marcher un peu, dit-elle sur un ton d'excuse, personne ne nous attend.

— Ça me permettra de me sécher, dit-il, bien décidé à ne plus poser de questions.

— Je suis désolée pour vos chaussures, dit-elle avec sincérité.

— C'est sans importance. »

Ils marchèrent longtemps. Ils traversèrent d'abord un bois assez dense, puis des champs de canne. Après un tournant, Robin aperçut devant eux une maison, une grande bâtisse en bois, entourée d'un parc et d'un verger. On entendait le clapotis d'un petit ruisseau.

Il mourait de curiosité, mais Tansie ne lui donnait toujours pas d'explications. Il essaya d'en trouver une. Il allait faire la connaissance de sa fille. Voilà. C'était de toute évidence sa maison. Elle avait dû être élevée ici, étant donné la connaissance qu'elle semblait avoir de cet endroit. Mais alors pourquoi rester si mystérieuse ?

Il la suivait dans un étroit sentier, lorsqu'il remarqua à quel point elle gardait le dos droit en marchant, une démarche plus proche de celle d'une Noire que d'une femme blanche. Il l'imaginait très bien avec une amphore en équilibre sur la tête, comme ces statues antiques d'Athènes ou de Rome. Ils ne se dirigèrent pas vers l'entrée principale de la maison. Tansie ne s'était pas engagée dans la grande allée bordée de palmiers qui conduisait à un perron fort imposant. Le sentier qu'ils suivaient était destiné aux domestiques.

C'était donc cela, elle était la fille d'une domestique à gages, une Irlandaise peut-être, une Irlandaise aux cheveux noirs. Mais elle ne paraissait pas avoir été marquée par la religion catholique — elle était trop sûre d'elle. On sentait chez elle le vernis des classes dirigeantes.

En s'approchant de la porte, elle se retourna vers lui.

« Entrons », dit-elle. Il y avait dans son regard quelque chose d'insondable, de la crainte, de la provocation et aussi de la résignation. Mais c'était probablement la peur qui dominait.

Elle ouvrit la porte ; Robin la suivit et se trouva dans une

353

grande cuisine. Devant une énorme cheminée était placée une broche. Il n'y avait qu'une personne dans la pièce, une grosse femme noire, avec un turban rouge sur la tête. Elle était certainement très âgée car sa peau grisâtre était couverte de petites rides. Ses grosses lèvres donnaient l'impression d'être bleues.

« Tansie, ma fille, d'où sors-tu si tôt le matin ? demanda la négresse, ses gros bras reposant sur ses larges hanches. Tu es venue voir Delilah ?

— Oui, mais pas tout de suite, grand-mère. »

Grand-mère ? Grand-mère ! Tansie ne lâchait pas son compagnon des yeux, épiant sa réaction. Il faillit se troubler mais il se reprit à temps. Sa grand-mère ? Cette énorme femme noire ? Ah voilà, il avait compris. C'était l'esclave qui l'avait élevée. Bien entendu, ce n'était pas sa vraie grand-mère.

« Je veux te présenter le commandant Robin Darnley, grand-mère, dit Tansie. Il voudrait m'épouser. »

La vieille femme le dévisagea tranquillement.

« Content de vous connaître, commandant Darnley. » Elle le regardait avec un air de désapprobation évident, ses yeux noirs soupçonneux l'examinant des pieds à la tête.

Tansie cherchait toujours à surprendre chez Robin une réaction. Celui-ci adressa un charmant sourire à la vieille négresse et dit : « Et je suis heureux de vous rencontrer.

— C'est dommage qu'il ne puisse rencontrer maman, n'est-ce pas grand-mère, dit Tansie sans cesser de le fixer. Malheureusement, expliqua-t-elle, maman est esclave dans une autre plantation, Windsong. Je ne la vois plus jamais maintenant. »

Il hocha la tête, comme si elle disait des choses tout à fait banales. Mais il commençait à se dire que si sa mère était esclave dans une autre plantation, il était possible que cette énorme personne fût en vérité sa grand-mère. Mais il ne pouvait décidément pas poser la question ouvertement.

« Et votre père ? demanda-t-il, espérant grâce à la réponse avoir une confirmation.

— Mon père était esclave également, mais il est mort durant la guerre, peu de temps après que notre maîtresse lui eut donné la liberté. Ma grand-mère est libre aussi. C'est toi qui as été libre la première, n'est-ce pas, grand-mère ?

— Et Tansie a eu la sienne aussi, quand elle a épousé M. Henleigh », dit la grand-mère. Robin avait l'impression désagréable que la vieille négresse jouait le même jeu — il ne savait pas trop lequel — que sa petite-fille. Qu'elles étaient de mèche pour le mettre à l'épreuve. « Et il était grand temps. Je commençais à penser que Mme Amelia n'arriverait jamais à s'y résoudre.

— Je suppose que vous aimeriez rencontrer ma fille maintenant, dit Tansie.

— Très certainement », dit-il de sa voix la plus chaleureuse, en dépit de la perplexité dans laquelle il était plongé.

« Je vais lui faire traverser la maison, grand-mère. Mme Amelia ne m'en voudra pas, n'est-ce pas ?

— Elle n'est pas ici. Elle est allée à Macabees. Mme Isobel va accoucher d'un moment à l'autre. Est-ce que tu montes le petit déjeuner à Delilah ? »

Tansie réfléchit un instant et fit non de la tête.

« Pas aujourd'hui, dit-elle en posant légèrement la main sur le bras de Robin. Aujourd'hui, j'ai du monde. » Brusquement elle parlait comme une esclave.

Elle lui fit signe de la suivre, s'arrangeant pour rester devant afin qu'il ne puisse pas lui parler. Ils empruntèrent un couloir qui conduisait vers ce qui paraissait être le coin des domestiques, au bout duquel ils parvinrent devant une porte. Ils entrèrent dans une petite pièce, fort peu meublée, éclairée par une fenêtre. Un enfant d'environ six ans dormait profondément dans son lit, son pouce dans la bouche, ses longs cils ombrageant des joues couleur caramel. Un magnifique enfant, un de ceux que les maîtres anciens auraient pris volontiers pour modèle pour faire un ange. Un ange noir.

« Voilà Delilah, dit Tansie fièrement en s'écartant afin que son compagnon puisse bien voir la petite fille.

— C'est votre... »

Tansie porta un doigt à ses lèvres et fit un geste affirmatif. « Elle ne le sait pas. » Elle se pencha pour embrasser le front de l'enfant, puis se redressant elle dit : « Venez. »

La petite fille remua légèrement lorsqu'ils quittèrent la pièce. De nouveau, Tansie ouvrit la marche, mais cette fois en direction du parc.

« Allons nous asseoir dans le verger », dit-elle. Robin, tout en la suivant, se sentait profondément troublé. Il se félicitait bien sûr d'avoir gardé son calme devant les chocs successifs qu'elle lui avait infligés. Il aurait été terrible de laisser paraître le moindre sentiment de déception, de dégoût ou d'horreur. Mais en fait, il n'avait rien ressenti de tel. Il n'éprouvait qu'un peu de pitié à la pensée que cette jolie femme, si élégante, soit condamnée à cette situation apparemment insoluble. Il était également furieux qu'elle ait choisi de le mettre ainsi à l'épreuve, même s'il comprenait fort bien pourquoi elle avait agi de la sorte.

Une fois à l'ombre des arbres, elle se laissa tomber dans l'herbe. Il s'installa à côté d'elle, remarquant que son visage était pâle, ses traits tirés.

« Maintenant, vous comprendrez peut-être les raisons qui ont poussé mon mari à me quitter, dit-elle sur un ton de défi.

— Pas vraiment, dit-il calmement. Surtout si vous avez été aussi sincère avec lui qu'avec moi.

— Je ne lui ai jamais rien caché. Il a accepté ma famille noire parce qu'il était convaincu qu'il y avait une erreur, qu'il n'était pas possible que j'aie du sang noir. Mais il n'a pu supporter la preuve du contraire — c'est-à-dire la couleur de sa propre fille. C'était quelqu'un qui pensait que tous les gens sur terre sont égaux, mais cette simple constatation l'a anéanti. Il m'a quittée immédiatement après la naissance de notre enfant. »

Robin se rendait compte avec admiration qu'il n'y avait dans sa voix aucun apitoiement sur elle-même.

« Ce n'était pas un homme d'honneur, murmura-t-il.

— Il l'était, pourtant. Nous devions partir pour l'Angleterre. A mon avis, il a eu peur de la réaction de ses parents.

— Et vous pensez que je ferai la même chose ? lança-t-il.

— Je ne sais pas. Peut-être pas. Mais au moins maintenant, vous savez ce qui vous attend si vous m'épousez.

— Et vous pensez que c'était la meilleure manière de m'en informer ? » demanda-t-il le visage sévère, en l'attirant néanmoins vers lui.

Elle s'impatienta un peu. « Peut-être pas, mais j'avais besoin d'avoir votre visage sous les yeux lorsque vous les verriez, afin d'être sûre de vos sentiments. Voyez-vous, je n'ai pas honte de mon sang noir. Le seul problème, c'est que je ne comprend pas pourquoi je suis tellement blanche. Bella, ma grand-mère, et ma mère sont africaines. Mon père était métis. C'est ma maîtresse qui m'a convaincue qu'il fallait choisir entre le monde des Blancs et celui des Noirs. Elle m'a élevée comme une Blanche. Elle m'a appris à lire, à écrire, à faire de la musique, à broder, tout ce qu'une fille blanche bien éduquée sait faire. Après le départ de mon mari, elle m'a poussée à me faire passer pour blanche, en disant que je ne m'intégrerais jamais dans l'univers des Noirs. C'est la raison pour laquelle je suis la patronne de cette taverne. Je porte des vêtements de femme blanche et j'ai adopté l'accent des Blancs. Vous devez bien comprendre que je suis une usurpatrice. »

Robin sentit son cœur éclater d'amour et de pitié devant autant de courage et de tristesse dissimulée.

« Je savais que vous étiez une femme exceptionnelle, dit-il d'une voix enrouée par l'émotion, mais maintenant j'en suis convaincu.

— Si vous souhaitez regagner la *Reine des Mers*...

— Au nom du ciel, s'exclama-t-il, n'avez-vous donc pas entendu un seul mot de ce que je vous ai dit ? Je vous aime. Je vous ai aimé dès l'instant où je vous ai vue. Pensez-vous réellement que votre sang noir puisse me faire changer d'avis ? » Il s'échauffait car il était contrarié. « Quelle sorte d'homme pensez-vous que je suis, me prenez-vous pour une girouette capable de renoncer à ses sentiments ? De plus, vous oubliez que je viens du nord de l'Amérique, où il n'y a pas d'esclaves. Là-bas, nous pensons que l'esclavage est une calamité. Peu m'importe que vous soyez noire, blanche, bleu ciel ou rose. Je vous aime. D'accord, ce ne sera peut-être pas toujours facile, mais si nous nous aimons vraiment, nous surmonterons les problèmes.

— Vous ne me connaissez même pas », dit-elle d'une voix tremblante.

La voir si bouleversée l'arrêta net et l'obligea à réfléchir.

« C'est vrai, et je ne sais pas pourquoi j'éprouve ce sentiment pour vous, dit-il presque humblement. C'est vraiment très étrange, mais je sens que nous sommes destinés l'un à l'autre, que nous sommes nés pour nous rencontrer. N'avez-vous pas la même impression ? »

Elle éclata de rire. « Je peux peut-être me laisser aller maintenant à ressentir quelque chose, dit-elle. J'avais mis votre promesse sur le compte de l'ivresse. Je ne pensais pas vous revoir un jour — cependant je ne vous avais pas oublié. » Elle sourit. « Vous êtes bien trop grand pour qu'on vous oublie. Depuis votre retour, une chose m'obsédait, il fallait que vous sachiez la vérité. Je ne voulais pas prendre le risque de vivre la même situation après la naissance de nos enfants. Je ne le supporterais jamais.

— Vous pensez déjà à nos enfants ? »

Elle fit de la tête un petit signe affirmatif.

Il la souleva, l'installa sur ses genoux et la berça comme un bébé, en couvrant son visage de tendres baisers.

« Vous voudrez bien m'épouser quand je reviendrai, n'est-ce pas ? » demanda-t-il l'air suppliant.

Elle mit ses bras autour de lui et se serra contre lui. « Je pense que ce sera possible un jour, dit-elle. Mais s'il vous plaît, commençons par faire un peu plus connaissance. Si je me remarie, je veux que ce soit pour la vie. »

C'est la plus belle semaine de ma vie, se dit Tansie en quittant le commandant Darnley. Robin n'avait pas pu être en permanence à ses côtés à cause de ses obligations sur la *Reine des Mers*, mais il avait passé tout son temps libre avec elle. Comme il souhaitait découvrir l'île, ils avaient chevauché des kilomètres et des kilomètres sur les pentes humides des montagnes mystérieuses et le long de plages balayées par le vent. Lorsqu'il s'était aperçu qu'elle n'avait pas de monture, il lui en avait acheté une, une jolie jument alezane.

Mais le plus étonnant, c'est qu'il avait aussi acheté une maison. Il avait été réellement consterné en apprenant qu'elle était hébergée chez Ben. Elle avait protesté en disant qu'elle aurait les moyens de s'acheter sa propre maison dès qu'elle aurait reçu son héritage.

« C'est le mari qui fournit la demeure conjugale », avait-il répliqué. Et la veille de son départ, il l'avait emmenée visiter une charmante maison en bois à Pall Mall Square, le quartier le plus élégant de la ville.

« J'ai vraiment eu de la chance qu'elle soit en vente, dit-il avec un large sourire satisfait. J'ai donné des instructions aux artisans pour les travaux, mais je vous laisse le soin de la décorer. Ça vous tiendra occupée durant mon absence et vous pourrez vous y installer dès que vous le désirerez. »

Ils se tenaient dans la véranda à claire-voie au rez-de-chaussée de la maison, et regardaient la pelouse.

« Est-ce que ça signifie que vous avez l'intention d'habiter St. Kitts, et pas Boston ? » lui demanda-t-elle.

Il lui prit la main. « Non, pas Boston », dit-il lentement. Brusquement il pesait ses mots. « Il y fait trop froid en hiver pour quelqu'un habitué comme vous au soleil. Mais en dehors de cela, je ne veux pas qu'il y ait le moindre problème. Pardonnez-moi, ma chérie, mais je crois que je comprends le souci que se faisait votre mari au sujet de ses parents. J'ai, moi aussi, pensé aux miens. Je n'ai aucune idée de la manière dont ils accepteraient la chose, si notre enfant était aussi métissé que Delilah. Ils sont âgés, conventionnels, et je n'ai aucune envie de les décevoir. Nous pourrons aller tous les deux à Boston, car je sais qu'ils vous aimeront tout de suite. Mais je crois préférable de nous établir ici pour élever nos enfants. J'ai tout prévu. J'achèterai des entrepôts et au lieu de ramener des poissons puants, je remplirai mon bateau des produits les plus chers et les plus luxueux. Le sucre atteint des prix fabuleux. L'île ne craint plus la guerre, du moins pour le moment. Les planteurs ne savent plus quoi faire de leur argent. J'ai décidé de le leur faire dépenser. Dans le nord, il y a tant de choses qu'on ne connaît pas ici. Ceux qui en ont les moyens pourront dorénavant se les offrir.

— Et Delilah ? demanda-t-elle.

— Ça ne regarde que vous. Si vous décidez de révéler que c'est votre fille, j'en serai heureux. »

Elle lui jeta un regard intense. Le visage du commandant respirait la franchise. Il lui adressa un petit sourire et dit : « Je suis sincère, Tansie, je serais fier de l'élever. »

Elle tourna la tête vers Pall Mall Square, le bastion de la suprématie blanche où il lui avait acheté sa maison. Ce qu'il lui offrait était démesuré. Elle secoua la tête.

« Vous ignorez tout de ces îles, Robin, lui dit-elle tristement. Il est préférable que Delilah reste où elle est.

— Comme vous voulez », dit-il tranquillement. Elle ne put empêcher un petit pincement au cœur lorsqu'elle vit qu'il n'essayait pas de la dissuader.

Elle se refusait encore à fixer la date du mariage. Elle voulait lui laisser une dernière possibilité de changer d'avis en connaissance de cause. Ce ne lui fut pas facile. Elle comprenait ce qu'il voulait dire quand il lui affirmait qu'ils étaient faits l'un pour l'autre. Elle ressentait la même chose. Et comme il était tombé amoureux d'elle, elle était tombée amoureuse de lui. Il était si différent du pâle et romantique Mark Henleigh. Robin Darnley était exubérant, drôle, attentionné et affectueux comme un jeune chien. Il l'enlaçait, l'embrassait, prenait plaisir à la soulever de terre et à la faire tournoyer autour de lui comme une enfant. Il aimait la faire rire. Il voulait qu'elle soit aussi heureuse que lui. De plus, il la surprenait par sa culture et son érudition. Il n'avait jamais cherché une seule fois à abuser d'elle sexuellement. Elle voyait bien qu'il la désirait quand il la serrait contre lui. Malgré son envie à elle aussi, ils n'allèrent jamais plus loin. Il la courtisait comme si elle était une jeune fille innocente et vierge, et elle l'aimait et le respectait pour cela. Aussi se demandait-elle avec de plus en plus de curiosité à quoi ressembleraient leurs rapports amoureux.

Robin était parti depuis une semaine lorsque Joseph se présenta à la taverne portant un message d'Amelia qui demandait à Tansie de se rendre à Lointaine. Il était venu en bateau et proposa de la ramener si elle acceptait de partir immédiatement. Il ne paraissait pas aussi calme que d'habitude. Mais lorsqu'elle l'interrogea sur les raisons de son désarroi, il lui répondit qu'elle devait s'adresser à la maîtresse, que ce n'était pas à lui d'annoncer de telles choses.

Une pensée terrible vint à l'esprit de Tansie. Bella avait parlé de Robin à Amelia et celle-ci n'approuvait pas leur union. Mais pourquoi ? Tansie ne trouvait aucune raison. De toute façon, qu'Amelia soit ou non d'accord, elle avait pris sa décision. Elle ne dépendait plus d'Amelia. Elle était libre. Si à son retour Robin persistait dans son désir de faire d'elle sa femme, elle était bien décidée à dire oui de tout son cœur. Et peronne ne pourrait l'arrêter. Joseph, le visage sinistre, l'aida à mettre pied à terre, où deux chevaux tirant sur leurs longes les attendaient. En silence, ils chevauchèrent jusqu'à la maison.

Amelia attendait dans le salon et elle se leva au moment où Tansie entrait. Elle lui prit les mains et l'embrassa. Elle paraissait épuisée, accusant tout à coup les années passées sur cette île au climat éprouvant.

« Tansie, je voulais te l'annoncer moi-même. Il est arrivé une chose terrible, dit-elle d'une voix basse et précipitée. Isobel est morte en accouchant. Nous avons tout essayé pour la sauver, en vain. Cette pauvre enfant. Elle aura été heureuse pendant si peu de temps... » Amelia pleurait et Tansie sentit les larmes lui monter aux yeux. Cette pauvre Isobel qui s'était montrée si courageuse durant la guerre, sans jamais perdre sa timidité, séquelle des sévices qu'elle avait subis dans son enfance. Et William qui l'aimait tellement. Comme il devait se sentir abandonné.

« Le bébé a survécu. » Amelia serrait si fort la main de Tansie que c'en était presque douloureux. « C'est une petite fille. Une belle petite fille. William a décidé de l'appeler Merveille. La merveille vivante qu'Isobel lui a donnée en perdant sa propre vie. » Elle sanglotait de plus belle. « William est inconsolable. Je ne pense pas qu'il puisse jamais s'en remettre. Et je ne peux rien faire pour l'aider. »

Tansie restait silencieuse, ne trouvant rien à dire. Elle passa ses bras autour du cou d'Amelia et la serra contre elle. Après un moment, Amelia se dégagea et essuya ses yeux de son poing fermé, comme un enfant.

« Tansie, tu es une telle consolation pour moi, soupira-t-elle. Ne me quitte jamais. Tout le monde s'en va. Tout le monde meurt... »

Elle se secoua en se redressant.

« Nous devons nous montrer courageuses devant William. L'enterrement aura lieu demain dans la chapelle de Macabees. Veux-tu prévenir Ben ? J'aurai besoin que tu me soutiennes. Ce seront des moments difficiles. Je suis certaine que Zach et Charlotte viendront eux aussi. Je ne les ai plus revus depuis qu'ils ont vendu Vérité et Daniel. Peut-être pouvons-nous nous réconcilier. Je ne veux plus que notre famille soit divisée, même si je suis toujours révoltée par les agissements de Zach. Oh, Seigneur, dit-elle en repoussant machinalement les mèches de cheveux qui étaient tombées sur son front, je me décharge sur toi de mes peines, et si brutalement... Nous allons prendre un peu de thé, cela nous fera du bien. »

Bella arriva presque immédiatement avec un plateau. Elle aussi avait l'air abattue.

« Apporte une autre tasse et reste avec nous, Bella, lui dit Amelia. Et parlons de choses moins tristes. Tansie va nous raconter ce qui lui est arrivé.

— Il y a déjà une tasse pour moi, dit Bella en s'emparant de la grosse théière en argent pour servir le thé. Je ne voulais surtout pas manquer ça.

— Bella vous a mise au courant ? demanda Tansie qui avait des scrupules à avouer son propre bonheur juste au moment de la mort d'Isobel.

— Elle m'a dit que tu étais arrivée avec l'homme le plus grand qu'elle ait jamais vue et que ce colosse voulait t'épouser.

— Il veut toujours se marier avec toi après m'avoir vue ? » demanda Bella sur un ton agressif.

Tansie ne put retenir un éclat de rire. « Eh bien, curieusement, oui, dit-elle pour la taquiner. Tu ne l'as pas effrayé au point de le faire fuir. »

Le visage de Bella exprima un grand soulagement, pourtant elle restait hargneuse. « Tu ne lui avais rien dit, n'est-ce pas ? Il ne savait absolument pas lorsqu'il est arrivé que tu avais une grand-mère noire ?

— Non. Je voulais voir sa réaction.

— Et suppose qu'il soit parti sur-le-champ ? Commment me serais-je sentie, moi, hein ma fille ? C'était cruel pour lui et pour moi. »

Tansie était consternée. « Je suis vraiment désolée, grand-mère, je n'avais pas vu les choses sous cet angle.

— Eh bien tu ferais mieux de réfléchir un peu avant d'agir, dit Bella avec humeur.

— Et tu vas l'épouser ? demanda Amelia pour mettre fin à cette dispute.

— Oui, s'il veut encore de moi à son retour. Je lui laisse du temps pour qu'il puisse revenir sur sa décision.

— Tu l'aimes ?

— Si je l'aime ? Il est merveilleux... »

Sa réaction était si spontanée que les deux autres femmes ne purent s'empêcher de rire.

« Il a acheté une maison à Pall Mall Square pour que nous puissions y vivre. Il trouve que c'est plus raisonnable que de s'installer à Boston, sa ville natale, au cas où j'aurais un autre enfant comme Delilah. »

Silence.

Tansie ajouta : « Il élèverait Delilah comme ma fille si je le souhaitais, mais je pense qu'il vaut mieux qu'elle reste où elle est.

— Voilà une décision raisonnable, dit Amelia tranquillement.

— Raisonnable ! Je ne trouve pas cela du tout raisonnable. Je trouve ça très vilain ! s'écria Bella en se levant d'un bond pour se diriger vers la porte avant même d'avoir touché à son thé. Toutes ces femmes blanches qui ont honte de leurs enfants me rendent malade. » Elle partit en claquant la porte.

Les deux femmes fixèrent un instant le vide. Puis Amelia ferma les yeux et hocha la tête.

« Oh, Seigneur, dit-elle faiblement.

— Qu'est-ce que ça veut dire : "Toutes ces femmes blanches" ? » demanda Tansie perplexe.

Amelia respira profondément. « Je pense, chère Tansie, qu'il est temps... » Elle hésita. Tansie attendait, se demandant pourquoi son ancienne maîtresse paraissait si nerveuse et de quoi il était temps. Mais avant qu'Amelia ait pu ajouter quelque chose, on frappa discrètement à la porte.

« M. Zach veut vous voir, madame, annonça Joseph. Est-ce que je peux le faire entrer ? »

Amelia ne savait pas si elle devait déplorer ou non l'arrivée de Zach. Les amours de Tansie rendaient la jeune femme si heureuse que c'était probablement le moment idéal pour lui apprendre la vérité. En revanche, il n'y avait aucune raison d'ajouter encore aux épreuves de William. Aussi cette révélation pouvait-elle encore attendre. Peut-être attendre toujours. Bella, sans doute à dessein, lui avait fourni une parfaite entrée en matière, mais l'arrivée inopinée de Zach avait empêché Amelia de sauter sur l'occasion.

Tansie partit retrouver Delilah tandis que Zach, toujours aussi élégant mais embarrassé et maladroit, restait planté comme un piquet au milieu de la pièce.

« Pierre m'a appris la nouvelle et je suis venu te présenter mes condoléances ainsi que celles de Charlotte, dit-il. C'est un bien triste jour pour la famille. Nous aimerions assister à l'enterrement si tu veux bien nous le permettre. » Il s'arrêta de parler et serra les lèvres, brusquement dépassé par la situation.

« Oh, Zach! dit Amelia en le prenant dans ses bras, car ce n'était pas le moment de garder rancune, c'est bon de te revoir. Merci d'être venu. »

Quand il l'étreignit, elle put presque sentir ses muscles se détendre sous l'effet du soulagement.

« Je serais venu plus tôt mais Charlotte...

— Ne voulait pas.

— Exactement, soupira-t-il en s'installant maladroitement sur un siège trop petit pour lui. Est-ce que Ben t'a dit ce qui était arrivé?

— Je ne l'ai pas revu depuis.

— Il a prétendu que tu ne savais pas réellement ce qui s'était passé, et il a rejeté la faute sur Joshua. Je ne savais pas si je devais t'en parler ou non, mais ce matin j'ai décidé de te dire la vérité. Ne sois pas fâchée, Amelia. S'il n'avait pas inventé cette histoire, mon mariage volait en éclats. »

Il la regarda avec un air de chien battu; elle restait sans voix, ivre de colère. De nouveau, Ben accablait Joshua. Puis son bon sens reprit le dessus. Quelle importance, ce qu'on disait maintenant de Joshua? Plus personne ne pouvait lui faire de mal. Si Ben avait réussi à rassurer Charlotte, eh bien tant mieux.

« Je suis désolé d'avoir vendu Vérité, dit-il timidement. Je ne m'étais pas rendu compte à quel point tu y tenais.

— Alors dis-moi où elle est.

« — Je te jure que je n'en sais rien. » Il paraissait sincère, mais il avait la même expression lorsqu'il avait si véhémentement soutenu qu'il n'avait pas tué Justinian. Amelia ne parvenait pas à le croire. Mais ce n'était pas le moment d'y revenir, il valait mieux rester en bons termes, même si, au fond de son cœur, Amelia ne pouvait lui pardonner totalement.

Charlotte lui battit froid durant l'enterrement, mais Amelia avait d'autres soucis en tête. William, pâle comme un mort, éperdu de chagrin, était incapable de retenir ses sanglots. A un moment, Amelia se demanda s'il n'allait pas s'évanouir.

Lors du repas d'enterrement, servi dans le grand salon de Macabees, où Amelia avait aperçu Isobel pour la première fois, il parut se ressaisir un peu. Charlotte, assise près de lui, essayait de le consoler. Zach surveillait Julia et James, visiblement impressionnés par la douleur des adultes.

« Mon plus grand souci concerne le bébé, dit William en repoussant l'assiette que lui tendait Charlotte. Nous avons trouvé une nourrice, une esclave qui travaille dans les champs, mais elle est bourrue et je crains qu'elle ne donne pas à ma fille la chaleur et l'amour d'une mère. »

Amelia, qui écoutait en silence, eut brusquement une idée, qui, en outre, pouvait la réconcilier avec Charlotte.

« J'ai une idée », dit-elle. William la regarda avec espoir, Charlotte avec dédain.

« Demande à Zach de te donner Ruby, elle fera une très bonne nurse pour ta fille jusqu'à ce que tu trouves quelqu'un en Angleterre. Ruby a le cœur assez large pour aimer le monde entier. »

Les yeux de Charlotte étincelèrent. Amelia avait conscience de la lutte qui se livrait dans la tête de sa belle-sœur. Charlotte avait en effet du mal à réprimer un élan de gratitude devant cette initiative d'Amelia qui la débarrassait ainsi d'un élément particulièrement gênant dans son ménage.

« Qu'est-ce que tu dis ? demanda Zach, qui instinctivement sentait le danger.

— Je disais simplement à William qu'avec Ruby, son enfant serait entre de bonnes mains, dit doucement Amelia.

— Mais...

— Oh, je sais à quel point toi et Charlotte êtes attachés à cette fille et quelle perte ce serait pour vous — une perte semblable à celle que j'ai ressentie en perdant Vérité. Mais parfois il faut savoir se montrer généreux. »

Le frère et la sœur se connaissaient si bien qu'Amelia devinait parfaitement les sentiments de Zach. Il ne savait pas s'il devait se mettre en colère ou éclater de rire devant la manière dont elle se vengeait de lui en mettant de nouveau Charlotte de son côté.

Il s'avança vers elle et lui murmura dans l'oreille, pour que personne ne l'entende : « Pourquoi est-ce toujours toi qui gagnes en fin de compte, vieille canaille ? Mais ne fais pas la maligne. De toute façon, j'étais fatigué d'elle. » Puis se tournant vers William, il dit en ouvrant les bras dans un geste théâtral : « Comment pourrais-je te refuser ça ? Ruby t'appartient. »

Charlotte qui se tenait légèrement en retrait chercha les yeux d'Amelia. « Merci », souffla-t-elle.

Comme Zach était encore dans les parages, Amelia garda le visage impassible. Elle sentait par ailleurs que William était sur le point de s'effondrer et elle lui prit gentiment la main.

« Viens me montrer ma petite-fille, dit-elle. Je veux la revoir, elle est si belle. Et nous en profiterons pour parler un peu.

— Puis-je venir aussi ? » demanda Tansie.

De toute évidence, William était bien heureux de pouvoir s'en aller. Son rôle d'hôte commençait à lui peser. Il acquiesça, murmura des excuses confuses et quitta la salle. Il serrait de toutes ses forces la main d'Amelia, comme si sa mère était sa bouée de sauvetage, tandis qu'ils montaient l'escalier en direction de la nursery. Tansie les suivait.

Amelia n'avait pas vu le bébé depuis quelques jours et en se penchant au-dessus du berceau, elle fut stupéfaite : les yeux de l'enfant étaient grands ouverts, d'une profondeur et d'une intelligence extraordinaires. Amelia instinctivement se redressa : c'était un regard malveillant. Amelia, chassant cette pensée, se pencha pour prendre l'enfant dans ses bras. Merveille poussa un cri de rage, un hurlement disproportionné à son âge et à sa taille. Amelia éprouva le besoin immédiat de se débarrasser de l'enfant et le tendit précipitamment à Tansie. Les cris de fureur redoublèrent. Aussi précipitamment qu'Amelia, Tansie remit le bébé dans son berceau. Aucune femme n'aurait eu envie de consoler cet enfant. A vrai dire, ce n'était pas nécessaire. Lorsqu'elle fut recouchée, la petite fille se calma aussi rapidement qu'elle s'était mise en colère. Mais ses yeux avaient toujours un éclat froid.

« Je crois que sa mère lui manque, dit William désespéré. Elle hurle dès qu'on la touche et refuse d'être cajolée. C'est très difficile d'arriver à lui faire boire son lait.

— Curieux, dit Amelia en frissonnant comme si un fantôme était sorti de son tombeau. Je crois que tu ferais mieux de faire venir Ruby le plus rapidement possible. A moins que tu ne préfères que je la prenne... »

Au grand soulagement d'Amelia, son fils s'opposa à cette idée. Il ne pourrait supporter d'être séparé de la merveille vivante que sa femme lui avait léguée.

« Elle est tout ce que j'ai, dit-il.

— Oh, William, s'exclama Amelia, ce n'est pas vrai. Nous sommes tous là.

— Je le sais maman, je le sais, dit-il, attristé à l'idée de l'avoir blessée. Mais cette enfant est à moi.

— Et elle est vraiment très belle », dit Amelia en jetant un autre coup d'œil dans le berceau. Elle rencontra de nouveau le regard bleu et froid. Elle n'avait aucune envie de prendre le bébé dans ses bras. Il en était de même pour Tansie.

Mars arriva tambour battant avec des alizés qui se déchaînaient de façon inhabituelle pour la saison, soulevant le sable noir de la plage de Basse-Terre et contrariant le vol puissant des frégates. Les aigrettes restaient dans les pâturages derrière les bestiaux tandis que le vent ébouriffait leurs plumes blanches comme des flocons de neige. Tansie se moquait du temps. Elle se plaisait à penser que le vent remplirait les voiles de la *Reine des Mers* et lui ramènerait plus vite son Robin. En tout cas, ce n'était certes pas le calme plat qui empêchait son retour imminent. Elle l'attendait avec impatience.

Il lui manquait énormément, pour quelqu'un qu'elle n'avait pas vu plus d'une semaine. Elle commençait à être inquiète, se réveillant la nuit, couverte de sueur à l'idée qu'il pouvait avoir changé d'avis. Parfois, elle chevauchait jusqu'au promontoire qui dominait la rade, essayant d'apercevoir son navire tout en sachant qu'il ne pouvait être encore de retour.

Elle s'occupait de moins en moins de la taverne et Ben avait demandé à Rose, la plus vieille des trois prostituées, de servir des bières plutôt que son corps. Rose, qui approchait des quarante ans, fut bien heureuse de cette promotion. Cet arrangement permit à Ben de la remplacer par une jeune métisse, ce qui fit faire un bond aux recettes.

A part cette obsédante inquiétude que Robin puisse ne plus

vouloir d'elle (elle redoutait également qu'il fît naufrage), la jeune fille était heureuse. Amelia étant restée à Macabees auprès de William, Tansie n'était pas allée à Lointaine depuis longtemps. En outre, Amelia avait emmené Delilah avec elle et s'occupait totalement de la petite fille, comme elle l'avait fait autrefois pour Tansie. Malheureusement Delilah ne pouvait pas être prise pour une Blanche et Tansie, doutant de la sagesse de cette éducation que recevait sa fille, ne pouvait se départir d'un ressentiment à l'égard d'Amelia.

Elle avait pris l'habitude de tenir un journal afin de le montrer à Robin. Un matin où elle était dans sa chambre en train d'écrire, avant l'ouverture de la taverne, Prissie vint cogner à sa porte.

« Il y a un Noir qui vous demande, madame, dit-elle. On dirait un esclave en fuite. J'ai failli appeler les gendarmes mais il a tellement insisté pour vous voir que j'ai pensé préférable de vous en parler.

— Est-ce qu'il t'a donné son nom ? Ou dit ce qu'il voulait ?

— Non, il répète qu'il veut voir Mme Tansie. Il a l'air violent. Faites attention à vous, patronne. »

Peut-être est-ce quelqu'un qui m'apporte un message de Windsong ou de Macabees, se dit Tansie en descendant l'escalier pour gagner la taverne. Un homme pas très grand, mais large d'épaules, avec des bras et des jambes solides, se tenait dans l'ombre. Il portait une chemise et une culotte déchirées, ses mollets et ses pieds étaient nus et couverts d'écorchures. Des cheveux crépus et abondants recouvraient son crâne. Il donnait l'impression de posséder une grande force physique.

Comme elle pénétrait dans la salle, l'homme s'avança et Tansie vit que sa peau était d'un noir bleuté et qu'il était couvert de sueur.

« Tansie ? demanda-t-il.

— Oui », dit-elle prudemment, surprise qu'on ose l'appeler ainsi par son prénom. Mais elle pensa alors que ce devait être quelqu'un qu'elle avait connu lorsqu'elle était esclave. Elle ne l'identifiait pas du tout.

« Je suis Sam, dit-il.

— Sam ? » demanda-t-elle. Ce nom ne lui disait rien.

« Je suis ton frère.

— Mon frère ! »

Soudain elle se souvint du petit garçon avec qui elle avait partagé le lait, la nourriture, l'amour et les attentions de Ruby. Cet enfant noir, d'un an plus jeune, était resté à Macabees quand on l'avait emmenée, elle, à Lointaine. Il ne lui avait pas manqué. Il avait toujours été un enfant difficile qui la bousculait, la battait et se mettait à hurler dès qu'elle lui rendait les coups.

« Sam ! » Elle sentait qu'elle aurait dû l'embrasser, le prendre dans ses bras, ou faire un geste digne d'une sœur, mais ce nègre robuste et agressif lui était totalement étranger. Elle essaya de réveiller en elle un sentiment familial, en vain.

« Je me suis échappé, dit-il. J'ai besoin d'aide. » Il essuya la sueur qui coulait sur son front d'un geste impatient.

Elle regarda nerveusement autour d'elle. Les punitions pour cacher des fuyards étaient lourdes.

« Viens par ici », dit-elle, en l'entraînant vers sa chambre. Elle n'avait aucune envie de s'isoler avec lui mais la taverne serait bientôt pleine de monde.

Elle le fit asseoir dans son fauteuil et prit place sur une chaise devant son bureau.

« D'où t'es-tu échappé ? demanda-t-elle.

— De Nevis.

— De Nevis ! Comment as-tu fait pour passer le détroit ?

— J'ai nagé. Ce n'est pas énorme. Trois kilomètres seulement à l'endroit le plus étroit. J'ai profité de la marée, dit-il, fanfaron. Il fallait que je déguerpisse. J'ai tué un des surveillants. Il m'a fouetté une fois de trop. »

Il voulait paraître calme mais ne parvenait pas à dissimuler sa peur. Il risquait la peine de mort s'il était pris.

« Que vas-tu faire ? » demanda-t-elle, se rendant compte qu'il n'était pas possible d'appeler la gendarmerie pour faire arrêter son propre frère.

Il sourit, découvrant de fortes dents blanches. Ce n'était pas un sourire amical. « La vraie question est ce que tu vas faire, toi.

— Moi ?

— Apparemment tu mènes une vie agréable de femme blanche. Est-ce que tu as envie que les Blancs apprennent que je suis ton frère ? Bon, ton demi-frère en tout cas. »

Son demi-frère ? Que voulait-il dire par là ? Elle était abasourdie, effrayée par son air menaçant. Elle se souvint des tentatives d'Amelia pour le retrouver afin de faire plaisir à Ruby ; déjà, à l'époque, les gens de Macabees s'étaient débarrassés de lui parce qu'ils le considéraient comme un fauteur de troubles.

« Mais j'imagine que Mme Amelia ne tient pas non plus à ce

que ça se sache », dit-il d'une voix forte. Tansie craignait que quelqu'un puisse les entendre. Il paraissait prendre de l'assurance. « Alors les gens sauraient que toi et moi on a le même papa et que Mme Amelia est ta maman.

— Mme Amelia, ma mère ? Qu'est-ce que tu racontes ? dit-elle bouleversée. C'est Ruby, ma mère. »

Il éclata d'un rire sinistre. « C'est ce qu'on t'a dit ? Ce n'est pas vrai. Ruby c'est ma mère, ça c'est sûr. Ta mère c'est Mme Amelia. Quand j'étais à Macabees, une vieille femme, Minta, me l'a dit. Elle et sa mère ont assisté à ta naissance. "C'est nous qui avons mis cette fille Tansie au monde, aimait-elle dire. Elle était presque blanche. Vraiment presque blanche." Maintenant je vois de mes yeux qu'elle avait raison. Tu es presque blanche. De toute façon, ce n'est pas tellement surprenant puisque ta mère est blanche. »

Ses yeux noirs flamboyants s'accrochaient à elle. Tansie se sentait défaillir mais elle essaya de paraître calme, de ne pas laisser voir son émotion. Elle n'avait qu'une envie, voir cet homme loin de chez elle, afin de pouvoir s'habituer doucement à ce qu'il venait de lui révéler. Amelia était sa mère ? Cela expliquait beaucoup de choses, mais cela n'expliquait rien non plus. Pour le moment, elle devait prendre son courage à deux mains, faire appel à son bon sens et essayer de résoudre au mieux le problème de cet homme brutal.

« Qu'est-ce que tu veux que je fasse ? » demanda-t-elle doucement. Il remua sur son siège pour croiser négligemment ses grosses jambes. Pour le moment en tout cas, il était maître de la situation, et c'était plutôt effrayant.

« Emmène-moi chez ta mère. Chez ta véritable mère. Je crois qu'elle est capable de me sortir du pétrin dans lequel je me suis fourré. Et sois gentille aussi de voir ma véritable mère. Cette Mme Amelia ne s'est pas souciée de m'arracher à elle. Où se trouve-t-elle maintenant, hein ?

— A Macabees, dit Tansie.

— De nouveau avec Benson ? »

Tansie pensa qu'il était préférable de ne pas dire que Benson ne travaillait plus sur la plantation. Les esclaves avaient peur de Benson. Peut-être que cet homme en avait peur aussi, malgré son air bravache.

« Ça va être difficile de te cacher, dit-elle lentement, essayant de gagner un peu de temps tout en souhaitant que Robin fût là pour l'aider. Je ne sais pas où se trouve Mme Amelia en ce moment. Elle fait des allées et venues entre les différentes plantations. » En prononçant le nom de Mme Amelia, Tansie sentit de nouveau la tête lui tourner. Mme Amelia, sa mère. Était-ce possible ? « Tu resteras dans la mansarde jusqu'à ce que je sache où elle se trouve.

— Je ne vais pas aller dans la mansarde », dit-il, regardant rapidement autour de lui comme un animal aux abois. Son assurance avait disparu et la peur était revenue.

« Comme tu veux, dit-elle sèchement, mais si tu es pris, ça ne sera pas ma faute. Fais comme tu l'entends. Mais des gens entrent et sortent de cette pièce à chaque instant.

— Bon, fit-il en se levant, mais retrouve vite ta mère. »

Sans prendre la peine de répondre, Tansie le conduisit jusqu'à la mansarde. Heureusement, personne n'était dans les parages.

« Je suis obligée de fermer la porte à clé, dit-elle comme elle le faisait entrer. Non pas pour t'enfermer, mais pour empêcher quelqu'un d'entrer. C'est plus sûr. »

Il lui jeta un coup d'œil soupçonneux en fronçant les sourcils.

« Alors n'oublie pas de glisser la clé sous la porte, hein ?

— Comme tu veux », dit-elle. Ça n'avait aucune importance. De toute façon, elle n'allait pas appeler la gendarmerie. L'écheveau des secrets que connaissait cet homme commençait à se dévider pour elle, mais Tansie continuait à ignorer de quelle manière il pouvait s'en servir. A qui le dirait-il ? Hurlerait-il accroché à la potence : « Amelia Quick est la mère de Tansie. Amelia Quick a couché avec un esclave noir. » Il devait avoir un plan, mais il était difficile de voir lequel.

Elle descendit l'escalier en courant à la recherche de Ben qui rangeait des tonneaux de bière dans la cave.

« Il faut que je te parle », dit-elle.

Il décela l'inquiétude dans sa voix et se tint immédiatement sur ses gardes.

« Le fils de Joshua et Ruby se cache dans la mansarde. Il a tué un contremaître noir dans sa plantation à Nevis et il a pris la fuite. Il veut voir Amelia et prétend que... — sa voix se contracta — qu'Amelia est ma mère.

— Seigneur ! s'exclama Ben en pâlissant.

— Il est persuadé qu'Amelia l'aidera à cause de ce qu'il sait. Qu'allons-nous faire ?

— Pour commencer, l'éloigner d'Amelia, dit Ben froidement.

— Je lui ai dit que je ne savais pas exactement où elle se trouvait.

— Bonne chose. » Il se leva pour réfléchir. « Nous allons le conduire à Windsong et laisser Zach se débrouiller avec lui. On va lui dire qu'elle est là-bas.

— Il n'est pas idiot, Ben, c'est un costaud, une brute. Et il n'a plus rien à perdre.

— Alors c'est vraiment Zach qui doit s'en occuper. » Il lui prit la main. « Est-ce que ça va ? dit-il l'air préoccupé. Amelia ne sera certes pas heureuse que tu l'aies appris de cette manière. Ç'a dû te faire un coup. »

Elle essayait de ne pas pleurer. « C'est vrai, alors ? Amelia est ma mère ?

— C'est vrai, dit-il avec tristesse. Mais il faut que ce soit elle qui t'en parle. Ce n'est pas mon rôle.

— Mais pourquoi ne me l'a-t-elle pas dit plus tôt ? demanda Tansie la gorge serrée. Toutes ces années... »

Il mit un bras autour de son cou et l'attira vers lui. « Pourquoi ? Oh, Tansie tu as vécu sur cette île toute ta vie, tu dois bien savoir pourquoi elle ne l'a pas dit plus tôt. Comment aurait-elle pu ?

— "Toutes ces femmes blanches qui ont honte de leurs enfants me rendent malade", murmura Tansie. C'est ce qu'a dit Bella et elle avait raison. Et je suis comme ça moi aussi.

— Tu penseras à ça plus tard, lui fit remarquer Ben. Pour le moment, essayons de régler le problème de la mansarde. »

« Nous avons des ennuis, Zach. »

Zach était assis derrière sa grande table de travail dans le bureau qu'il avait à Basse-Terre. Il aimait y passer ses matinées même s'il n'y avait pas grand-chose à faire.

« Quelle sorte d'ennuis ? » demanda-t-il. Ben était arrivé à pied, sans se faire annoncer, à bout de souffle et sans même avoir passé son justaucorps. Il était en chemise et en culotte, botté néanmoins. Zach remarqua qu'il y avait des taches de vin sur sa chemise. Toujours surprenant, ce Ben.

« De véritables ennuis. Dans ma mansarde, j'ai un esclave en fuite qui dit être le fils de Joshua et de Ruby. Il a tué un contremaître noir dans sa plantation à Nevis. Et le pire... »

Ben lui raconta le pire. A la fin du récit, Zach donna un grand coup de poing sur son bureau qui fit vaciller son encrier et sa plume d'oie. « Ces Noirs ingrats ! rugit-il. En voilà encore un qui essaie de nous faire chanter. Eh bien il va voir qu'on ne menace pas impunément les Quick.

— Celui-là, tu ne pourras pas le vendre, fit remarquer Ben.

— Il y a mieux à faire, dit Zach. Ces brutes insolentes et détraquées pensent qu'ils peuvent s'en prendre aux Blancs de l'île. Il faut leur donner une leçon. Ils doivent rester à leur place.

— Admettons, dit Ben, mais s'il commence à raconter l'histoire d'Amelia et de Josh...

— Je ne lui en donnerai pas l'occasion, dit Zach, d'une voix si sèche, si dure que Ben se sentit mal à l'aise.

— Qu'est-ce que tu veux qu'on fasse ? » demanda-t-il.

Zach réfléchit un bon moment. Puis il poussa un grognement et dit : « Dites-lui qu'Amelia est à Windsong et arrange-toi pour que Tansie l'amène discrètement ici en voiture lorsque la nuit sera tombée. Habillez-le en cocher, et donnez-lui les rênes. Dis à Tansie que je suis allé chercher Amelia. Tansie sera bien plus convaincante si elle croit dire la vérité. N'ajoute rien de plus. Après j'en fais mon affaire.

— Tu ne vas pas...

— J'en fais mon affaire, te dis-je. »

Ben regarda son cousin, essayant de lire sur son visage quelles étaient ses intentions. Mais Zach était impassible.

« Il ne peut pas vraiment nous faire beaucoup de mal..., dit Ben en hésitant.

— Bien sûr qu'il ne peut pas, l'interrompit Zach avec impatience. C'est juste un acte désespéré et ça ne marchera pas. J'y veillerai. Mais je ne veux pas qu'on me fasse chanter. »

Ben retourna à la taverne, soucieux et préoccupé. Il avait une petite idée de ce que Zach pouvait faire, et il ne tenait pas à y être mêlé. Pas de nouveau. De plus, il s'inquiétait à l'idée de laisser Tansie seule avec l'esclave en fuite. Mais il fallait survivre, aussi décida-t-il que le mieux serait peut-être de faire exactement ce que lui avait demandé Zach. Si Tansie emmenait l'esclave à Windsong, au moins lui, Ben, serait à l'écart des événements — quels qu'ils soient.

Il fit part à Tansie des projets de Zach.

« Comment allons-nous procéder ? demanda-t-elle.

— Tu vas lui porter à boire et à manger et lui dire qu'on viendra le chercher après la tombée de la nuit. Inutile de l'informer que je suis au courant. Ne vous approchez pas de la taverne. Fais-le passer par l'autre maison au moment de monter en voiture. C'est lui qui conduira. Donne-lui un chapeau de cocher. Dans l'obscurité, les gens n'y verront que du feu.

— Et ensuite ?

— Reviens ici. Laisse faire Zach et Amelia. »

Elle frissonna. « Pourquoi est-ce que je m'inquiète pour lui ? demanda-t-elle doucement.

— Parce qu'il est difficile de ne pas avoir pitié d'un pauvre diable qui trime dans les champs et à la sucrerie et qui ne reçoit pour tout salaire que des coups de fouet. » Il fit un geste impatient de la main, comme s'il repoussait quelque chose ou quelqu'un. « Les contremaîtres noirs sont les pires, dit-il. C'est étonnant qu'ils ne soient pas plus souvent assassinés. Écoute, je préfère être aubergiste que propriétaire d'esclaves. A franchement parler, aider les hommes à se soûler à mort est un travail plus honorable. »

Il attendit, tandis qu'elle montait discrètement un plateau de nourriture dans la mansarde.

Quand elle redescendit, se rendant compte qu'elle était énervée, il lui demanda : « Comment était-il ?

— Pas mal. Lorsqu'il a ouvert la porte je ne l'ai d'abord pas vu : il était caché derrière la porte, et tenait à la main un gourdin qu'il avait trouvé dans la mansarde. Il voulait savoir si j'avais des nouvelles d'Amelia. Je lui ai dit qu'elle se trouvait à Windsong et lui ai expliqué que je l'y conduirais à la tombée de la nuit. Alors il m'a dit qu'il voulait un sabre. Je lui ai répondu que ce n'était pas nécessaire mais il a insisté. Qu'en penses-tu ?

— Un sabre ? » Ben réfléchit. Si une quelconque justice était rendue, ce serait d'une manière expéditive. Ben, lui, estimait que la justice devait être rendue au grand jour, mais les esclaves n'avaient jamais droit à un véritable procès. Pourquoi ne pas donner à ce pauvre bougre une petite chance de s'en sortir ? Il y avait quelques sabres dans la taverne, oubliés par des clients trop soûls pour se souvenir qu'ils étaient arrivés armés. Sam pouvait en prendre un. Si Zach avait l'intention de le tuer, il lui en voudrait d'avoir armé Sam, mais le fait que l'homme soit armé pouvait être fortuit. De toute façon, Zach pourrait ainsi invoquer la légitime défense au cas où les choses tourneraient mal.

A la nuit, Tansie fit descendre Sam de la mansarde. Ils se faufilèrent vers les écuries où les attendait la voiture déjà attelée. Tansie monta à l'intérieur. Sam hésitait, tenant le gourdin dans la main, prêt à s'en servir.

« Je ne sais pas si je dois te faire confiance, marmonna-t-il, regardant nerveusement autour de lui.

— Tu n'as guère le choix, lui fit-elle remarquer. Tu trouveras le sabre que tu as demandé à côté de ton siège. Partons avant que quelqu'un ne nous remarque. Je t'indiquerai le chemin pour Windsong. »

Un croissant de lune traînait dans le ciel pâle, sa lumière renforçait celle des lampes de la voiture pour percer l'obscurité. Tansie était anxieuse, et il en était de même de son cocher. Il marmonnait sans arrêt, tenant l'épée d'une main et les rênes de l'autre. Ils contournèrent le bois en bas de Monkey Hill ; ils n'étaient plus qu'à un kilomètre de l'entrée de Windsong. Le calme était oppressant.

Brusquement, des hurlements déchirèrent le silence et une demi-douzaine d'hommes de la milice, sans aucun doute aux ordres de Zach, surgirent des bois. Tansie, impuissante et horrifiée, vit l'un des hommes arrêter le cheval, tandis que quatre autres jetaient Sam à bas de son siège. Un de leurs camarades faisait le guet. Sam se releva et se rua sur ses agresseurs, sabre au poing. Il fallut la force des six hommes pour parvenir à le maîtriser : n'ayant plus rien à perdre, il se battait comme un diable. Le combat fut bref et sanglant, Sam succomba sous le nombre. En quelques minutes, il fut mis en pièces, sa tête pratiquement détachée du corps.

« Saloperie ! s'écria l'un des hommes épuisé et haletant, en compressant la blessure qu'il avait à l'épaule. Zach ne nous avait pas avertis qu'il serait armé. »

Les six hommes étaient tous plus ou moins gravement blessés et leur gaieté était tombée. Sam ne s'était pas rendu facilement. Ils remontèrent en selle et s'en allèrent, probablement chez le chirurgien de Old Town Road. Tansie se demandait s'ils s'étaient rendu compte de sa présence.

Dès qu'elle n'entendit plus de bruit de sabots, elle descendit de voiture et s'agenouilla à côté du corps de son demi-frère, éclairé par les lampes de la voiture. Il reposait dans une mare de sang. Il avait une expression féroce, ses lèvres découvrant ses dents blanches, ses yeux grands ouverts fixant le vide. Il tenait encore à la main le sabre ensanglanté.

« C'était mon frère et le fils de Ruby, soupira-t-elle, en le regardant. Et je l'ai trahi. »

Elle s'assit un instant près du corps, essayant de se consoler en se disant que Sam serait mort de toute façon, pendu au bout d'une corde, dès qu'on l'aurait attrapé. Un esclave meurtrier ne pouvait s'attendre à aucune grâce. En fin de compte, son arme lui avait permis de mourir dignement, en combattant. Néanmoins, Tansie n'arrivait pas à se débarrasser d'un sentiment de culpabilité, c'était elle qui l'avait conduit dans le piège tendu par Zach.

Mais au bout d'un moment, ce sentiment fit place à une terrible colère. Elle était furieuse qu'on l'ait tenue dans l'ignorance des circonstances de sa naissance, comme si sa mère avait honte d'elle ; furieuse aussi que Zach puisse si facilement régler les choses à son avantage quand quelqu'un se mettait en travers de sa route ou simplement le menaçait. Furieuse également que Vérité ait été vendue sans pitié, et que le fils de Ruby ait été massacré. Elle en voulait à Ben qui, malgré son refus d'utiliser des esclaves, ne pensait qu'à lui et qui, très probablement, se trouvait mêlé au meurtre de ce soir. Et Amelia ? Quel rôle avait joué Amelia dans tout cela ?

Amelia avait dit qu'il était préférable d'être blanc. Mais de la façon dont les Blancs se conduisaient sur cette île, Tansie n'était pas sûre d'avoir fait le bon choix. Il y avait toutes les raisons d'avoir honte d'être blanc.

Tandis qu'elle était là assise, perdue dans ses pensées, elle entendit à nouveau des bruits de sabots, et dans la lumière jaunâtre des lampes de la voiture, elle aperçut deux silhouettes à cheval. Elle reconnut sans peine la silhouette majestueuse de Zach, accompagné d'un gendarme.

« Tansie, cria-t-il. Tansie, es-tu saine et sauve ?

— Je suis là », répondit-elle.

Les deux hommes s'approchèrent d'elle.

« Vous voyez, brigadier, dit Zach, en montrant de son fouet le corps mort, un esclave en fuite de Nevis. Vous apprendrez bientôt qu'il était recherché là-bas pour le meurtre d'un contremaître noir. M. Clode, de la taverne, m'a averti qu'il avait pris Mme Henleigh en otage. J'ai lancé mes hommes à sa poursuite. Ils ont été obligé de le tuer pour se défendre. » Il secoua la tête, l'air lugubre. « Bon, je suppose que cela épargnera à notre communauté les frais d'un procès. » Il mit pied à terre et aida Tansie à se relever. « Tout va bien, n'est-ce pas, ma chérie ? »

Elle ne voulait pas parler et hocha simplement la tête.

« Tu as été très courageuse. Nous sommes fiers de toi et nous allons te reconduire chez toi.

— Je rentrerai seule, merci, dit-elle sèchement. Je peux parfaitement conduire la voiture. Voulez-vous, s'il vous plaît, avoir l'amabilité de dégager le chemin. Je ne souhaite pas passer sur le corps de mon frère.

— Ma sœur est très pieuse, souffla Zach au gendarme avec une remarquable présence d'esprit. Elle considère même les esclaves comme ses frères. » Puis, se retournant vers Tansie qui l'avait entendu, il ajouta : « Nous ne pouvons pas te laisser seule. Tu dois être bouleversée par ce qui est arrivé.

— Plus que vous ne le pensez, dit-elle en montant sur le siège du cocher. Mais je préfère être seule, merci. »

Le gendarme s'efforçait tant bien que mal d'écarter le corps de la route. Zach ne montrait pas le moindre signe de vouloir l'aider.

« Dites-moi, cria Tansie, est-ce qu'Amelia est vraiment à Windsong ?

— Non, lui répondit Zach. Elle est à Macabees. Elle n'est au courant de rien. »

Elle fut surprise de voir à quel point elle était soulagée d'apprendre qu'Amelia n'était pas mêlée à l'affaire. Elle s'empara des rênes et fit faire demi-tour à la voiture : elle avait hâte de s'éloigner. Les chevaux étaient nerveux, à cause de l'odeur du sang. Eux aussi semblaient pressés de quitter l'endroit. Elle grimaça lorsque les roues dispersèrent la poussière, effaçant ainsi les traces du sang de son frère.

Elle n'entra pas dans l'écurie de la taverne, confia les chevaux au palefrenier et demanda qu'on attelle sa jument. Elle avait décidé d'aller sur-le-champ à Macabees. Elle ne pourrait pas dormir sans avoir auparavant parlé à celle dont elle venait d'apprendre qu'elle était sa mère.

Un mauvais sentier partant de Basse-Terre longeait la mer jusqu'à Macabees. Il n'était pas très praticable même de jour, mais la nuit était claire et grâce à sa lanterne elle réussit à le suivre. Sa jument avançait avec précaution et Tansie la laissait faire. Elle réfléchissait aux événements de la journée. Les sentiments qu'elle éprouvait pour Sam étaient confus. Il ne lui avait pas plu. Il était brutal, violent, lâche et courageux à la fois. Mais ce n'était guère étonnant, vu la vie qu'il avait menée. Si l'on pouvait appeler cela une vie.

Elle ne savait pas très bien ce qu'elle allait dire à Amelia et repassait dans sa tête une suite de déclarations accusatrices et violentes. Mais sa colère s'était évanouie. Au plus profond d'elle-même elle se sentait blessée qu'Amelia ne l'ait pas reconnue. Mais ce ressentiment peu à peu cédait devant le bon sens. Comment Amelia aurait-elle pu la reconnaître ? Pour une femme blanche, coucher avec un esclave était impensable, invraisemblable, scandaleux, et pourtant Amelia l'avait fait.

Il était fort tard lorsqu'elle arriva à Macabees. Le portier la laissa entrer et l'accompagna jusqu'à la maison pour le cas où les portes seraient verrouillées. Bien qu'il y eût encore de la lumière à l'étage, la maison était barricadée. Tansie dut attendre que le portier se rende dans le logement des esclaves pour trouver quelqu'un qui puisse lui ouvrir et réveiller Amelia.

Elle s'aperçut qu'elle était ridiculement nerveuse en pénétrant dans l'énorme hall. La nouvelle servante d'Amelia se précipita vers elle, en écarquillant les yeux.

« Mme Amelia va venir. Elle m'a dit de vous faire attendre dans le salon », dit la jeune fille, visiblement dévorée de curiosité.

Au bout de quelques minutes, Amelia apparut, vêtue d'une robe de chambre en velours émeraude qu'elle croisait devant elle. Elle était chaussée de mules et ses cheveux tombaient sur ses épaules.

« Ma chérie, qu'est-ce qui se passe ? » Elle s'avança pour embrasser la jeune femme qui recula. « Mais qu'y a-t-il ? demanda-t-elle calmement.

— Sam est mort », lâcha Tansie.

Amelia fronça les sourcils. « Sam ?

— Le fils de Ruby et de Joshua. »

Amelia porta la main à sa bouche. « Mais comment ? Mais comment le sais-tu ? »

Les deux femmes étaient toujours debout, Amelia frissonnant un peu à cause de la fraîcheur de la nuit, Tansie la toisant, l'air accusateur.

« Il s'est enfui d'une plantation à Nevis après avoir tué un contremaître noir. Il est venu me demander de l'aider. Ben est allé trouvé Zach et Zach l'a fait assassiner.

— Mais pourquoi est-il venu te voir ? Et pourquoi Zach l'a-t-il fait tuer ?

— Parce que Sam menaçait de dire à tout le monde que vous étiez ma mère. » Tansie avait prononcé ces paroles sur un ton tranquille mais elles résonnèrent dans la pièce comme si elles avaient été criées à pleins poumons. Amelia s'écroula dans un fauteuil, le visage livide.

« Mon Dieu, dit-elle faiblement.

— Mon Dieu, répéta Tansie d'un air moqueur. Est-ce là tout ce que vous trouvez à dire ?

« — J'étais sur le point de te l'apprendre.

— Alors pourquoi ne l'avez-vous pas fait ? » Sa douleur se transformait en colère.

« Je voulais te le dire, répéta Amelia d'une voix ferme, au moment où Bella a eu cette réflexion à propos des femmes qui avaient honte de leurs enfants. Mais Zach est arrivé, et depuis l'occasion ne s'est pas représentée.

— Mais c'était il y a à peine quelques semaines, répliqua Tansie et, je suis votre fille depuis presque vingt-sept ans. Tout cela est cruel, méprisable. » Elle s'arrêta pour retenir un sanglot. « Est-ce que Joshua était mon père ?

— Oui. Je l'ai aimé passionnément. Je l'aime encore. »

Tansie entendit le chagrin qui voilait la voix de sa mère. Elle se rendit compte alors qu'elle avait les poings serrés, les épaules contractées et fit un effort pour se détendre.

« Je t'en prie, assieds-toi, lui dit Amelia. Il y a si longtemps que j'attends ce moment, je voulais être la première à t'annoncer la vérité. Je suis profondément triste que tu l'aies apprise de cette manière.

— Je suppose que Sam aussi est triste, quel que soit l'endroit où il se trouve. » Tansie n'avait pas renoncé à son agressivité, mais elle accepta néanmoins de s'asseoir en face de sa mère.

« Tu vois, commença Amelia, quand je suis arrivée sur cette île, j'étais moi aussi une esclave.

— Une esclave ! »

Amelia hocha la tête et laissa apparaître un demi-sourire. « Ben et Zach aussi. Mais comme tu peux l'imaginer, Zach n'aime pas parler de ça.

— Mais pourquoi étiez-vous esclaves ? » Les questions se bousculaient dans la tête de Tansie. Sa colère avait fait place à une curiosité dévorante.

« C'est une longue histoire que je te raconterai une autre fois. Nous devions rester esclaves dix ans, mais on nous a pardonné au bout de quatre ans. Pendant ces quatre années, j'ai vécu dans la case des esclaves à Windsong, avec les Noirs, au service d'Élisabeth Oliver et de Charlotte. »

Tansie ne pouvait en croire ses oreilles. Amelia, l'élégante Amelia, dans la case des esclaves. C'était inimaginable.

« Je n'avais que quinze ans lorsqu'on nous a chassés d'Angleterre et amenés ici. Zach est devenu ouvrier agricole, et Ben et moi domestiques. De nous trois, c'est Zach qui a le plus souffert. Ceux avec qui il travaillait le haïssaient. Il n'avait aucun ami. Les esclaves ne faisaient pas confiance à un Blanc travaillant dans les mêmes conditions qu'eux. Il était tyrannisé et fouetté des deux côtés à la fois, par le surveillant blanc et les contremaîtres noirs. Ça explique ce qu'il est aujourd'hui.

— Et vous ? demanda Tansie.

— Bella s'est occupée de moi. Elle ne m'aimait pas beaucoup mais j'étais si jeune qu'elle avait pitié de moi. Et puis le père de Charlotte s'est mis en tête de coucher avec moi. Il a fini par me violer, ce qui a changé du tout au tout l'attitude des femmes noires à mon égard. Je suis devenue une des leurs. A ce moment-là, Joshua et moi étions déjà tombés amoureux l'un de l'autre. Ton père était un très bel homme, Tansie. Il était bon et gentil, et supérieurement intelligent. S'il n'avait pas été esclave, il aurait pu faire de grandes choses dans sa vie. Tu dois toujours être fière de lui.

« Lorsque Matthew Oliver m'a violée, j'étais enceinte de toi et nous avions terriblement peur que tu en aies souffert. Nous craignions aussi la réaction d'Oliver au moment de ta naissance. Si tu étais blanche, il penserait que tu étais sa... Elle hésita pour trouver ses mots.

— Et si j'étais noire, il saurait que vous aviez couché avec un esclave, avança Tansie.

— Exactement, dit Amelia, et je n'aurais pas donné cher de la vie de cet esclave. Aussi Bella a insisté pour que l'on cache à tout le monde que tu étais ma fille, afin de protéger ton père. Quand tu es née, tu étais toute dorée, une vraie petite fleur jaune, c'est pourquoi je t'ai appelée Tansie, le diminutif de tanaisie. On ne pouvait pas savoir si tu étais vraiment blanche ou si tu avais un peu de sang noir. On a dit aux Oliver que tu étais l'enfant de Vérité. Quelques semaines après ta naissance, Matthew Oliver a vendu Bella, Vérité, Joshua et toi à Macabees. Je n'ai jamais su pourquoi mais grâce au ciel Ruby était là-bas pour te nourrir ; sans elle, tu serais morte.

— Et ensuite vous nous avez retrouvés et ramenés à Lointaine, dit Tansie lentement, comme la mémoire lui revenait. Pourquoi avez-vous laissé papa là-bas ?

— C'est Zach qui l'a fait. Il avait peur que les gens ne découvrent notre liaison. Il était déjà à l'époque un homme respectable et important qui redoutait sans cesse que la vérité puisse apparaître au grand jour.

— Et c'est pour ça qu'il n'a pas hésité à tuer Sam. Pour que les choses restent cachées, dit Tansie. Mais quel mal aurait pu lui faire ce pauvre Sam, franchement ? Qui l'aurait cru ? C'est un meurtre inutile. C'est affreux ! Vraiment affreux !

— Peut-être. Nous ne le saurons jamais, maintenant, dit Amelia en se penchant en avant. De toute façon, Tansie, Sam devait mourir. S'il a tué un contremaître, il n'avait aucune chance de s'en sortir. Et s'il n'avait pas été attrapé et pendu il serait resté toute sa vie un fugitif. Et franchement, je n'hésiterais pas à me débarrasser de ce qui pourrait te menacer ou te mettre en danger. Tu es mon unique fille et je t'aime. De plus, tu commences à avoir une vie agréable. Je ne veux pas qu'on te l'enlève. Je comprends que tu sois furieuse contre moi de ne pas t'avoir dit la vérité. Mais je n'ai jamais eu honte de toi. Il me semblait que c'était la seule manière de faire face à cette situation. J'ai fait tout ce que j'ai pu pour toi. Si tu te regardais honnêtement dans un miroir, tu verrais que si tu t'habillais comme une esclave, parlais comme une esclave, marchais, agissais comme une esclave, personne ne se poserait de questions. Bien sûr, les gens pourraient peut-être s'étonner de la blancheur de ton teint. Mais c'est parce que tu te conduis et que tu as l'allure d'une femme blanche que les gens t'acceptent comme une Blanche. J'ai au moins fait cela pour toi. »

Amelia gardait la tête baissée et Tansie se dit qu'elle devait pleurer.

« Vous avez fait pour moi tout ce qu'on peut attendre d'une mère, dit-elle en s'agenouillant devant Amelia afin de voir son visage. Je vous en prie, ne pleurez pas. J'ai d'abord été furieuse puis ulcérée. Mais je vous comprends, d'ailleurs, qui suis-je pour vous en vouloir quand moi-même je ne reconnais pas mon propre enfant ? Je me rends compte maintenant que j'aurais dû deviner la vérité. Il y avait tant d'indices. J'ai toujours su que vous m'aimiez quand j'étais petite. C'était vous qui me protégiez, qui m'avez élevée. Je sentais que vous étiez ma famille. Pour moi, ma maison, c'était chez vous. Mais je pensais que vous ne le faisiez que parce que j'avais la peau très blanche. » Elle posa sa tête sur les genoux d'Amelia qui d'une main hésitante commença à lui caresser les cheveux.

« Delilah n'est pas aussi blanche que toi et pourtant je tiens à ce qu'elle ait les mêmes avantages », dit Amelia.

Tansie leva la tête. « Je ne suis pas sûre que ça soit bien. Que deviendra-t-elle ? Elle ne sera à sa place nulle part. Elle ne pourra...

— Passer pour une Blanche ?

— Non. Elle ne pourra pas. Ce sera plus difficile pour elle que pour moi. »

Amelia soupira. « Cependant, je ne peux me résoudre à la laisser sans éducation et à la faire vivre au milieu des esclaves. Il faut choisir, Tansie : où nous la laissons mener une vie d'esclave noire, ou nous tâchons de lui faire partager nos privilèges. Elle sera toujours en sécurité ici avec moi, et quand le moment viendra, quand il me faudra partir, tu t'occuperas d'elle.

— J'aimerais m'occuper d'elle maintenant.

— Et qu'en ferais-tu ?

— Ce que vous avez fait pour moi, j'imagine, dit Tansie amèrement. Il n'y a aucune possibilité de changer les choses, n'est-ce pas ? »

Elles restèrent un moment silencieuses, puis Amelia dit : « Laisse-la avec moi jusqu'à ce que tu sois installée avec ton commandant, et puis nous déciderons ce qui nous semblera le mieux pour elle. »

Elle se leva pour se diriger vers la cheminée. Quelque part dans la maison, une horloge sonna une heure.

« Il va nous falloir prendre certaines décisions, dit-elle en tournant le dos à Tansie, d'un ton un peu trop insouciant. Dirons-nous à Ruby et à Bella ce qui est arrivé à Sam ?

— Certainement pas, répliqua Tansie. Il vaut mieux qu'elles le croient disparu que mort, assassiné pour avoir tué.

— Tu as raison, dit Amelia. Et que dirons-nous à William ? Est-ce que tu tiens à ce qu'il sache que tu es sa demi-sœur ? Dans ce cas, nous devons le lui dire immédiatement. »

La première réaction de Tansie fut de le mettre au courant. Puis elle réfléchit.

« J'aime tellement William, dit-elle lentement, que je voudrais qu'il sache que nous sommes frère et sœur, mais est-ce que cela ne va pas le consterner d'apprendre... » Sa voix s'étrangla.

« Que sa mère a aimé un esclave noir ? acheva pour elle Amelia. Mais si, bien sûr, poursuivit-elle sans hésitation.

— Je ne voudrais pas l'attrister davantage, dit Tansie simplement. Ce sera notre secret. Mais j'aimerais, si vous n'y voyez pas d'inconvénient, le dire à Robin.

— Et en tant que ta mère, j'aimerais rencontrer Robin, dit Amelia. Est-ce que tu voudras me l'amener ?

— Dès qu'il sera de retour, promit Tansie. Et maintenant

racontez-moi, je vous en prie, par quel hasard vous êtes devenue une esclave. »

Elles bavardèrent longtemps. Il était plus de trois heures quand Amelia insista pour qu'elles aillent dormir. Elles montèrent l'escalier en se tenant par la taille et se couchèrent toutes les deux dans le lit d'Amelia. Elle ne voulait pas réveiller une servante pour préparer une autre chambre.

Amelia n'avait pas tiré les rideaux et l'éclat des rayons de lune qui pénétraient par les grandes fenêtres empêchait Tansie de dormir. Elle aurait dû pourtant dormir facilement après cette longue journée, mais sa tête était remplie de souvenirs, de fragments du passé qui se recomposait peu à peu. Pour la première fois, elle se sentait réellement en paix, comme si les morceaux du puzzle de sa vie s'étaient soudainement mis en place. Les vieux mystères étaient éclaircis, les vieilles angoisses dissipées. Elle savait maintenant qui elle était. Certes, l'existence même de Tansie Henleigh était une sorte d'imposture. Ce n'était pas l'idéal mais elle avait en tout cas bien plus de chance que beaucoup d'autres. Bien plus de chance par exemple que Delilah et c'est à Delilah qu'elle pensait encore quand elle s'endormit enfin.

Elle prit tranquillement son petit déjeuner avec Amelia avant de retourner à Basse-Terre. Elle arriva à la taverne vers midi. Le valet d'écurie se précipita pour l'aider à descendre de cheval.

« Il y a un grand type qui vous cherche, lui dit-il. Je crois qu'il attend à l'intérieur. »

Le grand type, c'était Robin. Tansie se mit à courir. Adossé aux montants de la porte, sa tête appuyée contre le chambranle, les bras croisés avec une expression agressive sur le visage, le commandant Robin Darnley attendait.

« Robin ! » cria-t-elle à bout de souffle en arrivant à sa hauteur. Il la toisa sévèrement, sans faire un geste vers elle. « Où étais-tu ? demanda-t-il.

— A Macabees, avec Mme Amelia. Oh, Robin, j'ai tant de choses à te dire.

— Tu es restée dehors toute la nuit, dit-il d'un ton accusateur.

— Oui, j'étais à Macabees », dit-elle impatiemment. Et voyant à quel point il était fâché, elle éclata de rire.

« Robin, j'étais avec ma mère. Ma mère, tu entends ? Ma

véritable mère. » Elle sautillait sur place, heureuse de lui faire partager la nouvelle. Il la regarda, totalement dérouté.

« Tu veux dire Ruby ?

— Non, Robin. Pas Ruby. C'est Amelia qui est ma mère. »

Il repoussa son tricorne pour se gratter la tête. « Amelia est ta mère ? La femme qui t'a élevée ? La femme dont tu étais l'esclave ?

— Oui, dit-elle en s'accrochant à son bras. Nous ne pouvons parler ici. Viens dans ma chambre. Je t'expliquerai tout. »

Il se dégagea en faisant la moue. « Que dira Ben si je monte dans ta chambre ?

— Rien. Nous allons nous marier, n'est-ce pas ? » dit-elle en retenant son souffle.

Il la regarda et son visage buriné et joyeux s'illumina tout d'un coup : « Tu acceptes de m'épouser ?

— Mais oui. »

Durant un instant, il resta sans voix, la bouche ouverte. Elle lui mit gentiment un doigt sous le menton pour fermer ses lèvres.

« Aucun homme n'est à son avantage avec la bouche ouverte », lui dit-elle, espiègle.

L'énorme rire de Robin retentit dans toute la rue. Il jeta son chapeau en l'air, la souleva de terre, et lui planta un baiser fougueux sur la bouche.

« Quand ? demanda-t-il lorsqu'il eut retrouvé son souffle.

— Quand tu veux, dit-elle d'une voix haletante.

— Aujourd'hui.

— Disons demain. Ma mère voudra être là. » Il la reposa par terre, la regarda du haut de sa grande taille. Tansie fut bouleversée par les larmes qui brillaient dans ses yeux.

« Tu fais de moi l'homme le plus heureux du monde, dit-il d'une voix enrouée. Et je fais le serment de faire de toi la femme la plus heureuse du monde.

— Mais Robin, je le suis déjà », dit-elle.

16

En fait, le mariage n'eut lieu qu'une semaine plus tard. Le pasteur ne pouvait pas avant et la maison de Pall Mall Square n'était pas encore meublée. Ils estimèrent plus convenable de prévenir les invités un peu à l'avance même si cela devait écourter leur lune de miel. En effet, Robin n'avait que dix jours de liberté avant de reprendre la mer.

Il voulait qu'elle porte une robe de mariée, car pour lui ses premières noces ne comptaient pas, puisque son mari l'avait abandonnée. Tansie déploya une grande activité. Il lui fallait voir sa couturière, s'occuper des préparatifs de la fête, envoyer les invitations et terminer l'installation de leur nouvelle habitation.

Elle notait soigneusement tout ce qu'on ne trouvait pas dans l'île, comme le tissu ou la dentelle dont elle avait besoin. L'île manquait de tout : de vaisselle, d'argenterie et même des articles de maison les plus ordinaires. Même les pierres de seuil devaient être importées, et les médicaments étaient nettement insuffisants. Il était difficile de trouver des choses aussi simples qu'une jolie chandelle alors qu'il y avait de grandes quantités de cire blanche. Tansie comprenait pourquoi M. Lockett envoyait tant de choses de Londres à la famille Quick et pourquoi les planteurs riches avaient des agents en Europe. Robin avait raison : St. Kitts traversait une période de prospérité sans précédent, il y avait de l'argent à flots qui ne demandait qu'à être dépensé, malheureusement, il n'y avait pas grand-chose à acheter. Robin pouvait abandonner sans crainte ses cargaisons de poisson sans compromettre ses chances de faire fortune.

Ce que Tansie ne pouvait se procurer, elle l'empruntait à Lointaine. Amelia avait fait connaissance avec ce colossal commandant de navire et avait été séduite. Elle avait convaincu William de prêter Ruby pour que celle-ci puisse aider à la préparation de la fête. Bella se joignit à elle. Ben offrit de fournir le vin et la bière en cadeau de mariage, et Zach, qui s'était un peu alarmé devant cet homme plus grand que lui, avait néanmoins envoyé lui aussi des domestiques.

Le jour de la cérémonie, le futur marié, revêtu de son plus bel uniforme et de son épée, dominait de toute sa hauteur le petit pasteur de St. George qui allait les marier. Tansie portait une simple robe de taffetas ajustée à la taille, avec un décolleté carré et une grande jupe garnie d'un ruché. Quatre grands nœuds décoraient le devant de sa robe et un voile de mousseline recouvrait ses cheveux. Delilah, demoiselle d'honneur, la précédait en jetant des pétales qu'elle prenait dans un panier de paille tressée. La fille de Zach, Julia, toute vêtue de rose, portait fièrement la traîne de Tansie. L'assemblée était des plus diverses : les marins de la *Reine des Mers*, la famille Quick, les membres du conseil municipal, les prostituées et les serveuses de la taverne, les esclaves et les domestiques blancs qui travaillaient à Lointaine.

La cérémonie n'aurait pu être plus différente de celle qui avait été célébrée dans l'intimité pour son union avec Mark Henleigh. Ce fut le sujet de conversations de la ville pendant des semaines. Les invités se dispersèrent sur les pelouses où trois violoneux, un flûtiste et un tambourineur invitaient les gens à danser. Dans la soirée, on avait l'impression que la ville entière était venue fêter l'événement. Robin accueillait bruyamment tout le monde. Il était passé minuit lorsque les derniers invités quittèrent la place en titubant. Bella avait harcelé les domestiques afin qu'ils laissent la maison parfaitement propre. Dans le brusque silence qui suivit le départ de l'ultime invité, Robin conduisit sa jeune épouse en la tenant par la main vers l'escalier qui conduisait à leur chambre à coucher.

Brusquement intimidés, ils n'échangèrent aucune parole avant d'entrer dans la pièce. Bella avait laissé les chandelles allumées et le lit était ouvert pour les inciter à s'y coucher. Deux robes de chambre étaient étalées sur un fauteuil et un pichet d'eau fumante était posé sur la table de toilette.

« Ma grand-mère nous a gâtés, murmura Tansie en hésitant sur le seuil.

— Hum. » Robin, près du lit, n'avait d'yeux que pour sa jeune femme. Il s'avança vers elle et sans un mot la souleva de terre pour la prendre dans ses bras comme un bébé.

« Tu es si petite », dit-il en commençant à l'embrasser.

Il ne l'avait jamais embrassée comme ça auparavant. Tansie se rendit compte qu'il s'était toujours retenu. Aujourd'hui ses baisers étaient profonds, insistants, des baisers qui les unissaient aussi fort que s'ils avaient fait l'amour. Elle les lui rendait avec passion, ses bras entourant son cou, se pressant contre lui, essayant de se fondre en lui tandis qu'il la tenait serrée.

« Je t'aime, murmura-t-il finalement. Je n'avais jamais cru qu'il était possible d'aimer quelqu'un comme je t'aime. »

Il s'avança vers le lit et l'étendit doucement. Elle restait là allongée, le regardant en souriant.

« Veux-tu ôter cette jolie robe ou dois-je le faire moi-même ? demanda-t-il.

— Nous pouvons le faire ensemble », suggéra-t-elle. Il s'était débarrassé de son habit et il dégrafa son gilet. Il dénoua son foulard, passa sa chemise par-dessus sa tête d'un geste impatient. Son corps bronzé par le soleil était solide et musclé, sa poitrine était recouverte de poils noirs. Il était réellement différent de ce Mark Henleigh, si blanc, à la peau si lisse. Mark embrassait sa femme comme s'il craignait de la briser. Les baisers de Robin étaient aussi vigoureux que l'homme lui-même mais en même temps d'une douceur insoupçonnée.

Il s'assit à côté de Tansie et lorsqu'elle leva la main pour caresser la poitrine nue de son mari, il frissonna.

« Comment on enlève ça ? » demanda-t-il.

Elle se retourna pour lui montrer une rangée de petits boutons.

Les doigts de Robin étaient extraordinairement agiles et il bouillait d'impatience au fur et à mesure qu'il approchait de la fin. Puis il ouvrit la robe et Tansie sentit ses lèvres lui embrasser d'abord la nuque, puis descendre le long de la colonne vertébrale. Les grandes mains de son mari passèrent sous le tissu pour lui prendre les seins avant de la faire pivoter sur elle-même. Il dégagea les épaules, le ventre, les hanches, puis d'une main il la souleva du lit et tira sur la robe pour la faire tomber par terre.

Il la regarda tandis qu'elle se déhanchait pour se débarrasser de son jupon et de ses bas. Enfin elle fut nue devant lui.

« Lève-toi », dit-il sur un ton de commandement.

Elle obéit docilement et se tint immobile devant lui tandis qu'il la dévorait des yeux. Intimidée, elle plaça ses mains devant la masse sombre de son pubis, mais il les lui fit écarter.

« Quelle beauté, murmura-t-il en plaçant une main sous chacun de ses seins comme s'il voulait les peser. Quelle beauté. »

Il s'était débarrassé de ses chaussures à boucles pendant qu'elle enlevait ses jupons. Il alla s'asseoir sur le lit et enleva ses bas, les yeux fixés sur elle.

« Tourne lentement sur toi-même, dit-il, afin que je puisse t'admirer sous tous les angles. »

Elle s'exécuta, heureuse des grognements d'approbation qui saluaient sa nudité. Quand elle se retrouva de face avec lui, il était nu. Au premier coup d'œil, elle eut le souffle coupé.

« N'aie pas peur, dit-il en souriant. Inutile d'avoir peur, viens près de moi. »

Elle s'approcha du lit et s'assit à côté de lui. Il lui leva les jambes et la fit s'allonger en mettant sa tête sur l'oreiller.

Il se pencha sur elle et lui embrassa les orteils un à un puis passa ses doigts sur la plante des pieds, ce qui la faisait se tortiller et pousser de petits rires. Puis ses mains remontèrent vers ses jambes, et sa bouche commença à embrasser et à mordiller ses cuisses. Elle éprouva une délicieuse sensation.

Puis il lui embrassa les seins et la bouche, en se soulevant sur les coudes pour trouver la position qui lui permettrait de la pénétrer. Au moment où il entra en elle, elle poussa un cri. Ses sens enflammés étaient prêts à l'accueillir. Elle ne sentit aucune douleur et n'éprouva qu'un immense plaisir.

Quand tout fut fini, elle se rendit compte qu'elle ignorait ce qu'était l'amour. Ce pauvre Mark, si pétri de culpabilité, si plein d'inhibitions, n'avait jamais été capable de rien lui apprendre même si leurs rapports sexuels s'étaient un peu améliorés après la catastrophique première fois.

Robin continua à l'initier tout au long de la nuit. Ils s'assoupissaient puis se réveillaient pour s'aimer de nouveau.

Finalement il s'endormit, son bras puissant jeté sur elle, les mots « je t'aime » flottant encore sur ses lèvres, son grand corps totalement détendu. Allongée, elle écoutait sa respiration tranquille, éblouie en pensant à la chance qu'elle avait eue de rencontrer cet homme chaleureux, aimant et généreux qui l'avait prise pour femme en balayant d'un geste les problèmes auxquels elle se heurtait. Elle tourna la tête pour embrasser la chair chaude de son épaule qui était si proche de ses lèvres.

« Merci », dit-elle doucement afin de ne pas le réveiller.

Bella maigrit, se disait Ruby tandis qu'elles rentraient ensemble à Basse-Terre après le mariage de Tansie dans la charrette conduite par le successeur de Beauboy. Beauboy était mort depuis longtemps, et Ruby, en pensant à lui, se souvenait avec mélancolie de ses premiers jours à Windsong. Elle se posait rarement des questions sur sa destinée, mais les changements dans la vie de la petite esclave dont elle s'était occupée comme de sa fille lui faisaient prendre conscience du nombre de contraintes qui s'étaient exercées sur sa propre vie. La présence de Bella à côté d'elle ne lui remontait pas le moral. Bella n'en avait plus pour très longtemps. Sa peau noire prenait un aspect grisâtre et ses rides paraissaient presque blanches. Même la masse de ses cheveux avait diminué. De plus elle semblait malheureuse.

« Tu es triste, Bella ? demanda Ruby.

— J'imagine. J'ai perdu ma petite-fille aujourd'hui, dit-elle en poussant un gros soupir. Il vaut mieux que j'essaie d'oublier qu'elle a été ma petite-fille. Un jour à Macabees, elle a découvert qu'Amelia était sa mère. Elle fait vraiment partie du monde des Blancs, maintenant.

— Elle l'a découvert comment ? demanda Ruby abasourdie par cette nouvelle.

— Je ne le sais pas exactement. Amelia ne me l'a pas dit. Elle me cache quelque chose. Mais elle le sait, j'en suis sûre. »

Ruby réfléchit. « Elle a eu de la chance c'est sûr, mais elle ne va pas oublier que tu es sa grand-mère. Cette Tansie est gentille. Ça a été un vrai plaisir de l'élever. Ce n'est pas comme celle que j'ai maintenant. Cette Merveille. Je te jure que cette enfant est possédée du démon. » Bella secoua la tête d'un air sombre. « Ce n'est encore qu'un bébé, mais elle est vraiment détestable. Je ne sais pas si c'est le lait que lui donne sa nourrice à la triste figure ou si simplement elle se conduit ainsi parce qu'elle a perdu sa maman, mais cette enfant ne sourit jamais. Elle pleure toute la journée et, aussi petite qu'elle soit, elle est réellement méchante. Même Minta avec ses potions n'est pas encore parvenue à la calmer. Je touche du bois chaque fois que je suis avec elle. Je te le dis franchement, je préférerais être baisée par M. Zach que de m'occuper de cette enfant. C'est une peste. »

Bella eut un rire bref. « J'imagine que M. Zach préférerait lui aussi que tu sois là-bas pour te baiser. »

Ruby sourit en montrant ses dents blanches. « Ça, c'est bien vrai. »

Bella était assise à l'arrière de la charrette, les jambes dans le vide. Elle était restée jeune d'esprit, mais ses mouvements étaient plus raides et elle était très marquée. De plus l'aspect poudreux et grisâtre de sa peau inquiétait Ruby.

« Quel âge as-tu, Bella ? demanda-t-elle.

— Je ne sais pas exactement. Mais probablement autour de soixante.

— Et tu travailles toujours.

— Amelia me répète d'arrêter, mais je ne veux pas. Qu'est-ce que je deviendrais si je ne faisais plus la cuisine ? Je n'aurais rien d'autre à faire. »

Ruby eut un petit rire. « De toute façon, tu es payée pour ça.

— J'ai fait des économies, dit Bella en soupirant. Amelia m'a aidée. Je pensais que je pourrais économiser assez pour acheter la liberté de Vérité. Mais le temps m'a manqué. M. Zach les a vendus, elle et Daniel, et on ne sait pas où ils sont. Amelia était folle quand elle l'a appris, mais il ne veut rien dire de l'endroit où ils se trouvent. Et c'était juste au moment où Amelia allait leur donner leur liberté. Elle a essayé de les retrouver mais ce Zach les a vendus dans une autre île.

— Il ne veut pas dire laquelle ?

— Non, dit Bella en hochant la tête. Vérité sait trop de choses sur cette famille et tu sais comment elle est. Elle a la tête dure. Je suppose qu'elle l'a menacé de parler et c'est pourquoi il l'a vendue. Et c'est aussi la raison pour laquelle il ne veut pas nous dire où elle se trouve. » Elle resta silencieuse un instant, regardant le sol en agitant ses pieds. « Tout ce que j'ai toujours voulu, c'était d'avoir ma famille autour de moi, mais Joshua est mort, Tansie, c'est comme si elle était morte, Vérité et Daniel ont disparu. Et ton Sam, on ne sait pas non plus où il est. Il ne me reste aucune famille en dehors de Juba, et peut-être de toi aussi puisque tu es la maman de mon petit-fils. Ce n'est pas assez. Je ne vois pas l'intérêt de devenir vieille quand on n'a pas de famille autour de soi. »

Ruby écoutait en silence, mais son cerveau tournait à toute vitesse. Une idée prenait forme.

« Penses-tu que Mme Amelia rachèterait Vérité et Daniel si elle savait où ils sont ? demanda-t-elle.

— Elle m'a juré qu'elle le ferait mais elle n'arrive pas à les trouver.

— Et si moi je les trouve et qu'ils reviennent ici, est-ce que tu me donneras l'argent que tu as économisé ? »

Ruby avait conscience de poser la question un peu brutalement mais elle se disait que de toute façon ça n'avait pas d'importance. Si Bella avait tellement envie de revoir sa famille, ses économies seraient peu de chose à ses yeux pour payer le retour de Vérité et de Daniel.

Bella s'était retournée pour regarder Ruby avec sur le visage une expression de doute et d'espoir. « Et que ferais-tu de cet argent ?

— J'achèterais ma liberté.

— Tu veux être libre ?

— Oui. » Elle dit ce mot avec une telle force que Bella resta silencieuse un instant.

« Et qu'est-ce que tu ferais de ta liberté ?

— Je me trouverais un beau mâle, un Noir. Un beau gars noir et libre qui m'aimerait.

— Ceux qui sont libres sont mulâtres, grogna Bella.

— Ne t'occupe donc pas de ce que je ferais, dit-elle en riant. As-tu envie de savoir où ils sont ?

— Et comment t'y prendras-tu ?

— T'occupe pas de ça non plus. Tout ce que tu as à faire c'est d'obtenir d'Amelia qu'elle me renvoie à Windsong. Je ne peux plus supporter cette Merveille plus longtemps. »

Bella n'était pas tout à fait convaincue. « N'est-ce pas un truc pour retourner à Windsong ?

— Non, pas du tout.

— Tu penses que tu peux y arriver ?

— Oui, j'en suis sûre. »

Bella hochait lentement sa grosse tête. « Je dois m'arranger pour qu'Amelia te renvoie à Windsong ?

— C'est ça.

— Et tu trouveras dans quelle île on a envoyé Vérité ?

— C'est exactement ce que je vais faire.

— Et tu veux mes économies ?

— Oui.

— Eh bien, pourquoi est-ce qu'on n'essaierait pas ? » dit Bella lentement.

« Madame Amelia, est-ce que je peux vous parler ? »

Amelia leva les yeux de sa broderie pour regarder Bella qui se tenait sur le seuil du salon, ses mains pétrissant son tablier avec sur le visage un air d'humilité étonnant. Presque de supplication.

« Bien sûr, Bella. Entre. Assieds-toi. Veux-tu une tasse de thé ?

— Je viens d'en demander une », dit Bella avec empressement en criant dans le couloir qu'on apporte le thé. Amelia retint un sourire.

Tandis que Bella s'agitait pour savoir où poser le plateau puis remplissait les tasses, Amelia éprouvait un sentiment de tristesse. Bella semblait malade, néanmoins il était impossible de l'empêcher de travailler. Chaque fois qu'on lui en parlait, elle marmonnait qu'elle aurait tout le temps de se reposer dans sa tombe.

« Bon, qu'est-ce qu'il y a ? demanda Amelia une fois la cérémonie du thé achevée.

— Ruby prétend qu'elle peut retrouver Vérité, lança Bella.

— Oh ? dit Amelia en fronçant les sourcils. Et comment ?

— Elle ne veut pas me le dire, mais elle est sûre d'elle. »

Amelia avait une idée assez précise de la manière dont Ruby pouvait obtenir ce genre de chose. Mais est-ce que Zach était vraiment aussi balourd ? A vrai dire, oui, cela pouvait marcher.

« Et ?

— Il faut donc que vous la renvoyiez à Windsong. De toute façon, elle dit qu'elle ne peut plus supporter ce bébé. »

Amelia avait pensé que sa réaction en face de l'enfant était le fruit de son imagination, mais le fait qu'un être terre à terre et primitif comme Ruby dise la même chose était inquiétant.

« Si ce bébé est tellement insupportable, il n'y a que Ruby pour s'occuper d'elle, dit Amelia.

— Non, absolument pas. Ce bébé a besoin de quelqu'un qui ne le trouve pas méchant. Aucune autre personne ne pourra le supporter. » Mais Bella fit un geste de la main pour mettre fin à cette question puis, se penchant en avant et sur un ton de confidence, elle dit : « Mais si Ruby retourne à Windsong... »

Amelia pensait que si elle renvoyait Ruby, il y aurait de nouveau une querelle de famille. Zach serait ravi, mais Charlotte, en revanche, serait furieuse. Ruby n'était plus tellement jeune mais la petite flamme qu'elle avait allumée chez Zach ne s'était pas éteinte. Amelia avait remarqué les yeux que son frère posait sur la femme noire pendant le mariage. Il la désirait encore passionnément. Cependant, si elle renvoyait Ruby là-bas, aujourd'hui, peut-être ne pourrait-elle plus jamais la récupérer.

« A qui appartient Ruby ? demanda Bella.

— En principe à moi, dit Amelia. C'est moi qui ai le titre de propriété.

— Alors vous pouvez la rendre libre ?

— Oui.

— Parce que Ruby et moi, on a fait un marché. Si elle parvient à retrouver Vérité, j'ai promis de lui donner mes économies pour qu'elle puisse acheter sa liberté.

— Elle veut sa liberté ?

— Tous les esclaves veulent leur liberté », répliqua Bella.

Amelia comprit que la liberté de Ruby était la solution au problème. Charlotte serait ravie de ne plus l'avoir sous son toit, et si Zach voulait en faire sa maîtresse, il pourrait le faire discrètement ailleurs. Ou peut-être que Ruby tenterait sa chance et suivrait sa propre route. Elle n'aurait sans doute pas besoin de beaucoup de temps pour découvrir où se trouvait Vérité. La perspective de sa liberté prochaine l'éperonnerait.

« Tu es prête à renoncer à tes économies ? »

Les coins de la bouche de Bella s'affaissèrent et sa lèvre inférieure se mit à trembler ; un tel signe de faiblesse chez elle était extrêmement rare.

« Bien sûr que j'abandonnerais mes économies, dit-elle d'un ton bourru. A quoi pourraient-elles bien me servir ? Je veux retrouver ma famille et Vérité et Juba sont les deux seuls qui me restent. Un jour peut-être on trouvera Sam, mais parfois je me dis qu'il est mort. J'en parle chaque dimanche sur les marchés, mais personne n'a jamais de ses nouvelles. »

L'allusion à Sam tordit le ventre d'Amelia, réveillant en elle un sentiment de culpabilité. Sa décision était prise. Si Bella voulait sa fille avec tant de force, elle l'aiderait à la retrouver.

« Il faudra que tu la reprennes, Zach », dit Amelia en marchant de long en large dans le petit bureau de son frère à Basse-Terre. Elle donnait l'impression d'être très agitée. « Je sais qu'elle m'appartient mais je ne veux pas la vendre. Tu ne me pardonnerais jamais, et ce qui est plus important, Tansie non plus. Mais Merveille ne la supporte pas.

— Ce bébé apparemment déteste tout le monde, remarqua-t-il froidement.

— Ruby est très impertinente, tu sais. Elle fait ce qu'elle veut et tient tête aux domestiques blancs de William. Lui bien sûr ne le remarque pas. Mais il faut le protéger malgré lui. Je ne peux pas la prendre à Lointaine. Elle me rappelle trop de choses que je préfère oublier. Je crains qu'il n'y ait aucun autre endroit pour elle que Windsong, mais je ne sais pas ce qu'en dira Charlotte.

— Si ça peut t'arranger, Amelia, je la reprendrai. » Zach s'efforçait de faire croire qu'il hésitait, mais ses yeux ne pouvaient cacher son ravissement. « C'était un cordon-bleu et elle nous a manqué à la cuisine.

— Mais Charlotte ?

— Pourquoi Charlotte aurait-elle son mot à dire ?

— Allons, allons, Zach. C'est à moi Amelia que tu parles. »

Il sourit de toutes ses dents et sa sœur ne put s'empêcher de pousser un petit rire.

« Bon, il est sûr que ça ne va pas lui plaire, dit-il. Mais je crains qu'elle ne soit obligée de s'en accommoder. »

Amelia partit avec l'intention de rendre visite à Tansie et Robin. Elle se dit que si Zach s'était entiché à ce point de Ruby, celle-ci pouvait peut-être parvenir à ses fins.

Marianne, qui, de serveuse dans la taverne, était devenue l'intendante de Tansie, le visage impassible mais avec une lueur malicieuse dans les yeux, informa Amelia que M. le commandant et Mme étaient encore au lit.

« C'est ainsi que doivent se conduire les jeunes mariés », lança Amelia en s'empressant d'ajouter qu'on ne les dérange pas, qu'elle reviendrait un autre jour. Puis elle alla voir Ben avec l'intention de se restaurer légèrement avant de retourner à Macabees. De plus, personne n'était mieux informé des potins de Basse-Terre que son cousin. Il pouvait l'aider à trouver une nurse pour remplacer Ruby.

Ben fut ravi de voir sa cousine. Il abandonna son comptoir pour venir la saluer et l'entraîna chez lui. Ils ne s'étaient pas vus depuis des semaines. Il commanda un repas et du vin et ils commencèrent à bavarder à propos du mariage.

Amelia ne lui souffla mot de sa conversation avec Bella. Elle ne lui faisait pas suffisamment confiance. Il pouvait prévenir Zach. Il était d'ailleurs légèrement mal à l'aise et Amelia devinait pourquoi.

« Sam te reste sur la conscience, n'est-ce pas ? » lança-t-elle soudain.

Il poussa un soupir exaspéré. « Uniquement parce que ça n'a pas été fait dans les règles. Il aurait dû avoir un procès mais le résultat aurait été le même. Le pire, c'est ce qu'il a raconté à Tansie.

— Il lui a dit la vérité. J'aurais dû le faire depuis longtemps. Peut-être devrais-je lui en être reconnaissante.

— Comment a-t-elle pris la chose ?

— En fin de compte assez bien. Mais c'était difficile au début. Je crois qu'elle était contente de connaître la vérité. »

Ben but une gorgée de bordeaux puis, en reposant son verre, il s'exclama : « Je dois dire que ta fille est l'être le plus charmant, le plus facile à vivre, le plus doué pour le bonheur que j'aie jamais rencontré. Exactement comme sa mère. »

Amelia se sentit rougir. « Comme c'est gentil à toi de dire ça », murmura-t-elle. Puis, changeant de sujet : « Malheureusement il n'en est pas de même pour Delilah. Elle est belle, intelligente mais rebelle. Dieu seul sait ce qui lui arrivera.

— Elle pourra toujours venir travailler ici, dit-il en riant. A mon avis, elle peut être faite pour ce travail.

— Il est possible qu'on en arrive là, dit Amelia tristement. Bella pense que j'ai tort de lui donner une éducation raffinée comme je l'ai fait pour Tansie.

— Et bien entendu, elle a raison, dit Ben. Mais il est trop tard maintenant.

— Et il y a un autre problème, poursuivit Amelia. J'ai découvert que Ruby déteste, mais déteste vraiment cette pauvre petite Merveille. C'est un bébé difficile qui pleure très souvent, mais ce n'est pas bon pour un enfant d'être élevé par une personne qui le déteste. Je crois qu'il va falloir renvoyer Ruby à Windsong et trouver quelqu'un d'autre. Mais où ? »

Ben sourit de toutes ses dents. « Charlotte ne va pas être heureuse.

— Ruby est une bonne cuisinière, dit Amelia avec fermeté.

— J'ai entendu dire aussi qu'elle est bonne à autre chose.

— Zach ne paraissait pas particulièrement déçu de la voir revenir », dit Amelia en examinant ses ongles. Puis elle secoua la tête d'un air sévère : « Je suis mauvaise et méchante avec Charlotte. Il serait temps que j'oublie ce qui s'est passé il y a longtemps, mais apparemment je n'y arrive pas.

— Moi non plus », dit-il doucement.

Amelia soupira et préféra ne plus y penser. « Connaîtrais-tu par hasard une bonne d'enfants ici à Basse-Terre qui pourrait remplacer Ruby ?

— Veux-tu une esclave ou une femme blanche ? » demanda-t-il.

Amelia réfléchit. « Une femme blanche, dit-elle. Quelqu'un de raisonnable. Les Noirs sont superstitieux — ils croient que ce bébé est réellement bizarre.

— Que dirais-tu d'une ancienne prostituée ? demanda-t-il. Tu connais Prissie, c'est une brave fille. Elle se débrouille bien maintenant. Elle a deux enfants et les élève correctement. Si tu l'engageais, ça lui donnerait une chance de s'en sortir. Mais ne crains-tu pas que William s'en formalise ?

— Pour le moment je ne pense pas que William puisse même s'apercevoir de qui est là, tant il est accablé de chagrin. Tout ce qu'il souhaite, c'est que le bébé soit bien soigné.

— Écoute, je suis content que tu ne veuilles pas une autre esclave, dit-il légèrement sarcastique. Je demanderai à Prissie. Je suis sûr qu'elle acceptera. Mais il faudra que tu la paies décemment. Les putains ont l'habitude d'avoir de l'argent.

— Naturellement. Et si elle est d'accord, est-ce qu'elle pourrait commencer demain à Macabees ? »

Ben leva les yeux au ciel. « Toujours pressée, dit-il. Mais ça devrait être possible. »

Satisfaite de sa matinée, Amelia retourna à Macabees. Elle souriait intérieurement en pensant à quel point la vie aux Antilles changeait les gens. L'idée même d'employer une ancienne prostituée comme bonne d'enfants dans une famille honorable aurait été impensable en Angleterre, mais ici, sous les Tropiques, tout pouvait arriver.

Comme elle s'y attendait, William ne fut que trop heureux de lui laisser les problèmes d'éducation de sa fille. Après l'arrivée de Prissie, Ruby resterait encore un jour ou deux pour lui montrer ce qu'il y avait à faire. Ensuite une voiture viendrait la chercher pour l'emmener à Windsong.

Maintenant, se disait Amelia tandis qu'elle chevauchait le long de la plage, prenant un grand plaisir au magnifique paysage de mer et de montagne qu'elle avait sous les yeux, tout ce que je peux faire c'est attendre les événements.

La réaction de Charlotte, quand Zach lui dit que Ruby revenait à Windsong, fut terrible. Charlotte était persuadée que Merveille n'était qu'un prétexte.

« De toute façon, dit-elle en levant le nez qui, avec l'âge, était malheureusement devenu aussi pincé que celui de sa mère, je n'ai jamais entendu parler d'une esclave qui osât se plaindre de son travail. Comment se permet-elle...

— C'est de l'enfant qu'on se soucie, non de l'esclave, expliqua patiemment Zach.

— Ah oui ! C'est Amelia qui a tout manigancé. Elle m'a toujours haïe alors que je me suis montrée tout au long des années d'une bonté excessive avec elle.

— Amelia ne te hait pas. Ça n'a rien à voir avec ma sœur. C'est simplement que William s'inquiète au sujet de l'enfant.

— Je ne crois même pas que Ruby nous appartienne, siffla-t-elle.

— Absurde, naturellement », dit Zach en quittant la pièce.

Mais pour revoir Ruby sur la plantation, il était prêt à supporter de telles scènes. Il prit la résolution d'affronter son ancienne maîtresse le deuxième jour de son retour, tôt le matin. D'un geste impatient, il renvoya les autres esclaves de la cuisine et la dévisagea.

Debout derrière la table, elle lui souriait gentiment, plus gentiment que dans son souvenir. Peut-être lui avait-il manqué ?

Elle lui apporta la confirmation de ce qu'il voulait croire. « Eh bien, dit-elle, en posant sur lui ses yeux noirs étincelants, c'est donc M. Zach qui vient me voir. » Puis elle baissa le regard afin qu'il ne puisse y lire ce qu'elle ne voulait pas qu'il y lise. « C'est bien agréable, maître, de vous revoir », dit-elle presque timidement.

Il se sentait ridiculement flatté. Devant ses seins incroyablement provocants, le reflet de sa peau noire, ses bras musclés, un flot d'images lui revint en mémoire : son corps nu, offert, ouvert, avide, aspirant au sien, tandis que ses jambes lui serraient la taille au point qu'il pouvait à peine respirer... Il la désirait de nouveau. Et il la voulait très vite. Il garda cependant un visage impassible. « On m'a dit que tu ne te plaisais pas à Macabees. »

Elle leva les yeux et inclina légèrement la tête sur le côté. « Ce n'était pas chez moi là-bas, maître. C'est ici que je suis chez moi. »

Durant un instant, il s'interrogea sur l'extraordinaire transformation de cette Ruby insolente et hardie. Il désirait être flatté. Il voulait la croire et il la crut.

« Néanmoins, tu dois être punie pour n'avoir pas su plaire à tes maîtres. Une esclave doit toujours plaire à ses maîtres. »

Ses yeux voluptueux s'offraient à lui. « J'ai essayé monsieur, j'ai essayé, dit-elle humblement.

— Eh bien, il te faudra encore faire un gros effort.

— Oui, monsieur. Je ferai tous les efforts.

— Je veux te voir dans ta case cet après-midi. Arrange-toi pour être seule.

— Comme d'habitude, maître, murmura-t-elle, je vous attendrai. »

Il dit à Charlotte qu'il devait aller à Old Road Town pour une réunion du conseil municipal comme il le faisait deux ou trois après-midi par semaine depuis quelque temps. Mais en fait il gagna fébrilement la case des esclaves. Il ressentait l'excitation du vieux boucanier qu'il avait été et qui « ne demandait jamais la permission ». Leurs rapports étaient violents, brutaux, elle savait souffrir et faire souffrir. Zach n'avait jamais fait mal à Charlotte, il ne le voulait pas, mais il se rattrapait avec Ruby. Avec elle, il avait accès à ce qu'il y avait de mieux dans l'univers des plaisirs interdits. Cependant il avait l'impression que cette fois cela dépasserait ses espérances. Apparemment il lui avait manqué, elle pouvait donc lui témoigner un peu d'affection. Bien entendu, c'était une esclave et qu'elle l'aime ou pas n'avait aucune importance mais il aurait aimé qu'elle se donne à lui librement et non pas comme à un homme qui avait le droit inaliénable d'abuser d'elle chaque fois qu'il en avait envie.

Un mélange fétide d'odeurs de cuisine, de corps mal lavés et de bois surchauffé par le soleil l'assaillit au moment où il pénétrait dans la case. Elle l'attendait en haut. Il ne prit pas la peine d'emprunter l'échelle mais d'une traction il se hissa souplement par l'ouverture du grenier. Il était fier d'être suffisamment grand pour pouvoir montrer son agilité. Bien entendu, il se rendait compte qu'il voulait l'éblouir.

Elle était étendue sur sa paillasse, les yeux luisant dans la pénombre. Les quelques rayons de soleil qui trouvaient à passer entre les fissures du toit de bardeaux éclairaient sa peau noire. Elle avait les jambes serrées et un de ses seins retombait sur l'autre. Lorsqu'il était pressé par le temps, Zach ne prenait pas toujours la peine de se déshabiller. Mais aujourd'hui, il se dévêtit, laissant ses vêtements tomber sur le sol crasseux. Elle le regarda et se cacha les yeux avec la main.

« Oh maître, vous allez me punir, dit-elle en simulant la terreur.

— C'est tout ce que tu mérites », dit-il. Il voulait fesser ce cul luisant, noir et offert, mordiller les seins et lui imposer toutes les choses basses et interdites auxquelles visiblement elle prenait plaisir. Aussi quand sa main claqua sa croupe offerte et qu'elle poussa un cri aigu, il comprit que rien n'avait changé. Elle devait avoir été aussi frustrée que lui, et il pensa que personne ne l'avait touchée depuis leur séparation.

Quand finalement, épuisé et haletant, il se détacha du corps moite, il fut surpris de voir que Ruby posait sa tête sur son épaule. Naguère, elle roulait toujours sur le côté pour s'éloigner de lui.

« C'était bizarre sans vous, dit-elle doucement. Tout ça me manquait. Ce serait bon de recommencer », ajouta-t-elle, puis après une hésitation : « Est-ce que je vous ai manqué ? demanda-t-elle humblement.

— Et pourquoi donc, grogna-t-il, bien décidé à ne pas lui montrer à quel point il était content. Il y en a beaucoup d'autres.

— Alors pourquoi êtes-vous ici aujourd'hui ?

— Eh bien, articula-t-il, disons que tu es ma favorite.

— Bon », dit-elle paraissant satisfaite et laissant sa tête sur son épaule lorsqu'ils s'assoupirent.

Il vint la voir chaque après-midi. Il était sûr que Charlotte était au courant, elle avait un air pincé et les lèvres serrées par la colère mais il s'en moquait. Pour le moment, il ne souhaitait qu'une chose : se rassasier de Ruby. Leur relation avait subtilement changé. Elle lui parlait, lui posait des questions sur sa vie, sur ses ambitions, l'écoutait, s'intéressait à lui comme Charlotte l'avait rarement fait, obsédée qu'elle était par ses enfants. Il trouvait chez Ruby une sorte de sagesse simple, et ce qu'elle lui disait lui était très utile. De temps à autre, il se souvenait qu'il était responsable de la mort de son fils, mais bien entendu prenait soin de ne jamais mentionner le nom de Sam.

Dix jours après son retour à Windsong, elle se transforma dans ses bras en une véritable bacchante. Elle le mordit, l'embrassa, le lécha, lui faisant atteindre une excitation d'une intensité inconcevable. Et tandis qu'il se vautrait dans le plaisir, il pensa qu'il ferait mieux de ne pas se montrer nu devant Charlotte, car il porterait sûrement sur le corps les marques de cet après-midi torride.

Ensuite elle se mit à lui parler, avec plus de volubilité que d'habitude, et il se surprit à l'écouter d'un air rêveur. Elle lui expliquait combien elle avait été heureuse à Windsong après la terrible vie qu'elle avait menée à Macabees, et son désespoir lorsqu'on l'avait arrachée à ce merveilleux endroit. Avec subtilité, elle laissait entendre que les esclaves de Windsong aimaient leur maître et étaient remplis d'affection pour lui et ses enfants.

« Vous savez, poursuivit-elle, caressant son épaule du bout des doigts, que vous dirigez la plantation la plus agréable de toute l'île. La meilleure chose que vous ayez jamais faite, ça a été de vous débarrasser de Vérité et de Daniel. C'étaient des empêcheurs de tourner en rond, toujours en train de rouspéter, de râler. Croyez-moi, je les détestais, eux et leurs sales histoires. C'est beaucoup mieux maintenant qu'ils sont partis. Une chose me préoccupe, c'est qu'un jour ils puissent revenir. Je sais que Bella n'arrête pas de pousser Mme Amelia à les retrouver. Mais vous devez dire à Mme Amelia que c'est des mauvaises gens. Peut-être qu'elle comprendra et arrêtera de les chercher. Je suis terrifiée à l'idée qu'un jour elle les retrouve et que nos ennuis recommencent.

— Ne t'inquiète pas, dit-il, se délectant à l'idée d'avoir la plantation la plus agréable de l'île, ils ne reviendront pas.

— Ce n'est pas aussi difficile que vous le croyez, de retrouver quelqu'un sur cette île, dit-elle sceptique. Bella est sans arrêt fourrée au marché des esclaves pour demander si quelqu'un les a vus.

— Ils ne sont pas sur cette île.

— Il vient aussi parfois des gens des autres îles sur le marché et Bella ne cesse pas de les interroger. C'est sûr qu'un jour elle finira par y arriver.

— Mais non, ils sont bien trop loin, dit-il. Sur un autre archipel.

— Ah oui, dit-elle d'une voix étonnée. Vous voulez dire qu'il y a d'autres îles que les nôtres ? Je connais Anguilla, Antigua, Montserrat, et bien sûr Nevis, mais je pensais que c'étaient les seules qui existaient. Je pensais que c'était ça les Antilles. Vous me dites qu'il y en a d'autres ? »

Zach secoua la tête devant cette ignorance. « Il y en a plein d'autres, expliqua-t-il patiemment. Vérité et Daniel sont maintenant dans un archipel appelé les îles du Vent. Nos îles s'appellent les îles Sous-le-Vent. Sainte-Lucie est très loin d'ici, très loin vers le sud. Même s'ils se sauvaient de leur plantation, ils ne pourraient jamais revenir à St. Kitts.

— Je suis contente d'apprendre ça, dit-elle solennellement. Vraiment contente. Cet endroit est beaucoup plus agréable depuis qu'ils ne sont plus là. On fait pousser du sucre à Sainte-Lucie ?

— En grande quantité, lui dit-il. Il y a un tas de plantations là-bas. »

Ruby le caressait savamment.

« Ainsi ils sont sur une plantation, roucoula-t-elle. J'espère qu'ils travaillent dans les champs. Ça leur fera les pieds. De quelle plantation s'agit-il ?

— Je n'en sais rien », dit-il avec un geste d'ignorance. La main de Ruby produisait son effet. Il avait l'impression qu'il allait exploser. « Tu veux qu'on recommence ? demanda-t-il. T'en as jamais assez, hein ?

— C'est vrai, j'en veux toujours plus, dit-elle d'un air satisfait tandis qu'il la remettait sur le dos et lui ouvrait les jambes. Et une chose dont je suis absolument sûre, ajouta-t-elle, c'est que vous m'en donnez toujours plus que vous ne croyez. »

Ruby retrouva Bella au marché du dimanche à Basse-Terre près de la prison. Le marché s'était agrandi ces dernières années, même si certains planteurs craignaient qu'il puisse fournir aux Noirs l'occasion d'organiser une révolte. Les esclaves redoutaient en permanence que ces rassemblements, où ils pouvaient côtoyer les esclaves des autres plantations et avoir des nouvelles de leurs amis et de leurs parents, ne soient interdits. Mais pour le moment, le marché continuait d'avoir lieu.

On s'était mis d'accord pour que Bella et Ruby s'y rendent tous les dimanches matin afin que Ruby puisse donner des nouvelles sur son enquête. Ce dimanche-là, elle arriva portant deux tartes faites avec des citrouilles du jardin de Windsong. Amelia avait envoyé Bella avec quelques pains fabriqués à la maison.

Ruby aimait cet endroit, le seul où les esclaves trouvaient un peu de bonheur. Le dimanche était le seul jour où ils n'étaient pas réveillés par le tintamarre des cloches ou le mugissement des conques. Le marché était aussi le seul endroit où les Noirs pouvaient jouer du tam-tam. On y entendait donc des musiques tribales que les Blancs interdisaient sur leurs domaines, de crainte qu'elles ne servent aux esclaves à communiquer entre eux. En fin de matinée, des groupes se formaient pour chanter des chants d'Afrique qui avaient survécu aux horreurs du voyage. Ce jour-là, les esclaves revêtaient leurs plus beaux habits, principalement des vêtements usagés que leur donnaient leurs maîtres, mais fort convenables néanmoins. Bella portait une robe rouge, un cadeau d'Amelia pour Noël, avec un châle d'un jaune éclatant et un grand turban en soie d'un vert éblouissant. En la voyant partir, Amelia s'était moquée d'elle. « Ruby n'aura pas de mal à te trouver. Tu te ferais remarquer dans un tunnel. »

Même habillée de cette façon, il n'était pas si facile d'être repéré par la personne qui vous cherchait : il n'y avait ni allées ni emplacements réservés, les gens mettaient leurs marchandises où ils trouvaient de la place et parfois sur de grossiers tréteaux. De pauvres Blancs ou des marchands y venaient, ainsi que de nombreux mulâtres libérés. L'endroit était bruyant, sale, empesté par l'odeur des cochons, mais c'était un éblouissement de couleurs grâce aux légumes et aux fruits entassés et à l'habillement des esclaves.

Bella avait déjà vendu ses pains lorsqu'elle aperçut Ruby qui se frayait un passage dans la foule pour venir jusqu'à elle. Elle était superbe, avec son corsage bleu à manches courtes et au décolleté profond qui laissait voir la courbe de ses seins. Sa tunique, qui cachait en partie sa jupe, était d'un bleu plus foncé et un mouchoir d'un rose vif lui ceignait la tête.

Elle souriait triomphalement. Bella se précipita vers elle.

« Tu as appris quelque chose ? demanda-t-elle impatiemment.

— Ils sont dans les îles du Vent, répondit Ruby. A Sainte-Lucie, sur une plantation.

— Laquelle ? lança Bella, joignant ses mains sous l'effet du plaisir.

— Il ne sait pas. Et je le crois.

— Tu crois qu'Amelia les trouvera ? »

Ruby éclata d'un rire bref. « Elle a intérêt. Je tiens à ma liberté. Je veux pouvoir cracher sur ce Zach Quick si j'en ai envie. Je hais cet homme, Bella. »

Mais Bella, aux anges, ne prêtait guère attention aux soucis de Ruby. « Comment as-tu fait, Ruby ? demanda-t-elle.

— De la seule manière dont les filles noires peuvent obtenir quelque chose des hommes blancs. Sur le dos, sur le ventre et à genoux — comme il en avait envie.

— Au moins, ça a servi à quelque chose, commenta Bella.

— Espérons que ça nous servira toutes les deux à quelque chose », dit Ruby avec force avant d'éclater de rire.

Bella proposa d'acheter un melon mûr. Ravies de leur réussite, elles s'installèrent à l'ombre d'un mur pour partager le fruit que le marchand avait coupé en tranches.

« C'est très gentil à toi d'acheter ce melon, dit Ruby en gloussant, mais je ne veux pas que tu fasses danser l'anse du panier avec l'argent qui va bientôt être le mien.

— Ils ne sont pas encore revenus », fit remarquer Bella.

Elles essuyaient leurs bouches pleines de jus, quand un homme, que ni l'une ni l'autre ne connaissaient s'approcha doucement d'elles.

« Tu t'appelles Ruby, non ? demanda-t-il.

— Ça c'est sûr. » Ruby le regardait, se demandant ce qu'il voulait. C'était un grand Noir magnifique. Elle lui adressa son plus aguichant sourire.

« Et tu as un fils appelé Sam ?

— Mais oui. »

L'homme parut embarrassé. « On t'a pas appris la nouvelle ?

— Quelle nouvelle ?

— Ton gars est mort. »

Durant un instant, Ruby eut l'impression que son cœur s'arrêtait de battre, puis elle se mit à trembler. « Comment est-il mort ?

— Je n'ai pas vraiment de détails, mais on dit à la plantation...

— Quelle plantation ? demanda-t-elle l'air farouche.

— Windsong. On dit là-bas que Sam s'est sauvé de Nevis. Il avait tué un contremaître noir... »

Elle ferma les yeux. Tuer un contremaître. C'était un bébé lorsqu'elle l'avait vu pour la dernière fois.

« On ne sait vraiment pas très bien ce qui est arrivé, sauf qu'il a été arrêté par des gendarmes. Et ils l'ont tué. Pourtant il avait une arme qui venait de je ne sais où, et il s'est défendu. Il a gravement blessé les gendarmes. Ton fils s'est battu comme un lion contre six hommes. C'est un héros.

— Un héros mort, lança Bella d'une voix méprisante. Comment ont-ils su où le trouver ? Qui a envoyé les gendarmes ?

— On dit que c'est M. Quick. En tout cas, c'est lui qui a envoyé les fossoyeurs après la mort de Sam. Il était presque décapité. Ils l'ont enterré dans la plantation et les femmes qui travaillent dans les champs ont mis des fleurs sur sa tombe, parce que c'était un homme courageux. Il n'y en a pas beaucoup qui savent résister aux gendarmes.

— Pourquoi personne ne me l'a dit ? demanda Ruby la gorge serrée.

— Il semble que seuls les esclaves travaillant dans les champs étaient au courant », dit l'homme sur un ton d'excuse.

Bella se balançait d'avant en arrière, tant elle avait mal. « Ce garçon était mon petit-fils, dit-elle, et je ne l'ai jamais revu depuis qu'il était gosse. S'il a tué un contremaître, il était perdu. On l'aurait pendu de toute façon. Il vaut mieux qu'il soit mort en brave plutôt qu'au bout d'une corde. »

Ruby était anéantie. Elle se couvrit le visage avec les mains. Elle se répétait qu'elle avait donné du plaisir à l'homme qui avait ordonné la mort de son fils. Sa seule consolation était de l'avoir roulé, mais maintenant elle ne pourrait jamais plus supporter qu'il la touche. S'il essayait, elle le tuerait.

Amelia laissait toujours Bella prendre la charrette pour se rendre au marché de Basse-Terre. Les esclaves des environs faisaient des kilomètres à pied, partant parfois avant l'aube afin d'avoir pour seul plaisir leur jour libre, avant le trajet de retour. Bella en tout cas échappait à cette sujétion. Elle put ramener une Ruby totalement prostrée jusqu'à l'allée de Windsong avant de retourner à Lointaine. Amelia l'attendait à l'ombre d'un tamarinier dans le jardin devant la maison.

« Eh bien ? demanda-t-elle alors que Bella n'était pas encore descendue de charrette.

— Ruby a réussi à apprendre que Vérité est dans les îles du Vent, à Sainte-Lucie. Mais personne ne sait sur quelle plantation. »

Amelia entoura Bella de ses bras. « Nous les trouverons, maintenant, dit-elle, même s'il nous faut un peu de temps.

— Il y a intérêt à se dépêcher, prévint Bella. Je crains que Ruby ne puisse guère supporter votre frère très longtemps.

— C'est loin, Sainte-Lucie, Bella. Il faut que j'envoie un agent là-bas. Ça peut prendre un mois ou deux.

— Une mauvaise nouvelle pour Ruby, dit Bella en faisant une grimace. Mais j'imagine que l'attente a été si longue qu'un mois ou deux n'ont guère d'importance. A condition que Vérité revienne ici, en fin de compte. Le problème, c'est que Ruby a découvert que M. Zach a donné l'ordre à la milice de tuer

Sam, son fils. Je vous le dis, Amelia, elle n'est pas loin de tuer M. Zach. »

Amelia se sentit pâlir. « Oh, Seigneur ! dit-elle. Qu'est-il arrivé ? »

Bella lui jeta un coup d'œil soupçonneux. « Vous ne le savez pas ? »

Amelia ne pouvait se résoudre à mentir ouvertement. Elle secoua simplement la tête. Bella, qui se dirigeait déjà vers la cuisine, revint sur ses pas et ajouta : « Bon, vous pouvez toujours demander à votre frère. Lui il sait exactement ce qui s'est passé. En tout cas vous avez intérêt à vous dépêcher, car votre frère risque sa peau. » Elle s'éloigna d'un pas lourd, laissant Amelia inquiète. Une chose était sûre, il n'était pas possible d'expliquer ce qui était arrivé. La seule chose à faire était d'en laisser l'entière responsabilité à Zach. Ce qui la préoccupait maintenant, c'était de savoir si quelqu'un était au courant de la responsabilité de Tansie dans la mort de Sam.

Il était tôt le lendemain matin, quand Amelia reçut une visite inattendue qui lui fit penser que peut-être il y avait un Dieu quelque part. Charlotte, désespérée et en larmes, venait lui demander de l'aider à se débarrasser de Ruby.

« Franchement, je ne peux plus la supporter, renifla-t-elle, l'air sombre, serrant dans son poing un petit mouchoir de dentelle. Il va la rejoindre chaque après-midi et quand il revient, il me parle à peine. J'ai essayé mille choses pour réveiller son intérêt pour moi mais apparemment il est totalement entiché d'elle. Et cette fille a l'air si contente d'elle, si satisfaite que je pourrais la tuer. J'en suis même arrivée à me renseigner sur les peines que l'on encourt pour le meurtre d'un esclave. Il n'y en a aucune à moins que le procureur puisse prouver une malveillance flagrante. La mienne envers cette catin est si évidente que je finirai au bout d'une corde. A condition toutefois que j'aie le courage d'aller jusqu'au bout. Que puis-je faire ? Zach prétend le contraire, mais je sais que Ruby t'appartient.

— Tu as raison, dit Amelia.

— Alors, je t'en prie, reprends-la pour le bien de tous. Zach et moi étions si heureux lorsqu'elle n'était pas là. Elle m'a toujours exaspérée depuis que je suis mariée. Je ne peux pas la supporter sous mon toit un instant de plus. Je te jure que je suis capable de faire quelque chose que je regretterais. »

Le désespoir de Charlotte était visible dans toute sa personne. Ses cheveux étaient mal peignés, sa robe tachée, son visage rougi par les larmes.

« Je suis certaine, souffla-t-elle, que cette sorcière lui a jeté un sort comme en Afrique. Peut-être lui fait-elle prendre des philtres pour l'attacher à lui. C'est comme s'il était envoûté. La nuit, il se tourne et se retourne à côté de moi, et je sens que c'est elle qu'il voudrait avoir près de lui. C'est vraiment diabolique. »

Amelia se demandait si ce que disait sa belle-sœur pouvait être vrai, si Ruby connaissait des secrets pour séduire, ou si c'était seulement sa sensualité débordante qui mettait Zach dans un état pareil. Quelle qu'en soit la cause, il n'était pas bon que cette situation se prolonge. Ruby avait fait son travail et l'avait bien fait.

« Je la reprendrai », dit-elle. Amelia se sentit gênée lorsque Charlotte, éclatant en sanglots, se jeta à genoux et enfonça sa tête dans son giron pour lui exprimer sa reconnaissance.

Après avoir mûrement réfléchi, Amelia se rendit à cheval à Basse-Terre l'après-midi même. Elle voulait convaincre Ben de parler à Zach pour que celui-ci lui rende Ruby. Il fallait lui expliquer que son mariage était sur le point de voler en éclats. Tout d'abord, Ben ne montra aucun enthousiasme à l'idée de se mêler de cette affaire. Mais Amelia avait tout prévu.

« Écoute-moi, Ben, dit-elle, j'ai bien réfléchi. Si tu parviens à faire cela pour moi — ou plutôt en réalité pour Zach car son attachement pour cette fille finira par lui nuire —, je te vendrai la taverne.

— Réellement ? » Elle voyait bien qu'il ne la croyait pas. Ses yeux bruns se plissèrent et il la dévisagea, l'air soupçonneux. « Tu veux dire qu'après toutes ces années au cours desquelles tu me l'as refusée alors que je te la demandais, tu veux me l'offrir maintenant ? Tu tiens donc tellement à récupérer Ruby ? Ce n'est pourtant pas par affection pour Charlotte.

— Ça c'est sûr, dit Amelia à regret. A vrai dire, j'ai pensé te laisser la taverne depuis longtemps. Je n'en ai plus besoin et William non plus. Il n'a aucun souci d'argent. Il héritera de Lointaine et Macabees lui appartient déjà. A ma mort, il sera le plus grand propriétaire de l'île. Et je ne pense pas d'ailleurs qu'il soit fait pour être aubergiste. Néanmoins si tu acceptes, il faut que tu parles à Zach. Ce n'est pas, comme tu l'as deviné, par amour pour Charlotte, bien qu'au fond j'aie un peu pitié d'elle, mais c'est pour Ruby. C'est une brave femme. Je n'ai plus aucune animosité envers elle, et elle m'a aidée, moi et ma famille, pour quelque chose dont je préfère ne pas parler. Je veux lui donner la liberté. Veux-tu intervenir auprès de Zach ? »

Ben fit une petite moue mais acquiesça. « Si tu lui donnes sa liberté, d'accord. » Après un moment de silence, il ajouta : « Tu ne penses pas qu'elle aimerait travailler à la taverne ?

— Pour quelle sorte de travail ? » demanda prudemment Amelia. Ben rejeta la tête en arrière et éclata de rire. « Pour faire la putain, naturellement. C'est ce qu'elle a fait toute sa vie. C'est sa nature. »

Amelia fit un effort pour garder son calme. Ce genre de réflexion la mettait hors d'elle.

« Une fois libre, ce qu'elle fera de sa vie la regarde, dit-elle sèchement. Et bien entendu, il faudra que tu m'achètes la taverne. »

Il sourit de nouveau. « Pas trop cher, j'espère. Après tout c'est moi qui l'ai lancée.

— Non, pas trop cher. Je donnerai l'argent à Delilah. Un petit pécule vous rend plus libre que ces grandes déclarations sur la liberté qu'affectionnent les planteurs.

— C'est comme si c'était fait, dit-il joyeusement. Tu auras Ruby, Delilah aura sa dot, Charlotte retrouvera son époux, seul le pauvre Zach en pâtira.

— Il s'en remettra, dit Amelia. Comme je m'en suis remise.

— Pas moi », fit Ben en lui prenant la main.

Quatrième Partie

17

« Elle est de nouveau partie, madame. » Juba se tenait devant Amelia, son visage noir exprimant la plus profonde tristesse. Il roulait des yeux effarés et se tordait les mains devant sa poitrine.

« Oh, mon Dieu. » Amelia regarda impuissante le mari de sa petite-fille, déplorant qu'il soit aussi faible. Delilah lui rendait la vie impossible et il ne savait pas comment s'y prendre avec elle. Agée maintenant de vingt ans, elle était aussi exotique qu'un oiseau de paradis et se conduisait en sauvageonne. Juba était tombé amoureux d'elle lorsqu'elle avait quinze ans. A cette époque, Delilah avait déjà eu plusieurs aventures avec des esclaves de la sucrerie. Mais Juba s'était tellement amouraché d'elle qu'il avait fermé les yeux sur ses frasques.

Delilah était en réalité un vrai problème. A treize ans, elle avait catégoriquement refusé de poursuivre les cours que lui donnait Amelia. Les poings sur les hanches, son regard noir méprisant, ses cheveux en bataille comme ceux de Méduse, elle avait prétendu qu'apprendre le solfège et le français ne lui servirait à rien. Tansie et Bella avaient soutenu la même chose des années auparavant. Bella n'avait pas vécu suffisamment longtemps pour voir ses craintes se confirmer. Elle s'était éteinte paisiblement dans son sommeil, et elle manquait toujours à Amelia. Delilah ne s'était jamais consolée de la mort de sa grand-mère, ce qui avait affecté son caractère. Ce deuil avait apparemment déclenché une crise d'identité chez sa petite-fille. Dans ses attitudes, dans sa façon d'être, Delilah avait toujours été plus proche de l'Afrique que de l'Europe. Bella avait essayé de développer cette tendance en lui faisant des récits évoquant les côtes de Guinée, lui parlant des malheurs qui les avaient amenés, elle et ses compatriotes, dans ces îles si belles et si cruelles. Amelia n'appréciait guère ce genre de comportement chez la vieille femme, mais elle ne disait rien. Bella avait parfaitement le droit d'agir ainsi.

A la mort de Bella, Delilah décida de vivre comme les Noirs. Elle méprisait le sang blanc qui coulait dans ses veines. Amelia fut obligée de reconnaître que la gamine avait des raisons fort valables. A regret, elle la laissa progressivement se détacher de la manière de vivre des Blancs. Elle avait renoncé à se conduire comme une jeune fille blanche de la bonne société, et se sentait plus heureuse dans les vêtements grossiers des esclaves, prenant plaisir à parler leur langage.

Quand Juba vint voir Amelia quelques années après la mort de Bella et lui demanda humblement s'il pouvait épouser Delilah, Amelia accepta, à condition bien sûr que Delilah fût d'accord. Juba avait alors vingt-huit ans et habitait une case avec Vérité et Daniel, depuis qu'ils avaient quitté Sainte-Lucie en 1715. Il était temps maintenant pour lui de se détacher de ses parents et de prendre femme. En principe il était encore esclave, mais sans en avoir les habituelles obligations. Ses parents, après avoir reçu leur liberté, avaient décidé de rester sur la plantation. Vérité avait quarante-cinq ans et était fatiguée de la vie. Son caractère passionné avait été réduit à néant à Sainte-Lucie par un maître d'une cruauté impitoyable. Sa santé était mauvaise. Elle se déplaçait et respirait avec difficulté. Tout ce qu'elle désirait maintenant, c'était un endroit sûr et paisible pour finir ses jours. Daniel, toujours le plus aimable des deux, n'en était pas mécontent.

Juba ressemblait à son père. C'était un gentil garçon, solide comme un roc, qui se rendait utile partout dans la plantation et qui avait un don pour s'occuper des enfants. James et Julia, les enfants de Zach, l'aimaient beaucoup mais aujourd'hui, adultes, ils n'avaient plus besoin de lui. Juba n'était jamais aussi heureux que lorsque les enfants de Tansie, Mark et Melanie, venaient passer quelques jours à la plantation. C'étaient des enfants turbulents, de onze et neuf ans, qui avaient l'heureux caractère de leurs parents. Ils avaient l'un et l'autre la peau blanche. Contrairement à leur demi-sœur si révoltée, il n'y avait chez eux pas la moindre trace de sang africain.

Delilah avait besoin de quelqu'un de sûr, de patient, qui l'aimerait profondément. Juba semblait convenir parfaitement. Il valait mieux que les autres esclaves. Vérité lui avait appris à lire et à écrire, comme l'avait fait pour elle Amelia. Il était assez intelligent mais manquait de personnalité. Aux yeux d'Amelia, il n'était pas un mari idéal pour sa petite-fille, mais ce qu'elle avait espéré n'était qu'un rêve impossible. Prudemment, elle fit part de cette demande en mariage à la jeune fille.

« Aurons-nous notre propre logement ? demanda avant tout Delilah. Ou me faudra-t-il continuer à vivre sous votre toit ? »

Elle avait mis une intonation désagréable sur le mot « votre » et Amelia hésita avant de répondre. L'argent de la taverne était réservé à Delilah. Il y en avait plus qu'assez pour lui acheter une maison convenable à Basse-Terre ou à Old Town Road. Mais cela ne correspondait évidemment pas à la volonté de la jeune fille de vivre comme une esclave, même une esclave privilégiée. Car sa préférence pour la vie des esclaves n'allait pas jusqu'à souhaiter travailler comme une bête. Amelia se rendait compte que la proposition de lui acheter une maison ou même de lui donner l'argent nécessaire serait probablement rejetée avec mépris.

« Tu pourras avoir ton propre logement si tu le désires, dit Amelia.

— Alors d'accord. » Le ton de Delilah était d'une indifférence parfaite, et ce fut avec de considérables appréhensions qu'Amelia informa Juba du consentement de la jeune fille.

Tout avait bien marché pendant un certain temps. Delilah était tombée enceinte au bout de quelques semaines et avait donné naissance à deux enfants en trois ans, deux garçons qu'on avait appelé Broderick et Bradley. Puis elle avait fait plusieurs fausses couches. Et bien qu'elle n'en fût pas sûre, Amelia avait l'impression, en voyant l'attitude contrite de Juba, que Delilah refusait de coucher avec lui.

Ensuite Delilah commença à faire des fugues. Parfois elle partait seule pour le marché du dimanche et ne réapparaissait pas avant plusieurs jours. Elle pouvait aussi aller à Basse-Terre pour quelques heures, rendre visite à Tansie ou à Ben, et revenir. Quand elle quittait la plantation, elle s'arrangeait toujours pour le faire secrètement, de sorte que Juba n'avait aucune idée du moment où elle était partie ni de celui où elle rentrerait.

« Ça fait combien de temps qu'elle est partie, cette fois ? lui demanda Amelia.

— Presque une semaine. Je ne l'ai pas revue depuis dimanche.

— Qui s'occupe des enfants ?

— Moi et maman, comme toujours lorsque Delilah ne rentre pas. Je ne crois pas que je puisse supporter cette vie plus longtemps, madame Amelia. J'aime cette fille et elle me rend très malheureux. Que fabrique-t-elle quand elle n'est pas sur la plantation ? C'est ce qui me fait souffrir le plus. Ne pouvez-vous pas la forcer à rester ici ? Les autres esclaves n'ont pas le droit de circuler de cette manière. » Comme Juba, Delilah était en principe une esclave, bien qu'on ne l'eût jamais traitée comme telle. Elle avait toujours eu un laissez-passer qui lui permettait d'aller et venir. Personne n'aurait pu vraiment décrire quelle était sa situation exacte et elle-même se considérait comme une esclave. Mais Juba savait que ce n'était pas aussi simple. Il n'ignorait pas, comme ses parents et les plus vieux domestiques, que Delilah était la fille de Tansie, même si Delilah ne le savait pas elle-même. On n'en parlait jamais, mais ce fait était suspendu au-dessus de leurs têtes comme une épée de Damoclès. Il était pratiquement impossible d'avoir en face de cette jeune femme entêtée une attitude cohérente.

« Ne lui aurais-tu pas dit qui est sa mère, Juba ? » lui demanda Amelia brusquement, se disant qu'il y avait peu de secrets qui résistent à l'oreiller.

Juba se redressa et perdit son air de chien battu.

« Pourquoi aurais-je fait cela ? demanda-t-il, vaguement agressif. Si elle l'apprenait, elle ne voudrait pas être avec quelqu'un comme moi. »

Il n'est peut-être pas très habile dans sa manière de s'y prendre avec Delilah mais, de toute évidence, il sait où se trouve son intérêt, se dit Amelia. Néanmoins il fallait faire quelque chose.

« Je vais essayer de la retrouver et de lui parler, dit-elle. Mais est-ce que cela servira à quelque chose... »

Juba n'en finissait pas de la remercier, mais Amelia doutait sérieusement qu'elle puisse dire quelque chose qui ait la moindre influence sur la jeune femme. De plus, elle renâclait à l'idée de se rendre à Basse-Terre. En ce moment, elle souffrait de la chaleur et se fatiguait rapidement. Quand son manque d'énergie l'accablait, elle se rappelait qu'elle avait maintenant cinquante-six ans. Elle n'était plus de première jeunesse. Elle essayait d'oublier ses douleurs, ses malaises, en se disant que c'était le cours normal des choses. Mais le climat la faisait souffrir et parfois elle rêvait de la fraîcheur du Devon. Depuis quelques jours, le temps était lourd et accablant. Les vents semblaient avoir évité l'île et les gens se demandaient, l'air soucieux, si ce n'étaient pas les signes avant-coureurs d'un ouragan. Il y avait toutefois un côté agréable dans ce voyage à Basse-Terre. Elle pourrait passer voir William à Macabees et peut-être dormir chez Tansie dans Pall Mall Square, ce quartier devenu plus élégant que jamais. Même si elle ne l'avait jamais dit à Juba, Amelia était pratiquement sûre de l'endroit où allait sa petite-fille lorsqu'elle disparaissait. Elle ne doutait pas un instant de trouver Delilah à la taverne. Elle profitait bien souvent de l'hospitalité de Ben. Et si elle n'était pas là, elle serait chez Ruby, dans sa petite boutique de pâtisserie. Delilah était plus proche de Ruby que de n'importe qui d'autre. Comme Ruby avant elle, Delilah était née putain. Peut-être se faisait-elle payer, peut-être pas. Amelia ne savait pas dans quelle mesure Ben était impliqué dans tout ça. Elle espérait qu'il ne la faisait pas travailler, mais elle n'aurait pas été surprise outre mesure du contraire.

Elle reçut à Macabees un accueil chaleureux de William. Il avait prématurément vieilli, écrasé par la gestion de cette immense plantation, par le travail qu'il fournissait auprès de Zach pour régler les questions administratives de l'île, et par-dessus tout par l'état mental de sa fille.

Merveille n'était pas une enfant normale. Elle avait hérité des jolis cheveux blonds de sa mère, de ses traits délicats et de ses yeux bleus. C'était une jeune fille remarquablement belle, mais ses yeux paraissaient morts. Il n'y avait personne derrière ce regard. Ses manières étaient à la fois timides et menaçantes, comme si sa mère lui avait légué les terreurs de son enfance. Elle ne parlait que rarement. Personne ne savait de façon certaine quelle était l'étendue de son vocabulaire. Parfois elle faisait avec assurance une remarque d'une pertinence absolue qui étonnait ceux qui l'entendaient. A d'autres moments, elle restait sans parler pendant plusieurs jours.

Elle ne se mettait à vivre que devant un clavecin. Elle avait un don remarquable pour la musique. Parfois elle passait sa journée devant son instrument, jouant du Bach et quelquefois des morceaux qui ne pouvaient être que de son cru. Sa musique était fougueuse, puissante, inquiétante. Elle avait

413

demandé à son père de lui acheter un orgue. M. Lockett avait reçu l'ordre d'en envoyer un de Londres. L'instrument était arrivé à temps pour le treizième anniversaire de la jeune fille. La maison se mit alors à retentir d'une musique si violente que les esclaves se bouchaient les oreilles pour ne pas l'entendre. Son père finalement, pour épargner la maisonnée, lui fit construire un cabinet de musique dans le parc. Tous les esclaves, persuadés qu'elle était hantée par de mauvais esprits, avaient peur d'elle. Elle ne les aimait pas, évidemment. Petite, elle criait lorsqu'un Noir s'approchait d'elle — comme Ruby avait pu en faire l'expérience. Maintenant qu'elle était plus grande, il lui suffisait de les regarder de ses yeux morts pour leur faire quitter la pièce en étreignant les pattes de poulet qui leur servaient de gri-gri contre le mauvais sort. Prissie, qui faisait toujours partie des domestiques, était parvenue à établir une sorte de relation avec la jeune fille. Après avoir passé sa vie à s'occuper d'hommes violents, solitaires, déséquilibrés, inadaptés, elle s'était attaquée au problème de Merveille. Elle n'avait jamais eu peur d'elle mais ne l'aimait guère, pas plus qu'elle n'avait aimé ses anciens clients. Pourtant, elle parvenait à se débrouiller avec l'enfant comme elle l'avait fait avec ses habitués, en lui témoignant gentillesse et rigueur. Quand Merveille devenait violente, Prissie faisait appel à la fille de Bessie, Minta, qui avait repris les attributions de sa mère, c'est-à-dire sorcière et médecin des esclaves. Les remèdes de Minta calmaient la jeune fille très efficacement, bien mieux que ce que pouvaient prescrire les médecins blancs. Prissie néanmoins pensait qu'il était préférable de ne pas essayer de voir de trop près ce que contenaient ces potions.

Merveille était un véritable casse-tête. Elle était loin d'être idiote. Elle éprouvait un plaisir infini lorsque son père l'emmenait faire le tour de la plantation. Les rapports père-fille étaient extrêmement bizarres. William était le seul être au monde avec qui elle avait quelque sorte de conversation intelligible, à condition que le sujet tourne exclusivement autour de problèmes mathématiques en rapport avec les moyens logistiques de la plantation. Elle avait la faculté de regarder un champ de canne à sucre et de calculer avec une étonnante précision le nombre de tonnes de sucre et de tonneaux de mélasse qu'il fournirait. Elle effectuait les additions les plus compliquées sans avoir à peine besoin de réfléchir. A quatorze ans, son père lui avait donné le contrôle des comptes de la plantation et des stocks. Sa compétence se révéla telle que les profits augmentèrent de façon considérable. Bien entendu, elle pouvait écrire les chiffres et la musique mais était incapable de rédiger une lettre cohérente. Il n'était pas étonnant que les Noirs aient tendance à la considérer comme une sorcière.

Elle ne vint pas déjeuner et Amelia s'en sentit soulagée. Elle essayait d'aimer sa petite-fille de toutes ses forces mais ce regard glacé la dérangeait énormément, et à table Merveille n'était pas un modèle de bonnes manières. Cette enfant qui devant un clavier déployait une virtuosité extraordinaire était bizarrement incapable d'effectuer des mouvements coordonnés avec un couteau et une fourchette.

William était obsédé par le projet de changement de capitale. Ce ne serait plus Old Road Town mais Basse-Terre.

« Oh, il y a de tels chambardements, dit-il. Le dernier, c'est le départ des Français. Il nous a fallu tellement de temps pour nous débarrasser d'eux. Je pensais qu'ils ne voudraient jamais se séparer de leurs terres. Maintenant, nous allons enfin pouvoir vendre à nos compatriotes leurs vingt mille hectares de terres fertiles autour de Basse-Terre. Trois commissaires-priseurs venus d'Angleterre les mettront à prix par lots de cent hectares. On projette de construire un nouveau palais de justice à Basse-Terre, mais il faudra créer une taxe sur les nègres pour trouver l'argent. Nous organiserons également un grand marché public. C'est absurde que les esclaves aient le leur et que nous n'en ayons pas.

— Est-ce que tout le monde pourra acheter ces terres ? demanda Amelia l'air pensive.

— Que voulez-vous dire ?

— Eh bien, par exemple, est-ce que les esclaves libres pourront en acheter ?

— S'ils ont l'argent, je ne vois pas pourquoi ce ne serait pas possible. Cependant, je doute que ce cas de figure soit bien accueilli. Mais pourquoi me demandez-vous ça ?

— Je pensais que ce pourrait être quelque chose d'intéressant pour Juba et Delilah. »

William se mit à rire d'un air condescendant. « Ils n'auront jamais les moyens. Franchement, mère, vous pensez toujours trop aux esclaves. Je n'ai jamais rencontré quelqu'un comme vous. Ce n'est vraiment pas une chose à faire, savez-vous. Vous êtes bien trop gentille et tolérante avec eux. Tout ce que vous aurez en récompense sera leur ingratitude. Je ne comprends pas pourquoi vous agissez ainsi. Vous devriez cesser, franchement. »

Amelia haïssait la suffisance de son fils. Elle connaissait un sûr moyen d'en venir à bout d'un seul coup et définitivement.

« Peut-être, murmura-t-elle, avec sur les lèvres un sourire charmant mais dans ses yeux verts un éclat glacial, est-ce parce que j'ai moi aussi été esclave ?

— Ne soyez pas ridicule, mère, dit-il en tapotant sa bouche avec sa serviette.

— C'est la vérité », dit-elle calmement, avant de lui raconter en quelques phrases concises cette partie de sa vie qu'il ignorait. Puis elle ajouta : « Peut-être es-tu assez âgé maintenant pour savoir que Tansie est ta demi-sœur et que Joshua était son père. J'ai aimé cet homme énormément, sais-tu ? » Elle regarda son fils pâlir, puis recommença à manger son sabayon.

« Seigneur ! s'exclama-t-il. Cela explique beaucoup de choses. Delilah...

— Ne sait pas que Tansie est sa mère et je te serais reconnaissante de ne pas le lui dire. »

Les mains de William tremblaient tandis qu'il se penchait vers sa mère l'air presque menaçant. « Est-ce qu'il y a beaucoup de monde au courant ?

— Je n'en ai aucune idée. Pourquoi ? demanda-t-elle en lui lançant un regard de défi. Est-ce si important ?

— Eh bien...

— William, j'ai été esclave. J'ai vécu pendant quatre ans dans les mêmes conditions que celles de ta femme de chambre. J'étais logée dans la case des esclaves. Je sais comme fort peu de Blancs peuvent le savoir que les Noirs ne sont pas différents de nous. J'ai aimé un Noir. J'ai souffert de ne jamais pouvoir le faire ouvertement. J'ai aussi aimé tendrement ton père, mais il n'est venu qu'après. Et je ne pouvais même pas lui dire que j'avais une fille, et c'est peut-être la plus triste des choses qui me sont arrivées. Je t'ai parlé de ma vie afin que tu comprennes pourquoi je me soucie des esclaves, et ta seule réaction c'est de m'interroger pour savoir s'il y a beaucoup de gens qui sont au courant. Je te le demande de nouveau, est-ce si important ?

— J'imagine que non », bredouilla-t-il, sans aucune conviction.

Amelia poussa un profond soupir. « Oh, William, je suis vraiment triste de te voir devenu si suffisant.

— Excusez-moi, maman. Je ne voulais pas l'être, dit-il avec humilité cette fois.

— Alors ne le sois pas, lui lança-t-elle en lui donnant un petit coup d'éventail sur le bras. N'en parlons plus. Raconte-moi plutôt ce qui se passe ici. Comment va Merveille ? »

Il était heureux de changer de sujet, mais Amelia savait qu'il ruminerait ce qu'elle venait de lui dire et en reparlerait à l'occasion. Elle commençait à se sentir coupable de lui avoir porté un tel coup. William avait des difficultés énormes à faire face aux situations un tant soit peu désagréables. C'était vraiment la dernière personne au monde capable d'assumer des parents si peu conventionnels et une fille aussi étrange. Pourtant, d'une certaine façon, il avait réussi à s'en sortir avec Merveille. Peut-être en fin de compte arriverait-il à accepter le passé de sa mère.

« Merveille va bien, dit-il, en reprenant des couleurs, et, maman, il faut que je vous apprenne quelque chose d'extraordinaire. Elle a un prétendant.

— Ah ! fit Amelia en essayant de dissimuler sa surprise.

— Et vous ne devinerez jamais qui c'est, dit-il le visage épanoui.

— Qui ? Dis-le-moi.

— James.

— Le fils de Zach ?

— Lui-même. Zach nous a rendu visite avec sa famille lorsqu'ils sont allés vous voir au printemps, vous en souvenez-vous ? Merveille a tout de suite été séduite par James. Elle ne pouvait le quitter des yeux et l'a suivi partout. Évidemment, il est très beau. Elle ne lui parlait pas beaucoup mais elle l'écoutait, lui répondait. Elle a même joué du clavecin pour lui. Mais cette fois des musiques différentes, des musiques agréables, des musiques douces. C'était tout à fait extraordinaire et James paraissait la trouver à son goût. Depuis, il est revenu de nombreuses fois pour lui faire la cour. Ce ne serait pas juste de dire qu'il l'a changée. Elle pose toujours des problèmes et, poursuivit-il en levant les yeux au plafond, elle est si méchante avec le personnel... J'ai été obligé de lui interdire l'office depuis qu'elle s'est jetée sur la cuisinière avec un couteau. Mais quand James est là, elle est douce et agréable.

— Bon ! » fit Amelia ne sachant que dire.

William paraissait presque intimidé. « Je pense qu'il risque de me demander sa main.

— William, elle a à peine quatorze ans.

— Mais elle a un corps et l'allure de quelqu'un de bien plus âgé. Je pense que ma fille est née adulte. Il n'y a jamais rien eu d'enfantin chez elle. A mon avis, elle est prête pour le mariage et j'ai l'impression que James pense la même chose. »

James doit être fou ! se dit immédiatement Amelia. Puis elle reconnut la main de Zach dans tout cela. Il avait toujours voulu Macabees et l'avait perdu le jour où William avait épousé Isobel. Si James se mariait avec Merveille, aussi folle qu'elle soit, Macabees entrerait indiscutablement dans la famille de Zach à la mort de William. Mais Zach pourrait-il, voudrait-il sacrifier son fils de cette manière ? Oui, il en était capable, pensa-t-elle.

« Et que répondras-tu s'il te demande effectivement sa main ?

— Je la lui donnerai.

— Crois-tu que ce soit une bonne idée ? » insista Amelia sans regarder son fils. Elle s'intéressait passionnément à son verre de bordeaux.

« Que pourrais-je faire d'autre ? implora-t-il. Si cela peut la rendre heureuse, je dois l'accepter. Je sais ce que vous pensez. Oncle Zach aura persuadé James de s'intéresser à elle. Je sais à quel point il convoite Macabees et un jour, de cette manière, la propriété entrera dans son patrimoine. Mais est-ce si important ? J'aimerais avoir plus de liberté pour me consacrer aux travaux du conseil municipal. Ce garçon peut diriger la plantation. Que peut-il y avoir d'important, après que vous et moi aurons disparu ? Si elle le désire pour époux et qu'il soit décidé à la prendre, je ne veux pas le lui refuser. » Il baissa la voix. « Je ne peux rien refuser à cette pauvre enfant si vulnérable.

— Tu devrais te remarier et avoir d'autres enfants », dit-elle avec fermeté.

On le provoquait. « Il n'y aura jamais une autre femme qu'Isobel dans ma vie. Je l'ai aimée, je l'aime et l'aimerai toujours. »

Amelia soupira. William avait hérité de son caractère résolu. « Eh bien, attendons de voir comment cela va marcher, dit-elle. Peut-être, comme tu le penses, tout finira pour le mieux. »

Mais elle souffrait en pensant à James tandis que sa voiture bringuebalait sur la mauvaise route qui conduisait à Basse-Terre. James était beau, solide et par-dessus tout très gentil. N'avaient-ils pas par hasard été injustes vis-à-vis de Zach ? Peut-être était-ce la générosité de James qui l'incitait à faire la cour à Merveille ? La jeune fille certes était remarquablement belle, ses rares sourires éblouissants, mais elle n'était pas normale. Rien chez elle n'était normal. Quelle sorte de vie James pourrait-il partager avec elle ?

Elle expliqua ses craintes à Tansie tandis qu'elles étaient assises devant une tasse de thé dans la véranda qui donnait sur Pall Mall Square, regardant s'agiter le petit monde de Basse-Terre.

« Ruby a toujours été convaincue que Merveille est le diable en personne, dit Tansie. Elle prie ses dieux noirs pour elle, mais elle déteste se retrouver en présence de cette fille. Elle a réellement peur d'elle. Ce pauvre James. Sacrifié aux ambitions de Zach.

— Tu ne crois pas que c'est simplement à cause de son bon cœur ?

— Je pense que Zach se sert du bon cœur de James. Ne pouvez-vous mettre un terme à ça, maman ? »

Cela faisait quelques années maintenant que Tansie avait commencé à l'appeler « maman » et chaque fois Amelia sentait dans son cœur un élan de tendresse.

« Je ne crois pas que je puisse m'en mêler.

— Effectivement. Et nous avons tous nos propres problèmes, n'est-ce pas ? Delilah est en ville. Elle est là depuis dimanche. Robin l'a vue à la taverne.

— Je suis venue la chercher. Je pensais qu'elle était peut-être ici. Tansie, est-elle... » Elle se sentait incapable de formuler la question.

« Une putain ? Je le pense. Je ne sais pas. Ben ne dit rien, ni Ruby, mais de toute façon, ils ne diraient rien. Robin a offert du travail à Delilah. Il aurait été content d'avoir un peu d'aide au magasin. Les affaires marchent bien mais il s'ennuie. Pourtant il n'a pas envie de retourner en mer. Il aime la vie de famille, adore les enfants et tient à les voir grandir. Mais elle lui a ri au nez. Elle lui a dit qu'elle ne croyait pas au travail. Que ce n'est bon que pour les esclaves. Cela m'a brisé le cœur, maman. J'ai une telle envie de lui dire la vérité, mais je crains qu'il ne soit trop tard maintenant.

— Moi aussi », murmura Amelia.

Tansie leva les bras. « L'histoire se répète, dit-elle l'air pitoyable.

— Apparemment.

— Mais je ne crois pas que cela finira aussi bien entre elle et moi qu'entre nous, dit Tansie tristement. Je crains qu'elle ne soit perdue aussi bien pour vous que pour moi. »

Delilah s'était installée chez Ruby depuis qu'elle était à Basse-Terre. Elles s'étaient rencontrées au marché du dimanche et Ruby l'avait emmenée dans sa petite maison d'Irishtown. Irishtown était un quartier plein de taudis mais cela ne les gênait ni l'une ni l'autre. Delilah parce qu'elle se moquait de son environnement et Ruby parce que c'était une petite maison bien à elle, celle qu'elle avait achetée avec l'argent de Bella.

Quand Vérité et Daniel étaient arrivés à Lointaine, Bella, comme promis, avait donné ses économies à Ruby. Celle-ci les avait proposées à Amelia pour obtenir sa liberté. Amelia avait refusé l'argent mais avait néanmoins donné la liberté réclamée. Ruby était immédiatement partie de la plantation pour aller à Basse-Terre où elle avait ouvert un petit magasin de pâtisseries. C'était une bonne cuisinière et ses affaires marchaient rondement. Depuis treize ans qu'elle était libre, elle était devenue très à l'aise. Au début, elle avait trouvé tous les Noirs virils dont elle avait rêvé, mais maintenant, à cinquante ans passés, les hommes n'étaient plus son souci majeur. Elle disait que si elle n'en avait plus jamais aucun, cela la laisserait indifférente.

La nourriture avait pris la place des hommes. Ruby était grasse. Son derrière et sa poitrine étaient énormes : deux grandes courbes qui la transformaient en une espèce de S mobile. Des années auparavant, juste après son départ de Windsong, Zach était venu la voir aussitôt qu'il avait découvert où elle demeurait. Cette visite avait donné à Ruby, qui avait envoyé paître son ancien amant, le plus grand plaisir de sa vie. Elle lui avait craché à la figure, lui disant qu'il était le pire amant qu'elle ait jamais eu. Elle voulait le blesser, l'accuser d'avoir tué son fils, mais au moment crucial elle n'en fit rien. Ruby était réaliste. Elle savait que Sam était condamné dès l'instant où il avait tué un contremaître. Néanmoins, elle ne laissa pas Zach entrer chez elle et lui dit simplement qu'elle ne voulait plus coucher avec lui.

« Mais je pensais que tu aimais ça », s'écria-t-il bouleversé.

Ce grand homme stupide et prétentieux qui se tenait devant elle ressemblait à un enfant blessé. Elle s'adoucit.

« Bon, peut-être de temps en temps », dit-elle pour le calmer.

Elle l'avait rencontré dans la rue deux mois auparavant. Il fallut à Zach une bonne minute pour la reconnaître au milieu de tous ces visages noirs. Mais ensuite ses traits s'affaissèrent, comme si quelqu'un lui avait volé ses rêves. Ruby se demandait souvent s'il avait deviné que c'était grâce à ses indiscrétions qu'Amelia était parvenue à retrouver Vérité et Daniel. Elle caressait l'idée de lui dire de quelle manière elle s'était jouée de lui, mais se doutait qu'elle ne parviendrait jamais à mettre ce projet à exécution.

Elle avait raconté l'histoire à Delilah qui considérait cette ruse comme la plus parfaite plaisanterie qu'elle ait jamais entendue. Ruby et Delilah étaient les meilleures amies du monde, elles échangeaient mille confidences. C'était à Ruby que la jeune femme avait expliqué qu'elle était fatiguée de Juba.

« Incroyable que cet homme ait réussi à faire un enfant, sans parler de deux, dit-elle sur un ton méprisant. Il est grand comme ça, dit-elle en agitant son majeur avec agacement. Il ne ressemble sûrement pas aux hommes de la sucrerie, qui connaissent la manière de satisfaire une fille. Et il ne sait même pas embrasser.

— Au moins il est noir, lui dit Ruby.

— Mais ce n'est pas un homme, poursuivit-elle en agitant de nouveau son doigt. Et puis, il est d'une humilité qui me rend folle. Oui, Mme Amelia, non Mme Amelia, tout ce que vous voulez, Mme Amelia. Ça me rend malade.

— Pourquoi détestes-tu Mme Amelia à ce point ? lui demanda Ruby.

— Parce qu'elle veut faire de moi quelqu'un que je ne suis pas », dit Delilah tout net. Ruby ne pouvait pas la contredire là-dessus et préféra abandonner le sujet. Elle aimait beaucoup Mme Amelia et ne voulait pas se brouiller avec Delilah sur cette question. Il est préférable de ne pas remuer l'eau qui dort.

Elle se rendait compte que Delilah couchait avec n'importe qui. Chaque soir, la jeune femme s'enfonçait dans l'obscurité pour se faire baiser. Elle refusait qu'on la paye. Elle voulait tout simplement baiser. Ruby, qui pourtant dans sa jeunesse avait du tempérament, n'arrivait pas à comprendre ce besoin impérieux de coucher avec n'importe quel homme. Elle ne portait pas de jugement, néanmoins elle n'arrivait pas à comprendre. Mais de toute façon, les gens sont ce qu'ils sont et rien ne peut les changer.

Cette fois, Delilah était restée à Basse-Terre plus longtemps que d'habitude. Elle avait passé deux nuits à la taverne où Ben l'hébergeait toujours, quel que soit le garçon qu'elle avait ramassé. Pour Ben, c'était purement et simplement du travail.

421

Dans la mesure où la chambre était payée, ce que faisait Delilah ne le concernait pas. Mais bien entendu une chambre n'était pas indispensable à Delilah. Un grenier à foin, l'arrière d'une charrette, pratiquement tous les endroits étaient possibles pour elle. Les liaisons de Delilah ne faisaient pas long feu, en général. Mais Ruby lui avait fait bien comprendre qu'il ne fallait pas qu'elle amène des étrangers dans la petite maison d'Irishtown. Delilah avait accepté la règle.

Les deux femmes prenaient leur petit déjeuner ensemble quand Delilah dit brusquement : « Je ne retournerai pas à Lointaine. »

La première pensée de Ruby fut un sentiment égoïste. Qu'allait-elle dire si Delilah voulait s'installer chez elle ? Ruby aimait être seule chez elle.

« Et pourquoi ? demanda-t-elle prudemment.

— Parce que je ne peux plus supporter cette poule mouillée de Juba. Je ne peux plus supporter les esclaves dans les champs de canne et à la sucrerie, tandis que moi je ne fais rien. Je ne peux plus supporter d'être coincée par ces deux morveux. Je ne peux plus rien supporter du tout, je veux être libre.

— Delilah, pour une esclave, tu es la personne la plus libre que j'ai jamais rencontrée, lui dit Ruby.

— Je ne parle pas de cette liberté-là. Je veux dire — elle hésita un instant et prit une intonation de femme blanche, comme si elle ne pouvait exprimer ses sentiments que de cette façon. Je veux dire la liberté d'esprit. La liberté de cœur, la liberté d'être ce que je suis.

— Mais tu appartiens à Mme Amelia.

— C'est ce qu'on prétend mais elle ne me l'a jamais dit. Elle ne m'a jamais une seule fois dans ma vie traitée comme si j'étais une esclave. Peux-tu m'expliquer ça ? »

Ruby réfléchit rapidement si elle devait ou non dire la vérité à la jeune femme. Puis elle pensa qu'il était préférable de s'abstenir. Celle-ci ne pardonnerait jamais à personne comme Tansie avait su pardonner.

« Je ne peux pas non plus l'expliquer. Peut-être est-ce uniquement l'envie d'avoir un petit chaton à elle et c'est toi qu'elle a choisie.

— Je préférerais être esclave. Je ne veux pas être le chaton de qui que ce soit.

— Et alors qu'est-ce que tu vas faire ? »

Delilah haussa ses minces épaules. « Je peux faire la pute. Pourquoi ne pas être payée, au fond ? »

Ruby gloussa doucement. « On peut gagner sa vie, c'est sûr. Mais imagine qu'Amelia ait envie de faire revenir son petit animal favori à Lointaine ? Tu n'as pas la liberté d'esprit, tu n'as aucune liberté. Elle peut faire avec toi exactement ce qu'elle veut.

— Je crois qu'elle me laissera partir, dit Delilah lentement. Si Tansie le lui demande.

— Et pourquoi veux-tu que Tansie le lui demande ? »

Delilah réfléchit un instant à la question et elle reprit son accent noir pour lui répondre. « Je ne sais pas exactement, dit-elle. C'est juste une impression que j'ai comme ça. Mais je crois qu'elle le fera. »

Ruby ne fut pas tellement surprise quand elle trouva Amelia sur le pas de sa porte. Cela faisait plus d'un an que les deux femmes ne s'étaient pas rencontrées et Ruby reçut un choc en voyant à quel point son ancienne maîtresse avait maigri. Amelia était toujours aussi jolie, ses traits toujours aussi fins, ses yeux verts toujours aussi souriants et ses cheveux bouclés toujours aussi abondants. Mais il y avait des rides autour de sa bouche et elle était maigre, vraiment maigre.

« Il me semble que je pourrais vous passer quelques kilos, lui dit Ruby en massant ses cuisses tandis qu'elle faisait entrer Amelia dans son petit salon. Je vais vous gaver de mes sablés au miel. Vous avez besoin d'épaissir.

— La nourriture en général ne me tente plus vraiment maintenant, dit Amelia. Mais ce n'est pas la même chose pour les sablés au miel.

— Alors on va en dévorer quelques-uns. » Elle installa Amelia confortablement avant de quitter la pièce pour aller préparer le thé et les gâteaux.

« Vos bons amis vont se demander ce que vous venez faire chez moi, dit Ruby tandis qu'elle versait le thé. Mais moi, je sais pourquoi vous êtes venue. Vous cherchez Delilah, n'est-ce pas ?

— Voilà, dit Amelia en hochant la tête. Et tu sais où elle est ?

— Pas en ce moment. Mais oui. Je sais où elle est.

— Et tu vas me le dire ?

— Bien sûr, dit Ruby en faisant une petite grimace. Mais

423

ça ne va pas vous plaire. Elle ne veut pas retourner à Lointaine. »

Amelia reposa sa tasse un peu trop doucement. « Je me demandais quand elle en arriverait à prendre cette décision. Mais que va-t-il se passer pour ses enfants ?

— A mon avis, dit Ruby lentement, ce n'est pas ce qui la soucie en priorité. Elle parle de la liberté de son esprit et de son âme. Je pense qu'elle veut être simplement libérée.

— De ses responsabilités ? avança Amelia.

— Allons madame, quand donc une esclave a-t-elle des responsabilités en dehors de faire ce qu'on lui dit ? » Ruby savait qu'elle était sarcastique, mais quelquefois ces Blancs allaient trop loin.

« Qu'est-ce qu'elle veut ? demanda Amelia.

— Je vous l'ai dit. La liberté de son esprit et de son âme. Elle parle de se prostituer — Amelia fit la grimace —, dit qu'elle peut tout aussi bien être payée pour ça. Et dans un sens, c'est vrai. Mais peut-être qu'elle ne le fera pas. Elle pense que Tansie lui donnera de l'argent.

— Je lui donnerai de l'argent, dit Amelia d'une voix furieuse.

— Mais elle ne veut pas de votre argent. Elle ne veut rien qui vienne de vous. »

Amelia plongea sa tête dans ses mains.

« Écoutez, madame Amelia, lui dit gentiment Ruby, pourquoi ne la laissez-vous pas partir ? Vous avez gagné avec Tansie. Vous ne gagnerez pas avec elle. A la longue, peut-être elle reviendra chez vous. La plupart du temps, c'est ce que font généralement les gosses.

— Oh, Ruby, je prie Dieu que tu aies raison. Sinon, que va-t-elle devenir ? »

Ruby réfléchit un instant. « J'imagine qu'elle deviendra la meilleure putain que cette ville ait jamais eue », dit-elle en gloussant d'une voix rauque. Elle fut contente de voir qu'Amelia se déridait légèrement.

« Eh bien, dans la mesure où elle est bonne à quelque chose... »

Amelia finit sa tasse de thé et se leva pour partir. Elle passa ses bras autour de Ruby qui la serra contre elle. Et la femme noire prit plus conscience encore de la fragilité de son ancienne maîtresse.

« Que Dieu te bénisse, Ruby », lui dit Amelia.

James Quick se sentait nerveux en engageant son cheval dans la longue allée qui conduisait vers les tristes et grises colonnes de Macabees. Ça ne lui ressemblait pas. C'était un jeune homme gai de vingt-deux ans, élevé avec tous les avantages et l'assurance que procure l'argent. Il n'était peut-être pas aussi brillant que sa sœur Julia. Il ressemblait plutôt à son père en ce qu'il lui fallait toujours un certain temps pour mener les choses à bien, mais comme sa mère il aimait profiter des plaisirs de la vie. Bien qu'il fût lui-même un peu dandy, Zach se plaignait que James préférât les beaux vête-ments et les mondanités aux affaires.

C'était la huitième fois en six semaines qu'il rendait visite à Merveille Quick. Il ne savait pas exactement pourquoi il se pliait si facilement aux désirs de son père. Néanmoins, s'il ne s'était agi que de l'intérêt que Zach portait à Macabees, il ne serait certainement pas sorti à cheval par cette journée torride alors qu'il aurait pu rester au frais chez lui.

C'était Merveille Quick qui le rendait nerveux. Elle le fascinait et l'inquiétait à la fois. Elle était extraordinairement belle avec ses cheveux blond cendré, ses yeux d'un bleu si pâle qu'ils semblaient avoir été lavés et séchés au soleil. Sa bouche formait un joli petit arc rose pâle parfaitement dessiné. Son menton était peut-être un peu trop carré, mais il se trouvait équilibré par un nez fin et droit aux narines frémissantes. Son visage était trop fortement structuré pour qu'on puisse dire qu'elle était jolie. Et tant mieux, pensait-il, car elle est belle. C'était aussi quelqu'un de mystérieux, d'insolite. Bien sûr, les gens disaient qu'elle ne parlait pas parce qu'elle avait quelque chose de détraqué dans la tête, mais James ne pouvait croire qu'il y eût chez elle quelque chose de réellement anormal. Son talent pour le clavecin, son sens des affaires dont lui-même était dépourvu prouvaient à coup sûr que ses manières bizarres venaient de ce que le monde autour d'elle ne s'accordait pas avec ses propres perceptions. Elle était, croyait-il, trop forte, trop sensible, trop intelligente pour supporter ce monde stupide qui l'entourait.

Pourtant, il y avait quelque chose d'effrayant chez elle. Ce regard d'un bleu froid qu'elle dirigeait sur son entourage ne pouvait que vous mettre mal à l'aise. Cependant, elle ne regardait jamais James de cette manière hostile. Il y avait dans ses yeux lorsqu'elle le regardait une lumière fort différente. Tout d'abord, il y avait décelé, lui semblait-il, un désir de possession, mais maintenant il était convaincu qu'il ne s'agissait nullement de cela. C'était, croyait-il, un regard chargé de passion. Il aurait aimé évidemment qu'elle lui parle un peu plus, qu'elle l'informe de ses sentiments. Malheureusement, lorsqu'il lui posait des questions, il avait l'impression qu'elle lui claquait une porte au nez. Elle souriait à demi, un sourire étrange qui relevait à peine le coin de ses lèvres. James voulait trouver la façon de s'accorder à elle. Il voulait apprendre ce qui se cachait derrière cet étrange sourire. En tout cas, il était certain d'une chose : il la séduisait.

Son cousin William l'accueillit avec de grandes démonstrations d'amitié en le priant chaleureusement de se conduire ici comme chez lui. Ses manières expansives surprirent quelque peu le jeune homme. Habituellement, son cousin était extrêmement réservé.

« Tu viens voir Merveille, n'est-ce pas ? lança William avec une jovialité inhabituelle. Elle sera contente de ta visite. » Il essuya son front où luisaient des gouttes de sueur. « Elle n'a pas été très bien ces derniers jours. »

James s'inquiéta de cette nouvelle. « Rien de sérieux, j'espère ?

— Non, non. Rien de sérieux. Elle est bien plus calme aujourd'hui. Tu la trouveras dans la salle de musique. Tu connais le chemin, n'est-ce pas ? »

Aucun son ne sortait de la salle de musique lorsque James frappa à la porte avant d'entrer. Mais comme il pénétrait dans la pièce, un fracas de musique d'orgue le fit sursauter et reculer. Merveille, installée devant le clavier, se retourna pour lui jeter un coup d'œil menaçant. C'était la première fois qu'il rencontrait ce regard de mort. Puis la jeune fille le reconnut et son expression changea du tout au tout. Les yeux prirent un éclat fiévreux et la musique se calma, s'adoucit, bien qu'il restât en contrepoint des notes tristes, douloureuses.

Il s'assit sans bruit pour l'écouter jusqu'à ce qu'elle s'arrête de jouer, laissant sa tête blonde penchée sur le clavier. James se leva et lui toucha légèrement l'épaule. Elle pivota sur son tabouret. A sa consternation, il vit que Merveille lui montrait les dents. Mais dès que ses yeux se furent posés sur son visage, l'expression de la jeune fille changea de nouveau. Elle avait oublié qu'il était là.

« Ton père m'a dit que tu n'étais pas très bien », lui dit-il gentiment.

Elle acquiesça de la tête et ses yeux se remplirent de larmes.

« Ils sont en colère contre moi, souffla-t-elle.

426

« — Qui est en colère contre toi ? demanda-t-il, sa main sur le pommeau de son épée. Qui ose être en colère contre toi ?

— Prissie. Papa. Tout le monde.

— Mais pourquoi ? »

Elle ferma la bouche, serra les lèvres et le regarda sans dire un mot.

« Pourquoi ? demanda-t-il de nouveau.

— Je ne dois pas », dit-elle seulement en levant les mains comme si elle voulait l'écarter d'elle. Mais James eut l'impression qu'elle le suppliait, qu'elle avait besoin de son aide. Il se sentait de nouveau fasciné, attiré vers elle. Bientôt, très bientôt, il en était sûr, elle se confierait à lui, sortirait totalement de sa réserve.

« Veux-tu faire une petite promenade avec moi dans le parc ? » lui demanda-t-il.

Elle le regarda, réfléchit, sa bouche semblable à un bouton de rose. C'était une jeune fille élancée, à la poitrine opulente, à la taille fine, dont le corps s'accordait parfaitement à la mode du moment. Elle portait une robe à crinoline d'un bleu froid avec un grand décolleté bordé de dentelles qui laissait deviner les seins. Il était difficile de croire que cette jeune fille n'avait pas encore quinze ans.

Il avança le bras et elle lui prit la main pour se lever. La main de Merveille serra de façon presque convulsive la sienne. Il sentit un frisson le parcourir, un frisson qui venait d'elle. Il respira profondément et rencontra ses yeux qui exprimaient une demande et quelque chose d'autre qu'il ne pouvait pas lire.

« Tu es très belle », dit-il d'une voix sourde.

Elle sourit en silence et esquissa une maladroite révérence. Cette maladresse le toucha. Il avait remarqué que parfois elle trouvait difficilement son équilibre lorsqu'ils marchaient ensemble, si bien qu'elle lui prenait le bras dès que le sentier devenait irrégulier. Dans les bals, maintenant très à la mode à Basse-Terre, elle ne dansait jamais mais restait assise seule, les yeux flamboyants, observant les autres. Elle ne voulait même pas danser avec lui. James pensait qu'elle savait qu'elle n'était guère gracieuse et ne souhaitait pas se donner en spectacle.

En sortant de la salle de musique, ils n'eurent que quelques pas à faire dans un étroit couloir pour se retrouver à l'extérieur. Il faisait encore chaud et lourd mais le sentier qui conduisait vers le cours d'eau était bien ombragé. Ils marchè-

427

rent en silence, main dans la main. James n'arrivait pas à comprendre les émotions que lui causait cette jeune personne. Ses sentiments envers elle étaient extrêmement compliqués. Elle le repoussait et l'attirait dans une égale mesure. Et il trouvait cela excitant, peut-être parce que le caractère de Merveille était si différent du sien, parce qu'il ne correspondait en rien à sa propre personnalité, ouverte et joyeuse. Il avait une irrésistible envie de la rendre heureuse depuis qu'il s'était convaincu que son étrangeté ne provenait que d'une difficulté à vivre. Cette malheureuse jeune fille avait perdu sa mère à la naissance — une mère qui avait horriblement souffert durant son enfance. James pensait que ces circonstances méritaient qu'on lui fasse la cour.

Il rêvait aussi de l'embrasser et se demandait comment ce serait de coucher avec elle. James avait déjà eu des rapports sexuels avec des filles noires, mais c'était purement et simplement pour se débarrasser de désirs importuns. Ce serait totalement différent avec une fille blanche. S'il devait coucher avec Merveille, il serait doux et gentil, son esprit participerait à leur union. Il lui montrerait, à elle si innocente, le plus grand plaisir de la vie. Et il était convaincu qu'au lieu de se sentir simplement soulagé, comme c'était le cas avec les esclaves, il trouverait avec elle le paradis.

Ils arrivèrent à un banc en bois que William avait placé près du ruisseau. Misty Stacia surgissait de la mer devant eux et semblait si proche qu'on avait l'impression de pouvoir le toucher. Sur leur gauche se trouvait la masse de Brimstone Hill où les esclaves, ressemblant à des fourmis à cause de la distance, piochaient le rocher pour ouvrir des passages à la forteresse qu'on était en train de construire sur le site. Mais James n'avait d'yeux que pour Merveille.

Au cours de ses nombreuses visites, il avait découvert qu'il était difficile d'avoir une conversation avec elle, aussi s'était-il habitué à demeurer silencieux. Elle semblait préférer qu'il se conduise ainsi. Quand il parlait, elle hochait la tête et parfois répondait brièvement.

« Cela m'a attristé d'apprendre que tu n'étais pas bien », lui dit-il. La main de la jeune fille serrait encore la sienne et elle se retourna pour le regarder droit dans les yeux.

« Tu ne seras pas en colère contre moi ? demanda-t-elle, le sidérant par la force et la précision de sa question.

— Jamais ! s'écria-t-il. Je ne peux même pas imaginer qu'une chose pareille soit possible. »

Elle poussa un long soupir qui fit trembler ses lèvres, puis elle retira sa main de la sienne — ce qui le surprit —, l'enlaça, se pressa contre lui au point de lui couper le souffle et l'embrassa. Ce n'était pas un baiser d'enfant. Elle entrouvrit sa bouche humide afin qu'il puisse sentir le bout de sa langue, ce qui l'excita immédiatement. Il n'avait jamais reçu un tel baiser. Les jeunes esclaves lui permettaient stoïquement de faire tout ce dont il avait envie mais elles ne l'embrassaient jamais, il n'en avait d'ailleurs aucune envie.

Avec Merveille ce fut un très long baiser. Elle s'accrocha à lui pendant plus d'une minute, pressant sa bouche et son corps contre le sien. Puis elle s'écarta, bondit sur ses pieds et sans un mot s'éloigna en courant en direction de la maison.

Étonné, James la suivit des yeux, essayant de calmer l'excitation qu'elle avait provoquée chez lui. Ce baiser n'était pas un baiser de jeune fille convenable, mais il n'était pas possible de juger Merveille selon les normes habituelles. Merveille ne faisait jamais rien comme tout le monde. Si elle l'avait embrassé, se dit-il, c'était parce qu'elle l'aimait et c'était sa manière à elle de le lui dire. Et lui, l'aimait-il ? se demandat-il. Après avoir réfléchi, il répondit par l'affirmative. Le moment venu, lorsqu'ils seraient mariés, son amour parviendrait à supprimer toutes les barrières qu'elle plaçait devant lui. Il pensa de nouveau à ce baiser inattendu et de nouveau sentit son désir le reprendre. Le mariage était la solution. Quand ils seraient seuls ensemble, dans l'intimité la plus forte qui soit possible entre un homme et une femme, elle s'ouvrirait à lui comme une fleur. Il devait l'épouser, et vite. Il lui vint à l'esprit qu'ils étaient cousins, mais il y avait si peu de femmes blanches dans l'île que, si les cousins ne se mariaient pas entre eux, il n'y aurait plus aucun mariage.

Il décida d'en parler à son oncle William à l'instant même, de lui demander la main de sa fille. Il ne doutait pas un instant qu'elle l'accepterait et qu'ils vivraient heureux pour toujours ensuite.

Il se précipita vers la maison et trouva William qui était en train d'enfourcher sa monture.

« Vas-tu en ville ? » lui cria James.

William se pencha pour flatter l'encolure de son cheval qui s'impatientait. « Non, seulement à la sucrerie.

— Je veux te parler. Puis-je t'accompagner ? » Son cheval était attaché près de la porte de la maison.

« Si tu veux, dit William. Je dois voir le surveillant. Les esclaves se sont agités dernièrement.

— Rien de sérieux ? » demanda James en montant en selle.

Son cousin hésita puis laissa tomber un « non » catégorique. James eut l'impression qu'il ne souhaitait pas parler de cette affaire.

« Ta maman va bien ? demanda William pour changer de sujet comme ils s'engageaient dans l'allée.

— En parfaite santé, répondit James poliment. Mais je veux te parler de Merveille. » William tourna la tête pour lui lancer un regard aigu. « Oh ? »

Ce n'était pas la peine de tourner autour du pot.

« J'aimerais te demander sa main, William. »

William, le visage soucieux, retint son cheval. « Tu l'aimes ? demanda-t-il.

— Oui.

— Ce n'est pas par obéissance à ton père ? »

James se sentit offensé. « Je vous ai dit, monsieur mon cousin, que j'aime votre fille. Ça n'a rien à voir avec mon père.

— Lui en as-tu parlé ?

— Non, monsieur mon cousin. J'ai pensé étant donné son jeune âge qu'il était préférable de vous en parler d'abord. »

William hocha la tête et fixa ses poings qui tenaient les rênes. « C'est une fille difficile, murmura-t-il.

— Je le sais. Mais je crois que je la comprends. »

William tourna de nouveau la tête pour le regarder dans les yeux. « Je dois te dire, James, que rien ne peut me rendre plus heureux que ce mariage que tu envisages avec ma fille. Mais je dois aussi te prévenir que personne, personne ne comprend Merveille.

— Je crois que j'y parviens », dit James fermement. Il en était convaincu.

Son cousin soupira. « Peut-être, dit-il. Peut-être est-ce possible.

— Alors je peux l'épouser ? »

William acquiesça de la tête à contrecœur et remit son cheval au pas. « Pourquoi ne vas-tu pas lui poser la question ? » dit-il en éperonnant son cheval pour le mettre au galop. James, brusquement distancé, le suivit des yeux en agitant dans sa tête une multitude de questions. Il fit demi-tour en direction de la maison pour retrouver Merveille.

« Tu viens au marché ? »

Delilah portait une jupe longue d'un rouge éclatant, avec un corsage blanc décolleté et ajusté. Un foulard retenait ses cheveux indociles, sans pour autant cacher mais plutôt pour gonfler encore leur masse déjà très importante. Elle savait qu'elle était belle. Elle savait qu'elle ressemblait à une gitane avec ses yeux noirs, sa peau sombre et ses traits presque européens. Son miroir lui disait qu'elle n'aurait guère de difficulté à trouver un compagnon sur le marché aujourd'hui.

Ruby la regardait l'air perplexe et Delilah se demandait si elle n'avait pas abusé de son hospitalité. Elle avait trouvé refuge dans la maison d'Irishtown depuis presque deux semaines maintenant. Juba était venu la chercher mais elle l'avait envoyé paître, en lui disant de rentrer à Lointaine mais que pour sa part elle n'y remettrait pas les pieds. Si Amelia souhaitait la faire revenir, elle n'avait qu'à se déplacer elle-même.

« A mon avis, tu n'es rien d'autre qu'une esclave en fuite, lui dit Ruby.

— Amelia ne fera rien, répliqua-t-elle avec un air de défi.

— Qu'est-ce qui te fait dire ça ? »

Cette question arrêta net Delilah. Il n'y avait aucune réponse en dehors du sentiment profondément ancré en elle qu'Amelia n'irait pas la dénoncer aux gendarmes. Elle rejeta la tête en arrière et dit : « Je ne sais pas, mais elle ne le fera pas. »

Il était temps de s'occuper de choses constructives. Elle ne pouvait vivre indéfiniment aux crochets de Ruby, mais ce qu'elle savait faire — parler français, jouer du clavecin, chanter — ne lui permettrait certes pas de gagner sa vie et bien sûr elle ne supporterait pas d'être la femme de chambre d'une maîtresse blanche. De toute façon, ce ne serait pas très judicieux de laisser entendre qu'elle savait lire et écrire. Évidemment elle pouvait toujours se prostituer à la taverne, mais Delilah n'arrivait pas à accepter d'être payée pour ses amours. Elle couchait avec un nombre considérable d'hommes mais c'était elle qui les choisissait et non l'inverse. Elle ne se donnait qu'aux hommes qu'elle désirait.

Elle avait envie de faire l'amour. Cela faisait deux nuits qu'un marin anglais, appartenant à l'équipage des bateaux de guerre, s'était fourré dans son lit à la taverne. Cette expérience n'avait pas été particulièrement satisfaisante. C'était un beau garçon aux cheveux bouclés, pas tellement différent de Robin Darnley lorsqu'il était jeune, mais une fois entre les draps son odeur n'était pas agréable. Quant à ses fesses, elles étaient trop blanches, presque blafardes. C'était mieux que rien mais Delilah se sentait bien plus à l'aise avec les Noirs. Les Noirs ne la traitaient pas avec condescendance, certains même aimaient les traces de sang blanc dans ses veines. Les Blancs tout au contraire la traitaient comme une putain noire.

Ruby et elle partirent ensemble au marché, à travers les rues extrêmement vivantes de la petite ville. Basse-Terre se développait rapidement et sa population s'accroissait sans cesse, pauvres Blancs et mulâtres libres venaient vivre ici. Les Blancs s'occupaient essentiellement des commerces d'alimentation ou achetaient des esclaves pour les louer comme tâcherons. Beaucoup d'entre eux vivaient à Irishtown et presque tous étaient catholiques. Mais il leur était interdit de pratiquer ouvertement leur religion. Ils n'avaient ni le droit de vote ni celui d'être fonctionnaires. Les gens de couleur gagnaient modestement leur vie comme marchands, pêcheurs, marins, cochers ou portiers, s'ils ne possédaient aucun métier particulier. De toute façon, il était difficile pour eux d'obtenir un permis pour exercer la plus simple activité. Les Blancs s'efforçaient de rendre la chose pratiquement impossible.

Le marché était aussi actif que d'habitude, coloré, plein d'odeurs et de bruits. Delilah marchait devant Ruby qui souffrait de son embonpoint et se plaignait de la chaleur. En public, Delilah ne désirait pas avoir l'air trop proche de Ruby. Les gens pourraient penser qu'elle était sa fille et supposer qu'un jour elle aurait la même silhouette.

Elle parcourait le marché en se dandinant, les épaules rejetées en arrière, la poitrine en avant. Elle se rendait parfaitement compte que les gens la regardaient, les femmes avec une petite moue dédaigneuse, les hommes avec un éclat sensuel dans le regard. Elle n'avait pas d'argent mais elle n'avait besoin de rien. Elle était venue ici pour regarder et être regardée.

Elle déambulait depuis environ cinq minutes quand les yeux d'un homme croisèrent les siens. La plupart du temps, les gens qui venaient au marché étaient toujours les mêmes. Ce n'était pas possible de les identifier tous, mais les visages à la longue devenaient familiers. Cet homme-là, elle ne l'avait jamais vu. Il était grand, solide comme un roc, avec une grosse tête sur des épaules carrées. Ses cheveux, comme les siens, étaient noirs et frisés, mais beaucoup trop longs pour quelqu'un de race noire. De toute évidence, il n'était pas africain. Sa peau n'était pas blanche, mais elle n'était pas noire non plus. Elle ressemblait à une plaque de cuivre brunie. Il avait un visage luisant, une grande bouche, deux énormes yeux noisette et un long nez étroit avec un bout retroussé. Quelque chose de cruel émanait de ce visage étroit, en revanche son nez lui donnait une allure comique. L'homme riait à pleins poumons quand elle l'aperçut, un rire puissant qui faisait se retourner les gens. Il n'était plus très jeune. Peut-être quarante ans, pensa-t-elle.

La chose la plus curieuse chez lui était ses vêtements. Ce n'étaient pas, certes pas, des vêtements de seconde main. Ses bas étaient en soie, une soie rose pâle, il avait une boucle d'argent sur ses chaussures, sa chemise était en fil et sa culotte marron était bien coupée. Il portait des vêtements de gentleman et il ressemblait à un gentleman.

Il fera l'affaire, décida-t-elle.

C'est à ce moment-là qu'il la vit. Son rire s'arrêta brusquement et il commença à la regarder, le visage sérieux. Il apparut alors confusément à Delilah qu'ils appartenaient à la même espèce. Ils n'étaient ni blanc ni noir, ils n'étaient pas non plus des paysans comme les autres sur le marché, et l'on pouvait trouver chez eux, indiscutablement, les signes caractéristiques que donnent l'argent et la bonne éducation. Ils ne se lâchaient pas des yeux. Puis, lentement, le visage toujours sérieux, l'homme s'avança vers elle. Arrivé à sa hauteur, il s'inclina.

« Nonnom Benson pour vous servir, madame », dit-il.

Elle plissa les yeux puis éclata de rire. « Nonnom ?

— On raconte que ma mère, dégoûtée à la vue de ma peau blanche, refusa de me donner un prénom. En revanche, mon père, un Blanc, me trouva suffisamment blanc pour me reconnaître comme son fils. Et vous ? »

C'était une explication qu'il avait déjà évidemment fournie auparavant. Mais en l'écoutant, Delilah éprouvait des sentiments extraordinaires, comme si elle avait déjà connu cet homme, peut-être dans une autre vie et à une autre époque. Elle sentait que cette rencontre était importante et que leurs destinées étaient en quelque sorte entrelacées. Pour une fois, il n'y avait rien de sexuel dans ce sentiment. Seulement la certitude d'avoir, de façon curieuse et inexplicable, atteint un but.

« Et vous ? » répéta-t-il.

Ruby qui piétinait juste derrière Delilah répondit à sa place. « C'est Delilah Quick, dit Ruby avec un sourire amusé tandis que son œil vif allait de l'un à l'autre. Je crois bien que je vais vous laisser faire connaissance tous les deux. A demain, Delilah. » Malgré sa corpulence, elle parvint à se fondre dans la foule, laissant une Delilah muette et étonnée.

« Delilah ? dit-il d'un air pensif, d'une voix douce semblable à celle d'un Blanc. Un nom idéal pour la femme idéale. »

Retrouvant son calme, Delilah rejeta la tête en arrière. « Comment savez-vous que je suis la femme idéale ? Nous n'avons même pas encore échangé trois mots », dit-elle d'un ton froid, furieuse néanmoins intérieurement de parler comme une femme blanche.

Il sourit. « Je le sais », dit-il simplement en lui offrant la main. Elle la lui prit sans manières. Elle était chaude et sèche. Il la regarda un moment en silence puis il dit : « Où pouvons-nous deviser ?

— Deviser ? demanda-t-elle fort étonnée, car avec elle les hommes normalement pensaient à autre chose qu'à parler.

— Oui, converser », dit-il catégoriquement.

Sans un mot, elle le conduisit à la taverne de Christophe Colomb. Il leur fallut cinq minutes pour atteindre la porte et durant ce laps de temps ni l'un ni l'autre n'avait prononcé une seule parole. Mais ils se tenaient toujours par la main. A l'intérieur, la pièce bourdonnait d'activité. Ben se trouvait derrière son bar. Il leva la tête en les voyant entrer et sourit. Puis il leva les sourcils en voyant l'éblouissante tenue du compagnon de Delilah.

« Je vous présente Nonnom Benson, monsieur Clode, dit Delilah. Nous désirons parler. Pouvons-nous aller dans votre salon ? »

Les sourcils roux de Ben se soulevèrent encore davantage. « Pour parler ? demanda-t-il.

— Pour parler, martela Nonnom Benson.

— Dans mon salon ?

— Dans votre salon », dit Delilah avec patience comme si elle parlait à un enfant idiot.

Ben haussa les épaules. « Faites comme chez vous », dit-il.

Delilah fit passer Nonnom de l'autre côté du bar pour le conduire dans la petite pièce qui se trouvait derrière. Un endroit que Ben avait rendu confortable et où il aimait se détendre quand la taverne était calme. Delilah fit signe à Nonnom de s'asseoir dans une des chaises à haut dossier et s'installa devant lui.

« Êtes-vous une prostituée ? » demanda-t-il d'un ton plus intéressé qu'agressif.

434

Delilah ne se sentit nullement offensée. « Non, dit-elle. Je choisis mes partenaires. Et je ne veux pas être payée. »

Il acquiesça comme s'il s'attendait à cette réponse.

« Quant à moi, je ne paie pas », dit-il.

Elle éclata de rire et, avec un geste qui montrait ses riches vêtements, elle dit : « Je vous crois facilement. Maintenant dites-moi qui êtes-vous. »

Il se leva de nouveau en s'inclinant. « Nonnom Benson...

— Je sais déjà cela, le coupa-t-elle. Mais qui êtes-vous réellement ? »

Il comprit ce qu'elle voulait dire.

« Nonnom et personne, dit-il. Un appendice de mon père, Richard Benson. Veinard ? Oui, veinard. Pour quelque étrange raison, mon père m'a reconnu. Ce ne fut pas le cas pour beaucoup d'autres de sa progéniture. Il était le surveillant d'une plantation dans cette île. Macabees.

— Ah, c'est ce Benson, souffla Delilah. Ici, c'est une légende vivante.

— Pour sa cruauté ? »

Elle hésita puis fit un signe affirmatif de la tête.

« Je sais des choses sur lui, dit-elle. Le fils de ma maîtresse est l'actuel propriétaire de Macabees. Il a épousé la fille Ramillies.

— Celle qui a mis mon père à la porte ?

— Je ne sais pas. J'étais trop petite lorsque c'est arrivé.

— Isobel, elle s'appelait, dit Nonnom, plongé dans les souvenirs. Elle a fait venir mon père dans son salon et lui a dit, de but en blanc, qu'elle n'avait plus besoin de lui. Qu'elle voulait supprimer toute cruauté dans sa plantation et que ce serait préférable pour lui de quitter l'île. C'est ce qu'il a fait en m'emmenant. J'avais vingt-quatre ans à l'époque.

— Où êtes-vous allé ? demanda Delilah.

— A St. Barthelemy, une petite île d'une douzaine de kilomètres de long vers le nord. Terre ingrate, dit-il brusquement avec un grand sourire. Il n'y a pas de canne qui vaille la peine qu'on en parle, Dieu merci. Là-bas, elle ne veut pas pousser. En fait il n'y a pas grand-chose qui accepte de pousser dans cet endroit, si bien qu'il y a fort peu de Noirs. Les gens qui y vivent sont généralement des Français assez misérables. Ils ne peuvent s'offrir beaucoup d'esclaves et travaillent aux côtés de ceux qu'ils ont.

— Pourquoi êtes-vous allé là-bas ? »

Nonnom haussa les épaules. « Nous devions nous rendre à

Anguilla où mon père avait obtenu une place de surveillant dans une plantation. Mais le vent nous a fait changer de cap. Quand mon père a vu St. Barthelemy, il a pensé qu'il y avait des affaires qui l'attendaient là. Les Français n'étaient que des paysans sans jugement et sans initiative, des gens frustes. Nous sommes donc restés sur cette île et nous sommes devenus riches. Nous sommes les gens les plus riches de l'île. Mon père fournit du rhum aux marins qui vont et viennent dans le port. Il a sa distillerie. Il possède un petit chantier naval pour réparer et construire des bateaux. Il vend aussi du bois, dans toutes les Antilles. C'est un bois solide qui sert à la construction des bateaux. C'est d'ailleurs un des rares végétaux qui poussent sans problème à St. Barthelemy. Mon père et moi avons fait prospérer nos affaires. C'est vrai qu'il est cruel et sans pitié, bien qu'il ne se conduise jamais ainsi avec moi. Parfois je me demande s'il n'est pas resté sur cette île parce que la vie y serait meilleure pour moi. Les Noirs ne sont pas méprisés à St. Barthelemy et les mulâtres totalement acceptés.

— Mais votre mère ?

— Benson a été ma mère et mon père.

— Mais vous devez avoir une vraie mère. »

Il se mit à rire de nouveau. « Naturellement, dit-il. On l'appelait Vérité. Elle me haïssait et je la haïssais. »

Stupéfaite, Delilah respira profondément. « J'ai une sorte de tante qu'on appelle Vérité.

— Tout le monde a une sorte de tante ou d'oncle dans ces îles », dit-il sur un ton brusque. Il semblait vouloir changer de sujet. « Est-ce que votre ami aubergiste nous verserait à boire ?

— Du bordeaux, de la bière ou du rhum ? demanda-t-elle.

— Un bock de bière, s'il vous plaît », dit-il après un instant de réflexion. Elle se faufila hors du salon et revint avec sa bière et un verre de bordeaux pour elle. Il but une grande gorgée et dit : « Et maintenant à vous. Vous êtes libre ?

— Non, je ne le suis pas, dit-elle avec un air de défi, se remettant à parler le patois des Noirs. Je suis esclave. »

Il ne la croyait pas. « Alors, expliquez-moi comment ça se fait que vous n'êtes pas libre, dit-il en prenant son accent pour se moquer d'elle. Et aussi pourquoi vous parlez de cette façon quand vous n'en avez pas besoin ? »

Embarrassée, elle se remit à parler correctement. « Je suis une esclave, dit-elle, mais ma maîtresse ne me traite pas comme telle.

— Et pourquoi ?

— Je ne sais pas. Personne ne semble connaître mon père et ma mère est morte à ma naissance. C'est ma maîtresse qui s'est occupée de moi. Mon amie Ruby, que vous avez vue tout à l'heure...

— La grosse femme ?

— Oui. Elle dit que je suis le petit chaton de Mme Amelia. Mais je ne veux être le chaton de personne.

— Il vaut mieux être un chat qu'un chien. On fouette les chiens. Je parie que tu n'as jamais été fouettée dans ta vie.

— C'est vrai.

— Moi non plus, dit-il avec un grand sourire. Merveilleux, non ? Nous avons quelque chose en commun, toi et moi. Je parie que ton père était blanc. Nous sommes juste deux mulâtres privilégiés. Les enfants de la chance.

— Je ne vois pas les choses comme ça, marmonna-t-elle.

— Je m'en serais douté, dit-il. Tu as l'impression de n'appartenir à nulle part, dit-il, se moquant de nouveau.

— Oui, répliqua-t-elle sur un ton de défi.

— Écoute, petite madame, tu peux choisir n'importe quelle racine. Pourquoi ne pas demander ta liberté à ta maîtresse ?

— Je ne veux pas le lui demander pour le moment. »

Il plissa son grand front. « Pourquoi ? Se conduit-elle mal avec toi ?

— Non, dit-elle à contrecœur.

— Tu ne l'aimes pas ?

— Non, dit-elle cette fois de façon catégorique.

— Qu'est-ce que tu lui reproches ? »

Delilah hésita. Que reprochait-elle à Amelia ? Il était difficile de répondre à cette question. Finalement, elle dit lentement : « Elle m'embrouille la tête.

— C'est vraiment terrible », répondit-il vivement, rejetant une telle ineptie.

Piquée au vif, Delilah s'expliqua. Elle raconta son enfance, sa vie avec Juba, son manque d'intérêt pour ses deux enfants, et elle commença à se voir plus clairement. Elle avait raison de dire qu'Amelia lui avait embrouillé la tête en la tentant avec une vie, un mode de vie qu'elle n'aurait jamais la possibilité de mener. Mais c'était son entêtement à elle qui avait détruit les occasions que, grâce à son éducation, on lui avait offertes.

« Je n'ai jamais senti qu'on pouvait m'aimer, dit-elle finalement d'un air sombre. Je voyais bien que la couleur de ma peau était une énorme déception pour Mme Amelia, aussi je méprisais les efforts qu'elle faisait pour me rendre blanche.

— Si bien que tu as couché avec un tas d'hommes ? demanda-t-il d'une voix neutre. Pour trouver l'amour ? »

C'était cela, évidemment. Elle acquiesça.

Il vida son verre et lui sourit. « Et qu'allons-nous faire maintenant, toi et moi, Delilah Quick ? »

Elle le regarda l'air pensif. Elle ne s'était jamais sentie si bien avec quelqu'un au cours de sa vie. Cet homme était son égal. Ils parlaient le même langage, mais il était plus réaliste qu'elle et sans doute avait-il raison. A l'aide de quelques mots, il l'avait obligée à regarder ses problèmes en face. De plus il était extrêmement beau. Bien sûr, elle avait toujours préféré les Noirs dans le passé. Mais comme les yeux couleur d'ambre de son compagnon s'allumaient au-dessus de sa grande bouche faite pour les baisers, quelque chose commença à remuer dans ses entrailles, déclenchant son insatiable appétit.

« Et qu'est-ce que tu veux donc faire ? dit-elle en revenant au patois et en roulant des yeux pour se moquer d'elle-même.

— L'amour, peut-être ? proposa-t-il. Le meilleur moyen d'en finir avec les préliminaires et de se connaître. Si tu cherches vraiment l'amour, il est possible que cette fois tu l'aies trouvé. »

Merveille n'était pas dans la salle de musique. James pensait bien la trouver là et il fut un instant désarçonné en constatant son absence. Il revint vers la grande maison, plus très sûr de ce qu'il était en train de faire. C'était ce surprenant baiser et la réaction qu'il avait provoquée chez lui qui l'avaient fait agir aussi précipitamment. Il se rendait compte un peu tristement que même le père de Merveille lui avait lancé une sorte d'avertissement. Il avait douloureusement conscience qu'en choisissant de ne pas en tenir compte, il ne lui restait qu'une chose à faire. S'il ne voulait pas se conduire comme un goujat, il lui fallait demander la main de la jeune fille.

Dans un effort pour comprendre son attitude, il se dit que tous les hommes regrettent peu ou prou la perte de leur liberté. Ses doutes étaient donc parfaitement naturels. Mais ses appréhensions n'en étaient pas pour autant dissipées au moment où un esclave lui ouvrit la porte d'entrée pour l'introduire dans le grand hall dallé. Comme la porte se refermait derrière lui, celle de la bibliothèque s'ouvrit. Et, à son grand soulagement, Prissie apparut.

« Eh bien, c'est notre James, dit-elle en s'avançant rapidement pour prendre ses mains dans les siennes. Quel plaisir de te voir. Même si — elle fronça un peu les sourcils durant un instant — tu nous as rendu pas mal de visites ces derniers temps. A quoi devons-nous attribuer cet honneur, ou à qui ? »

Certainement, elle savait qu'il faisait la cour à Merveille. Il avait l'impression que tout le monde était au courant. Mais il aimait beaucoup Prissie et il était sûr qu'elle l'aimait. Ils étaient de vieux amis. Quand ils étaient bien plus jeunes, elle accompagnait toujours Merveille aux réunions de famille. Et avec Juba, elle passait son temps à distraire les enfants. En la voyant, il se souvint à quel point Merveille était difficile à vivre lors de ces réunions. Seul le solide bon sens de Prissie parvenait à la calmer. Prissie avait énormément d'autorité. Elle ne se conduisait jamais comme une domestique et en conséquence chacun la traitait comme une égale.

« Je cherchais Merveille, bafouilla-t-il.

— Ah. Elle est dans sa chambre. Elle était surexcitée, aussi je l'ai envoyée se reposer. »

Il resta silencieux un instant. « C'est certainement ma faute, finit-il par avouer. Je l'ai embrassée. »

Les yeux gris et vifs de Prissie le regardèrent en face. « Est-ce que tu l'as embrassée ou est-ce elle qui t'a embrassé ?

— Eh bien..., dit-il ne sachant trop que répondre.

— Et voilà, dit-elle vivement. Bon, pourquoi veux-tu la voir ?

— Je viens de demander sa main à William, dit-il, essayant de se montrer enthousiaste. Il m'a dit d'aller la voir pour savoir si elle veut bien m'accepter. »

Le visage de Prissie durant un instant fut l'image même de la consternation. Mais ses traits reprirent rapidement une expression normale.

« James, dit-elle lentement, vous êtes tous les deux fort jeunes pour vous marier. Et Merveille...

— Arrête, dit-il passionnément pour se convaincre lui-même, je sais ce que tu vas me dire, mais elle est très différente avec moi. Elle m'aime. J'en suis sûr.

— Et l'aimes-tu ?

— Oui », dit-il catégoriquement. C'était vrai. Il l'aimait. Qu'elle lui fasse un peu peur ne changeait rien à l'affaire.

Prissie soupira. « Bon, vu le tour que prennent les événements, je suppose que le maître ne verra aucun inconvénient

439

à ce que tu ailles la voir dans sa chambre. C'est la quatrième porte sur la gauche en haut de l'escalier.

— Merci, Prissie », dit-il. Il était heureux d'en finir avec cette conversation et s'élança dans l'escalier. Il était sur le premier palier quand il entendit que Prissie l'appelait de nouveau. Il se retourna.

« Fais attention, James. Je t'en prie, fais attention », dit-elle avec sur le visage une expression extrêmement inquiète.

Personne ne répondit quand il frappa à la quatrième porte sur la gauche et après trois tentatives il tourna doucement la poignée. Merveille était allongée sur le dos sur son lit, la tête sur un oreiller, ses yeux clos. Ses jupes étaient remontées sur sa poitrine. Elle respirait bruyamment. Une de ses mains était placée entre ses jambes à demi ouvertes et elle se contorsionnait.

« Maintenant, c'est toi qui vas me le faire », dit-elle. Il n'y avait aucune possibilité pour lui de le lui refuser ou, à vrai dire, de se le refuser.

18

Zach était devant son bureau du palais de justice d'Old Town Road où il siégeait maintenant en tant que juge. Il était content de lui. Il venait de convaincre le gouverneur d'accepter également parmi les juges William Rosier-Quick. En dépit de leur méconnaissance du droit, la plupart des riches planteurs étaient juges et Zach désirait évidemment que toute la famille Quick soit représentée. Il n'avait pas non plus à se plaindre de son fils James qui allait épouser Merveille à la fin du mois de mars, trois semaines après le quinzième anniversaire de la jeune fille. Macabees appartiendrait un jour à la famille Quick. Arrivés comme esclaves quarante-deux ans plus tôt, les membres de cette famille seraient alors propriétaires des trois plus importantes plantations de l'île. Zach avait de bonnes raisons d'être satisfait de sa vie.

Il fut quelque peu déconcerté quand son secrétaire le prévint qu'une certaine Mlle Prissie Tucker souhaitait lui parler. Zach n'avait jamais accepté les dispositions qu'on avait prises à Macabees. Comment une ancienne putain, qui travaillait à la taverne de Ben, avait-elle pu se voir confier l'éducation de Merveille ? Il s'était bien promis de chasser cette fille dès qu'il se trouverait dans son rôle de beau-père.

Il demanda néanmoins au secrétaire de la faire entrer. Il fut surpris de sa tenue et de ses manières. Prissie était devenue une femme d'un certain âge fort belle et fort bien habillée, extrêmement respectable avec sa robe et son chapeau gris. Il l'invita à s'asseoir et elle rassembla soigneusement sa longue robe autour de ses chevilles. Il n'y avait plus chez elle la moindre trace de son ancien métier. Elle ressemblait fort à ce qu'elle était aujourd'hui, l'intendante responsable, d'âge respectable, d'une dame de la bonne société.

« Que puis-je faire pour vous ? demanda-t-il.

— Pardonnez-moi d'arriver ainsi à l'improviste, dit-elle d'une voix calme. Mais j'aime beaucoup votre fils James et je voudrais lui éviter une catastrophe. »

De quoi donc parlait cette femme ?

« Vraiment ? dit-il sur un ton dédaigneux.

— Il me semble que je dois vous parler de Merveille Quick. »

Zach sentit son visage rougir de colère devant l'impertinence de cette femme.

« Je vous en prie, monsieur, ne le laissez pas l'épouser. »

Zach, qui fulminait, lança : « Madame, c'est into...

— Elle a toujours été difficile comme vous le savez, poursuivit Prissie, comme si son interlocuteur n'avait pas parlé. Mais depuis qu'elle est pubère, c'est-à-dire depuis un an, non seulement c'est quelqu'un de difficile mais c'est aussi quelqu'un de dangereux. J'ai de bonnes raisons de craindre pour votre fils s'il l'épouse. »

Elle était si sérieuse, si calme, si convaincante, que Zach se cala dans son siège.

« Elle n'y peut rien, dit Prissie d'une voix sourde. C'est comme si son cerveau s'était verrouillé à sa naissance et que quelqu'un en ait jeté la clé. Elle ne peut échapper à sa nature et cela la rend furieuse contre le monde. Elle trouve un peu d'apaisement grâce à la musique mais malheureusement il lui arrive d'agir de façon cruelle pour se libérer de son oppression. Merveille aime passionnément voir fouetter les esclaves. » Prissie hocha la tête lentement, pour bien souligner ce point. Zach l'écoutait attentivement, maintenant. « C'est son plus grand plaisir. Je reconnais, monsieur, qu'il y a beaucoup de femmes qui prennent plaisir à ce spectacle, mais Merveille va beaucoup plus loin. Elle adore qu'on lui permette de fouetter elle-même les plus jeunes esclaves. Si votre fils devait la voir se conduire ainsi un jour, je pense qu'il cesserait de l'aimer. De toute évidence, M. William n'a pas averti votre fils de cet aspect du caractère de sa fille, il ne lui a pas dit non plus qu'elle aimait les combats de coqs qu'organisent les esclaves. Merveille aime la vue du sang. »

Zach frissonna à cette pensée, mais répliqua, sur la défensive : « Il n'est pas rare que les femmes fouettent leurs esclaves.

— C'est vrai, reconnut Prissie. Mais depuis ces dernières semaines, depuis que James vient lui rendre visite, nous avons eu des ennuis extrêmement sérieux avec Merveille. On l'a surprise au moment où elle essayait de tuer le bébé d'une esclave. Elle lui avait déjà passé une corde autour du cou quand, heureusement, la mère a pu intervenir. Les esclaves avaient déjà peur d'elle mais maintenant ils s'agitent réellement. Notre maître a donné l'ordre qu'on lui interdise le quartier des esclaves, mais c'est difficile de l'empêcher de s'y rendre. Voyez-vous, monsieur, elle a des crises de rage d'une violence inouïe, qui sont presque incontrôlables, pas très souvent, certes, environ une fois par mois. Elle est très forte et ses fureurs décuplent sa force. La semaine dernière, nous avons découvert qu'elle avait coupé la tête des poussins du poulailler des esclaves avec un couteau de cuisine. Elle a expliqué qu'elle avait envie de les voir courir sans tête. Elle était couverte de sang des pieds à la tête. Vous pouvez donc comprendre, monsieur, qu'elle ne peut être la femme d'un gentleman.

— Elle est très différente avec mon fils », répondit-il, se rendant compte de la faiblesse de son argument. Il n'aurait pas dû laisser cette femme entrer. Il ne voulait rien entendre de tout cela. Il ne voulait rien savoir.

« A d'autres moments, elle peut se montrer différente. Mais elle n'a pas la force de caractère suffisante pour persévérer dans la bonne voie. Moi-même je la crains quand je dois la réprimander. Elle n'a aucune idée du bien et du mal et il semble impossible de lui faire acquérir cette connaissance. »

Zach en avait suffisamment entendu. Il se leva, s'appuya sur son bureau avec les mains, et se pencha en avant vers la femme assise devant lui.

« Je ne désire pas en entendre davantage, siffla-t-il. Je vous remercie de m'avoir informé mais je vous serais reconnaissant si vous n'en parliez à personne d'autre. Je dois maintenant réfléchir pour prendre ma décision. Mon fils est amoureux. Il peut s'entêter. Il peut vouloir ce mariage à tout prix.

— Mais vous l'avertirez, monsieur ? Sinon personne d'autre ne le fera. Le maître se leurre, il pense que ce mariage mettra fin aux problèmes de sa fille.

— Il le croit ? murmura Zach.

— Il s'en persuade. Mais je sais que ça ne changera rien, dit Prissie en se levant puis en tirant sur ses vêtements pour les remettre en place. Un jour, monsieur, quelque chose de terrible arrivera et ce serait vraiment triste que votre fils en soit la victime. »

Zach sentit un frisson de colère lui parcourir l'échine. Il fit le tour de son bureau, prit le bras de Prissie pour la pousser vers la porte.

« Vous ne me croyez pas, monsieur ?

— Je pense que vous exagérez, dit-il sèchement.

— Je crains, dit-elle d'un ton parfaitement calme, que vos ambitions pèsent pour vous plus lourd que le bonheur de votre fils.

— Madame, occupez-vous de vos affaires. Quelle impertinence ! » gronda-t-il.

Elle le regarda froidement. « Quelle stupidité de votre part, monsieur. »

Rouge de colère, il la poussa hors du bureau et claqua la porte derrière elle. Il ne voulait plus avoir cette femme sous les yeux afin de pouvoir réfléchir. Mais dans son cœur, il savait déjà ce qu'il ferait. Il ne ferait rien du tout.

Prissie n'allait pas laisser les choses en rester là. Elle aimait James. Il avait été de loin le plus charmant des enfants de la famille Quick. Ce garçon avait si bon cœur qu'il ne pouvait se résoudre à écraser un insecte. James, c'était le bon Samaritain. Il voulait que tout le monde soit heureux et faisait ce qui était en son pouvoir pour qu'il en soit ainsi. Même petit garçon, il avait une patience infinie. Prissie pouvait comprendre parfaitement pourquoi il était tellement attiré par cette jeune fille si jolie et si pitoyable, et pourquoi il s'illusionnait en pensant que Merveille pourrait devenir une jeune femme normale. Elle faisait partie de ses canards boiteux. Mais Prissie savait mieux que personne que jamais Merveille ne serait normale. Et elle ne voyait pas pourquoi James devrait être sacrifié sur ces autels jumeaux, dressés aussi bien par l'avidité de son père que par son bon cœur à lui.

Elle parlerait à Amelia. Amelia était la seule dans la famille qui avait un réel bon sens, et la seule personne que Zach écoutait. Il fallait maintenant qu'elle rentre à Macabees avant qu'on ait besoin d'elle, mais elle projetait de se rendre à Basse-Terre le matin pour essayer d'obtenir l'appui de Ben lors de sa rencontre avec Amelia. Peut-être Ben viendrait-il à Lointaine avec elle ? S'il était là, les choses seraient plus faciles à dire.

Merveille avait été un peu plus calme ces deux derniers mois et c'est vrai qu'il était possible que l'idée du mariage ait un effet bénéfique sur elle. Mais c'est alors qu'une terrible pensée traversa l'esprit de Prissie. Elle avait l'habitude de surveiller attentivement les règles de Merveille. Elle s'était aperçue très vite que la jeune fille avait ses crises les plus violentes environ douze jours avant le début de ses règles. C'était durant ces périodes que, avec l'aide de Minta, elle faisait ingurgiter à la jeune fille quelques potions calmantes. Avec l'excitation qui avait entouré les fiançailles, Prissie avait un peu négligé cette question. Tandis que son cheval se frayait un passage sur une piste difficile, elle se souvint que James était monté dans la chambre de Merveille pour lui demander sa main juste durant cette période où elle avait besoin des calmants de Minta. Cela faisait presque trois mois maintenant et, horrifiée, Prissie s'apercevait que la jeune fille n'avait pas saigné le moins du monde depuis ce jour-là.

« Oh, Seigneur, gémit-elle avant d'enfoncer ses talons dans les flancs de son cheval. Oh Seigneur ! »

De retour à la plantation, elle chercha Minta qui devait s'activer dans un coin de la grande maison. Minta et sa mère avaient travaillé dans les champs de canne à Macabees, après que Matthew Oliver les eut vendues, il y avait maintenant si longtemps. Vincent Ramillies ne voulait pas de domestiques femmes et d'ailleurs Bessie était rapidement morte. Le travail dans les champs était trop dur pour quelqu'un qui avait passé la plus grande partie de sa vie comme domestique. Minta, plus jeune, plus solide, avait survécu et était revenue travailler comme servante dans la maison après le mariage de William et d'Isobel. Malgré ce que Minta savait du passé de la famille Quick, Amelia avait insisté pour qu'on l'emploie comme femme de chambre. Minta, grande et maigre, avec des jambes curieusement arquées, avait une énergie débordante. Elle n'arrêtait jamais de s'activer, disant que, dans une maison de la taille de Macabees, il y avait toujours quelque chose à nettoyer, à faire briller, ou quelqu'un à qui donner ce qu'elle appelait « un peu d'amour ».

C'était difficile de la retrouver dans cette maison pleine de coins et de recoins. De toute façon, Minta avait de bonnes raisons de rester occupée. Personne ne la surveillait ni ne s'inquiétait de ce qu'elle faisait. On supposait qu'elle travaillait. Cela lui permettait de collecter les plantes et les herbes dont elle avait besoin pour concocter ses potions en toute tranquillité. Sa mère avait un don pour herboriser et Minta avait en tête l'héritage de Bessie, plus ce qu'elle avait découvert elle-même.

Prissie la trouva dans la salle de bal où, à quatre pattes, elle lavait le plancher de bois en chantonnant. Elle avait maintenant une cinquantaine d'années mais paraissait bien plus vieille, à cause de son visage lourd, creusé de rides profondes et de ses mains qui à force d'effectuer de rudes travaux ressemblaient à des serres.

« Minta, lui glissa Prissie, je dois te parler. »

La femme noire se redressa sur ses genoux osseux et essuya d'un revers de la main la sueur de son front. Elle tordit soigneusement sa serpillière et l'étala sur le rebord d'un seau en bois avant de se relever maladroitement. Les deux femmes montèrent l'escalier qui conduisait à la nursery.

Elles n'étaient pas exactement amies mais se sentaient bien ensemble. Elles partageaient le poids que représentait Merveille et aussi quelques autres secrets. Quand James avait commencé à venir voir Merveille, Minta avait confié à Prissie que son père à elle était Matthew Oliver.

« Ma mère était une très belle femme quand elle était jeune, expliqua-t-elle, et pendant un certain temps, le maître la baisait presque toutes les nuits. Les gens pensaient qu'elle lui avait jeté un sort, étant donné qu'elle était sorcière. Puis Bella est arrivée à Windsong et ce fut son tour à elle. Quant à moi, je ne l'ai guère intéressé. J'étais trop noire. » Elle éclata d'un rire sonore. « Étrange, n'est-ce pas ? Cette prétentieuse de Charlotte est ma demi-sœur. Imagine la tête qu'elle ferait si elle l'apprenait. Et je suis donc la tante de M. James.

— Une bonne raison de nous unir pour l'aider », dit Prissie froidement.

Une fois la porte de la nursery bien fermée, Prissie versa deux verres de rhum de la bouteille qu'elle gardait dans sa chambre.

« Nous allons avoir besoin de ça, dit-elle. J'ai une mauvaise nouvelle. Je crois que Merveille est enceinte. »

Minta ne parut pas particulièrement surprise. « Ça fait combien de temps ? demanda-t-elle.

— J'imagine à peu près trois mois. Depuis le jour où j'ai laissé James monter dans sa chambre, dit-elle en secouant la tête d'un air exaspéré. Il m'a dit qu'il allait la demander en mariage, je n'ai pas pensé qu'il allait consommer le mariage sur-le-champ.

— Je suppose qu'il n'avait pas beaucoup de chances de s'en sortir si elle était en période de crise. Elle est comme une chienne en chaleur à ces moments-là, dit Minta. Peut-être même que ce n'est pas lui. »

Cette réflexion terrible fit pâlir Prissie. « Qui alors ? »

Minta gloussa. « Ça ne peut pas être un Noir, ça c'est sûr. Cette fille hait les esclaves autant que je la déteste, elle. » Minta ne manquait pas de faire remarquer que si elle apportait son aide lorsqu'il était question de Merveille, c'était uniquement par amitié pour Prissie.

« Mais je ne vois pas un autre Blanc dans les parages. C'est forcément James », dit Prissie.

Minta haussa les épaules. « Il n'y a pas de quoi se retourner les sangs. Ils vont se marier, n'est-ce pas ?

— Je vais essayer d'empêcher ce mariage, dit Prissie fermement. Il ne peut rien amener de bon. Mais si elle est enceinte... Minta, pourrais-tu t'occuper de ça ?

— L'avorter ?

— Oui. »

La négresse réfléchit. « Je ne sais pas. Ça fait pas mal de temps déjà. Ça peut être dangereux. Elle risque de mourir. »

Le visage de Minta tandis qu'elle évaluait la situation était impassible.

Prissie gardait le silence. Est-ce que Minta suggérait qu'elle pouvait mettre fin au problème définitivement ? Bien que se sentant coupable, Prissie ne pouvait s'empêcher de penser que peut-être ce ne serait pas une si mauvaise chose. Mais il fallait penser à M. William. Il avait déjà été mêlé à trop de tragédies et, malgré son étrangeté, il était certain que sa fille lui était chère. Prissie fit un effort pour se reprendre.

« Je vais devoir parler à Mme Amelia, marmonna-t-elle presque pour elle-même.

— C'est une bonne idée », dit Minta.

Prissie dormit fort mal et au cours d'une de ses nombreuses insomnies décida qu'elle irait à Lointaine sans Ben, car alors le voyage serait trop long et elle resterait absente trop longtemps. Elle ne voulait pas que M. William découvre ce qu'elle projetait. Elle n'était même pas certaine des raisons qui la poussaient si fort à empêcher ce mariage, en dehors du fait qu'il n'y avait personne, vraiment personne qui comprenait réellement l'incroyable complexité de Merveille. Cette

447

enfant plus que difficile avait été confiée à Prissie depuis fort longtemps. C'était quelqu'un d'exigeant, de violent, de cruel, avec aussi des talents inemployés, et parfois sa tristesse, son désarroi vous brisaient le cœur. Toutes les émotions pouvaient apparaître chez Merveille, sauf une, qui créait un grand vide en elle, la tendresse. Prissie était fort bien payée pour son travail et, afin de garder la tête claire, elle exigeait d'avoir un peu de temps libre. Elle ne pensait pas que quelqu'un puisse supporter vingt-quatre heures sur vingt-quatre un être ressemblant à Merveille. Il n'était pas question d'affection, car en vérité il était impossible d'aimer cette jeune fille.

La piste entre Macabees et Lointaine était très utilisée donc facile à suivre. Derrière elle se dressait Brimstown Hill, et d'étranges odeurs de soufre provenaient des terrains situés en dessous de la citadelle. Devant, elle voyait la masse du mont Misery, dont le sommet était entouré de nuages. Prissie aimait monter à cheval. C'était toujours une détente, de petites vacances, lorsqu'elle se trouvait loin de Merveille. Ce matin, c'était Minta qui surveillait discrètement la jeune fille. Les esclaves prenaient bien garde de ne pas se mettre en travers du chemin de Merveille. En effet, elle avait l'habitude de cracher sur eux et, s'ils étaient suffisamment près, de les griffer au visage.

Amelia accueillit chaleureusement Prissie à Lointaine mais celle-ci fut atterrée en constatant à quel point la mère de William était devenue frêle. Comme elles s'asseyaient dans le petit salon, elle se dit qu'Amelia pourrait être emportée par un coup de vent. Les yeux verts étaient toujours aussi vifs et bienveillants mais la peau avait pris une pâleur inquiétante.

« Êtes-vous malade ? » ne put s'empêcher de demander Prissie.

Amelia fit non de la tête. « J'ai quelques douleurs de temps à autre mais rien de grave. J'ai fort peu d'appétit cependant. Et en vieillissant, la chaleur de cette île me gêne. C'est étrange, mais après toutes ces années, je me remets à penser au Devon. Les hivers là-bas sont si froids, si vifs, dit-elle avec nostalgie.

— Vous devriez faire un voyage en Angleterre, lui dit Prissie.

— Il est trop tard. Ma vie et ma famille sont ici. Dites-moi, comment va William ?

— Bien.

— Et Merveille ? Est-elle impatiente de se marier ? »

Prissie hésita mais finalement, prenant son courage à deux mains, elle dit : « C'est d'elle que je suis venue vous parler,

448

madame Amelia. Je suis déjà allée voir M. Zach mais il ne veut pas m'écouter. Ce mariage est une erreur épouvantable.

— Je sais. »

Amelia avait parlé si doucement que Prissie tout d'abord crut qu'elle n'avait pas entendu.

« Vous le savez ? »

Amelia hocha la tête et ses cheveux auburn laissèrent apparaître quelques fils argentés. « Mais, dites-moi, pourquoi pensez-vous cela ? »

Prissie rapporta ce qu'elle avait raconté à Zach. « Mais il y a pire, dit-elle. Des choses que je ne pouvais me décider à lui confier, elle est si étrange... » Elle hésita, ne sachant comment expliquer la chose... « Avec son corps. Parfois elle enlève ses vêtements et parcourt la maison toute nue. Et alors elle, eh bien... — elle hésita de nouveau, gênée de parler de ce genre de chose à une dame —, elle se fait plaisir, sans se préoccuper de qui la voit. Minta lui donne des potions pour la calmer, mais à certains moments du mois nous n'osons pas la laisser seule. Ses instincts sont primitifs comme ceux d'un animal. »

Amelia avait incliné la tête pour écouter. « Alors, il est possible, avança-t-elle, que le mariage lui fasse du bien. » Il n'y avait aucune conviction dans sa voix.

« Non, rien ne peut l'aider. Aucun pouvoir humain. Ce mariage se révélera odieux et cruel pour James. Sa jeune vie sera gâchée. » Elle luttait pour trouver ses mots. « Personne ne sait, personne ne comprend ce qu'elle est réellement. Mais souvenez-vous, je la connais depuis sa naissance. Si elle se marie avec James, ça se terminera par une tragédie, j'en suis sûre. Je vous en prie, parlez-en à votre frère. Il vous écoute.

— La cérémonie est si proche...

— Je le sais. J'aurais dû vous parler plus tôt mais j'avais peur de m'immiscer dans cette affaire. Mais c'est devenu encore plus grave : je crois qu'elle est enceinte. »

Amelia porta rapidement une main à sa bouche. « De James ? souffla-t-elle.

— Je crois. Elle déteste les esclaves et il n'y a aucun autre homme blanc sur la plantation qui pourrait s'intéresser à elle. Quoique à ces moments-là...

— N'importe qui fait l'affaire ? demanda doucement Amelia.

— Tout est possible. »

Les deux femmes gardèrent le silence puis Amelia soupira et dit : « Ce serait perdre mon temps et le vôtre que de parler à mon frère. Il ne m'écoute plus, ce temps est passé. Mais peut-être que la mère de James pourrait avoir une certaine influence. Je lui en parlerai et nous essaierons de découvrir si c'est bien James qui l'a mise enceinte. Si c'est le cas, je crains que ce garçon ne se soit fourré dans un beau pétrin. Il faudra qu'il aille jusqu'au mariage.

— A moins... »

Amelia leva les sourcils d'un air interrogateur.

« ... qu'elle ne perde l'enfant, dit Prissie, en ajoutant aussitôt : Minta... »

Amelia leva une main en signe d'avertissement : « Non, c'est trop dangereux. Quoi qu'il arrive, cette grossesse doit venir à terme. »

Voyant sa suggestion repoussée, Prissie baissa la tête. Amelia se leva difficilement et s'avança pour poser la main sur l'épaule de son interlocutrice.

« Je ne vous ai jamais dit, Prissie, combien je vous suis reconnaissante de ce que vous avez fait pour ma petite-fille au cours de ces années. Ce n'était pas une tâche facile. Vous avez été bien plus loyale envers nous qu'on n'aurait pu s'y attendre et vous avez eu raison de venir me voir. Ce mariage est mauvais, je le sais, mais je crains que la décision finale ne soit plus entre nos mains. Je ferai mon possible comme vous l'avez fait, mais si on ne peut l'empêcher, il ne nous restera qu'à espérer. Et à prier. »

Après le départ de Prissie, Amelia demanda à Pierre d'envoyer quelqu'un à Windsong pour prévenir qu'elle irait là-bas le surlendemain, à moins qu'il n'y ait un empêchement. Elle n'avait pas très envie de ce voyage, mais il fallait le faire. Elle avait dit à Prissie que ses douleurs n'indiquaient rien de grave mais ce n'était pas vrai. Parfois, elle était presque paralysée par les souffrances qu'elle éprouvait dans le ventre. Et ce que lui donnait son médecin ne servait guère à grand-chose. Peut-être, se disait-elle, Minta pourrait-elle l'aider davantage. Elle aurait dû en parler à Prissie mais alors cela aurait déclenché des histoires.

Elle était en train de faire sa sieste — elle ne pouvait plus se passer de ces quelques instants de repos —, lorsque Pierre vint l'informer avec un air de désapprobation sur le visage qu'elle avait de nouveau un visiteur inattendu.

« Je me demandais si je devais vous prévenir ou le renvoyer, madame, dit-il. Mais il insistait tellement et puis...

— Et puis quoi ? »

Pierre apparemment ne trouvait pas ses mots. « Vous verrez par vous-même, madame », dit-il finalement.

Elle vit, en effet. L'homme qui attendait dans le hall était très grand. Il avait le teint cuivré et était remarquablement bien habillé. Ses vêtements et le panache avec lequel il les portait auraient pu en remontrer à Zach. En la voyant, il s'inclina.

« Ai-je le grand plaisir de rencontrer Mme Rosier-Quick ? demanda-t-il ?

— C'est bien moi.

— Nonnom Benson à votre service. »

Amelia s'immobilisa. Elle revit en un instant l'image de la cuisine, ici, à Lointaine où bien des années auparavant Vérité désespérée lui avait raconté de quelle manière elle avait été violée par Benson, le surveillant de Macabees. Et qu'elle avait eu ensuite un enfant, presque blanc, auquel elle n'avait pas voulu donner de prénom. Nonnom Benson.

Pourquoi était-il là ? Pour tourmenter Vérité ? Amelia ne le supporterait pas.

« Que puis-je faire pour vous ? demanda-t-elle d'un ton glacial.

— Une petite chose », dit-il en souriant. Amelia remarqua tout de suite sa facilité d'élocution et le timbre agréable de sa voix.

« Laquelle ?

— Donner sa liberté à Delilah afin que nous puissions nous marier. »

Elle était abasourdie. « Delilah ?

— Oui, Delilah, votre esclave. »

Elle allait protester, dire que Delilah n'était pas une esclave puis s'arrêta à temps. Elle lui proposa alors de venir dans son salon afin qu'ils puissent parler tranquillement.

Elle lui offrit un siège inondé de lumière. Elle ne voulait pas que lui échappe la moindre parcelle d'expression qui pouvait apparaître sur le visage de cet homme. Elle s'installa dans l'ombre.

« De quelle manière avez-vous connu Delilah ? demanda-t-elle.

— Je l'ai rencontrée à Basse-Terre... Vous savez de quelle manière se font ces choses. »

Une lueur dans ses yeux d'ambre signifiait clairement qu'il

ne s'agissait pas d'une présentation en bonne et due forme. Amelia sentit un sourire vaguement méprisant lui tordre les lèvres.

« Et où se trouve-t-elle maintenant ?

— A cet instant ? Dans votre cuisine, en train de parler avec vos esclaves.

— Ah, dit Amelia, elle a regagné son domicile.

— Pas vraiment », dit-il doucement.

Amelia trouvait cet homme très sympathique. « Et que se passe-t-il si j'exige qu'elle reste ici ?

— Vous ne le ferez pas, dit-il d'une voix pleine d'assurance.

— Vous paraissez en être convaincu.

— Je le suis. Parce que vous l'aimez. C'est évident que vous l'aimez. Quoique les raisons qui... »

Une douleur traversa Amelia de part en part, lui coupant le souffle durant un instant. Elle attendit de pouvoir respirer de nouveau puis soupira.

« Je l'aime parce que c'est ma petite-fille. »

Son interlocuteur hocha la tête. « Je me doutais que ce pouvait être quelque chose comme cela. Qui est sa mère ? Tansie ? »

Amelia acquiesça.

« N'avez-vous pas envie qu'elle le sache ?

— Bien sûr que j'ai envie qu'elle le sache, dit-elle âprement. Tansie et moi avons toujours voulu qu'elle le sache, mais...

— Vous aviez peur l'une et l'autre pour vos peaux de Blanches ?

— Effectivement.

— Pourtant mon père, si cruel, si haï, si méprisé, n'a pas eu ce genre de crainte. Il m'a reconnu.

— Votre père a la chance d'être un homme. Il ne risque pas d'être jugé, dit Amelia sèchement.

— C'est vrai. » Il se leva et fit quelques pas dans la pièce, soulevant ici et là un bibelot pour le regarder de plus près. Amelia attendait patiemment en le suivant des yeux.

« Lui donnerez-vous sa liberté ? demanda-t-il finalement.

— Naturellement. Elle a toujours été libre. Simplement je voulais la garder près de moi, mais elle en a décidé autrement et elle est partie.

— Et vous ne verriez pas d'objection à ce que je l'épouse, bien que je sois nettement plus âgé qu'elle ?

— Non. Non si vous pouvez trouver quelqu'un qui veuille bien vous marier », dit-elle en prenant une pose plus confortable dans son fauteuil. La douleur avait disparu et elle se sentait brusquement heureuse. Cet homme, ce métis, si bien élevé, avec des manières charmantes et des yeux intelligents, aurait été exactement celui qu'elle aurait demandé dans ses prières pour Delilah si elle avait été au courant de son existence. Et voilà qu'il existait. Elle commençait à se dire que sa petite-fille au caractère si difficile pourrait finalement trouver le bonheur.

Nonnom se rassit en souriant. « Nous ne nous marierons pas ici. Je l'emmènerai chez moi. A St. Barthelemy. Là-bas, les gens nous regarderaient de travers si nous n'étions pas mariés. »

Amelia sentit son cœur se serrer à la pensée que Delilah allait partir si loin. Pourtant elle se contenta de dire : « C'est une île catholique, n'est-ce pas ?

— Oui. Écoutez, dit-il en se penchant vers elle, je ne vais pas lui dire ce que vous m'avez confié. Ce n'est pas le moment. Mais un jour viendra, lorsqu'elle sera heureuse, sûre d'elle, bien dans sa peau, lorsqu'elle aura sa propre famille et qu'elle saura ce que cela signifie d'être réellement libre, de pouvoir être ce qu'elle désire vraiment, à ce moment-là je crois qu'elle sera heureuse d'apprendre ce que vous avez fait pour elle. Je ne lui en parlerai pas avant. » Il lui sourit et Amelia lui rendit son sourire.

« Et si je ne suis plus de ce monde, arrangez-vous pour qu'elle fasse la paix avec sa mère. »

Il la regarda d'un air interrogateur, découvrant sa pâleur et sa maigreur, mais il s'abstint de prononcer des phrases conventionnelles. « Naturellement, dit-il.

— Je vous en remercie, dit-elle calmement. Vous me rendez un grand service. »

Il acquiesça gravement. « Et vous m'en avez rendu un aussi. Delilah et moi sommes faits l'un pour l'autre et elle fait partie de votre descendance. »

Elle éclata de rire. « Je suis si contente que mes efforts soient aussi bien récompensés », dit-elle joyeusement.

Il prit sa remarque avec un sérieux qu'elle n'y avait pas mis. « Voudriez-vous me rendre un autre service ? demanda-t-il, le visage toujours aussi grave.

— Si je le puis.

— Pourrais-je voir ma mère ? »

C'était au tour d'Amelia de prendre un air solennel. Elle se trouvait sur un terrain glissant.

« Votre mère est une femme admirable, dit-elle lentement, cherchant à trouver des mots justes et sentis. Elle est forte, courageuse et personne ne peut l'influencer, la faire changer d'idée. Elle est fière de ses ancêtres comme personne d'autre que je connaisse. Elle n'accepte aucun compromis. Je doute qu'elle ait jamais pardonné à votre père et je crains, en conséquence, qu'elle ne veuille vous accepter. Elle est vieille, fatiguée, en mauvaise santé, mais vous devez être très fier d'elle. Elle peut vous avoir rejeté et il est probable qu'elle continuera dans cette voie, mais elle a toujours été loyale à ses origines et sincère avec elle-même. Donc, dit Amelia, en poussant un long soupir, j'accepte que vous la voyiez si c'est ce que vous désirez, mais ce serait moins pénible pour vous si vous n'en faisiez rien.

— Pourtant... »

Amelia sourit. « Je me doutais que c'était ainsi que vous alliez réagir. Demandez à Delilah de vous conduire à elle, et puis revenez avec ma petite-fille. »

Elle attendit tranquillement dans son salon. A vrai dire, fort peu de temps. En moins d'un quart d'heure, Nonnom était de retour, Delilah inquiète sur ses talons. Apparemment, sa petite-fille avait pleuré.

« Vous aviez raison, dit-il calmement, mais je suis de toute façon heureux de l'avoir vue. »

Pour rencontrer Charlotte, Amelia décida d'effectuer son voyage en deux étapes. Elle ne tenait pas à être secouée et ballottée dans la voiture d'un bout de l'île à l'autre. Le lendemain de la visite de Prissie, un des esclaves partant de la jetée proche de Sandy Point l'emmena en bateau jusqu'à Basse-Terre où elle demanda l'hospitalité pour une nuit à Tansie.

Elle voulait voir sa fille. Elle voulait lui parler de sa rencontre avec Nonnom Benson, et aussi, ce qui était encore plus important, des remarquables changements qui étaient apparus chez Delilah. Elle tenait aussi à savoir si Tansie avait rencontré cet homme étonnant qui semblait avoir apprivoisé sa sauvage petite-fille.

« Oh oui, je l'ai vu, dit Tansie alors qu'elles s'asseyaient à l'ombre de la véranda. En fait, c'est moi qui lui ai demandé d'aller vous voir. Je pense que c'était ce qu'il fallait faire. Delilah n'arrêtait pas d'affirmer qu'elle ne vous demanderait jamais sa liberté. Alors j'ai dit que dans ce cas c'était à lui de vous la demander.

— C'est ce qu'il a fait, dit Amelia en levant les yeux au ciel. Je lui ai immédiatement donné les papiers. C'était extraordinaire. Elle les a serrés contre sa poitrine et ses yeux se sont mis à pétiller. "Comment pourrai-je vous remercier!" m'a-t-elle dit avec ferveur et reconnaissance. Je ne m'étais pas rendu compte à quel point cette formalité était capitale pour elle. Je ne me souviens pas que c'était si important pour toi. Il n'y avait ni amertume ni rancœur dans sa voix. Et elle parlait en bon anglais, et non dans ce foutu patois. C'était évident qu'elle était heureuse et amoureuse. Je n'arrive pas à croire à la chance que nous avons, à la chance qu'elle et Nonnom Benson se soient rencontrés.

— Je ressens la même chose, dit Tansie en arrêtant sa broderie pour fixer le vide. Je me demande, je me demande simplement si ce serait raisonnable de lui dire la vérité.

— Je l'ai presque fait, avoua Amelia. Je la lui ai dite à lui.

— Maman! Était-ce bien raisonnable?

— Je le crois. » Elle rapporta la conversation qu'elle avait eue avec Nonnom. « Je crois qu'il est plein de bon sens. Confié à ses soins, je pense que ce problème se résoudra au mieux.

— Je l'espère, dit Tansie en soupirant et en reprenant son ouvrage. Mais alors il me faudra affronter le problème de ce que je dois dire à Mark et à Melanie.

— Si Delilah s'installe à St. Barthelemy, rien ne sera nécessaire, dit Amelia. Nous devons la laisser partir. Ce sera mieux pour nous toutes, je pense.

— Peut-être. »

Les deux femmes gardèrent le silence, plongées dans leurs pensées, puis Tansie se mit à rire doucement et dit : « C'est vraiment étonnant qu'il soit le fils de Vérité. Comment peut-il être devenu aussi aimable, engendré par cette horreur de Benson et mis au monde par cette Vérité si farouche. On n'arrive pas à y croire.

— Il a voulu voir Vérité.

— Oh, mon Dieu!

— Oh oui, mon Dieu!

— Et il l'a vue?

— Oui. Elle n'a pas voulu lui parler. Elle l'a à peine regardé. Daniel apparemment était mortellement embarrassé et a essayé de se montrer le plus accueillant possible. Vérité a tourné les talons et est sortie de la pièce. Puis lorsqu'il a été parti, elle est arrivée en trombe dans mon salon et m'a fait une scène d'au moins une dizaine de minutes parce que j'avais eu l'audace de lui permettre de la voir, dit Amelia en hochant la tête et en souriant. Néanmoins je ne pouvais m'empêcher de sentir qu'elle était heureuse de l'avoir vu si bien élevé. Je crois aussi qu'elle était soulagée de constater qu'il n'avait aucun des traits de Benson. Et j'imagine qu'elle n'était pas mécontente que ce pauvre Juba soit enfin débarrassé du problème de Delilah. Je lui ai dit qu'elle devait être fière de cet homme remarquable, elle a secoué la tête dans tous les sens et m'a demandé pourquoi, alors je lui ai fait un sermon pour lui expliquer à quel point son père à elle était un homme gentil et merveilleux et que Nonnom avait de toute évidence hérité des qualités de son grand-père. Alors elle m'a répondu qu'elle se proposait de continuer à être fière de son père et certainement pas de cet usurpateur qui en a hérité les qualités. Enfin, ce genre de chose. »

Tansie riait de bon cœur. « Elle ne changera pas.

— Il est trop tard maintenant. »

Comme le soir arrivait, la fraîcheur commençait à tomber et Tansie proposa de rentrer dans la maison. Elle demanda qu'on allume les chandelles puis les deux femmes montèrent dans leurs chambres pour se préparer pour le dîner. Amelia avait des difficultés à monter l'escalier. Elle dut s'arrêter à plusieurs reprises pour reprendre son souffle.

« Maman, dit Tansie inquiète, vous n'êtes pas bien. Ne voulez-vous pas voir le médecin ?

— Bien sûr que non, répondit Amelia d'un ton léger. Tu oublies que je deviens vieille. »

Assise dans la jolie chambre d'amis de sa fille, elle se dit qu'elle devrait en vérité voir le médecin, mais elle savait ce qu'il allait lui dire et aussi ce qu'il voudrait l'obliger à faire. De toute façon, elle était convaincue que le résultat final serait le même et elle n'avait nullement l'intention de se remettre inutilement entre des mains qui ne pouvaient que la faire souffrir. Elle n'avait pas peur. Sa vie avait été bien remplie, elle avait réussi à faire ce qu'elle avait voulu. Néanmoins elle demanderait à Minta de lui préparer une mixture pour calmer ses douleurs. Elle avait bien plus confiance en Minta que dans les médecins de l'île.

Durant le dîner ce soir-là, avec ses petits-enfants lui faisant des démonstrations d'affection, avec Robin l'air totalement

456

épanoui et avec une Tansie souriante, heureuse et plus jolie chaque jour, Amelia se sentait profondément satisfaite. Si seulement elle pouvait aider ce tendre, ce pauvre William. Si seulement on pouvait soigner Merveille tout serait parfait, mais la vie, réfléchit-elle, ne pouvait jamais être parfaite à ce point.

Elle et Tansie arrivèrent à Windsong juste avant dix heures le lendemain matin. Charlotte les attendait sur le perron pour les accueillir. A sa manière un peu théâtrale, elle les emmena vers la véranda à l'arrière de la maison et demanda qu'on leur apporte du café. Le canapé sur lequel Amelia s'était battue avec Matthew Oliver était toujours là. Elle se laissa tomber dessus avec ce qui pouvait passer pour un geste de défi. Après tout, il y avait si longtemps.

« Je suis heureuse de vous voir toutes les deux », susurrait Charlotte, quoique Amelia ne fût pas sans savoir que sa belle-sœur ne se sentait jamais vraiment à l'aise avec elles. Cette pauvre Charlotte, pensait-elle, est obligée de recevoir deux anciennes esclaves. En tout cas, elle faisait de son mieux et lorsqu'elle leur eut tendu leurs tasses de café, elle leur demanda poliment s'il y avait une raison particulière attachée à cette visite inattendue.

« Eh bien, oui effectivement, dit Amelia. Charlotte, parlez-moi franchement : êtes-vous heureuse du mariage de James ? »

Immédiatement, les yeux bleus de Charlotte se remplirent de larmes. « Oh non, s'écria-t-elle en cherchant un mouchoir dans sa manche. Mon cœur saigne pour mon fils, mais que puis-je faire ? Son père ne veut rien écouter. Je sais qu'elle est votre petite-fille, Amelia, et je regrette de devoir vous le dire, mais elle est folle et méchante. Et voilà mon James qui va l'épouser. » Elle plongea sa tête dans ses mains et se mit à pleurer.

« Avez-vous parlé à James ? » demanda doucement Amelia.

Charlotte leva sur elle des yeux déjà rougis. « Son père me l'a interdit.

— Est-ce que James est là ?

— Il est dans sa chambre, sur le point de partir voir Merveille.

— Pouvez-vous le faire venir ? »

Charlotte regarda sa belle-sœur les yeux ronds et jeta un coup d'œil inquiet autour d'elle. « Son père...

— Il ne m'a rien interdit et ne pourrait d'ailleurs rien m'interdire, dit fermement Amelia. James est maintenant la seule personne qui peut mettre un terme à ce mariage si elle le

457

désire. Et nous devons lui montrer qu'il aura notre soutien s'il choisit cette solution.

— Oh Seigneur ! gémit Charlotte en se levant néanmoins rapidement. Je vais le chercher. »

Tandis que James l'embrassait en lui murmurant des mots affectueux, il semblait à Amelia que son neveu était moins insouciant qu'il l'avait été tout au long de sa jeune vie. On avait l'impression qu'il n'avait pas dormi et il y avait dans son regard un soupçon d'inquiétude. Amelia n'aimait jamais tourner autour du pot et aussitôt qu'il fut assis elle se jeta à l'eau.

« James, je veux te parler de ton mariage avec Merveille. Je sais que les choses sont déjà bien avancées, mais es-tu absolument certain que tu y tiens réellement ? »

James devint cramoisi. « Bien sûr, dit-il catégoriquement.

— James, pardonne-moi de me mêler de cette affaire, mais Merveille est ma petite-fille. Peut-être est-ce que je la connais mieux que toi. Elle n'est pas bien... »

James bondit sur ses pieds. « Je sais qu'elle n'est pas bien. Les gens n'arrêtent pas de me dire qu'elle n'est pas bien et personne d'entre vous ne comprend cette pauvre fille. Elle a besoin de moi, elle m'aime...

— Es-tu sûr qu'il s'agisse bien d'amour ? »

Il regarda sa tante droit dans les yeux. « Je ne comprends pas.

— Merveille a des pulsions sexuelles extrêmement fortes, mais je ne crois pas qu'elle soit capable d'amour. Pas dans le sens où nous l'entendons. »

Le rouge monta de nouveau aux joues de James. « Je vais l'épouser, dit-il sèchement. Je ne changerai pas d'avis. Je ne peux pas changer d'avis. »

Amelia réfléchit et dit : « Parce qu'elle est enceinte ? »

Charlotte, la respiration coupée, s'affala dans son fauteuil. Elle agitait frénétiquement son éventail, comme si elle voulait chasser les paroles d'Amelia. De rouge, le visage de James devint verdâtre. Ses mains s'agitèrent dans le vide. D'une voix qui ressemblait à un croassement il demanda : « Enceinte ?

— Oui, je le crains, dit doucement Amelia. Est-ce toi le responsable ? »

Il s'effondra à son tour sur le canapé tout contre sa tante. « Oui », dit-il. Ce petit mot tellement chargé de sens resta suspendu dans l'air jusqu'à ce que Charlotte pousse un léger cri avant de s'évanouir. Amelia ne lui accorda aucune attention.

Tansie ramassa l'éventail et l'agita vivement devant le visage de sa tante.

« Alors il n'y a rien d'autre à ajouter, n'est-ce pas ? dit Amelia en regardant ses genoux, ne voulant pas voir le visage de James. Tu devras aller jusqu'au bout. »

Charlotte retrouva ses esprits avec une rapidité étonnante. Elle se redressa d'un seul coup d'un air menaçant.

« James ! Comment as-tu pu ? Quelle honte !

— Je ne crois pas que ce soit entièrement sa faute, dit Amelia d'un ton las. N'est-ce pas, James ?

— C'est possible, en effet, marmonna-t-il. Je n'aurais pas dû le faire. Et je ne savais pas qu'elle était enceinte. » Puis soudain il se redressa. « Maman, Tansie, me permettez-vous de parler seul à tante Amelia un instant ? »

Charlotte parut offusquée mais Tansie lui attrapa gentiment le bras en lui disant : « Venez, tante Charlotte. Nous allons prendre un peu l'air. »

Le nez frémissant, le dos raide d'indignation, Charlotte se laissa conduire dans le parc, tandis que James et Amelia s'observaient attentivement.

« Je sens que je dois te donner quelques explications, commença-t-il lentement. J'aime Merveille. Elle m'attire infiniment. Elle est si jolie, si séduisante. Je veux l'aider. Je meurs d'envie de l'aider. D'ailleurs, son attitude est très différente avec moi. Bien sûr, je me rends compte que j'ai peut-être fait une erreur, une erreur que nous aurons sans doute à payer, elle et moi. Ma chère tante, parfois elle me fait peur — un homme adulte qui a peur d'un petit bout de femme, tu te rends compte ! Maintenant que nous sommes amants, elle me terrifie d'une autre manière. C'est comme si elle voulait me dévorer. Et comme tu le faisais remarquer tout à l'heure, ce n'est ni de l'amour ni de la tendresse. Pire encore, elle fait surgir en moi des pulsions que je déteste, que je méprise. Je voudrais être son chevalier servant, son troubadour, je voudrais la sortir de la prison dans laquelle elle s'enferme. Malheureusement, je commence à me rendre compte que ce n'est pas possible. Pourtant, j'ai accepté de vivre chez William à Macabees, pour la simple raison que des lieux inconnus mettraient Merveille dans tous ses états. Je m'éloigne moi-même de ma propre famille et voilà maintenant qu'il y a ce bébé en route. Imagine que ce pauvre enfant ressemble à Merveille, quelle tristesse. Tante Amelia, que puis-je faire ? »

Elle lui tendit la main et il s'en empara avec reconnaissance.

« J'espérais que cet enfant n'était pas le tien, dit-elle doucement.

— Tu ne pensais pas que je sois capable d'une telle chose ? » dit-il d'une voix pleine de tristesse.

Elle se mit à rire malgré elle. « James, crois-moi, nous sommes tous et toutes capables de ce genre de chose. J'espérais qu'il en était ainsi simplement parce que cela t'aurait permis d'échapper à ce mariage. Maintenant, je crains qu'il n'y ait rien à faire. Tu ne peux pas l'abandonner alors qu'elle est enceinte de toi, il faudra toutefois faire en sorte de ne pas te laisser dévorer. William sera heureux d'avoir de l'aide pour diriger la plantation. Donne-toi à fond à cette tâche. Rends-toi libre. Prissie peut s'occuper de Merveille mieux que n'importe qui et elle a une très grande affection pour toi. Elle a essayé d'arrêter ton mariage. Elle est allée voir ton père, puis elle est venue me voir moi. Elle t'aidera de son mieux. Il faut que tu t'organises une vie en dehors de ton mariage. Et qui sait, peut-être ce mariage sera-t-il bénéfique pour ta femme. Peut-être deviendra-t-elle moins, disons, étrange.

— Ma pauvre Merveille, dit-il avec une immense tristesse. Si seulement cela pouvait être vrai.

— Et tu vas être père, James. Il n'y a aucune raison que cet enfant ne soit pas normal. Regarde comme les enfants sont différents de leurs parents. Tu ne tiens ni de ton père ni de ta mère. Tu es toi-même et il en sera de même de ce bébé.

— Je fais des prières pour que tu aies raison, dit-il d'un air sceptique.

— Bien sûr que j'ai raison », dit-elle convaincue. Mais au fond d'elle-même, elle ne l'était nullement.

« Elle m'a poursuivie avec un couteau aujourd'hui.

— Seigneur. Où l'a-t-elle pris ?

— A la cuisine.

— Il faut fermer les tiroirs à clé.

— Ça ne servirait à rien. Elle trouve les clés. Elle les trouve toujours. Elle est rusée. On a peur qu'elle essaie de nouveau de tuer ma petite Ella. Cette fille déteste les Noirs mais elle déteste encore plus les bébés noirs.

— Il faut la surveiller.

— Ce n'est pas possible. Pas tout le temps. La nuit, elle ressemble à un fantôme. Elle marche comme quelqu'un qui serait sorti d'un cimetière.

— Nous devons essayer. Il faut l'arrêter avant qu'elle ne tue quelqu'un.

— Il n'y a qu'une manière de l'empêcher.

— Non.

— C'est la seule chose à faire.

— Non.

— Si ce n'est pas elle, ce sera quelqu'un d'autre.

— Non.

— Tu le regretteras », lança une voix de femme noire.

19

Tout le monde tomba d'accord : ce fut un beau mariage de printemps. L'air pur du mois de mars était agréable à respirer et le jeune marié, fort beau, était plein d'attentions pour sa jeune femme qui, avec ses yeux clairs et sa peau pâle, paraissait presque irréelle dans sa robe de satin blanc qu'on avait fait venir spécialement de Londres. Elle paraissait si mince qu'Amelia se demandait si cette jeune femme était réellement enceinte. Il était possible que Prissie et Minta se soient trompées. Toute l'église retint son souffle au moment où Merveille prononça le « Oui » fatidique. Elle le dit d'une voix ferme qui sonna comme une cloche. Cependant elle ne put articuler distinctement le reste de la phrase, et quelques mots furent presque inaudibles. Par exemple, elle ne parvint jamais à dire « Je te donne ma foi... ». Elle s'accrochait désespérément à la main de James, comme si, sans le soutien de son jeune époux, elle risquait de tomber.

William, toujours aussi sensible, pleura de joie. Charlotte pleura également mais des larmes bien plus amères. Zach paraissait extraordinairement satisfait de lui. Ben était impassible et Amelia était obligée de se forcer pour sourire.

James, quant à lui, était surtout soulagé que la cérémonie se soit déroulée sans encombre. Merveille s'était également assez bien conduite au cours du bal qui suivit le mariage. Certes, elle ne parlait guère et regardait autour d'elle comme si elle n'était pas très sûre de ce qui était en train de se passer. James l'aida à ouvrir le bal, mais dès que la piste de danse de Macabees fut pleine de couples virevoltants, il s'assit tranquillement à côté d'elle en lui tenant la main pour regarder les scintillements de la fête. Puis, à minuit, il l'emmena gentiment dans leur nouvelle chambre à coucher.

James s'installa à Macabees le jour même et découvrit que la vie y était plus supportable qu'il ne l'avait supposé. William passa beaucoup de temps à lui expliquer le fonctionnement de la plantation. Parfois, Merveille chevauchait en leur compagnie et James était émerveillé de l'habileté avec laquelle sa femme traitait les problèmes financiers de la propriété. Lorsqu'il s'agissait de chiffres, Merveille paraissait être une personne tout à fait normale.

Macabees était un endroit agréable à habiter, une riche demeure merveilleusement confortable. Il y faisait plus frais qu'à Windsong à cause des vents soufflant de la mer. De sa chambre à coucher, James entendait les vagues déferler sur les plages de sable noir situées à proximité de la maison. Les esclaves étaient très compétents et à tous les niveaux les choses se déroulaient sans heurt. William était sans doute sentimental mais ce trait de caractère n'apparaissait guère lorsqu'il s'agissait des gens qui travaillaient pour lui. Ses domestiques et ses esclaves devaient accomplir leurs tâches de la meilleure façon et il n'hésitait pas à les faire fouetter lorsque ce n'était pas le cas. Comme tous les planteurs, il se méfiait énormément des esclaves et pensait que ceux-ci devaient rester à leur place. Malgré son bon cœur, James devait admettre que le pourcentage de Blancs par rapport aux Noirs était si faible que le moindre laxisme aurait été imprudent.

James suivit le conseil d'Amelia et mesura le temps qu'il passait avec sa femme. Elle ne semblait d'ailleurs pas s'apercevoir de ses absences. Parfois, lorsqu'elle s'enfermait dans sa salle de musique pour jouer de son instrument des heures d'affilée, il se demandait si elle n'avait pas oublié qu'elle avait un mari. Ils ne se voyaient qu'aux repas et le soir. Il s'efforça d'améliorer la tenue à table de sa femme et parvint à se convaincre qu'il avait obtenu quelques résultats. Ils partageaient un lit matrimonial mais James avait une petite pièce attenante à la chambre qui lui était réservée, dans laquelle avait été installé un canapé. Il l'utilisait lorsque les exigences sexuelles démesurées de son épouse devenaient trop pressantes. Il s'était rapidement rendu compte que lorsqu'il n'était pas en sa présence, elle ne pensait plus à lui. Ce trait de caractère de sa femme lui octroyait une liberté inattendue.

Comme sa grossesse approchait peu à peu de son terme, elle

devenait extrêmement hargneuse. James se demandait si sa femme comprenait réellement ce qui lui arrivait.

« Penses-tu qu'elle sache qu'elle attend un bébé ? demanda-t-il à Prissie.

— Je ne sais pas, répondit Prissie avec son habituelle franchise. Je n'arrête pas de le lui dire mais j'ignore si elle le comprend. Il est possible qu'elle ne désire pas affronter la réalité. »

Quand il parlait à sa femme de ce qu'ils feraient lorsque le bébé serait là, elle le fixait le regard vide. Puis un jour, elle lui lança avec une clarté déconcertante : « Je ne veux pas de bébé. Enlève-le.

— Bien sûr que tu veux un bébé, s'entendit-il bafouiller. Ce sera notre bébé que nous aimerons et que nous élèverons ensemble.

— Je ne veux pas de bébé », répliqua-t-elle le visage impassible.

James ne savait que répondre. « Tu changeras d'avis lorsqu'il sera né », hasarda-t-il, rempli d'espoir, mais son ton était presque suppliant.

« Je ne veux pas de bébé, répéta-t-elle puis, sur le ton de la conversation, elle ajouta : Je le tuerai. »

James sentit ses cheveux se dresser sur sa tête et son ton devint brusquement glacé. « Voyons, Merveille !

— On ne m'a pas laissée tuer le bébé noir mais je vais tuer celui-ci. Où est-il ?

— Que veux-tu dire ? bredouilla-t-il.

— Où est ce bébé ? Je veux le tuer. »

James n'avait jamais eu aussi peur de sa vie ni s'était jamais senti aussi perdu. Comment pouvait-il lui expliquer que le bébé grandissait dans son ventre ? Et s'il le lui expliquait, à quelle horrible extrémité était-elle capable d'en arriver ?

« Il n'y a pas de bébé pour le moment », dit-il en reculant vers la porte. Il avait besoin de l'aide de Prissie. « Mais dans peu de temps. Tu verras alors les choses différemment. Tu sentiras... » La porte était maintenant dans son dos. Il la poussa comme pour s'enfuir, laissant sa femme assise devant la table, la bouche barbouillée de sauce.

Prissie entendit ses appels frénétiques et sortit de sa chambre. Livide, James rapporta la conversation qu'il venait d'avoir avec sa femme.

« C'est terrible, Prissie, dit-il. Naturellement, elle est incapable de tuer qui que ce soit. Pourtant elle m'a dit que quelqu'un l'avait empêchée de tuer un bébé noir. »

L'expression qui durant une fraction de seconde apparut sur le visage de Prissie l'effraya presque autant que ce que lui avait dit Merveille.

« Serait-elle capable de tuer quelqu'un ? » demanda-t-il épouvanté.

Prissie le regarda les yeux chargés de compassion. « Oui. Ella — la nièce de Minta — l'a surprise avec son bébé mais a pu l'arrêter à temps. Elle a fait d'autres choses encore..., dit-elle, renonçant à achever sa phrase.

— Prissie, j'ai le droit de savoir. »

Elle soupira. « Avant votre mariage elle a coupé la tête des poussins dans le poulailler des esclaves. De tous les poussins. La semaine dernière, tandis que vous étiez dehors avec William, elle a été prise d'un accès de rage. La chatte dans la cuisine avait des petits. Elle s'est emparée de l'un d'eux et lui a coupé la gorge. James, elle est dangereuse, et son état s'aggrave de jour en jour. Peut-être est-ce provoqué par sa grossesse, mais je te demande de faire attention à toi. »

Il était épouvanté, horrifié, mais il dit, essayant de se convaincre lui-même : « Je ne crois pas qu'elle me ferait du mal.

— J'aimerais penser que tu as raison.

— Mais que va-t-il advenir à ce bébé ?

— Nous ne pouvons rien faire d'autre qu'attendre. Il n'y a plus qu'un mois maintenant. »

Il frissonna. « C'est un cauchemar.

— Je le sais, dit-elle. Mais prends courage. Les cauchemars s'arrêtent toujours.

— Je ne vois pas comment ça pourrait être le cas pour celui-ci », murmura-t-il.

Il dormit dans sa petite pièce cette nuit-là. Merveille était allée se coucher avant lui et elle était profondément endormie lorsqu'il était entré dans la chambre. Il se déshabilla avec précaution, éteignit les chandelles et se coucha sur le canapé, assez peu confortable d'ailleurs. Le sommeil ne voulait pas venir. James avait toujours en tête l'image de Merveille coupant la gorge du chaton. Et, dans son demi-sommeil, le chaton se changeait en bébé. Couvert de sueur, il se mit sur son séant. Il écouta un instant le bruit des insectes nocturnes pour se convaincre que tout était normal.

Il dormait par à-coups depuis une heure quand, finalement, épuisé, il sombra dans un profond sommeil. Il se mit à rêver. Il rêvait qu'il ne pouvait respirer et qu'il s'enfonçait dans un trou noir, profond, clos de tous côtés. Puis soudain, il se rendit compte qu'il ne pouvait vraiment plus respirer, qu'il ne s'agissait pas d'un rêve. Il fit un effort pour se réveiller. Il y avait un poids sur sa poitrine, quelque chose de lourd, quelque chose qui remontait vers sa gorge. Quelque chose qui lui faisait mal. Terrifié, il se dégagea assez facilement car la peur lui donnait des forces. Il entendit un bruit sourd, comme si un corps heurtait le plancher. Il bondit du lit, chercha à tâtons le briquet à amadou et une chandelle. La flamme se mit à crachoter. Sa femme, une lueur trouble dans les yeux, était recroquevillée sur le plancher. La chandelle faisait luire le petit couteau de cuisine qu'elle avait lâché en tombant. Elle leva la tête en découvrant les dents. C'est alors qu'elle le reconnut. Ses yeux s'agrandirent démesurément, son menton s'affaissa et ses lèvres minces se mirent à trembler.

« Pardon, pardon, pardon, pardon, pardon, pardon... » répétait-elle dans un souffle.

Terrorisé, James la releva. Son cou lui faisait mal et il sentait couler un peu de sang sur sa peau. Elle avait essayé de le tuer. Néanmoins, son attitude pleine de repentir lui fit comprendre qu'elle ne s'était même pas rendu compte qu'elle avait choisi son mari pour victime. Il tremblait. Quant à elle, elle vacillait sur ses jambes. James dut la soutenir, elle et le bébé qu'elle portait. Les sinistres « Pardon, pardon, pardon » continuaient à sortir de sa bouche. James hurla : « Arrête, veux-tu ! » Effrayée, elle se tut, le regardant de ses yeux bleus remplis de larmes. Son visage était d'une beauté étonnante et pitoyable.

« Oh mon Dieu, s'exclama-t-il partagé entre la pitié et le désarroi. Oh mon Dieu, viens à notre secours. »

Merveille se blottit contre lui, léchant le sang qui coulait de son cou, essayant de réparer ses torts. Il la repoussa, pris de nausée, et la fit asseoir sur le divan. Il s'empara d'une chandelle et alla se regarder dans le miroir de la coiffeuse. Elle lui avait légèrement entaillé la gorge. Ça saignait abondamment, mais de toute évidence, la blessure n'était pas grave. Mais est-ce que le bébé n'avait pas pâti de la chute ? Il se retourna pour regarder sa femme. Apparemment, elle ne semblait pas souffrir mais des larmes ruisselaient sur ses joues pâles.

« Oh, Merveille, dit-il avec désespoir.

— Tu m'as dit que tu ne serais jamais en colère contre moi. » Les mots sonnaient aussi limpides que du cristal. Elle tendit les mains vers lui d'un air suppliant.

Il se laissa tomber sur le canapé à côté d'elle. « Je ne suis pas en colère », lui dit-il. Et c'était vrai. Il était rempli d'amour et de pitié, et d'une envie irrésistible de l'aider. Il était aussi profondément triste. Il ne se sentirait plus jamais en sécurité avec elle.

« Je ne tuerai pas le bébé si tu ne le veux pas, murmura-t-elle.

— Bien sûr, que je ne le veux pas, dit-il fermement. Si tu le fais, alors je serai vraiment très en colère.

— Bon, alors je ne le ferai pas. »

Et elle lui adressa un sourire d'une douceur si éblouissante qu'il en eut le cœur serré. Il avait envie de l'embrasser mais hésita. Parfois il lui suffisait de la toucher à peine pour qu'elle s'accroche à lui, l'embrasse passionnément, se serre contre lui comme un petit animal en chaleur. Il n'avait pas envie de faire l'amour avec elle mais désirait la consoler. Il l'embrassa avec précaution et à son grand soulagement il sentit qu'elle lui rendait ses baisers comme aurait pu le faire un enfant, lui tendant une bouche aux lèvres légèrement retroussées. Il la ramena dans leur chambre à coucher et l'aida à se recoucher.

« Maintenant tu vas dormir, dit-il gentiment. Nous ne voulons pas faire de mal au bébé. »

Au moment où elle se tournait vers lui, elle eut de façon inattendue un éclair glacial dans ses yeux bleus. Puis elle le regarda de nouveau, avec des yeux pleins de fièvre et chargés d'amour. « Pardon, pardon, pardon, pardon », recommença-t-elle.

Il lui mit un doigt sur les lèvres et lui dit fermement : « Maintenant tu vas dormir. » Elle ferma les yeux docilement. James retourna vers le miroir pour regarder la blessure qu'il avait au cou. Ça saignait toujours et sa chemise de nuit était maintenant souillée. Il prit un peu d'eau dans le pot que Minta leur avait préparé pour le lendemain matin et fit disparaître le sang. Puis il noua un grand mouchoir blanc autour de son cou. Il enleva la chemise de nuit et se coucha tout nu à côté de Merveille. Elle était parfaitement immobile et il se dit qu'elle était endormie. Allongé à côté d'elle il se demandait avec anxiété ce qu'il pourrait faire pour l'aider puis, épuisé, il sombra dans un profond sommeil.

Merveille ne pouvait pas dormir. Son agression contre son mari avait amené chez elle un de ces rares moments de lucidité qui semblaient, pendant un instant, dissiper les brumes entourant son esprit. Pourtant, ses pensées fourmillaient à plusieurs niveaux. Sa tête était trop agitée pour qu'elle puisse se sentir à l'aise. A un certain niveau, elle entendait de la musique et transformait les sons en notes ressemblant à celles dont elle se servait lorsqu'elle jouait du clavecin. A un autre niveau, elle sentait James dormir à côté d'elle. Le bruit de sa respiration lui était agréable. Elle s'était habituée à la présence de son mari. Son odeur, ses petits ronflements lui étaient maintenant familiers. Elle était certaine que la chose s'était passée bien longtemps auparavant mais elle se souvenait avec une clarté éblouissante qu'elle avait essayé de lui faire mal. Ce souvenir lui laissait la crainte obsédante qu'elle puisse recommencer un jour. La gentillesse, la patience de James avec elle lui avaient donné une once de sécurité au milieu du désordre de son esprit. Elle sentait que James l'aimait comme son père l'aimait. Ils étaient les deux seules personnes qui lui apportaient un réel apaisement et elle ne voulait sûrement pas les contrarier ni l'un ni l'autre. Le problème pour elle était de garder un contrôle suffisant sur elle-même pour agir en conséquence.

Dans une autre partie de son cerveau, elle était terrifiée. A cet instant, elle se rendait compte que son corps lui pesait à cause de quelque chose ayant un rapport avec le bébé. Cette sensation allait et venait en vagues confuses. Elle n'arrivait pas à comprendre que c'était son bébé qui avait transformé son corps. Était-ce réellement ce bébé dont ils parlaient tous qui se trouvait à l'intérieur d'elle ? Cette pensée lui était plus insupportable que n'importe lequel de ses cauchemars. Elle le voyait en train de la manger, se développant secrètement, la faisant gonfler, lui volant sa personnalité. Parfois, effectivement, elle avait l'impression qu'il y avait quelque chose là en elle qui donnait des coups de pied pour sortir. Est-ce que finalement il n'allait pas la faire éclater pour s'échapper ? Et allait-elle en mourir ? Cette pensée était terrible, elle voulait écraser cette bulle dans son corps, tuer cette chose qui se cachait à l'intérieur d'elle. Mais elle avait promis à James de ne pas le faire.

Elle éprouvait aussi une sorte de malaise général. Elle sentait une douleur qu'elle ne pouvait exactement localiser. Certes son côté gauche lui faisait mal mais elle se souvenait vaguement d'être tombée du lit. Pourtant, il y avait autre chose. Toutes ces douleurs, le poids de son ventre et la chaleur de la nuit l'empêchaient de dormir. James s'agita tandis qu'elle se retournait pour essayer de trouver en vain une position plus confortable. Finalement, en prenant soin de ne pas réveiller son mari, elle sortit du lit. Elle s'immobilisa dans l'obscurité, retenant sa respiration pour s'assurer que James ne l'avait pas entendue. Comme elle tendait l'oreille, elle repéra un scintillement à la lueur de la lune. C'était le petit couteau de cuisine que James avait posé sur la cheminée. Elle s'en empara, le serra dans sa main comme un vieil ami et fit courir un de ses doigts le long de la lame pour le caresser. Puis, se déplaçant tel un chat dans l'obscurité, elle sortit de la chambre à coucher, descendit l'escalier pour se retrouver dans le hall dallé de l'entrée. Dès que James fut hors de vue, elle l'oublia immédiatement.

Merveille aimait la nuit et l'obscurité. Elle était moins maladroite, plus sûre dans l'obscurité que dans la journée. Elle se laissait conduire plus par son instinct que par ses yeux. Enfant, elle avait rôdé dans la maison et dans le parc presque chaque nuit, ne regagnant sa chambre qu'à l'aube. Mais depuis son mariage, elle avait dû renoncer à cette habitude à cause de la présence de son mari dans son lit.

Merveille avait besoin de fort peu de sommeil. Pour elle, les nuits étaient toujours trop longues. Maintenant, alors qu'elle se glissait dans le couloir qui conduisait à la porte de derrière de la maison, elle éprouvait une sorte de bonheur, de liberté. L'obscurité la dissimulait, la cachait. Elle pouvait faire ce dont elle avait envie. On ne la surveillait pas. On ne pouvait pas la voir. Dehors, elle s'immobilisa, croisant ses bras sur son ventre gonflé, pour regarder cette multitude d'étoiles enfoncées dans une profondeur bleutée qui s'étendait comme un velours au-dessus de sa tête. Elle se mit à compter les étoiles, se demandant pourquoi elles étaient là. Une légère brise déplaça le nuage qui cachait la lune et soudain une froide lumière argentée fit disparaître les étoiles.

Qui avait effacé les étoiles, alors qu'elle n'avait pas fini de les compter ? Elle jeta un coup d'œil autour d'elle pour trouver le coupable mais la nuit gardait ses secrets. Sa colère coutumière s'intensifia et le vacarme d'un million d'insectes assourdit ses oreilles. Elle dirigea son couteau d'un air menaçant en direction de la nuit.

La colère éteignit les dernières lueurs vacillantes de sa lucidité. Elle chercha autour d'elle quelque chose à blesser pour se décharger de sa rage et du désordre de son esprit. La colère était une bombe dans sa tête qui attendait d'exploser. On était furieux contre elle lorsqu'elle était en colère et elle ne comprenait pas pourquoi. Les mots ne voulaient pas se mettre en place et cela augmentait encore sa rage. Elle avait envie de s'en prendre au ciel, de crier, mais une sorte d'instinct profondément ancré en elle lui disait qu'on la trouverait alors, qu'on l'attraperait et qu'on l'enfermerait dans la maison de nouveau alors que l'obscurité s'offrait maintenant à elle. Comme elle s'avançait doucement vers la case des esclaves, elle s'arrêta brusquement et laissa tomber le couteau par terre. Elle poussa un long grognement et porta ses mains à son ventre. Quelque chose, quelque chose dans cette horrible bulle provoquait des ondes de souffrance insupportables, une grande main lui écrasait les entrailles. La douleur s'arrêta, la laissant le souffle court. Elle avait disparu aussi rapidement qu'elle était arrivée. Abasourdie par la fulgurance de la douleur, Merveille s'immobilisa un long moment, essayant de réfléchir. Puis toute tremblante, elle se pencha pour ramasser le couteau. Elle perdit l'équilibre et tomba sur le sol humide. Elle resta là, allongée, essayant de comprendre ce qui lui arrivait.

Apparemment, ce qui avait provoqué cette horrible souffrance la laissait enfin tranquille. Avec précaution, craignant de réveiller ce qui dormait maintenant à l'intérieur de son corps, elle se remit maladroitement sur ses pieds, heureuse de sentir un souffle frais sur son visage en feu. Elle regarda de nouveau le ciel. Les étoiles étaient réapparues et elle se remit à les compter. Elles scintillaient vers elle, joyeusement, comme des pierres précieuses. Une émotion qu'elle identifiait sans nuance au plaisir s'empara d'elle. Elle sourit à l'intention des étoiles, mais une fois de plus, sans avertissement, une explosion de douleur chassa la sensation agréable.

Elle tomba à genoux en gémissant, retenant malgré tout les cris qui attendaient au fond de sa gorge. Comme tout à l'heure, la douleur rugit dans ses oreilles, la roulant dans une espèce d'énorme vague déferlante, puis elle disparut.

Agenouillée, le couteau serré dans sa main — arme inutile contre cet assaillant masqué —, elle jeta autour d'elle des regards furieux. Elle apercevait la case des esclaves, silencieuse et endormie. Elle en sentait l'odeur. Elle regarda une fois de plus les étoiles, mais elles avaient de nouveau disparu. L'une d'elles semblait tomber, une sorte de lame d'argent découpant l'obscurité. Elle se dit que cette lame allait la transpercer et elle se mit à gémir en se couvrant les yeux. Quand

470

elle les rouvrit, le noir était revenu. Lentement, elle se remit sur pied et recommença à avancer.

Elle était proche de la case des esclaves quand la douleur la submergea de nouveau. Terrassée, elle tomba sur le sol et se recroquevilla au point de ressembler à une boule. Cela ne servait à rien. Elle s'allongea et instinctivement s'étira et se contracta pour chasser la douleur. Lorsqu'elle y parvint finalement, elle se sentit épuisée. A peine se remettait-elle un peu que de nouvelles ondes douloureuses la traversèrent de part en part, des ondes qui n'en finissaient pas de disparaître avant de revenir brutalement.

Une voix à l'intérieur d'elle lui disait que c'était le bébé que tout le monde voulait pour elle qui était la source de sa souffrance. Elle était certaine que cette voix avait raison. Tout cela était la faute du bébé. Mais où donc était-il ?

Elle essaya de reprendre ses esprits, de dissiper les brumes qui tourbillonnaient à l'intérieur de sa tête. Il y avait déjà eu un bébé qu'elle avait presque tué. Un bébé noir. Mais on l'en avait empêchée. On ne voulait pas la laisser faire. Une femme noire l'en avait empêchée et le monde entier s'était mis en colère contre elle. La brume de son cerveau se dissipait et elle se sentait plus calme. Elle se souvenait exactement dans quelle partie de la case se trouvait le bébé. Elle se souvenait parfaitement de l'endroit où il était couché dans l'obscurité. Cette fois, il fallait qu'elle le tue, et alors elle serait sauvée. Elle allait ramper à l'intérieur de la case, couper la gorge du bébé comme elle avait coupé la gorge des poussins, puis sans même attendre de voir le sang couler, elle retournerait rapidement dans son lit pour se coucher à côté de James afin qu'il ne sache jamais ce qu'elle avait fait.

Un autre déferlement de douleur la confirma dans sa décision. Lorsque ce fut fini, elle rampa vers la porte de la case qu'on avait laissée entrouverte pour faire entrer la fraîcheur de la nuit. Elle en franchit le seuil à quatre pattes comme une créature silencieuse et nocturne. Elle ne voulait pas que sa présence puisse modifier l'opacité de la pénombre, ce qui risquait de réveiller quelqu'un. Se sentant en sécurité dans le noir, elle s'immobilisa un instant, plissant le nez à cause de l'odeur, attendant que ses yeux et ses sens s'accommodent à une obscurité plus forte. Elle renifla doucement. Merveille connaissait bien les odeurs des gens et elle n'avait pas oublié celle de l'enfant noir. Il était dans le coin, près de sa mère endormie. Les pas de Merveille étaient si légers qu'on aurait

471

pu penser qu'elle flottait. Sa main comme un papillon se posa sur la bouche du bébé. Le couteau entre les dents, elle souleva l'enfant de son autre main pour l'arracher au chiffon sur lequel il reposait. Il était lourd et elle dut faire un effort pour ne pas souffler bruyamment tandis qu'elle l'entraînait vers la porte. Elle se remit à quatre pattes pour pénétrer de nouveau dans le tintamarre de la nuit et la lumière froide et impitoyable de la lune.

Le bébé se débattait dans ses bras, ses yeux noirs tout ronds dans son visage noir. Elle le voyait et le sentait gigoter contre elle. Elle gardait sa main fermement plaquée contre la bouche de l'enfant tandis qu'elle regardait la cause de tous ses ennuis. Elle haïssait ce bébé qui l'importunait jour et nuit. Elle le posa sur le sol et de sa main droite s'empara du couteau qu'elle avait dans la bouche. Cette fois, personne ne l'empêcherait d'agir.

Puis son ennemi l'attaqua de nouveau, une douleur d'une violence inouïe la fit se casser en deux. Elle porta sa main gauche à son ventre et l'enfant immédiatement se mit à hurler. Terrifiée, Merveille se sentit replonger immédiatement dans le désordre de son esprit, ne sachant plus où elle était ni ce qu'elle faisait. Les cris de l'enfant se mêlaient aux appels de son propre nom. James la cherchait, elle en était sûre. Il l'empêcherait de tuer ce bébé. Elle chercha à tâtons le couteau, mais quelqu'un la saisit par-derrière. Comme un animal acculé, elle pivota en découvrant les dents. Un visage noir, déformé, s'avança contre elle. Le visage de Minta. Instinctivement, Merveille cracha sur elle, et instinctivement Minta recula. « Merveille ! Merveille ! » Elle entendait son nom porté par le vent et ces appels se trouvaient liés à une révélation. Enfin, elle comprenait que ce n'était pas le bébé qui provoquait ces douleurs chez elle, mais le bébé qui poussait à l'intérieur d'elle, qui la dévorait, qui lui volait sa personnalité, qui la faisait souffrir.

Elle lança un cri aigu de désespoir et bien qu'elle sût que James serait furieux contre elle car elle ne saurait lui expliquer ses raisons, elle plongea le couteau en direction de son ventre. Il fallait que ce bébé meure. Mais la main puissante et osseuse de Minta l'obligea à remonter son bras. Merveille garda les yeux fixés sur les veines dilatées du cou de Minta et sur son visage horrifié jusqu'au moment où, guidée par la femme noire, elle enfonça la lame dans son propre cœur.

A l'aube, on éveilla Amelia pour lui annoncer qu'on avait besoin d'elle à Macabees le plus vite possible. Elle avait bien dormi. Les potions de Minta lui procuraient un sommeil paisible et sans douleur. Immédiatement sur le qui-vive, elle se leva et s'habilla. Le message ne précisait rien de plus. Elle n'attendait l'accouchement que dans un mois, mais peut-être le bébé était-il déjà là.

Le cheval était le moyen le plus rapide de se rendre à Macabees, et même s'il lui était difficile maintenant d'utiliser ce moyen de locomotion, elle était si désireuse de voir son arrière-petit-fils ou petite-fille qu'elle ne voulut pas penser au désagrément du voyage. Tandis qu'elle chevauchait, Pierre à ses côtés, tête grise et souffle court, elle fit une prière silencieuse pour que le destin tragique de Merveille ne retombe pas sur cet enfant.

Dès qu'elle arriva dans l'immense entrée de Macabees, elle entendit les cris aigus d'un nouveau-né. Heureuse et curieuse, elle confia rapidement son manteau, son chapeau et sa cravache aux soins d'un esclave et se précipita vers le grand escalier. Prissie le descendait en levant une main pour lui signifier d'attendre.

« Grâce à Dieu vous êtes ici, madame Amelia, dit Prissie dans un souffle. Ne montez pas tout de suite. Pas encore. Venez avec moi dans la bibliothèque. » Prissie était pâle et paraissait épuisée. Ses vêtements étaient en désordre et ses manières habituellement calmes laissaient transparaître une grande nervosité. De toute évidence, elle avait pleuré.

« Que se passe-t-il, Prissie ? demanda Amelia lorsque la porte fut fermée derrière elles. Qu'est-il arrivé ?

— Merveille est morte, dit Prissie en éclatant en sanglots. Cette pauvre enfant, cette pauvre malheureuse enfant. »

Amelia sentit le sol vaciller sous elle. Abasourdie, elle se laissa tomber dans un fauteuil. « Elle est morte en couches ? Comme sa mère ? » murmura-t-elle.

Prissie accrochée à son mouchoir secoua la tête. « Non. Non. C'est terrible. Elle s'est tuée. Minta l'a découverte devant la case des esclaves. Elle était sur le point d'accoucher. Elle s'était de nouveau emparée du bébé d'Ella et nous pensons qu'elle avait l'intention de le tuer mais que finalement, elle a décidé d'enfoncer le couteau dans son propre cœur. » Elle s'arrêta de parler pour se moucher. « Peut-être ne comprenait-elle pas ce que signifiaient les souffrances qui l'assaillaient. Mais sa main tient encore le couteau et personne, grâce au

473

ciel, ne peut être accusé de meurtre. M. William a envoyé chercher les gendarmes afin qu'ils puissent constater ce qui s'est passé. Le bébé était sur le point de naître. Minta est parvenu à le mettre au monde. Elle lui a sauvé la vie. »

Amelia écoutait, consternée. Elle aurait pu se mettre à pleurer, mais en même temps cette mort lui apparaissait comme une bénédiction. Elle avait envie de savoir si le bébé était normal mais la question était difficile à formuler, aussi demandat-elle : « Est-ce un garçon ou une fille ?

— Un garçon, dit Prissie avant de répondre à la demande informulée. Il paraît normal, mais Merveille paraissait également normale, à sa naissance... »

Les deux femmes se regardèrent un instant en silence puis Amelia soupira, se leva et dit : « Il faut que je voie William et James.

— C'est la raison pour laquelle je vous ai envoyé chercher. Ils sont désespérés. Je n'ai pas encore informé M. et Mme Quick. Je pensais que M. James avait besoin de reprendre un peu de forces avant de voir sa mère. Il a suffisamment de difficulté à surmonter sa propre douleur sans se voir obligé de prendre en compte celle de sa mère.

— Où sont-ils ?

— Près du corps, devant la case des esclaves, avec le lieutenant de police. »

Amelia n'avait aucune envie de voir le corps mais ce n'était pas le moment de faire la mijaurée. Résolue, elle tira sur sa jupe et partit les rejoindre.

Il était presque onze heures et le soleil était déjà fort haut dans le ciel au moment où elle traversa le parc. Pourtant il n'avait pas encore dissipé les nuages autour du sommet du mont Misery. Mais ici au niveau de la mer le ciel était clair et les eaux, turquoise près du bord, étaient vert foncé et bleu à l'horizon. Ce n'est pas une matinée pour mourir, pensa-t-elle.

Comme elle s'approchait de la case des esclaves, elle aperçut William, James et le lieutenant qui tous les trois lui tournaient le dos. Une image glacée sous un soleil étincelant. Près d'eux était un corps recouvert d'un drap blanc. Mais une sinistre protubérance apparaissait du côté gauche : le manche du couteau tendait l'étoffe, donnant une curieuse asymétrie au cadavre. Les hommes n'avaient ni vu ni entendu Amelia. Celleci, ne voulant pas les déranger, attendit un peu à l'écart.

« Êtes-vous convaincu, lieutenant ? » demanda William d'une voix voilée mais courtoise.

Le lieutenant hocha solennellement la tête.

« Il semblerait que cette jeune femme se soit suicidée, un instant d'égarement dû probablement aux douleurs qui précèdent l'accouchement. »

Ce n'est pas exactement ça, se dit tristement Amelia. C'est plutôt un grand désordre mental provoqué par la mort en couches de sa mère.

« C'est ce que nous pensons, dit James l'air absent. Le bébé est arrivé avant terme. Il n'aurait dû être là que dans un mois.

— Oui, vous me l'avez dit tout à l'heure, monsieur, répondit le lieutenant patiemment, comme si James lui avait déjà répété cette phrase à plusieurs reprises. Peut-être devriez-vous maintenant demander à vos domestiques d'emmener le corps dans la maison pour le préparer pour les funérailles. Malheureusement, cette pauvre jeune femme ne peut être enterrée en terre bénite. Mais si vous aviez un quelconque soupçon concernant les esclaves...

— Nous n'en avons aucun, dit William sèchement. Peut-être sauriez-vous enlever le couteau, poursuivit-il en tournant la tête. Je m'en sens incapable.

— Bien sûr, monsieur. » Le lieutenant releva le linceul et Amelia ferma les yeux. « Voilà, monsieur.

— Je vous en prie, emportez-le », dit James d'une voix étranglée.

Le lieutenant examina le couteau taché de sang qu'il tenait à la main.

« Une bonne lame, dit-il presque admiratif. Êtes-vous sûr de ne pas en vouloir, monsieur ? »

James leva la main comme s'il voulait écarter un coup. « Bien sûr. Maintenant, veuillez nous excuser... »

Amelia voyait que les deux hommes étaient sur le point de s'effondrer. Il était temps d'intervenir.

« Je suis Mme Rosier-Quick, lieutenant, dit-elle en touchant légèrement le bras de l'homme en uniforme pour attirer son attention. Nous vous remercions d'être venu si rapidement. Si vous avez quelque envie de vous rafraîchir avant notre départ, Prissie, notre... — elle hésitait, ne sachant ce qu'était exactement Prissie — notre intendante s'occupera de vous. Je vous en prie, demandez-la à la cuisine. Excusez-nous, mais nous avons beaucoup à faire. Je pense que vous ne verrez pas d'inconvénient à ce que j'emmène mon fils et mon neveu loin d'ici. Comme vous pouvez l'imaginer, ce spectacle est fort douloureux pour eux. »

Sans attendre la réponse, elle prit William et James par le bras et les conduisit fermement vers la maison.

Dans la fraîcheur du grand salon, James se dirigea vers la fenêtre pour cacher son visage, tandis que William s'asseyait avec des précautions exagérées dans un grand fauteuil à oreillettes. Amelia avait l'impression qu'il avait soudain vieilli. La douleur avait creusé ses yeux et répandu un voile grisâtre sur sa peau habituellement cuivrée. Il en avait été de même lors de la mort d'Isobel. William ne se montrait guère stoïque face à la douleur.

« Merci d'être venue, maman, dit-il en se tamponnant les yeux avec un grand mouchoir. Je vous en suis très reconnaissant. »

Elle écarta d'un geste les remerciements et s'adressa à James. « Viens t'asseoir. Je veux que vous me disiez l'un et l'autre exactement ce qui s'est passé. Il est préférable d'en parler. »

James ne quitta pas la fenêtre. William plongea sa tête dans ses mains. « D'abord Isobel et maintenant Merveille. » Amelia entendait à peine ce que disait son fils. « N'aurai-je jamais la possibilité d'aimer quelqu'un ? Que puis-je faire ? Pourquoi Dieu m'enlève-t-il ceux que j'aime ? Que peut être le bonheur pour moi maintenant ?

— Dans la chambre là-haut avec ton petit-fils, lui dit Amelia gentiment. Maintenant raconte-moi ce qui est arrivé. »

Il la regarda d'un air tragique. « Je ne savais rien jusqu'à ce que James vienne me réveiller pour me dire qu'elle était morte. » Il se mit à sangloter bruyamment. « James va te raconter.

— Tout est ma faute. » La voix de James était trop calme, tandis que sa silhouette se découpait contre la lumière de la fenêtre et que son visage était toujours tourné vers l'extérieur. « Je n'aurais jamais dû dormir. Je n'aurais jamais dû laisser le couteau à portée de sa main. Je n'arrête pas de me demander si je ne l'ai pas fait exprès. Mais ce n'est pas possible car elle aurait pu s'en servir contre moi de nouveau. » Il s'arrêta de parler.

« De nouveau ? »

Il se tourna vers sa tante et tira sur le foulard bleu qu'il portait autour du cou. A la hauteur de la gorge il y avait une mince ligne rouge.

« C'est Merveille qui t'a fait ça ? » lui demanda Amelia,

essayant de maîtriser le mouvement de répulsion qui s'était emparé d'elle.

Il acquiesça. « Au beau milieu de la nuit. Elle ne s'était pas rendu compte que c'était moi. Je me suis débattu et elle est tombée par terre. Oh, tante Amelia, est-ce pour cette raison que l'enfant est né si tôt ? Je l'aimais, comment ai-je pu la blesser ? » Il s'était tourné de nouveau vers la fenêtre afin de cacher ses larmes. « Et puis je me suis endormi. Elle a alors quitté la chambre pour sortir. Je me suis réveillé et j'ai découvert qu'elle était partie. Mais le temps que je m'habille et que je parte en courant à sa recherche, il était trop tard. Minta essayait de sauver l'enfant. On ne pouvait plus rien pour Merveille. »

Il y eut un silence pesant. Amelia essayait de ne pas penser qu'il était préférable qu'elle soit morte. Préférable qu'elle soit morte plutôt que quelqu'un d'autre ait été tué de sa main. C'était mieux pour James, mieux pour William et probablement mieux aussi pour le bébé. Mais il n'était pas question d'exprimer cette pensée. Elle eut brusquement un élan de pitié envers Merveille. Comment aurait-on pu la juger, étant donné que rien de ce qui était arrivé n'était sa faute ? Elle était arrivée au monde furieuse, égarée et l'avait quitté de la même manière. Et pourtant, ce n'était pas facile de dire si sa vie avait été réellement un fardeau pour elle. Personne ne savait ce qu'avait été sa vie. Personne n'en avait jamais eu la moindre idée.

« Ce n'est pas ta faute, dit Amelia catégoriquement. Personne n'est responsable. Pas même Merveille. Nous devons nous rendre compte qu'elle n'était pas normale et qu'elle ne l'a jamais été. Maintenant, il faut penser à son fils. »

William leva la tête avec une expression hagarde. « Mais imagine... »

Il n'y avait aucune raison de les laisser dissimuler leurs craintes. « Que le nouveau-né ait les mêmes problèmes que Merveille ? » demanda-t-elle en achevant sa phrase.

Il acquiesça. « Pourquoi n'allons-nous pas le voir ? » proposa-t-elle.

William remua, mal à l'aise dans son fauteuil. « Je ne peux pas, pas encore, marmonna-t-il. Je ne suis pas prêt. Cet enfant l'a tuée, ajouta-t-il dans un accès d'amertume incontrôlé.

— C'est absurde ! s'exclama Amelia vivement. Ne sois pas stupide, William. C'est sa destinée qui l'a tuée. Remercie Dieu qu'elle t'ait laissé quelque chose d'important. Un don chargé d'espoir. Reste là si tu y tiens, mais James et moi nous irons à la nursery. »

James se retourna et jeta un coup d'œil égaré autour de lui comme s'il cherchait le moyen de fuir. Mais Amelia l'attendait, imperturbable. A contrecœur, il vint la rejoindre et sortit de la pièce avec elle.

Ils montèrent l'escalier en silence. Se rendant compte qu'Amelia s'essoufflait, James lui prit le bras. Les cris du bébé s'étaient arrêtés. Est-ce que l'enfant allait bien ? se demanda Amelia, prise soudain de panique au point d'hésiter devant la porte de la nursery. Ce fut James qui, prenant son courage à deux mains, ouvrit la porte. A l'intérieur, Prissie et Minta se pressaient contre la silhouette assise et tassée d'Ella, la nièce de Minta. Son corsage était ouvert et elle donnait le sein à un petit bébé blanc avec une touffe de cheveux blonds et des yeux bleus somnolents. Une petite main rose était posée sur le sein brun gonflé d'Ella tandis que la bouche miniature tétait avidement. Les trois femmes se mirent à sourire en apercevant James et Amelia sur le seuil de la porte.

« Il est beau, n'est-ce pas ? dit Prissie. Oh, monsieur James, vous avez fait un beau garçon. »

James fit quelques pas hésitants à l'intérieur de la pièce.

« Il est affamé mais il est heureux, fit remarquer Ella.

— Il n'y a rien d'effrayant chez ce bébé, lança Minta. Ce bébé n'a aucun diable dans son cœur.

— Tu en es sûre ? demanda James avec la petite voix d'un enfant qui tient à être rassuré.

— J'en suis sûre comme je ne l'ai jamais été dans toute ma vie. »

Elle jeta un coup d'œil à Prissie pour qu'elle appuie ses dires.

« Minta a raison », dit Prissie et elle répéta: « Mon Dieu, qu'il est beau. Pas très gros encore, mais Ella va se charger de réparer ça. »

James restait immobile, le regard fixé sur le bébé. Celui-ci lâcha le sein, bâilla et serra son petit poing. Minta sourit et toute la peau de son visage se plissa.

« Il va dormir, maintenant », annonça-t-elle.

James traversa la pièce comme s'il s'approchait de quelque chose qui pouvait l'effrayer, lui donner l'envie de fuir. Il se plaça à côté de la chaise d'Ella, se pencha, regarda l'enfant, puis lentement, doucement, le prit dans ses bras. Personne ne bougeait et Amelia sentit des picotements dans ses yeux.

Comme s'il assistait à un miracle, James dévisageait le bébé. Puis il regarda Amelia, son jeune visage sincère enfin heureux et détendu.

« Je l'appellerai Bienvenu », dit-il.

20

Septembre 1728

« *Ma chère Delilah.* »

Amelia regarda un moment fixement ces trois mots puis déchira la feuille de papier sur laquelle elle était en train d'écrire. Il était encore trop tôt pour se montrer si affectueuse avec sa petite-fille. Delilah, en dépit de sa nouvelle vie à St. Barthelemy, n'avait pas totalement perdu son mordant. Depuis qu'elle avait quitté St. Kitts, elle avait écrit quelques lettres compassées et polies à Amelia et d'autres un peu plus chaleureuses à Tansie. Dans la dernière missive à sa grand-mère, elle annonçait sa grossesse, une nouvelle dont elle avait déjà informé Tansie quelques semaines plus tôt. Celle-ci s'était empressée de se rendre à Lointaine pour prévenir Amelia de la prochaine naissance de l'enfant.

De quelle couleur, dans cette loterie qu'est la vie aux Caraïbes, serait cet enfant ? se demandait Amelia. Est-ce que Delilah le rejetterait s'il était trop blanc ? Peut-être au fond cette question était sans importance. A St. Barthelemy on semblait moins sensible au problème racial que dans les autres îles et Delilah se sentait bien plus détendue, moins furieuse lorsqu'elle pensait à son métissage.

« *Chère Delilah,* recommença Amelia, *je suis si heureuse d'apprendre cette bonne nouvelle. Je suis certaine que toi et Nonnom devez en être extrêmement heureux. J'espère que ta grossesse se passera sans problème ainsi que ton accouche-*

ment. Tansie projette déjà d'aller à St. Barthelemy pour voir ton bébé lorsqu'il sera né et, si ma santé me le permet, j'irai avec elle. Pour l'instant elle parle de se rendre en bateau à Boston en Nouvelle-Angleterre pour présenter Mark et Melanie à leurs grands-parents. Tout le monde est excité à propos de ce voyage et Robin et elle se demandent s'ils n'en profiteront pas pour aller jusqu'en Angleterre afin d'aller à Upottery, ce petit village du Devon où j'ai vécu lorsque j'étais petite fille.

« Beaucoup de choses se sont passées depuis ton départ. Tansie m'a dit qu'elle t'avait déjà annoncé la mort de Merveille. Nous portons toujours le deuil. Néanmoins, je suis heureuse de dire que William et James commencent à surmonter leur douleur. Le petit Bienvenu les y aide énormément. Il a maintenant presque quatre mois et sera baptisé la semaine prochaine. Robin est ravi d'être son parrain. Bienvenu est le bébé le plus adorable du monde en dépit de son départ difficile dans la vie. Il est joyeux et éveillé à tout instant. Il ne pleure pratiquement jamais, accepte d'être dans les bras de n'importe qui et commence à grandir rapidement. Tout le monde le gâte car il est impossible de faire autrement. Il sourit dès qu'il voit son père et James en est extrêmement fier, tout comme William et moi.

« Il est encore assez petit pour son âge et c'est étonnant à quel point ce petit bout de chou a pu apporter de bonheur à la famille Quick. Même William, qui depuis la mort de sa femme a toujours été déprimé, s'intéresse passionnément à son petit-fils et va apparemment beaucoup mieux. Je me dis parfois qu'il sera peut-être un jour possible de le persuader de refaire sa vie et de se remarier. James, quant à lui, s'est assez bien remis du choc et on chuchote qu'il voit beaucoup une des jeunes filles Wyatt de la plantation Beverly. J'espère que c'est vrai. Il est bien trop jeune pour vivre en célibataire.

« Il faut aussi que je te dise que j'ai convaincu mon frère Zach de me laisser acheter un terrain, aux abords de Basse-Terre, qui faisait partie naguère du domaine de Fortland. Il a été mis en vente récemment après qu'eurent été réglés les différends qui nous opposaient aux Français. Ce terrain fertile a soulevé ici beaucoup de controverse. En effet les parcelles sont de cent hectares. Elles coûtent donc trop cher pour que quelqu'un d'autre que les planteurs puisse les acheter. Le conseil de l'île a arrangé tout cela de façon extrêmement précise, ne laissant aucune chance aux pauvres Blancs et aux mulâtres de pouvoir acquérir un bout de terre qui leur per-

481

mettrait de survivre. A mon avis, c'est une décision irréfléchie car elle interdit tout espoir à ceux qui ont besoin d'aide et doivent se débrouiller par eux-mêmes.

« Ben a acheté un grand terrain qu'il mettra en fermage. Il aime trop, dit-il, la vie dans sa taverne pour y renoncer. Mon frère aussi s'est porté acquéreur. Personnellement, cette affaire ne m'intéresse guère. Lointaine est beaucoup trop à l'écart de Basse-Terre pour qu'on puisse diriger facilement une nouvelle plantation là-bas. Mais j'ai acheté ces terres pour Vérité, Daniel et Juba.

« Nous avons choisi un terrain situé en bordure du domaine, où ils auront peu de voisins et donc, j'espère, peu de problèmes avec leur entourage. Pour le moment, on laisse entendre que Daniel et Juba travaillent là pour la famille Quick. Mais en réalité, ils travaillent pour eux. Je te raconte cela parce qu'un jour tes fils, Broderick et Bradley, hériteront de ce terrain. Si tu souhaites que l'enfant que tu vas avoir avec Nonnom ait également sa part, il faut que tu me le dises car je mets ces temps-ci mes affaires en ordre. »

Amelia s'arrêta un instant, se demandant si c'était utile de parler davantage des deux garçons. C'étaient deux beaux enfants de cinq et six ans maintenant. Mais de toute évidence, malgré son jeune âge, Broderick avait hérité de la nature difficile, intransigeante, inflexible de Vérité. Elle décida donc de ne pas s'étendre davantage. Il était fort possible que Delilah n'apprécie guère un long paragraphe sur des enfants qu'elle avait abandonnés.

« La ville entière est tout excitée, continua-t-elle, car le lendemain du baptême de Bienvenu arrivera le nouveau gouverneur, le comte de Londonderry. Zach organise une grande réception pour lui à Windsong. Tu peux imaginer le ravissement de mon frère quand il a appris qu'il était choisi pour cet honneur. Toute la famille apparaîtra en grande pompe à cette occasion, entourée des autres planteurs, des membres du conseil et de tout ce que nous avons de bonne société. Je dois reconnaître que j'attends moi-même cet instant avec impatience. Tous les membres de la famille s'installeront à Windsong avec leurs domestiques pour la cérémonie de baptême et le bal du lendemain soir. Dieu seul sait où Charlotte va nous caser. Tu peux imaginer le remue-ménage en ville. En effet chaque dame se fait faire une somptueuse robe afin de tenter *d'éclipser toutes les autres. Robin, qui a de loin les meilleures étoffes dans sa boutique, est aux anges car les affaires marchent merveilleusement.*

« Je pense à toi très souvent, et Ben demande sans arrêt de tes nouvelles. Si tu trouvais un petit moment pour lui écrire, cela le rendrait très heureux. Comme Zach et moi, il devient vieux et il a toujours eu un faible pour toi.

« Je ne peux te dire à quel point je suis heureuse que tu t'entendes si bien avec ton mari. Je ne regrette qu'une chose, c'est que nos deux îles soient si éloignées l'une de l'autre, ce qui rend les visites difficiles. Nonnom m'a fait une forte impression et j'aurais aimé le connaître davantage. Je suis heureuse que vous vous soyez rencontrés. Je te souhaite, chère Delilah, tout le bonheur possible avec ta petite famille et te dis au revoir. Ton amie, Amelia Rosier-Quick. »

Elle reposa sa plume d'oie, parcourut rapidement la lettre pour corriger les fautes, et la plia de façon qu'elle soit prête pour la poste. Il faudrait plusieurs semaines avant qu'elle reçoive une réponse, mais elle était de toute façon décidée à porter ce futur bébé dans son testament sans tenir compte de l'avis de Delilah. Après tout, c'était un de ses petits-enfants, comme Broderick et Bradley, même si le sang blanc avait pratiquement disparu des enfants de Juba. Ils étaient indiscutablement africains, et Vérité avait catégoriquement déclaré qu'elle ne voulait aucune intervention d'Amelia dans leur éducation.

De toute façon, Amelia n'avait jamais eu l'intention de s'occuper de ces deux garçons. L'expérience lui avait appris que l'éducation et la manière de vivre des Blancs étaient un fardeau pour ceux qui évoluaient dans le monde des Noirs.

En sera-t-il toujours ainsi ? se demandait-elle. En effet, le pourcentage des Blancs dans l'île diminuait de façon significative par rapport à celui des Noirs. Amelia ne pouvait croire qu'un jour ce peuple opprimé ne se soulèverait pas, en dépit de la vigilance des planteurs. Le moment arriverait fatalement où le nombre des Noirs serait tel que ceux-ci finiraient par entrer en possession des terres — sans effusion de sang, espérait-elle. Mais y aurait-il encore à cette époque des Blancs et des Noirs ? Elle sourit à la pensée de son propre sang blanc passant au cours des âges dans Delilah, Broderick, Bradley et maintenant dans ce nouveau bébé qui aurait en plus du sang de Benson. Une grande partie de la famille Quick était maintenant de sang mélangé, et elle ne doutait pas un instant que Zach et William et peut-être même James aient engendré des métis grâce à leurs esclaves noirs. Comme ces choses étaient compliquées et que d'histoires on en faisait. Elle était heureuse d'avoir partagé la vie de ces quelques Noirs auxquels elle s'était trouvée mêlée. Ses quatre ans d'esclavage lui avaient fait comprendre bien des choses inaccessibles aux autres Blancs.

Elle resta assise un moment en pensant à Joshua, à la passion qu'elle avait eue pour lui. Elle se disait que les suites de cet amour représentaient peut-être un point essentiel dans la lente évolution qui avait lieu aux Antilles.

Cette idée la réjouit. Peut-être ceux qu'elle laissait derrière elle étaient-ils d'une extrême importance — plus importants que les terres et les richesses que la famille Quick avait acquises. Elle n'avait pas eu une mauvaise vie, pas mauvaise du tout. Et ramenant son esprit vers les fêtes de la semaine à venir, elle se dit qu'elle prendrait certainement plaisir à vivre les derniers moments qui lui restaient.

Le matin du baptême s'annonçait menaçant, avec des rafales de vent qui faisaient vibrer les vitres de la chambre à coucher de Tansie tandis qu'une pluie torrentielle crépitait inlassablement. Depuis plusieurs jours, le temps était incertain, lourd, ce qui rendait les gens indolents et de mauvaise humeur. Les hurlements du vent, le vacarme des portes battantes, la chute d'arbres, les toits soulevés avaient tenu éveillée Tansie durant la nuit.

Robin s'était levé, baissant la tête pour regarder par la fenêtre, silhouette immense dans sa chemise de nuit. Rien que de le voir ainsi, le cœur de Tansie bondissait dans sa poitrine. Elle n'arrivait pas à trouver normal le bonheur qu'il lui donnait. A cet instant quelque chose dans l'apparence virile de ses pieds et de ses jambes solidement plantés devant le rideau de dentelle, ainsi que ses cheveux bouclés qui tombaient dans son cou, la fit le désirer intensément.

« Que se passe-t-il dehors ? demanda-t-elle, se blottissant dans son oreiller.

— Rien de bon, dit-il en se retournant. Je pense qu'on a droit à un ouragan. »

Tansie le regarda de ses yeux brillants, cachant le reste de son visage sous le drap. « Alors ça ne vaut pas la peine de se lever, n'est-ce pas ? » dit-elle pour l'aguicher.

Il sourit. « Je dois travailler », lui dit-il. Néanmoins il enleva sa chemise de nuit.

Il y a quelque chose de particulièrement agréable à faire l'amour alors que les éléments sont déchaînés dehors, se dit Tansie un peu plus tard, tandis que, son désir assouvi, elle somnolait derrière les rideaux du lit. Elle était seule. Il lui avait fait l'amour, l'avait embrassée, lui avait demandé si elle était comblée pour le moment avant de partir jeter un coup d'œil à ses entrepôts avant le baptême.

On devait se retrouver à l'église St. George à Basse-Terre à trois heures pour la cérémonie puis aller à Windsong pour la fête. Amelia était déjà chez Zach et irait à l'église avec lui et le reste de sa famille. Le voyage de Lointaine jusqu'à Basse-Terre, effectué d'une seule traite, aurait été trop fatigant pour elle. Ce n'était pas la première fois que Tansie essayait de persuader sa mère de venir vivre à Basse-Terre. Lointaine était si retirée et il était clair maintenant que la santé d'Amelia n'était vraiment pas bonne. Mais sa mère ne voulait rien savoir. Ni bien entendu accepter l'idée de quitter sa plantation.

« C'est ma maison. C'est là que sont mes souvenirs », répondait-elle chaque fois à Tansie lorsque celle-ci tentait de la convaincre.

De toute façon, Amelia n'avait pas perdu son intérêt pour la vie. Elle avait été enchantée de la naissance de Bienvenu comme de la nouvelle que lui annonçait Delilah.

« Si seulement nous pouvions reconnaître ce bébé, lui avait dit Tansie. Je ne peux reconnaître aucun de mes petits-enfants.

— Il n'y a pas grand-chose à faire, lui avait répondu Amelia. M'en veux-tu ?

— Oh non ! Jamais ! lui assura Tansie avec ferveur. C'est grâce à vos péchés que je suis là.

— Au moins mes péchés ne sont pas responsables de ce qui est arrivé à Merveille, dit Amelia tristement. Mais laisse-moi t'avouer comme je ne peux l'avouer à personne d'autre que je suis soulagée du départ de cette pauvre enfant. Beaucoup de choses que je t'ai dites sur ce qui s'est réellement passé n'a jamais été rapporté à Zach ni à Charlotte. Je sens qu'il est préférable qu'ils ne sachent pas jusqu'à quel point elle était folle de peur, ni qu'ils s'inquiètent démesurément pour la santé de Bienvenu. Mais jusqu'à maintenant ce chérubin ne semble rien avoir du caractère de sa mère. Je pense que la maladie de Merveille s'est déclenchée au moment de sa naissance. C'est terrible de penser qu'elle est morte de sa propre main, désespérée, mais c'est peut-être mieux que si elle avait vécu pour tuer quelqu'un d'autre. »

Tansie aimait ces confidences et, avec un terrible serrement de cœur, se demandait ce qu'elle ferait lorsque sa mère serait morte. La pensée qu'elle puisse mourir était terrifiante. Elle ne pouvait envisager un monde sans Amelia. Sa mère était la seule personne en dehors de Robin pour qui Tansie n'avait pas de secret. Il en était de même pour Amelia. Elles pouvaient se parler en toute franchise.

Tansie repoussa ces tristes pensées et sortit du lit pour regarder par la fenêtre. Les arbres en bas se courbaient sous la pression terrible du vent. Des saletés en provenance du marché voltigeaient dans l'air comme des confettis, et le ciel gris d'une couleur de plomb ne laissait aucun espoir de soleil. La pluie tombait dru et de gros nuages empêchaient de voir la montagne. Des flaques et de petits ruisseaux se formaient dans la cour pavée et dans les allées. Les cours d'eau des collines et de la ville devaient déborder, être transformés en torrents. Tansie se demandait de quelle manière elle allait pouvoir garder son chapeau, avec ce vent déchaîné. Et si le comte de Londonderry arriverait à temps pour le bal donné en son honneur, car ce n'était pas un temps à être en mer.

Elle fredonna une vieille chanson des plantations tandis qu'elle sortait les vêtements qu'elle allait emporter à Windsong pour elle et Melanie. Un peu plus tard, la femme de chambre en ferait des paquets qui, dans l'après-midi, seraient dirigés en charrette sur Windsong en même temps que les affaires de Robin et de Mark destinées au baptême de Bienvenu et au bal. Tansie attendait avec impatience ces événements et avait dépensé beaucoup d'argent et de temps pour s'occuper des robes qu'elle allait porter.

Elle avait été fidèle à sa promesse de devenir une des reines de la bonne société de Basse-Terre. Robin était un des hommes les plus riches de la communauté et sa femme s'amusait encore de voir les épouses des planteurs la courtiser honteusement et se mettre en quatre pour obtenir des invitations pour les soirées extravagantes qu'elle donnait dans sa maison de Pall Mall Square et dans le vieil hôtel français que Robin avait restauré hors de la ville, à Monkey Hill.

Étant donné que Robin importait de jolis meubles, de beaux

objets, des vins, des alcools, des étoffes, elle avait le meilleur de tout ce qui arrivait à St. Kitts. Ses deux maisons étaient magnifiquement meublées, et elle était très certainement la femme la mieux habillée de l'île. Et les rumeurs qui auraient pu circuler à propos de ses débuts dans la vie étaient oubliées, vu l'espoir d'obtenir une place dans ce cercle privilégié dont elle était la reine. Tansie tirait énormément de plaisir de cette situation.

Elle passa sa main sur la soie rouge cerise de la robe qu'elle porterait demain. Bella aurait-elle pensé qu'elle avait trahi si elle avait vécu pour la voir aujourd'hui ? Ou au contraire en aurait-elle été heureuse ? Elle n'aurait jamais de réponse à cette question. Mais une chose était sûre, elle était contente d'elle.

Quoique le vent continuât à se déchaîner, faisant entendre ses hurlements dans l'église, agressant par rafales le clocher, essayant d'ouvrir les grandes portes de bois, finalement le soleil fit une brève apparition pour le baptême de Bienvenu, évitant ainsi aux belles dames de voir leurs atours trempés par la pluie. Néanmoins les coups de vent faisaient voltiger les jupes et essayaient d'emporter les chapeaux. Ben et James durent aider Amelia à entrer dans l'église. Elle était trop légère pour lutter seule contre une telle tempête.

Bienvenu gazouilla joyeusement tout au long de la cérémonie, ce qui éclaira d'un grand sourire le visage des fidèles rassemblés. Amelia fit alors une petite prière d'action de grâces pour remercier le ciel que ce nouveau membre de la famille paraisse en être l'un des plus heureux. Elle était certaine, absolument certaine, que les démons qui avaient hanté Merveille ne s'acharneraient pas sur lui. Mark et Melanie avaient été d'heureux bébés et étaient devenus d'agréables adolescents, des enfants dont on avait lieu d'être fier. Pourquoi n'en serait-il pas de même pour ce bébé ?

Les nuages en fin de compte vinrent à bout du soleil et la pluie se remit à tomber avec violence, juste avant que l'assistance ne quitte l'église. On se précipita en désordre pour se mettre à l'abri dans les voitures. D'une main les femmes remontaient leurs jupes jusqu'à une hauteur peu seyante, afin que les riches étoffes ne traînent pas dans la boue, de l'autre elles tenaient fermement leurs chapeaux. Les hommes enfonçaient leurs tricornes et aidaient les femmes à monter dans des voitures instables qui paraissaient sur le point de s'envoler avant que le poids des occupants ne les leste. Les chevaux étaient nerveux, les cochers trempés jusqu'aux os, et ce fut d'un pas prudent que le cortège se dirigea vers Windsong.

Les invités comprenaient la famille, quelques membres du conseil et de l'assemblée et un petit nombre de planteurs. La voiture de Zach était partie la première et Charlotte et Amelia étaient prêtes à accueillir les invités lorsqu'ils arrivèrent.

« C'est heureux que les choses soient organisées ainsi, dit Robin à Zach une fois que tout le monde fut en sécurité au cœur de la maison. Nous sommes en plein dans l'œil d'un ouragan. Ce soir, il ne fera pas bon être dehors. Croyez-moi, le pire n'est pas encore arrivé. Il est possible que vos invités soient obligés de rester un jour de plus s'ils ne veulent pas prendre de risques. »

Zach ne pensa pas une seconde à discuter les avis du marin. « Ici, nous sommes en sécurité », dit-il.

Robin acquiesça. « Espérons que le comte est lui aussi en sécurité, sinon votre bal de demain risque fort d'être annulé.

— Mon Dieu, pensez-vous qu'il puisse être en danger ? » Le visage de Zach exprimait un désarroi presque comique. Il craint que ce grand moment tant attendu soit réduit à néant, se disait Amelia gentiment avec un petit gloussement intérieur.

« En tout cas, dit Robin avec un grand éclat de rire, je parie qu'en ce moment il a le mal de mer. »

Le banquet devait avoir lieu à six heures trente et les dames se précipitèrent dans leurs chambres pour quitter leurs robes humides et froissées, se recoiffer et se refaire une beauté. Amelia en profita pour se reposer. Les potions de Minta lui faisaient du bien mais elles avaient tendance à la rendre somnolente. On l'avait mise dans la chambre que Charlotte occupait lorsqu'elle était jeune fille et, tandis qu'elle s'allongeait confortablement sur le lit, des souvenirs l'assaillirent. Elle se vit friser les cheveux de Charlotte, tandis que celle-ci s'exclamait : « Personne ne sait coiffer mes cheveux comme toi. » Elle revécut en pensée la nuit où elle avait dormi dans ce même lit lorsque les Oliver s'étaient enfuis à Nevis et qu'elle s'était retrouvée libre de faire ce qu'elle voulait.

Elle dormit profondément pendant une heure puis se réveilla difficilement, avant d'appeler sa femme de chambre pour qu'elle l'aide à s'habiller. Amelia et Tansie rivalisaient amicalement lorsqu'il s'agissait de toilettes. L'une et l'autre aimaient être la plus élégante. Aussi gardaient-elles le secret sur ce qu'elles porteraient aux fêtes auxquelles elles prenaient part. Amelia n'allait plus que rarement aux bals donnés par les planteurs, mais sa coquetterie n'avait pas disparu pour autant. Elle avait choisi une robe du soir de sa couleur favorite, un vert émeraude. Pour le bal du lendemain, elle porterait une robe en lamé d'argent. Elle était heureuse que, malgré sa maigreur, ses seins soient restés aussi gonflés et fermes que dans sa jeunesse et lui permettent encore de magnifiques décolletés. Bien que sa peau ait pris un aspect légèrement jaunâtre, le vert éclatant de ses yeux atténuait la profondeur de ses cernes. Bien entendu, elle ne paraissait plus jeune mais l'âge et sa maladie n'avaient pas totalement effacé sa beauté. Ses cheveux aux nombreux fils d'argent étaient remontés sur sa tête et retenus par un diadème mettant en valeur son cou mince, son visage aux pommettes saillantes et sa bouche sensuelle. Mais c'étaient ses yeux — il en avait toujours été ainsi — qui gardaient l'éclat qu'ils avaient lorsqu'elle était jeune fille. Devant le miroir, elle ne se déplaisait pas mais se sentait totalement épuisée. La douleur habituelle s'obstinait à la tourmenter mais Amelia fit un effort pour la laisser derrière elle au moment où elle quittait sa chambre.

Avant de descendre l'escalier qui conduisait au salon où l'on servait déjà le champagne aux invités, elle eut envie de voir Bienvenu. Elle se glissa dans le couloir qui menait à l'ancienne nursery de James et de Julia et frappa doucement à la porte avant de passer la tête dans l'entrebâillement. Prissie, en train de coudre, était assise près du berceau. Elle leva la tête et sourit lorsqu'elle aperçut Amelia.

« Comme vous êtes belle, lui dit-elle, admirative.

— Merci, fit Amelia en exécutant une petite révérence. Je voulais revoir l'auteur de cette activité fébrile. Dort-il ?

— Non. Il se contente d'examiner ses doigts, dit Prissie. Il vient juste de les découvrir et il est plongé dans le ravissement. »

Amelia se pencha pour jeter un coup d'œil dans le berceau et fut accueillie par un petit cri de joie.

« Est-il toujours de si bonne humeur ? demanda-t-elle.

— Toujours. C'est un plaisir de s'occuper de lui. Ella, qui n'a aucune raison de l'aimer particulièrement, en est folle et grâce à son lait il grandit à vue d'œil.

— Quelle différence..., murmura Amelia.

— Effectivement.

— Quelle chance.

— C'est sûr. »

Les deux femmes se regardaient en souriant.

« Puis-je le prendre un instant ou est-ce que cela risque de le déranger ?

— Rien ne le dérange, mais il peut mouiller votre robe. Attendez que je trouve quelque chose pour vous protéger. » Prissie s'affaira près de l'armoire à linge, prit une serviette et en enveloppa le bébé avant de le tendre à Amelia. L'enfant la regarda d'un air intéressé tandis qu'elle le berçait.

« Il sera l'héritier d'une immense fortune, remarqua Prissie.

— Ce qui est plus important, il me semble avoir hérité d'une bonne santé et d'un esprit sain, dit Amelia. C'est une bénédiction. » Elle l'embrassa légèrement sur le front et le rendit à Prissie. « Je dois descendre maintenant. Veux-tu dire à Minta quand tu la verras que j'aimerais avoir de nouveau un peu de sa potion ? Plus forte même, si c'est possible.

— Vous n'allez pas mieux ? » Le regard de Prissie exprimait un mélange d'inquiétude, de compassion et de crainte.

« Je n'irai plus jamais mieux, dit Amelia avec un geste qui coupait court à tout commentaire. Mais ce soir, j'ai bien l'intention de m'amuser. »

Ce fut Ben qui la conduisit à la salle à manger, et l'admiration qu'elle vit dans ses yeux lui fit comprendre que les efforts qu'elle avait faits pour sa toilette n'avaient pas été vains. Tansie se précipita pour l'embrasser.

« Vous l'emportez de nouveau, maman », murmura-t-elle. Amelia recula d'un pas pour regarder sa fille qui portait comme toujours une robe spectaculaire rouge cerise, tandis que ses cheveux tombaient sur ses épaules en boucles peu conventionnelles mais adorables.

« Non, murmura-t-elle, c'est toi qui as gagné.

— Vous êtes les deux plus belles femmes de cette assemblée », dit Ben solennellement. Tansie lui donna un petit coup d'éventail avant de l'embrasser.

Amelia prit le bras de son cousin avec plaisir et soulagement. Lui aussi avait vieilli. Sa perruque rousse accentuait encore cette impression. Il était grassouillet et son ventre tendait l'étoffe de son gilet, pourtant il n'avait pas perdu son apparence de lutin. Amelia le connaissait depuis si longtemps qu'elle se sentait bien en sa compagnie. Elle se demandait même si ça n'avait pas été une erreur de lui refuser sa main si souvent. Peut-être auraient-ils pu être heureux ensemble.

490

Mais il n'aurait obtenu d'elle qu'une demi-mesure. Il aurait dû épouser Marianne qui continuait à l'adorer. Mais alors c'est elle qui n'aurait eu qu'une demi-mesure. Peut-être les choses étaient-elles mieux ainsi.

La salle à manger était magnifique. Les plus beaux cristaux et la plus belle argenterie avaient été disposés sur une longue table recouverte d'une nappe blanche. Le service en porcelaine de Charlotte, envoyé spécialement de Londres, garnissait harmonieusement la table et ses magnifiques chandeliers en argent donnaient une atmosphère chaleureuse à la pièce. La lumière scintillait sur les bijoux, sur les riches tissus des dames et sur les boutons dorés et les boucles des messieurs. Amelia prit place à table avec Zach à sa droite et Ben à sa gauche et jeta aussitôt un regard ravi autour d'elle. Même si elle avait épousé le comte que son père lui avait promis il y avait si longtemps, son époux n'aurait rien pu lui offrir de plus somptueux.

La nourriture était son seul problème. Elle ne pouvait plus avaler. Elle avait l'impression qu'il y avait une espèce de porte fermée à double tour à l'intérieur d'elle-même qui empêchait les aliments de passer. Sa bouche, sa langue accueillaient avec plaisir les délicieuses bouchées d'agneau, sa gorge était prête à les accepter mais elle sentait que la viande ne pourrait pas aller plus loin. Elle pouvait se débrouiller avec les légumes et le vin mais la viande, elle n'osait plus y toucher. Ben, voyant ce qui la préoccupait, piqua les tranches de viande avec sa fourchette dans l'assiette de sa voisine et les fit glisser dans la sienne.

« Petit gourmand ! » dit-elle en lui adressant un sourire espiègle. Il la regarda tristement. C'était ce même regard qu'avait eu Prissie, le regard de ceux qui l'aimaient et qui ne l'avaient pas vue depuis un certain temps. C'était un regard rempli d'amour et de pitié, qui rappelait les fins dernières de l'homme et lui faisait comprendre à quel point elle était malade.

« Je vais bien, dit-elle gentiment. Ne me regarde pas comme ça. »

Il détourna la tête et elle vit les muscles de son cou se tendre comme s'il essayait de retenir ses larmes.

Après que les esclaves eurent rempli les verres de vin doux, Zach se mit debout. Les bruits de voix, les rires un peu trop bruyants cessèrent. Il resta ainsi la tête légèrement penchée durant un instant et Amelia comprit que ce frère à l'ambition démesurée et sans pitié était submergé par l'émotion. Il releva la tête et commença à parler avec des larmes au bord des yeux.

« Mesdames, messieurs, mes chers parents, mes chers amis, commença-t-il d'une voix étranglée. Je suis heureux de vous accueillir ici aujourd'hui pour ce qui est sans doute le plus beau jour de ma vie.

« Mon fils bien-aimé m'a donné un petit-fils, un garçon solide, respirant la santé, qui ne peut qu'apporter encore plus de bonheur à la famille Quick. Il appartient d'autant mieux à notre famille que son autre grand-père est William Rosier-Quick, le fils de ma chère sœur Amelia, qui est assise à côté de moi.

« Ce soir, je vous demande de bien vouloir me pardonner le péché d'orgueil car je vais le commettre à maintes reprises. Je suis fier de ma sœur et de mon cousin Ben, je suis fier de ma femme et de mes enfants et je suis particulièrement fier de mon petit-fils qui vient de naître. Et c'est pour moi une grande fierté de savoir qu'un jour ce nouveau membre de la famille Quick héritera des trois plus grandes et plus belles plantations de St. Christopher. Il sera l'héritier de ce que ma sœur et moi avons réalisé depuis que nous sommes sur cette île, c'est-à-dire depuis presque quarante-deux ans.

« Je crois qu'il est temps maintenant de vous parler de nos débuts, comment nous sommes arrivés ici sales, affamés, terrifiés, considérés par notre pays comme des traîtres. » Il hocha la tête solennellement tandis qu'un murmure parcourait l'assemblée. « Tout au long de ces années, depuis ce matin de janvier qui vit ma sœur, mon cousin et moi-même vendus au marché des esclaves d'Old Town Road, je me suis efforcé de cacher nos débuts. Mais aujourd'hui, je comprends que ma honte était injustifiée. Aujourd'hui, je suis fier de ce que nous avons fait.

« Parmi nous, il n'y a que ma sœur, mon cousin et ma femme qui sachent ce que je vais vous dire. Nos ennuis ont commencé lorsque mon père trouva la mort dans la bataille de Sedgemoor alors qu'il combattait pour Monmouth, au cours de cette rébellion qui eut lieu il y a bien longtemps en Angleterre. Ses enfants, malgré leur noblesse, furent condamnés à dix ans de travaux forcés aux Antilles... »

Il s'arrêta et Amelia le regarda bouche bée. Elle ne pouvait en croire ses oreilles. Toutes ces années de secret évanouies dans cette explosion étonnante de sincérité. Elle se tourna vers

Ben qui avait un petit sourire sur le visage. « Je me demande s'il va parler de l'époque où il était pirate ? » lui glissa-t-il à l'oreille.

L'assistance était médusée. Personne ne bougeait tandis que Zach continuait son récit.

« C'est dans cette même plantation, Windsong, que nous fûmes vendus. J'ai travaillé dans les champs de canne à sucre avec les autres esclaves tandis que ma sœur et mon cousin Ben travaillaient comme domestiques dans la maison. Nous dormions dans la case des esclaves, nous n'avions aucun privilège. Absolument aucun. »

Il s'arrêta de nouveau et Amelia remarqua que Charlotte tripotait son éventail. Sa famille risquait de ne pas se sortir honorablement de tout ça.

« Mais, comme certains peuvent s'en souvenir, cette terrible sentence de dix ans fut abrogée quand le bon roi Guillaume monta sur le trône. On nous libéra. Nous étions seuls, sans argent, mais libres. Bien entendu, mille choses nous arrivèrent par la suite. Mais nous avons survécu et nous avons réussi. Et il y a aussi une histoire d'amour... » Il se pencha pour prendre la main de Charlotte et la fit se lever.

« Oubliés les pirates, la taverne, Joshua, murmura Ben.

— ... avec ma chère épouse que je suis fier d'avoir à côté de moi ce soir. Son cœur lui dit qu'elle pouvait aimer ce "traître" au point de lui donner sa main, en dépit du passé horrible qui nous avait été imposé.

« Et ce fut son père, un véritable gentleman, qui m'a aidé à suivre la bonne route au long de ces années passées au service de cette île qui est devenue si chère à mon cœur. Mon fils James continue à la servir comme le fait mon neveu William. Et je vous promets que mon petit-fils Bienvenu continuera lui aussi la tradition. » Il leva son verre puis ajouta : « Vous pouvez vous demander pourquoi je vous dis tout ça. Je le dis par fierté, non pour parler uniquement de ma réussite, mais de celle de tous ceux, hommes et femmes, qui sont assis à cette table.

« Nous, les exilés, nous sommes un peuple d'une grande force. Nous travaillons avec acharnement pour survivre. Voyez ce que nous avons fait de cette petite île. Nous avons une économie florissante, une ville prospère, de belles maisons. Nous avons créé de grandes richesses malgré nos débuts modestes. Nos plantations enrichissent la mère patrie. Pourtant nous sommes loin de chez nous, nous vivons dans un climat difficile, entourés d'un peuple étranger.

« Mes débuts ici ne ressemblent pas aux vôtres, mais chacun de nous a pris en main son propre destin. Vos ancêtres sont arrivés sur cette terre pleins de projets et de perspectives d'avenir, avec peut-être au cœur quelques angoisses. Pourtant ils en ont fait un morceau d'Angleterre. Nous continuons la tradition. L'Angleterre doit être fière de nous tous. » Il leva son verre un peu plus haut. « Donc, je vous demande de boire à l'avenir de St. Kitts et à mon petit-fils. Puissent-ils l'un et l'autre être toujours prospères. »

Il s'assit sous un tonnerre d'applaudissements. Les hommes se levèrent pour porter des toasts et leurs visages rouges luisaient à la lueur des chandelles. William paraissait avoir quelques difficultés à cacher une expression de consternation et le sourire de Charlotte paraissait plutôt forcé.

« Dis-moi un peu pourquoi tu as fait cela ? » demanda Amelia à son frère tandis que crépitaient les applaudissements.

Il redressa les épaules et leva la tête. « Il était temps qu'on connaisse la vérité, lui répliqua-t-il.

— Toujours aussi pontifiant, lui dit-elle pour le taquiner. Je sais ce que tu cherches. Tu veux te transformer en légende, n'est-ce pas ? Mais tu as laissé beaucoup de choses de côté. »

Il ouvrit la bouche pour protester mais vit le rire qui plissait les yeux de sa sœur. Il leva les siens au ciel avant d'éclater de rire, l'air légèrement penaud.

« Oh Amelia, soupira-t-il. Tu ne changeras donc jamais ? »

Ce fut Ben qui s'aperçut que quelque chose n'allait pas. Amelia avait commencé à ne pas se sentir bien une minute à peine après son petit échange avec Zach. Bien qu'elle eût envie de vomir, elle n'avait ni plus ni moins mal qu'avant, mais l'état de torpeur dans lequel elle se trouvait depuis le début de la journée s'était aggravé. Elle n'avait qu'une envie : se coucher et dormir pour toujours. Il lui était difficile de respirer et elle avait effroyablement chaud. Elle sentait la sueur dégouliner entre ses seins et les petites boucles sur son front collaient à sa peau. Comme elle s'efforçait de retrouver une contenance, Ben lui prit la main et se tourna vers elle.

« Il y a quelque chose qui ne va pas ? demanda-t-il l'air inquiet.

— C'est seulement cette chaleur étouffante, dit-elle. J'ai

besoin d'un peu d'air frais. Je vais m'échapper un petit moment.

— Laisse-moi t'accompagner. »

Elle semblait fiévreuse mais parvint à lui sourire avec coquetterie, se demandant d'ailleurs pourquoi elle agissait ainsi.

« Ce n'est pas nécessaire. Je préfère être seule. Je serai de retour dans dix minutes à peine. » Ben parut blessé et déçu. « Si ce n'était pas le cas, dit-elle avec insouciance, tu peux venir me chercher. Mais je serai de retour. Oui, oui, je serai de retour et peut-être je comblerai les lacunes de l'histoire que Zach a racontée à ses invités. »

Elle s'entendit rire légèrement tandis qu'elle prenait conscience du regard inquiet de Ben.

« Ça va », répéta-t-elle sans croire un instant à ce qu'elle disait car elle se sentait extrêmement bizarre.

Au fur et à mesure que les verres de bordeaux et de cognac se remplissaient, le bruit dans la pièce devenait assourdissant. Impatiente de sortir, Amelia se leva, chercha son équilibre en s'agrippant à la table, et commença à marcher vers la porte. Zach, qui parlait à tue-tête dans la direction opposée, ne la vit pas partir. Tansie s'en aperçut mais Amelia lui fit un petit signe rassurant au moment où elle sortait prudemment de la salle à manger.

Dans le couloir, elle appuya son dos contre la porte fermée pour reprendre son souffle. Elle passa ses avant-bras nus sur son front pour essuyer la sueur. Elle avait l'impression que la douleur qui la harcelait constamment s'était un peu calmée, peut-être le bordeaux y était-il pour quelque chose. Mais elle ne comprenait pas pourquoi elle se sentait si terriblement fatiguée et curieusement étourdie. Aurait-elle la fièvre ? Les chandelles lui apparaissaient insupportablement éclatantes, des points aveuglants qui lui faisaient mal aux yeux. Les lumières du monde. Ces chandelles étaient les lumières du monde. Elles chassaient l'obscurité et empêchaient la peur de la submerger.

Elle secoua la tête pour s'éclaircir l'esprit et tendit l'oreille. Ici dans le hall, loin du bruit de la fête, les hurlements du vent régnaient en maître, faisant grincer la cheminée et étouffant les bruits du banquet. L'ouragan s'attaquait aux murs puissants de la maison et secouait la porte d'entrée, comme s'il voulait faire entrer le million de sorcières qui couraient dans la nuit.

Amelia avait déjà entendu les cris hallucinants des ouragans mais jamais aussi fort qu'aujourd'hui. « Windsong, Windsong. Chante vent, dit-elle à voix haute. Chante ton chant sauvage et indomptable. Le chant de nos îles. »

Lentement, exaspérée par sa propre faiblesse, elle se traîna vers la porte d'entrée de la maison. Elle voulait se tenir dans le vent et sous la pluie, elle éprouvait le besoin de faire partie de cette symphonie. Au cœur de ces rugissements implacables, quelque chose l'appelait. Elle n'avait pas peur d'entendre son nom parmi les cris du vent, elle se rendait compte qu'elle avait attendu cet appel des éléments depuis longtemps déjà. Elle y avait échappé un jour lorsque la mer avait failli l'entraîner. Maintenant, elle voulait croire que la nature lui montrait sa propre fin avant de l'emporter, le moment venu.

L'esclave qui servait de portier était sorti de son cagibi et la regardait, l'air perplexe. Elle pensait qu'il s'agissait de Daniel, le mari de Vérité. Elle lui sourit.

« Ouvre-moi la porte, Daniel », dit-elle.

L'esclave parut inquiet.

« C'est Joseph, madame, et j'ai peur d'ouvrir cette porte. Si je l'ouvre, la maison entière va s'envoler. »

Elle secoua la tête avec impatience. « Elle ne s'envolera pas. Pas la maison. C'est un vent d'ici. Un vent pour Windsong. Le vent chante pour Windsong. Ouvre la porte, Daniel. Je veux sortir. Et referme-la derrière moi, dit-elle d'une voix sans réplique.

— Je vais essayer, madame Amelia », dit-il mal à l'aise. Amelia se rendait compte qu'elle lui faisait peur.

Il tourna la grande clé et tira les lourds verrous. Il commença à entrouvrir la porte. Le vent d'une rafale l'enfonça et s'engouffra dans la maison avec, aurait-on dit, un cri de joie. Amelia éclata de rire devant cette insolence. Contournant le courant d'air, s'agrippant aux montants de la porte, elle parvint à gagner les marches du perron. Elle resta là, se cramponnant à la rampe tandis que Joseph se battait pour refermer la porte derrière elle, comme elle le lui avait commandé. Le vent lui tirait la peau en arrière, découvrait ses dents. Elle se mit de profil et commença à descendre les marches, tandis qu'elle sentait ses cheveux lui fouetter le visage. Ses bijoux et ses épingles tombaient par terre. Elle leva la tête vers le ciel pour que la pluie la rafraîchisse. Elle était déjà trempée, sa robe émeraude collait à son corps. Excitée, elle éclata de rire en regardant le ciel. Puis soudain, la tempête se calma. Il y eut un brusque silence. Elle s'arrêta, tendit l'oreille la tête penchée et sentit son excitation disparaître.

Dans ce brusque silence, elle venait de comprendre ce qu'elle était en train de faire. La pluie avait fait tomber sa fièvre et lui permettait maintenant de reprendre ses esprits. Elle s'avança dans le jardin avec l'intention de gagner la retenue d'eau où elle avait fait l'amour pour la première fois avec Joshua. Quelque chose lui disait que le moment était venu, et que c'était le seul endroit où elle voulait être. Tout était fini, proprement, nettement, parfaitement. Sa vie et la vie de ceux qu'elle aimait étaient en ordre. Pour elle, il n'y avait rien d'autre à faire que d'attendre que l'ennemi à l'intérieur d'elle l'emporte. Mais peut-être pouvait-elle le prévenir, lui dérober sa proie. Elle se remit à marcher mais le vent recommença à souffler, avec des rafales d'une violence inouïe. Elle se battait contre lui, mais pour chaque pas en avant, il la repoussait de deux en arrière. Puis une bourrasque encore plus violente la souleva de terre, la fit voltiger et la laissa retomber lourdement sur le sol. Il lui était maintenant impossible de se relever. Chaque fois qu'elle s'y essayait, le vent la jetait par terre comme pour la punir d'oser lutter contre lui.

« C'est toi qui as gagné ! » dit-elle pour la deuxième fois ce soir, en s'allongeant dans l'herbe fraîche et détrempée, se rendant compte qu'elle ne souhaitait pas réellement se relever. Elle avait simplement obéi à un instinct qui l'avait conduite toute sa vie : le refus de se voir battue. Mais maintenant il n'y avait plus aucune raison de combattre. Il était temps de renoncer, temps de se reposer, temps de trouver la paix.

Ses yeux étaient fermés et elle était parfaitement calme quand Ben finit par la trouver. Il l'appela par son nom, désespéré, et pour la dernière fois, elle tourna ses immenses yeux verts sur lui.

« Je savais que tu viendrais, dit-elle en cherchant à lui prendre la main. Oh, Ben, est-ce que tout cela n'a pas été merveilleux ! »

Et comme elle fermait de nouveau les yeux, un sourire naquit sur son visage.

Achevé d'imprimer en janvier 1995
sur presse CAMERON,
dans les ateliers de B.C.I.
à Saint-Amand-Montrond (Cher)
pour le compte de France Loisirs, Paris

— N° d'édit. 24915. — N° d'imp. 1/025. —
Dépôt légal : février 1995.
Imprimé en France